Ronde de nuit

Sarah Waters

Ronde de nuit

roman

Traduit de l'anglais
par Alain Defossé

DENOËL
& D'AILLEURS

Titre original :
The Night Watch

Éditeur original :
Virago

À Lucy Vaughan

1947

1

Donc voilà, se dit Kay, voilà le genre de personne que je suis devenue : quelqu'un dont les pendules et les montres se sont arrêtées, et qui peut dire l'heure en regardant en bas quel nouvel estropié sonne à la porte de son logeur.

Elle se tenait devant la fenêtre ouverte, vêtue d'une chemise sans col et d'une culotte grisâtre, fumant une cigarette et observant les allées et venues des patients de Mr Leonard. Ils étaient ponctuels — si ponctuels qu'elle pouvait effectivement dire l'heure en les voyant arriver : la femme au dos cassé, le lundi à dix heures ; le soldat blessé, le mardi à onze. Tous les jeudis, c'était un homme âgé, assisté par un jeune homme à l'air un peu égaré : Kay aimait bien surveiller leur arrivée. Elle aimait bien les voir remonter lentement la rue : l'homme impeccable dans son costume sombre de croque-mort, le garçon sérieux, patient, séduisant aussi — comme une allégorie de la jeunesse et du grand âge, se disait-elle, sur une toile de Stanley Spencer, ou un de ces peintres modernes excessivement réalistes. Après eux, c'était le tour d'une femme accompagnée de son fils, un gamin affligé de lunettes et d'un pied bot ; après, d'une vieille Indienne souffrant de rhumatismes. Le petit garçon traînait parfois, s'amusant à gratter la mousse et la poussière accumulées entre les dalles brisées de l'allée avec

11

sa chaussure d'infirme, tandis que sa mère discutait avec Mr Leonard, dans l'entrée. Une fois, récemment, elle avait levé les yeux et vu Kay qui les observait ; et elle avait entendu le petit faire une comédie dans l'escalier car il ne voulait pas aller aux toilettes tout seul.

« C'est à cause des anges sur la porte ? avait-elle entendu la mère demander. Mais enfin, ce ne sont que des images ! Un grand garçon comme toi ! »

Kay devinait que ce n'étaient pas les blafards anges edwardiens de Mr Leonard qui l'effrayaient, mais la possibilité de la rencontrer, elle. Il devait imaginer qu'elle hantait le dernier étage, sous les toits, comme un fantôme ou une folle.

Il avait raison, d'une certaine manière. Car il lui arrivait d'aller et venir sans cesse, comme les fous, dit-on. Ou bien elle demeurait assise pendant des heures d'affilée — plus immobile qu'une statue, car elle observait les ombres rampant sur le tapis. Alors il lui semblait réellement être un fantôme, peut-être, devenir partie intégrante de la matière usée de la maison, se dissoudre dans l'ombre qui s'accumulait comme la poussière dans ses angles bizarres.

Un train passa, entrant dans la gare de Clapham Junction, à deux rues de là ; elle sentit la vibration dans le rebord de fenêtre sous ses bras. L'ampoule d'une lampe derrière son épaule ressuscita soudain, clignota une seconde comme un œil irrité, puis s'éteignit. Le mâchefer dans la cheminée — une vilaine petite cheminée, la pièce était autrefois une chambre de bonne — tomba lentement. Kay prit une dernière bouffée de sa cigarette, puis la pinça entre le pouce et l'index pour l'éteindre.

Cela faisait plus d'une heure qu'elle était à la fenêtre. Nous étions mardi : elle avait vu arriver un homme au nez retroussé, avec un bras abîmé, vaguement attendu les deux

12

modèles de Stanley Spencer. Et puis elle avait décidé de laisser tomber. De sortir un peu. Il faisait beau, après tout : c'était la mi-septembre, le troisième mois de septembre d'après-guerre. Elle passa dans la pièce voisine, qu'elle utilisait comme chambre, et commença de se changer.

La pièce était plongée dans la pénombre. Certaines vitres avaient été soufflées, et Mr Leonard les avait remplacées par du lino. Le lit était haut, et recouvert d'un dessus-de-lit en chenille de coton relativement pelée : le genre de lit qui vous forçait à penser, de manière déplaisante, à tous les êtres qui au cours des années y avaient dormi, fait l'amour, tourné et viré en proie à la fièvre, y étaient nés, y étaient morts. Il en émanait une odeur légèrement aigre, comme celle d'un pied de bas porté dans la journée. Mais Kay y était habituée, et ne la remarquait plus. Pour elle, cette pièce n'était qu'un endroit où dormir, ou bien rester allongée sans dormir. Les murs en étaient vides, neutres, comme quand elle y avait emménagé. Elle n'y avait jamais accroché un tableau, installé des livres ; elle ne possédait ni tableaux ni livres ; elle ne possédait pas grand-chose. Elle avait juste fixé une longueur de fil de fer dans un angle, auquel elle suspendait ses vêtements sur des cintres de bois.

Ses vêtements, au moins, étaient impeccables. Elle les passa en revue, choisit une paire de chaussettes soigneusement reprisées et un pantalon de bonne coupe. Elle ôta sa chemise pour en passer une plus propre, avec un col blanc souple qu'elle pouvait porter ouvert, comme une femme.

Mais ses chaussures étaient des chaussures d'homme ; elle passa une minute d'horloge à les lustrer. Puis elle glissa des boutons de manchette à ses poignets et brossa ses courts cheveux bruns, ajoutant une touche de brillantine. Les gens qui la croisaient dans la rue, sans trop faire attention, la prenaient souvent pour un charmant jeune homme.

13

Régulièrement, on l'appelait « mon garçon », voire même « fiston », les vieilles dames surtout. Mais en observant un peu son visage, on y voyait aussitôt les marques de l'âge, les fils blancs dans la chevelure ; en fait, elle aurait trente-sept ans à son prochain anniversaire.

En descendant, elle se faisait aussi discrète que possible, pour ne pas déranger Mr Leonard ; mais il était difficile de ne pas faire de bruit, avec les craquements et grincements de l'escalier. Elle passa aux toilettes, puis fit halte deux minutes à la salle de bains pour se laver le visage et se brosser les dents. Une lueur verte baignait son visage, à cause du lierre qui envahissait la fenêtre. L'eau donnait des à-coups et crachotait dans les tuyaux. Il y avait une clef plate accrochée à côté du robinet, car elle restait parfois complètement bloquée — et il fallait cogner ici et là sur la tuyauterie pour qu'elle jaillisse de nouveau.

La pièce jouxtant la salle de bains était le cabinet de Mr Leonard et, par-dessus le frottement de la brosse dans sa propre bouche et les éclaboussures de l'eau dans le lavabo, Kay percevait son monologue dense et continu, tandis qu'il travaillait sur l'homme au nez retroussé et au bras abîmé. Comme elle sortait de la salle de bains et passait silencieusement devant la porte, les paroles lui parvinrent plus clairement.

« Eric, entendit-elle, il faut *mmm-mmmm*. Sinon comment pourrez-vous *zzzzz-zzzz* lorsque *mmmm-zzzz*cupéré entièrement ? »

Elle descendit furtivement, ouvrit la porte simplement fermée au loquet, et demeura un long moment sur le seuil — hésitant presque, à présent. La blancheur du ciel la fit cligner des paupières. La journée paraissait toute molle, soudain : absolument pas superbe, mais vidée de toute énergie, épuisée. Il lui semblait sentir déjà la poussière se

14

déposer sur ses lèvres, ses cils, aux coins de ses yeux... Mais pas question de renoncer. Il lui fallait bien faire honneur à ses cheveux fraîchement brossés ; à ses chaussures bien cirées, à ses boutons de manchette. Elle descendit le perron et se mit à marcher. Elle avait la démarche d'une personne qui sait exactement où elle va, et pourquoi — alors qu'en réalité, elle n'avait rien à faire, aucune visite à rendre, personne à voir. Sa journée était vacante, comme toutes ses journées. Elle aurait aussi bien pu inventer à chaque pas, laborieusement, le sol sur lequel elle avançait.

Elle prit vers l'est, par les rues dévastées et soigneusement nettoyées, en direction de Wandsworth.

« Pas trace du colonel Barker, aujourd'hui, oncle Horace », fit Duncan, levant la tête vers les fenêtres du dernier étage, comme Mr Mundy et lui approchaient de la maison.

Il était un peu déçu. Il aimait bien voir la pensionnaire de Mr Leonard. Il aimait sa coupe de cheveux audacieuse, ses tenues masculines, son profil aigu, distingué. Il pensait qu'elle avait pu être pilote de chasse, sous-officier chez les WAAF, quelque chose de ce genre : une de ces femmes, en d'autres termes, qui s'étaient battues si vaillamment pendant la guerre et se retrouvaient maintenant sur la touche. « Colonel Barker », c'est ainsi que l'appelait Mr Mundy. Lui aussi aimait bien la voir là, à la fenêtre. Il leva les yeux, hocha la tête puis la baissa et se remit à marcher, trop essoufflé pour pouvoir parler.

Duncan et lui avaient effectué tout le trajet depuis White City jusqu'à Lavender Hill. Ils avaient pris leur temps, changeant plusieurs fois de bus, s'arrêtant pour se reposer ; il leur fallait presque la journée pour venir jusqu'ici et rentrer après. Duncan prenait toujours son mardi, et rattrapait ses heures le samedi. Ils étaient chouettes pour ça, à l'usine où il travaillait. « Son oncle, c'est tout, pour ce garçon ! » avait-il entendu dire, plus d'une fois. Ils ne savaient pas que Mr Mundy n'était pas vraiment son oncle. Ils ne savaient pas quels soins Mr Leonard lui prodiguait ; sans doute pensait-on qu'il se rendait à l'hôpital. Duncan les laissait croire ce qu'ils voulaient.

Il guida Mr Mundy à l'ombre de la maison un peu penchée. Elle semblait toujours singulièrement effrayante, se dit-il, ainsi dressée au-dessus de vous. Car c'était la dernière encore debout de ce qui, avant la guerre, était toute une rue de maisons mitoyennes ; elle en portait toujours comme des cicatrices, à chaque flanc, là où elle touchait ses sœurs siamoises, le zigzag des escaliers fantômes et la marque creuse des cheminées disparues. Duncan n'arrivait pas à comprendre comment elle tenait encore ; en pénétrant dans l'entrée avec Mr Mundy, il n'avait jamais pu se défaire du sentiment qu'un jour, il claquerait la porte un tantinet trop fort, et que tout s'effondrerait autour d'eux.

Il referma donc la porte doucement ; après quoi, la maison paraissait plus ordinaire. L'entrée était plongée dans une pénombre ouatée ; des chaises au dossier raide la cernaient, un portemanteau sans manteau, et deux ou trois plantes pâlichonnes ; au sol, un motif de dalles noires et blanches dont certaines, descellées, montraient le gris du ciment au-dessous. L'abat-jour était une ravissante coquille de porcelaine — probablement destinée à un bec de gaz, à l'origine, mais à présent équipée d'une ampoule dans une douille de bakélite et d'un fil marron un peu effrangé.

Duncan remarquait ces petites imperfections, ces détails ; c'était un des plaisirs de sa vie. Plus ils arrivaient tôt, plus il était content, car cela lui donnait le temps d'aider Mr Mundy à s'asseoir sur une chaise et de faire ensuite, tranquillement, le tour de la pièce en inspectant tout. Il

16

admirait la rambarde d'escalier joliment sculptée, et les barreaux aux extrémités de cuivre terni. Il aimait bien tel bouton d'ivoire décoloré sur une porte de placard, et la peinture des lambris, un faux bois réalisé au peigne. Mais surtout, au fond du couloir menant au sous-sol, se trouvait une table de bambou, couverte de bibelots criards ; et parmi les chiens et chats de plâtre, les presse-papiers et vases en majolique, son objet préféré : une vieille coupe étincelante de reflets, très belle, ornée d'un motif de serpents et de fruits. Mr Leonard y mettait des noix poussiéreuses, avec un casse-noix de fer, et Duncan ne s'en approchait jamais sans ressentir jusqu'à la moelle de ses os le petit drame qui se produirait si quelque main imprudente saisissait le casse-noix et le laissait tomber contre la porcelaine.

Mais les noix étaient à leur place, comme toujours, couvertes d'une pellicule de poussière ouatée, intacte ; et Duncan eut aussi le temps d'examiner deux tableaux accrochés de biais au mur — car tout était de biais, dans cette maison. Ils se révélèrent plutôt banals dans leur cadre en Oxford très ordinaire. Mais cela aussi lui procura un certain plaisir — quoique différent —, celui qu'il prenait à regarder un objet peu esthétique et à se dire : *Toi, tu n'es pas à moi, et je ne suis pas obligé de te vouloir !*

Percevant du mouvement dans la pièce au-dessus, il retourna vivement aux côtés de Mr Mundy. Une porte s'était ouverte sur le palier, et il entendait des voix : c'était Mr Leonard prenant congé du jeune homme qui avait toujours rendez-vous avant eux. Duncan aimait bien croiser cet homme, presque autant qu'il aimait voir le colonel Barker et la coupe de porcelaine ; il était sympathique. Ce pouvait être un marin. « Ça va, les gars ? » fit-il, adressant un vague clin d'œil à Duncan. Il demanda quel temps il faisait à présent, et s'enquit de l'arthrite de Mr Mundy — tout en tirant une cigarette d'un paquet et la portant à ses lèvres, avant de sortir une boîte d'allumettes et d'en craquer une ; tout cela d'une seule main, en un geste aisé et naturel, tandis que son autre bras, atrophié, pendait à son flanc.

Pourquoi venait-il, se demandait toujours Duncan, alors qu'il s'en sortait si bien ainsi ? Peut-être cherchait-il l'âme sœur ; car évidemment, le bras pouvait être dissuasif pour une jeune fille.

Le jeune homme remit la boîte d'allumettes dans sa poche et s'en alla. Mr Leonard accompagna Duncan et Mr Mundy à l'étage — lentement, bien sûr, laissant Mr Mundy imposer son rythme.

« Quelle plaie, alors, dit Mr Mundy, gêné. Qu'est-ce qu'on peut bien faire de moi ? Me jeter aux ordures, oui.

— Allons, allons ! » fit Mr Leonard.

Duncan et lui aidèrent Mr Mundy à entrer dans la salle de consultation. Ils l'assirent sur une autre chaise au dossier de bois, lui ôtèrent sa veste, s'assurèrent qu'il était bien installé. Mr Leonard sortit un carnet noir et y jeta un bref coup d'œil ; puis il prit place en face de Mr Mundy, sur une chaise tout aussi raide. Duncan alla à la fenêtre et s'assit sur une sorte de coffre rembourré posé là, la veste de Mr Mundy sur les genoux. La fenêtre était ornée d'un rideau légèrement avachi sur son fil de fer, et d'où émanait une odeur âcre. Les murs étaient recouverts de papier gaufré à motifs en relief, et laqués de marron chocolat.

Mr Leonard se frotta les mains. « Bien, dit-il, comment allons-nous, depuis la dernière fois ? »

Mr Mundy pencha la tête. « Pas trop brillant, dit-il.

— Toujours ces sensations de douleur ?

— Je n'arrive pas à m'en débarrasser.

18

— Mais vous n'avez eu recours à aucun remède frelaté, d'aucune sorte ? »

Mr Mundy remua la tête, mal à l'aise. « Mon Dieu, avoua-t-il au bout d'une seconde, une petite aspirine, peut-être. »

Mr Leonard rentra le menton et regarda Mr Mundy comme pour dire : *Ah la la...* « Bon, vous savez très bien à quoi ressemble une personne qui utilise en même temps les remèdes illusoires et la thérapie spirituelle, n'est-ce pas ? Elle ressemble à un âne tiré par deux maîtres à la fois : ça n'avance pas. Vous le savez, n'est-ce pas ?

— Mais c'est tellement douloureux... dit Mr Mundy.

— La douleur ! » s'exclama Mr Leonard, avec un mélange d'amusement et de mépris total. Il s'agita sur sa chaise. « Cette chaise souffre-t-elle de devoir supporter mon poids ? Pourquoi pas, puisque le bois dont elle est faite est tout aussi matériel que l'os et le muscle de votre jambe, dont vous dites qu'ils vous font mal de devoir supporter *votre* poids ? Tout cela parce que personne n'imagine qu'une chaise *puisse* souffrir. Si vous ne croyez pas en la douleur de votre jambe, cette jambe deviendra aussi insensible, aussi négligeable à vos yeux que le bois de cette chaise. Vous le savez bien, n'est-ce pas ?

— Oui, dit Mr Mundy, l'air soumis.

— Oui, répéta Mr Leonard. Bien, commençons. »

Duncan demeurait immobile. Il fallait rester parfaitement immobile et silencieux durant toute la séance, mais surtout maintenant, tandis que Mr Leonard rassemblait ses esprits, son énergie, concentrait toutes ses forces afin de pouvoir s'attaquer à la fausse idée que Mr Mundy se faisait de son arthrite. Pour ce faire, il renversait légèrement la tête et observait avec une grande intensité, non pas Mr Mundy, mais une photo accrochée au-dessus de la che-

19

minée, représentant une femme au regard doux vêtue d'une robe victorienne à col montant, et que Duncan savait être Mrs Mary Baker Eddy, fondatrice de la Christian Science. Sur le cadre noir qui entourait la photo, quelqu'un — peut-être Mr Leonard lui-même — avait inscrit une phrase à la peinture émaillée, d'une main malhabile : *Soyez toujours le gardien à la porte de la Pensée.*

À chaque fois, cette phrase lui donnait envie de rire : non qu'il la trouvât particulièrement comique, mais rire, en cet instant justement, aurait été une erreur fatale ; et à chaque fois, à cet instant précis, il sentait la panique le gagner peu à peu, à l'idée de devoir rester si longtemps immobile et silencieux : il allait forcément émettre un bruit quelconque, esquisser un geste — sauter sur sa chaise, se mettre à pousser des cris aigus, avoir une quinte... Mais c'était déjà trop tard. Mr Leonard avait changé de position — il se tenait penché, fixant Mr Mundy. Et quand il reprit la parole, c'était dans un chuchotement, mais un chuchotement intense, tout empreint d'un sentiment d'urgence et de foi.

« Cher Horace, dit-il, il faut m'écouter. Tout ce que vous pensez de votre arthrite est erroné. Vous ne souffrez pas d'arthrite. Vous ne souffrez pas. Vous n'êtes pas soumis à ces pensées et croyances selon lesquelles la maladie et la douleur priment sur tout et régissent tout... Écoutez-moi, cher Horace. Vous n'avez pas peur. Aucun souvenir ne vous effraie. Aucun souvenir ne peut vous faire croire que le malheur s'attaquera de nouveau à vous. Vous n'avez rien à craindre, cher Horace. L'amour est avec vous. L'amour vous emplit et vous entoure... »

Les mots tombaient, encore et encore — comme une pluie de coups très doux donnés par un amant sévère. Il était impossible, se dit Duncan — oubliant soudain son désir de rire —, de ne pas vouloir se soumettre à la passion qui en émanait ; impossible de refuser d'en être impressionné, touché, convaincu. Il pensa au jeune homme au bras perdu ; imagina l'homme assis là, à la place de Mr Mundy, en train d'écouter ces mots, « L'amour vous emplit », « Vous n'avez rien à craindre », et de prier, prier pour que son bras grandisse, prenne forme. Une telle chose était-elle possible ? Duncan, pour Mr Mundy, pour le jeune homme, voulait croire que oui. Il le voulait plus que tout au monde.

Il regarda Mr Mundy. Peu après le début de la séance, il avait fermé les yeux ; tandis que le chuchotement se poursuivait, il se mit à pleurer, tout doucement. Les larmes coulaient en ruisselets sur ses joues, se réunissant sous son menton, mouillant son col de chemise. Il ne faisait aucune tentative pour les arrêter, gardait les mains posées, inertes, sur ses cuisses, ses doigts aux ongles soignés se crispant par instants ; de temps à autre, un grand soupir gonflait sa poitrine, puis lui échappait dans un lourd sanglot.

« Cher Horace, continuait Mr Leonard, aucun esprit n'a le moindre pouvoir sur vous. Je réfute l'existence de vos troubles. Les troubles n'existent pas. J'affirme la réalité de l'harmonie, son pouvoir sur vous, sur chacun de vos organes : sur vos bras, sur vos jambes ; sur vos yeux ; sur votre foie et sur vos reins ; sur votre cœur et sur votre cerveau, sur vos viscères. Tous ces organes sont en parfait état. Horace, écoutez-moi... »

Il continua quarante-cinq minutes ainsi ; puis il se redressa, aucunement fatigué. Mr Mundy tira enfin son mouchoir, se moucha et s'essuya le visage. Mais ses larmes étaient déjà sèches ; il se leva sans aide, et parut marcher un peu plus aisément, être un peu moins abattu. Duncan lui apporta sa veste. Mr Leonard se leva à son tour, s'étira, but une gorgée d'un verre d'eau. Lorsque Mr Mundy le paya, il prit l'argent avec un profond air d'excuse.

21

« Et ce soir, dit-il, je vous inscris dans ma bénédiction quotidienne. Serez-vous prêt ? À neuf heures et demie, disons ? » Car, Duncan le savait, il ne voyait jamais nombre de ses patients : des gens qui lui envoyaient de l'argent, et sur lesquels il travaillait à distance, ou par lettre, par téléphone.

Il serra la main de Duncan. Sa paume était sèche, ses doigts doux et lisses comme ceux d'une jeune fille. Il sourit, mais son regard semblait tourné vers l'intérieur, comme celui d'une taupe. En cet instant, il aurait pu être aveugle.

Et combien ce serait étrange, pensa soudain Duncan, s'il l'était effectivement !

Cette idée lui donna de nouveau envie de rire. Et une fois rejoint l'allée devant la maison, avec Mr Mundy, il rit ; et Mr Mundy se joignit à son hilarité, se mit à rire lui aussi. C'était là une sorte de réaction nerveuse à la pièce, au silence, au doux tir de barrage de paroles apaisantes. Leurs regards se croisèrent et, en quittant l'ombre de la maison penchée pour se diriger vers Lavender Hill, ils riaient comme deux gamins.

« Je ne veux pas d'une femme sans cervelle, disait l'homme. J'ai eu ma dose avec ma dernière petite amie, je vous prie de me croire.

— À ce stade, nous conseillons toujours à nos clients de garder l'esprit aussi ouvert que possible, dit Helen.

— Mmm. Et le portefeuille aussi, j'imagine », dit l'homme.

Il portait un costume bleu, le costume civil offert aux démobilisés, déjà lustré aux coudes et aux poignets, et son teint olivâtre était celui d'un bronzage tropical sur le déclin. Il avait peigné ses cheveux avec une précision extraordinaire, la raie droite et blanche comme une cicatrice.

Mais quelques pellicules restaient collées à la brillantine, qui attiraient sans cesse le regard d'Helen.

« Une fois, je suis sorti avec une WAAF, disait-il avec rancœur. À chaque fois qu'on passait devant une bijouterie, elle se tordait la cheville... »

Helen tira une autre fiche. « Et cette dame, là ? Voyons. Aime la couture et le cinéma... »

L'homme se pencha pour jeter un coup d'œil sur la photo, et se redressa aussitôt en secouant la tête. « Je n'aime pas les filles à lunettes.

— N'oubliez pas ce que je vous ai dit, il faut garder l'esprit ouvert.

— Je ne voudrais pas être désagréable, dit-il, lançant un bref regard à la tenue sombre et assez neutre d'Helen, mais une fille qui porte des lunettes... mon Dieu, c'est qu'elle se laisse déjà aller. On se demande forcément à quoi ça va mener... »

Cela dura ainsi encore une vingtaine de minutes ; ils finirent par garder cinq candidates sur les quinze dossiers qu'Helen avait sortis pour lui.

L'homme était déçu, mais dissimulait son désarroi derrière une certaine agressivité. « Alors on fait quoi, maintenant ? » demanda-t-il, tirant sur ses manches lustrées. « J'imagine que vous allez leur montrer ma vilaine bobine, et elles vont devoir dire si elle leur plaît ou pas. Je vois d'ici le résultat. J'aurais peut-être dû me faire photographier avec un billet de cinq livres coincé derrière l'oreille. »

Helen l'imagina chez lui le matin même, choisissant une cravate, passant un coup d'éponge sur les parties usées de sa veste, polissant encore et encore l'alignement de sa raie.

Elle le raccompagna dans l'escalier, jusqu'à la rue. En revenant dans la salle d'attente, elle regarda Viv, sa collègue, et souffla dans ses joues.

« Pénible, hein ? fit Viv. Je me demandais : vous ne pensez pas qu'il ferait l'affaire, pour la dame de Forest Hill ?

— Il cherche plus jeune.

— C'est ce qu'ils cherchent tous, non ? » dit Viv, étouffant un bâillement. Un agenda était ouvert devant elle sur le bureau. Elle se tapota la bouche, parcourut la page. « Plus personne avant une demi-heure. On se prend un petit thé ?

— Oh, pourquoi pas », dit Helen.

Soudain, leurs mouvements étaient plus vifs que quand elles avaient affaire à des clients. Viv ouvrit le tiroir inférieur d'un classeur et en tira une mignonne petite bouilloire électrique et une théière. Helen emporta la bouilloire jusqu'aux toilettes du palier et la remplit au lavabo. Puis elle la posa sur le sol, la brancha sur une prise fixée dans la plinthe, et attendit. Il fallut environ trois minutes à l'eau pour bouillir. Le papier peint se décollait au-dessus de la prise, là où la vapeur l'attaquait toujours. Elle le lissa, comme elle le faisait à chaque fois ; il resta un moment aplati, puis se réenroula doucement sur lui-même.

L'officine occupait deux pièces au-dessus d'un atelier de perruques, dans une rue derrière la station de métro de Bond Street. Helen recevait les clients un par un dans la pièce donnant sur la rue ; Viv travaillait à son bureau dans la salle d'attente, et les saluait à leur arrivée ; il y avait là un divan et des chaises dépareillées, où ils pouvaient s'installer quand ils étaient en avance. Un cactus de Noël en pot fleurissait de temps à autre, de manière toujours imprévue. Sur une table basse étaient posés des numéros relativement récents de *Lilliput* et du *Reader's Digest*.

Helen travaillait là depuis la fin de la guerre ; ce devait être une occupation temporaire — et quelque chose d'un peu divertissant, par contraste avec son ancien emploi au service des Aides aux sinistrés à la mairie de Marylebone.

24

Le travail était assez simple ; elle essayait de faire de son mieux pour ses clients, et leur vouait une bienveillance sincère ; mais il était quelquefois difficile de se montrer encourageant. Les gens venaient chercher un nouvel amour, mais bien souvent — c'est du moins l'impression qu'elle avait — n'avaient en fait envie que de parler de l'amour qu'ils avaient perdu. Ces derniers temps, bien sûr, le bureau tournait à plein régime. Les hommes démobilisés rentraient d'au-delà des mers pour trouver une épouse ou une petite amie métamorphosée, méconnaissable. Ils débarquaient dans le bureau encore complètement sous le choc. Les femmes, elles, se plaignaient de leur ex-mari. « Il aurait voulu que je reste sans cesse enfermée à la maison. » « Il m'a dit qu'il ne supportait pas mes amies. » « On est retournés à l'hôtel où on avait passé notre lune de miel, mais ça n'était plus pareil. »

L'eau bouillait. Helen prépara le thé et emporta les tasses aux toilettes ; Viv l'y avait précédée, et soulevait déjà la fenêtre. Un escalier d'incendie s'accrochait à l'arrière de l'immeuble ; en escaladant la fenêtre, elles avaient accès à une plate-forme de métal rouillé munie d'une rambarde basse. La plate-forme vibrait et tremblait quand elles se déplaçaient, l'échelle oscillant dans ses fixations ; mais c'était un coin toujours ensoleillé, et elles y filaient dès qu'elles en avaient la possibilité. De là, elles entendaient la sonnette de la porte et la sonnerie du téléphone ; elles avaient développé une adresse et une rapidité d'athlètes à franchir le rebord de fenêtre.

À cette heure de la journée, le soleil tombait de biais, mais la brique et le métal avaient conservé sa chaleur. L'air était poudré de fumées d'échappement. D'Oxford Street leur parvenaient la rumeur incessante de la circulation et

25

les coups de marteau réguliers des couvreurs réparant les toits.

Viv et Helen s'assirent avec précaution, puis ôtèrent leurs chaussures et étendirent les jambes — non sans ramener leur jupe sous elles, pour le cas où les employés de la perruquerie sortiraient et jetteraient un coup d'œil en haut —, faisant jouer chevilles et orteils pour détendre leurs pieds. Leurs bas étaient reprisés à l'extrémité et au talon. Leurs chaussures étaient éculées ; comme celles de tout le monde. Helen sortit un paquet de cigarettes.

« C'est moi, cette fois, dit Viv.

— Peu importe.

— Bon, je vous en devrai, alors. »

Elles partagèrent une allumette. Viv rejeta la tête en arrière et exhala la fumée. Puis elle baissa les yeux et consulta sa montre.

« Oh, non ! Déjà dix minutes. Pourquoi le temps ne passe-t-il pas aussi vite avec les clients ?

— Ils doivent dérégler les pendules, dit Helen. Avec des aimants, je ne sais pas.

— Oui, sûrement. Ils nous pompent la vie — ils nous pompent le sang, encore et encore, comme d'énormes puces... Franchement, si à seize ans, on m'avait dit que je travaillerais dans ce genre d'endroit — eh bien, je me demande ce que j'en aurais pensé. Ce n'était pas du tout ce que j'avais en tête. Je voulais être secrétaire d'avocat... »

Ses paroles se diluèrent en un nouveau bâillement, comme si Viv n'avait même pas assez d'énergie pour les regrets. Elle se tapota la bouche d'une jolie main, fine, blanche, vierge de bague.

Elle était de cinq ou six ans plus jeune qu'Helen, qui avait trente-deux ans. Ses traits sombres exprimaient encore la vitalité de la jeunesse ; ses cheveux étaient d'un châtain foncé profond. Pour l'instant, ils étaient réunis derrière sa nuque comme un coussin de velours contre la brique chaude.

Helen enviait les cheveux de Viv. Les siens étaient clairs — ou, comme elle le pensait, sans couleur ; et puis, ils avaient ce défaut impardonnable : ils étaient absolument raides. Elle les ondulait, et les permanentes successives les avaient rendus secs et cassants. Elle venait de s'en faire une : elle percevait la vague odeur chimique à chaque fois qu'elle tournait la tête.

Elle réfléchit à ce que venait de dire Viv, qu'elle aurait voulu être secrétaire d'un avocat.

« Moi, quand j'étais jeune, je voulais être palefrenier, dit-elle.

— Palefrenier ?

— Oui, avec des chevaux, des poneys, vous voyez. Je ne suis jamais montée sur un cheval de ma vie. Mais j'avais dû lire un truc quelconque dans un almanach pour jeunes filles, ou je ne sais où. Je trottais dans la rue en faisant des claquements de langue, comme si j'étais à cheval. » Elle s'en souvenait, se rappelait très nettement le plaisir qu'elle y prenait ; soudain, elle avait envie de se lever, là, de caracoler sur l'escalier d'incendie. « Mon cheval s'appelait Fleet. Il était très musclé, très rapide. » Elle tira sur sa cigarette, et conclut un ton plus bas : « Dieu sait ce que Freud dirait de ça. »

Viv et elle se mirent à rire, rougissant légèrement.

« Moi, quand j'étais très jeune, dit Viv, je voulais être infirmière. Mais quand j'ai vu ma mère à l'hôpital, ça a été fini... Mon frère voulait être magicien. » Son regard se fit lointain, elle sourit. « Je m'en souviendrai toujours. Ma sœur et moi lui avions fait une cape, avec un vieux rideau. On l'avait teint en noir — mais naturellement, on faisait

27

n'importe quoi, on était gamines, et le résultat a été catastrophique. On lui a dit que c'était une cape spéciale, une cape magique... Et mon père lui avait acheté un coffret de magie, vous savez, pour son anniversaire. Ça avait dû coûter une fortune ! Il avait tout ce qu'il voulait, mon frère, il était gâté-pourri. Le genre d'enfant qu'on ne peut pas emmener dans un magasin sans qu'il fasse une comédie pour avoir quelque chose. Ma tante disait toujours, "Duncan, on pourrait aller avec lui à la mercerie, il pleurerait pour qu'on lui achète une pelote de laine..." »

Elle prit une gorgée de thé et rit de nouveau. « C'était un gamin adorable, en fait. Quand mon père lui a offert ce coffret, il n'en croyait pas ses yeux. Il passait des heures à lire et relire le mode d'emploi pour essayer de comprendre comment ça marchait ; mais finalement il l'a laissé tomber. On lui a demandé : "Mais qu'est-ce qui se passe ? Ça ne te plaît pas, finalement ?" Et il a dit que si, c'était chouette, mais qu'il croyait apprendre à faire de la *vraie* magie, et que ce n'étaient que des tours. » Elle se mordit la lèvre, secoua la tête. « Que des tours ! Pauvre chéri. Il devait avoir à peine huit ans. »

Helen sourit. « Ça devait être agréable d'avoir un petit frère. Mon frère et moi étions trop proches ; on se disputait, et c'est tout. Un jour, il a attaché une de mes nattes à une poignée de porte, et il l'a claquée. » Elle porta la main à son crâne. « Ça m'a fait un mal de chien. Je l'aurais tué ! D'ailleurs je suis sûre que je l'aurais tué, si j'avais su comment... Je trouve que les enfants feraient de parfaits petits assassins, vous ne pensez pas ? »

Viv hocha la tête — mais plus distraitement, cette fois. Elle reprit une gorgée de thé, une bouffée de sa cigarette ; elles restèrent ainsi une minute ou deux, silencieuses.

Tiens, voilà le rideau qui tombe, se dit Helen ; elle était habituée à cela, avec Viv : on se faisait des petites confidences, on échangeait des souvenirs, et soudain, elle se retirait, comme si elle avait trop donné. Cela faisait presque un an qu'elles travaillaient ensemble, mais tout ce qu'Helen savait de la vie privée de Viv, elle avait dû elle-même le reconstituer morceau par morceau, avec des fragments que Viv avait laissés tomber... Elle savait, par exemple, qu'elle était issue d'un milieu très modeste ; que sa mère était morte, il y avait longtemps de cela ; qu'elle vivait avec son père au sud de Londres, et qu'elle lui préparait son dîner quand elle rentrait le soir, et s'occupait de son linge. Elle n'était ni mariée ni fiancée — ce qui semblait curieux, pour une si jolie fille. Jamais elle n'évoquait un amoureux disparu pendant la guerre, mais il y avait quelque chose — quelque chose d'amer chez elle, se disait Helen. Une sorte de grisaille intérieure. Une pellicule de rancœur, fine comme de la cendre, juste sous la surface.

Mais c'était son frère, Duncan, qui constituait le plus grand mystère. Il y avait une bizarrerie — ou un scandale — liée à lui, mais Helen n'avait jamais pu deviner quoi. Il ne vivait pas avec Viv et son père ; il habitait avec un oncle ou quelque chose comme ça. Et bien qu'il eût apparemment l'air tout à fait normal, il travaillait — d'après ce qu'elle avait compris — dans une usine un peu spéciale, qui employait les invalides ou les cas sociaux. Viv avait toujours une manière très particulière de parler de lui ; par exemple, elle disait souvent « ce pauvre Duncan », comme elle venait de le faire. Mais il pouvait aussi y avoir une nuance d'agacement dans sa voix, cela dépendait de son humeur : « Oh, *lui*, il va très bien. » « Il ne comprend rien à rien. » « Il vit dans son monde, vraiment. » Et puis le rideau tombait.

Cela dit, Helen respectait ce genre de rideau, ayant dans

sa propre vie deux ou trois choses qu'elle préférait garder dans l'ombre...

Elle reprit un peu de thé, puis ouvrit son sac à main et en tira un tricot en cours. Pendant la guerre, elle s'était mise à tricoter des chaussettes et des écharpes pour les soldats ; et à présent, elle envoyait chaque mois à la Croix-Rouge un paquet d'effets divers, épais et de couleur indéterminable. Pour l'instant, elle travaillait sur un passe-montagne d'enfant. La laine, qui avait déjà servi, était toute vrillée par endroits ; c'était une occupation d'hiver, alors qu'on était en plein été, mais les complexités du motif l'absorbaient. Elle faisait aller rapidement le pouce et l'index le long de l'aiguille, comptant les mailles à mi-voix.

Viv ouvrit aussi son sac. Elle en tira un magazine, se mit à le feuilleter.

« Vous voulez votre horoscope ? » demanda-t-elle à Helen au bout d'un moment. Puis, comme Helen hochait la tête : « Bon, voilà. *Poissons* : *La prudence sera à l'ordre du jour. Certains peuvent ne pas approuver vos projets.* Ça, c'est votre monsieur de Harlow, tout à l'heure... Alors, le mien... *Vierge : Attendez-vous à des visites imprévues.* — Ça y est, je vais attraper des poux ! *Le rouge vous portera chance.* » Elle fit la grimace. « De toute façon, c'est une bonne femme quelconque dans un bureau, n'est-ce pas ? J'aimerais bien faire ça... » Elle tourna encore quelques pages, puis brandit le magazine. « Qu'est-ce que vous dites de ce chignon ? »

Helen s'était remise à compter les mailles. « Seize, dix-sept », fit-elle, jetant un coup d'œil sur la photo. « Pas mal. Mais quelle perte de temps pour le défaire tous les soirs et le refaire tous les matins ! »

Viv bâilla de nouveau. « Le temps, ça, c'est une chose dont je ne manque pas. »

Elles restèrent encore quelques minutes à regarder les

30

pages de mode, puis consultèrent leur montre et soupirèrent. Helen fit une marque sur son patron de papier et roula son tricot. Elles remirent leurs chaussures, brossèrent leur jupe et escaladèrent de nouveau l'appui de fenêtre. Viv alla rincer les tasses. Elle sortit son poudrier et son tube de rouge, se pencha sur le miroir.

« Autant rafraîchir les peintures de guerre, hein ? » fit-elle.

Helen aussi arrangea rapidement son maquillage, puis revint lentement vers la salle d'attente. Elle redressa la pile de *Lilliput*, rangea les tasses, les cuillères, la bouilloire. Puis elle parcourut l'agenda posé sur le bureau de Viv — tournant les pages, lisant les noms. *Mr Symes, Mr Blake, Miss Taylor, Miss Heap...* Elle devinait déjà les divers malheurs qui les avaient poussés à s'adresser ici : les abandons, les trahisons, les soupçons récurrents, les pannes sèches du cœur.

Cette idée l'agitait. Quelle horreur de travailler, franchement ! Même avec la présence de Viv pour aider à supporter ça, c'était terrible de devoir rester là, alors que tout ce qui comptait, tout ce qui avait une réalité, une signification, se trouvait ailleurs, hors de votre portée...

Elle passa dans l'autre pièce, regarda le téléphone sur son bureau. Elle ne devrait pas appeler à cette heure de la journée, car Julia détestait qu'on l'interrompe en plein travail. Mais maintenant qu'elle y avait songé, l'idée prenait corps : un petit frisson d'impatience la traversa, elle sentit sa main, presque physiquement, se tendre malgré elle vers l'appareil.

Oh, et puis on s'en fout, se dit-elle. Elle décrocha d'un geste brusque et composa son propre numéro. Il y eut une, deux sonneries, puis ce fut la voix de Julia.

« Allô ?

— Julia, fit Helen, doucement. Ce n'est que moi.

— Oh, Helen ! Je pensais que c'était ma mère. Elle a

déjà appelé deux fois aujourd'hui. Avant, j'ai eu un coup de fil du central, il y avait paraît-il un problème avec la ligne. Et *avant*, un type est venu sonner à la porte pour me vendre de la viande !

— Quel genre de viande ?

— Je ne lui ai pas demandé. Du mou pour les chats, sûrement.

— Pauvre Julia. Tu as quand même réussi à écrire un peu ?

— Un peu.

— Tu as encore tué quelqu'un ?

— Ma foi oui.

— Vraiment ? » Helen coinça l'écouteur plus confortablement contre son oreille. « Qui ? Mrs Ratigan ?

— Non, je lui accorde un sursis. Non, ç'a été l'infirmière Malone. Une lance en plein cœur.

— Une lance ? Dans le Hampshire ?

— C'est un des trophées d'Afrique du colonel.

— Ha ! Ça lui apprendra, à celui-là. Et c'est particulièrement affreux ?

— Extrêmement.

— Beaucoup de sang ?

— À pleins seaux. Et toi ? Tu as réussi à faire publier des bans ? »

Helen bâilla. « Pas trop, non... »

En fait, elle n'avait rien de spécial à dire. Elle voulait juste entendre la voix de Julia. Il y eut un de ces silences téléphoniques pleins de crépitements et de conversations lointaines entrecroisées. Puis Julia reprit, d'une voix plus animée : « Bon, écoute, Helen. Je vais devoir raccrocher. Ursula doit appeler.

— Oh, fit Helen, soudain méfiante. Ursula Waring ? C'est vrai ?

— Oh, des trucs sans intérêt pour l'émission, je suppose.

— Oui. Bon, très bien.

— À tout à l'heure ?

— Oui, bien sûr. Allez, au revoir, Julia.

— Au revoir. »

Une dernière respiration, puis le téléphone se fit silencieux comme Julia raccrochait. Helen garda un moment l'écouteur collé à l'oreille, écoutant le vague écho, comme une brise, qui témoignait de la communication brusquement interrompue.

Puis elle entendit Viv sortir des toilettes et, d'un geste vif, discret, reposa le combiné sur sa fourche.

« Comment va Julia ? » songea à demander Viv, comme Helen et elle faisaient le tour du bureau en fin de journée, vidant les cendriers et réunissant leurs affaires. « Elle a terminé son roman ?

— Pas tout à fait, répondit Helen sans lever les yeux.

— Je suis tombée sur son dernier livre, l'autre jour. C'est comment, déjà ? *Les Yeux noirs du... ?*

— *Les Yeux clairs*, dit Helen, *du danger*.

— Oui, voilà, c'est ça. *Les Yeux clairs du danger*. Je l'ai vu dans une boutique, samedi après-midi ; je l'ai reposé dans la rangée du devant. Du coup, une femme s'est mise à le regarder après moi. »

Helen sourit. « Vous devriez demander une commission. J'en parlerai à Julia.

— Sûrement pas ! » L'idée la gênait. « En tout cas, ça marche bien pour elle, n'est-ce pas ?

— Très bien », dit Helen. Elle enfilait son manteau d'un mouvement d'épaules. Elle parut hésiter, puis continua : « Vous savez, il y a un article sur elle dans le *Radio*

Times de cette semaine. Son livre va passer en feuilleton à la radio, dans "Enquête au coin du feu".

— Vraiment ? fit Viv. Vous auriez dû me le dire. Dans le *Radio Times* ! Il faut que je l'achète en rentrant.

— Oh, ce n'est pas très long, dit Helen. Mais il y a — il y a une jolie petite photo, quand même. »

Toutefois, cela ne paraissait pas lui faire autant plaisir qu'on aurait pu le penser. Peut-être était-elle simplement habituée. Pour Viv, cela semblait incroyable d'avoir une amie qui écrivait des livres, avait sa photo dans les magazines comme le *Radio Times*, était vue et connue de tant de gens.

Elles éteignirent, descendirent, et Helen verrouilla la porte. Elles restèrent une minute devant la vitrine du perruquier, comme elles le faisaient toujours, choisissant la perruque qu'elles achèteraient si elles en avaient besoin, et se moquant des autres. Puis elles marchèrent ensemble jusqu'au coin d'Oxford Street — et là, se séparèrent en bâillant et en échangeant des grimaces horribles à l'idée de devoir revenir le lendemain pour une nouvelle, éternelle, interminable journée.

Viv se mit en route, lentement, presque en flânant : un peu de lèche-vitrines en attendant, pour prendre son métro, que le plus gros de la débauche soit passé. Généralement, elle prenait le bus pour rentrer à Streatham, un long trajet. Mais ce soir, nous étions mardi ; et le mardi soir, elle prenait le métro pour se rendre à White City, et dînait avec son frère. Cela dit, elle détestait le métro : elle détestait la foule compacte, les odeurs de la foule, les poussières qui volaient, les brusques courants d'air chauds. Arrivée à Marble Arch, au lieu de descendre dans la station, elle pénétra dans le parc et suivit le sentier qui longeait la grille. Hyde Park était ravissant dans le soleil bas, avec ses

34

ombres allongées, fraîches, bleutées. Elle fit halte près des fontaines et regarda l'eau jaillir et ruisseler ; elle s'assit même quelques minutes sur un banc.

Une jeune femme avec un bébé vint s'installer à côté d'elle — et soupira ce faisant, soulagée. Elle portait un turban datant de la guerre, orné de tanks et de spitfires. Le bébé dormait, mais devait rêver : ses traits s'agitaient — mécontentement, stupéfaction — comme s'il essayait toutes les expressions dont il aurait besoin quand il serait grand, pensa Viv.

Elle finit par prendre le métro à Lancaster Gate ; il ne lui restait que cinq stations jusqu'à Wood Lane. La maison de Mr Mundy se trouvait à dix minutes de marche du métro, juste derrière le cynodrome. Quand des courses avaient lieu, le bruit de la foule parvenait jusque-là — un bruit étrange, si fort qu'il en était effrayant, et semblait vous poursuivre au travers des rues comme des vagues gigantesques et invisibles. Le champ de courses était tranquille ce soir. Il y avait des enfants dans les rues : elle en vit trois en équilibre sur un vieux vélo, qui zigzaguaient en soulevant la poussière.

Le portillon de Mr Mundy fermait par un petit loquet récalcitrant qui, d'une certaine manière, lui faisait penser à Mr Mundy lui-même. La porte d'entrée était garnie de vitres. Elle tapa doucement au carreau, et au bout d'une minute, une silhouette apparut dans le couloir. La silhouette avançait lentement, en boitant. Viv prépara un sourire et imagina Mr Mundy faisant de même, de son côté.

« Bonsoir, Vivien. Comment allez-vous ?

— Bonsoir, Mr Mundy. Ça va très bien. Et vous-même ? »

Elle s'avança d'un pas, essuya ses pieds sur le paillasson de coco. « Ça pourrait être pire », répondit Mr Mundy.

Le corridor était étroit, et il y avait à chaque fois une

seconde un peu embarrassante, comme il s'écartait pour la laisser passer. Elle se dirigea vers le pied de l'escalier et fit halte près du porte-parapluies, déboutonnant son manteau. Il lui fallait toujours une ou deux minutes pour s'accoutumer à la pénombre ambiante. Elle regarda autour d'elle, clignant des paupières. « Mon frère est là, n'est-ce pas ? »

Mr Mundy referma la porte. « Il est dans le salon. Allez-y, ma chère. »

Mais Duncan avait déjà perçu les voix. « C'est toi, Vivien ? lança-t-il. Entre, ma belle ! Moi, je ne peux pas bouger.

— Il est plaqué au sol, dit Mr Mundy avec un sourire.

— Entre, viens voir ça ! » fit de nouveau Duncan.

Elle poussa la porte du salon et entra. Duncan gisait sur le ventre, sur le tapis de cheminée, un livre ouvert devant lui, avec le petit chat tigré de Mr Mundy installé au creux des reins. Le chat faisait lentement jouer ses deux pattes antérieures, comme s'il malaxait de la pâte, étirant puis rétractant ses griffes avec un ronronnement de jouissance. En apercevant Viv, il rétrécit les yeux et accéléra son mouvement.

Duncan se mit à rire. « Qu'est-ce que tu en dis ? J'ai droit à un massage. »

Elle sentit la présence de Mr Mundy à son côté. Il était entré pour regarder, et riait avec Duncan. Son rire léger, cassant, était celui d'un vieil homme. Il ne lui restait plus qu'à rire, elle aussi. « Tu es complètement toqué », dit-elle.

Duncan commença de se décoller du sol, comme s'il allait faire des pompes. « Je l'entraîne, dit-il.

— Pour quoi ?

— Pour le cirque.

— Il va massacrer ta chemise.

— Je m'en fiche. Regarde. »

36

Le chat se mit à le triturer comme un fou tandis que Duncan se relevait lentement, commençait de se redresser. Il tentait de faire en sorte que l'animal puisse rester en place sur son dos — et même l'escalader. Il ne cessait de rire. Mr Mundy lui adressait des encouragements... Toutefois, le chat finit par se lasser et bondit au sol. Duncan épousseta son pantalon.

« Quelquefois, dit-il, il monte jusqu'à mes épaules. Je me promène comme ça, avec lui autour de mon cou — n'est-ce pas, oncle Horace ? Ça fait un peu comme ton col, d'ailleurs. »

Viv avait un petit col de fausse fourrure à son manteau. Il s'approcha et le toucha. « Il a quand même déchiré ta chemise », dit-elle.

Il se retourna pour jeter un coup d'œil. « Ce n'est jamais qu'une chemise. Je n'ai pas besoin d'être élégant, comme toi. Viv est très élégante, n'est-ce pas, oncle Horace ? Une vraie dame, une secrétaire de luxe. »

Il lui adressa un de ses charmants sourires, et la laissa le prendre dans ses bras et l'embrasser. Ses vêtements étaient imprégnés d'un léger parfum — venant, elle le savait, de la fabrique de bougies —, mais derrière, il y avait une odeur de petit garçon ; et comme elle levait les mains vers lui, elle sentit sous sa paume des épaules ridiculement étroites, minces, osseuses. Elle repensa à ce qu'elle avait raconté à Helen l'après-midi même, à propos du coffret de magie, et le revit, comme si c'était hier, quand il était petit — quand il venait se glisser dans le lit, entre Pamela et elle. Elle sentait toujours contre elle ses bras et jambes fluets, et son front qui devenait vite brûlant, les cheveux noirs tout collés, doux et fins comme de la soie... L'espace d'une seconde, elle souhaita qu'ils puissent tous redevenir enfants. Il lui semblait toujours extraordinaire que les choses aient tourné ainsi.

Elle ôta son manteau et son chapeau, s'assit. Mr Mundy était retourné à la cuisine. Au bout d'une minute, leur parvinrent les échos du thé que l'on préparait.

« Je devrais aller l'aider », dit-elle. Elle disait cela à chaque fois. Et Duncan répondait toujours, comme à présent : « Il préfère le faire tout seul. Dans une seconde il va se mettre à chanter. Il a eu sa séance, cet après-midi ; ça va un petit peu mieux. Et je ferai la vaisselle. Dis-moi comment ça va, toi. »

Ils échangèrent les dernières, maigres nouvelles.

« Papa t'embrasse, dit-elle.

— Vraiment ? » Cela n'avait pas l'air de le concerner. Il ne resta assis que quelques instants, puis se leva d'un bond et prit un objet sur une étagère, le lui apporta. « Regarde ça », dit-il. C'était un petit pichet de cuivre, cabossé sur le côté. « Je l'ai trouvé dimanche dernier, je l'ai eu pour trois soixante. Le type en voulait sept shillings, et j'ai marchandé à mort. Il doit dater du XVIIIᵉ, je pense. Tu imagines, V., toutes ces dames prenant le thé et s'en servant pour ajouter la crème ! Il devait être argenté à l'époque, bien sûr. Regarde, là, on voit encore l'argenture ! » Il lui montrait les traces à la soudure de la poignée. « Il est ravissant, non ? Trois soixante ! Quant à ce petit creux, ce n'est rien. Je pourrais le redresser si je voulais. »

Il tournait et retournait le petit pot à lait entre ses mains, enchanté. Aux yeux de Viv, c'était un vieux truc bon pour la poubelle. Mais à chaque fois qu'elle venait, il avait quelque chose de nouveau à lui montrer : une tasse sans anse, une boîte en émail ébréché, un coussin de velours râpé. Et elle ne pouvait s'empêcher de penser aux mouches qui s'étaient posées sur la porcelaine, aux mains avides, aux têtes en sueur qui avaient usé le coussin jusqu'à la trame. La maison de Mr Mundy elle-même la dégoûtait vaguement : une maison de vieux, avec des petites pièces tout encombrées de gros meubles sombres, aux murs grouillants de cadres. Sur la cheminée étaient posées des fleurs de cire, et des morceaux de corail sous des globes de verre piquetés de chiures de mouches. Il s'éclairait toujours au bec de gaz, avec sa flamme en queue de sirène. Il y avait des photos jaunies : Mr Mundy, jeune homme mince ; encore lui petit garçon, avec sa sœur et sa mère, celle-ci portant une robe noire et raide, comme la reine Victoria. Partout la mort, la mort, la mort ; et pourtant c'était là que vivait Duncan, avec son regard noir et vif, son rire clair et juvénile, comme chez lui au milieu de tout cela.

Elle prit son sac. « Je t'ai apporté quelque chose. »

C'était une boîte de jambon. « Juste ciel ! » fit-il en la voyant, de ce même ton affectueux et légèrement ironique qu'il avait pris pour dire *secrétaire de luxe* ; et comme Mr Mundy entrait en boitillant, portant le plateau du thé, il brandit la boîte en un geste théâtral.

« Regardez, oncle Horace ! Regardez ce que Viv nous apporte ! »

Il y avait déjà du corned-beef sur le plateau. Celui qu'elle avait apporté la dernière fois. « Grand Dieu, mais nous sommes parés pour soutenir un siège, dirait-on ! »

Ils tirèrent les rallonges de la table et disposèrent les assiettes et les tasses, les sandwiches à la tomate, les cœurs de laitue et les biscuits au lait. Puis ils approchèrent leur chaise, secouèrent leur serviette et commencèrent à se servir.

« Comment va votre père, Vivien ? s'enquit poliment Mr Mundy. Et votre sœur ? Et le gros petit bonhomme ? » Il voulait parler de Graham, le bébé de Pamela. « Quel gros

39

poupon, n'est-ce pas ? Un vrai bébé Cadum ! Tout à fait comme les bébés que l'on voyait partout quand j'étais enfant. Apparemment, ce n'est plus la mode. »

Tout en parlant, il ouvrait la boîte de jambon, tournait encore et encore la clef de ses grands doigts un peu aplatis, révélant un ruban de viande rose, comme une mince plaie à vif. Viv surprit le regard de Duncan ; elle le vit cligner des paupières et détourner les yeux. « Il y a donc une mode pour les bébés, comme pour la longueur des jupes ? fit-il gaiement, comme si l'idée le réjouissait.

— Je vais vous dire une chose, déclara Mr Mundy, secouant la boîte pour en faire tomber le carré de jambon, et récupérant la gelée à la cuiller. Ce qu'on ne voyait jamais, c'était les landaus. Si par hasard on voyait passer un landau, tout le monde s'extasiait. C'était vraiment du dernier chic, comme on disait. On transportait mes cousins dans un chariot à charbon. Mais les enfants marchaient plus tôt, aussi. Ils gagnaient leur vie, à l'époque.

— Êtes-vous jamais passé par une cheminée, oncle Horace ? demanda Duncan.

— Par une cheminée ? » Mr Mundy cligna des yeux.

« Oui, avec un type énorme, une vraie brute, qui vous craquait des allumettes sous les pieds pour vous faire aller plus vite ?

— Oh, mais quel idiot vous faites ! »

Ils rirent tous trois. On mit de côté la boîte de jambon vide. Mr Mundy sortit son mouchoir et se moucha — brièvement et fort, comme un coup de trompette — puis remit le mouchoir dans ses plis et le rangea soigneusement dans sa poche. Il découpait méticuleusement ses sandwiches et ses cœurs de laitue en petits fragments avant de les manger. Comme Viv reposait simplement le couvercle du pot de moutarde, il le revissa. Mais à la fin de la

40

collation, il donna au chat les reliefs de viande et de gelée sur son assiette, le laissant les lécher directement dans sa main — et aussi entre les phalanges et sous les ongles.

Le chat, ayant terminé, miaula pour en avoir encore. Un miaulement aigu et frêle.

« On dirait des épingles, déclara Duncan.

— Des épingles ?

— Quand il miaule, j'ai l'impression qu'il me picote partout. »

Mr Mundy ne comprenait pas. Il baissa le bras, toucha la tête du chat. « En tout cas, il vous griffera, quand il se mettra en colère. N'est-ce pas, minou ? »

Il y avait aussi un gâteau ; mais à peine le gâteau terminé, Mr Mundy et Duncan se levèrent de table et débarrassèrent. Viv demeura immobile, un peu tendue, les regardant s'affairer ; bientôt, ils filèrent tous deux à la cuisine, la laissant seule. Les portes de la maison étaient épaisses, et étouffaient les bruits ; la pièce silencieuse semblait suffocante, avec le chuintement du bec de gaz et le tic-tac régulier d'une horloge dressée dans un coin. Il lui paraissait difficile, pénible — comme si le mécanisme s'était ankylosé, raidi, comme celui de Mr Mundy ; ou bien comme si cette atmosphère désuète lui était pesante, comme à elle-même. Elle compara le cadran à celui de son bracelet-montre. Huit heures moins vingt... Comme le temps passait lentement, ici. Aussi lentement qu'au travail. Et combien c'était injuste ! Car elle savait que tout à l'heure, quand elle souhaiterait qu'il dure, il paraîtrait filer à toute vitesse.

Ce soir, au moins, il y avait un peu de distraction. En revenant, Mr Mundy s'installa dans son fauteuil près du feu, comme il le faisait toujours après dîner ; mais Duncan voulait que Viv lui coupe les cheveux. Ils passèrent dans la cuisine. Il étendit des feuilles de journal sur le sol, posa une chaise au milieu. Puis il remplit un bol d'eau chaude et glissa une serviette dans le col de sa chemise.

Viv trempa un peigne dans l'eau, mouilla sa chevelure et commença de couper. Elle utilisait une vieille paire de ciseaux de couturière ; Dieu seul savait ce qu'ils faisaient chez Mr Mundy. Il cousait probablement ses propres vêtements, cela ne l'aurait pas surprise... Le journal se froissait sous ses pieds quand elle se déplaçait.

« Pas trop court », fit Duncan, à l'écoute des lames.

Elle lui fit tourner la tête. « Ne bouge pas.

— Tu les as coupés trop court, la dernière fois.

— Je fais ce que je fais... Le coiffeur, ça existe, tu sais.

— Je n'aime pas le coiffeur. J'ai toujours l'impression qu'il va me trancher la gorge et que je vais finir en pâté en croûte.

— Ne sois pas idiot. Pourquoi un coiffeur ferait-il ça ?

— Tu ne crois pas que je ferais un bon pâté en croûte ?

— Tu n'as pas assez de viande sur l'os.

— Bon, alors je finirais en sandwich. Ou il me mettrait dans une petite boîte de conserve, comme ton jambon. Et ensuite... » Il se détourna, la regarda, l'air espiègle.

De nouveau elle lui redressa la tête. « Arrête ou ça va être complètement de travers.

— Peu importe, personne ne me voit. À part Len, à l'usine. Je n'ai pas d'admirateurs, moi. Pas comme toi...

— Vas-tu te taire ? »

Il se mit à rire. « Oncle Horace n'entend pas. Et même, ça lui serait égal. Il ne se formalise pas pour des choses comme ça. »

Elle cessa de couper, posa la pointe des ciseaux contre son épaule. « Tu ne lui as rien dit, Duncan ?

— Bien sûr que non.

— Ne t'avise pas de le lui dire, jamais !

— Croix de bois, croix de fer. » Il fit mine de cracher, leva les yeux vers elle, souriant toujours.

Elle ne lui rendit pas son sourire. « Il n'y a pas de quoi plaisanter.

— S'il n'y a pas de quoi plaisanter, pourquoi le fais-tu ?

— Si papa t'entendait...

— Tu es sans arrêt en train de penser à papa.

— Il faut bien que quelqu'un y pense.

— Enfin, c'est ta vie, n'est-ce pas ?

— Tu crois ? Je me pose la question, quelquefois. »

Elle continua de couper en silence — déstabilisée, mais prête à en dire plus ; elle espérait presque qu'il allait encore la taquiner ; elle n'avait personne d'autre à qui parler, à lui seul elle avait dit que... Mais elle laissa passer l'instant ; il changea d'idée, penchant la tête pour regarder les mèches noires et humides sur le journal, sous sa chaise. C'étaient des boucles qui étaient tombées, mais en séchant elles se dissociaient en fragments épars, duveteux. Elle le vit faire la grimace.

« Bizarre, hein, fit-il, comme c'est beau, les cheveux, quand tu les as sur la tête, et comme ça devient affreux dès qu'on les coupe. Tu devrais récupérer une de ces boucles et l'enfermer dans un médaillon, V. Voilà ce que ferait une vraie sœur. »

Elle lui redressa de nouveau la tête, moins délicatement. « Tu vas voir ce qu'une vraie sœur va faire de tes cheveux, si tu continues à bouger comme ça. »

Il affecta un accent outrageusement cockney : « Hé, pas de blague, frangine ! »

Ce qui les fit rire tous deux. Quand elle eut fini, il repoussa la chaise et ouvrit la porte de derrière. Elle prit ses cigarettes et ils s'assirent sur les marches, regardant la cour, fumant et bavardant. Il lui parla de la visite chez Mr Leonard ;

43

de tous les bus que Mr Mundy et lui devaient prendre à chaque fois, ces minuscules aventures... Le ciel était une eau teintée d'encre bleue, l'ombre descendait, les étoiles apparaissaient une à une. La lune presque nouvelle faisait un croissant parfait, très fin. Le petit chat apparut et se glissa entre leurs jambes, puis se roula sur le dos et se mit à se tortiller, en extase.

Puis Mr Mundy sortit du salon — pour voir ce qu'ils faisaient, se dit Viv ; peut-être les avait-il entendus rire, par la fenêtre. Voyant la coupe de cheveux de Duncan, il s'exclama : « Eh bien, c'est un peu mieux que quand vous sortiez de chez Mr Sweet ! »

Duncan se leva et commença de nettoyer la cuisine. Il réunit les cheveux dans le journal, en fit un paquet. « Mr Sweet, dit-il, nous piquait exprès avec les ciseaux, pour le plaisir. » Il se frotta la nuque. « Il paraît qu'un jour, il a carrément coupé une oreille à un type !

— Ce sont des on-dit, déclara Mr Mundy d'un ton plus dégagé. Des rumeurs de cellule, rien de plus.

— En tout cas, c'est ce qu'on m'a raconté. »

Ils argumentèrent ainsi pendant encore une ou deux minutes ; Viv avait l'impression qu'ils en faisaient trop — qu'ils en rajoutaient, étrangement, parce qu'elle était là. Si seulement Mr Mundy n'était pas sorti du salon ! Il ne pouvait pas laisser Duncan seul une seconde. Elle aimait bien rester assise sur les marches, à regarder le ciel s'assombrir. Mais elle détestait quand ils commençaient à parler de la prison, tout ça, d'un ton si léger ; cela la faisait grincer des dents. L'affection profonde, la proximité qu'elle avait ressentie envers Duncan commençait de s'amenuiser. Elle songea à son père. Se surprit à penser à ce qu'il aurait pu dire. Duncan traversa la cuisine de sa démarche gracieuse, et elle suivit des yeux ses cheveux noirs bien nets, son cou fin, son visage, joli comme celui d'une fille, et se dit presque avec amertume : *Quand je pense à tout ce qu'il nous a fait subir, et regardez, il est intact, sans une trace !*

Elle dut retourner au salon pour finir sa cigarette tranquillement, toute seule.

Mais il était inutile de se tourmenter. Cela ne ferait que l'user pour rien, comme cela avait déjà usé son père. Et elle avait d'autres sujets de préoccupation. Duncan prépara encore du thé, et ils écoutèrent une émission à la TSF ; à neuf heures et quart, elle remit son manteau. Chaque semaine, elle partait à la même heure. Duncan et Mr Mundy restèrent sur le seuil pour la regarder s'éloigner, comme un vieux couple.

« Vous ne voulez pas que votre frère vous accompagne jusqu'au métro ? » lui demanda Mr Mundy ; et avant qu'elle ait pu répondre, Duncan intervint d'un ton négligent : « Oh, elle peut très bien y aller toute seule, n'est-ce pas, Viv ? »

Mais ce soir, il l'embrassait, aussi, comme s'il avait conscience de l'avoir contrariée. « Merci pour la coupe, dit-il doucement. Et merci pour le jambon. Je plaisantais, tu sais. »

Elle se retourna deux fois en s'éloignant, et ils étaient toujours là, à l'observer ; à la troisième fois, la porte était refermée. Elle imaginait Mr Mundy, la main posée sur l'épaule de Duncan ; les voyait retourner lentement au salon — Duncan s'installant dans un fauteuil, Mr Mundy dans l'autre. Elle sentit de nouveau sur elle l'atmosphère confinée de la maison, étouffante comme un drap de laine, et accéléra le pas, pleine d'énergie soudain ; elle goûtait la fraîcheur de l'air du soir, le claquement net de ses talons sur le trottoir.

À marcher si vite, cependant, elle arriva trop tôt à son

métro. Elle dut faire le pied de grue dans la station tandis que les rames allaient et venaient, se sentant affreusement exposée sous la lumière crue. Un garçon essaya d'attirer son attention. « Hé, ma belle ! » répétait-il. Il ne cessait de passer devant elle en chantonnant. Afin de lui échapper, elle se dirigea vers le kiosque à journaux et livres ; et comme elle parcourait des yeux la rangée de magazines, elle se rappela soudain ce qu'Helen avait dit, dans l'après-midi, à propos du *Radio Times*. Elle en prit un numéro, l'ouvrit, et tomba presque aussitôt sur un article intitulé :

DES REGARDS DANGEREUX

URSULA WARING présente le nouveau et passionnant roman de Julia Standing, « Les yeux brillants du danger », dans « Enquête au coin du feu » vendredi soir à 22 h 10

L'article, sur plusieurs colonnes, offrait un compte rendu du roman, en termes dithyrambiques. Au-dessus, une photo de Julia : visage penché, yeux baissés, mains jointes contre la joue.

Viv l'observa avec une vague antipathie : elle avait rencontré Julia une seule fois, dans la rue, et ne l'avait guère appréciée. Elle avait un côté trop sûr de soi, avait serré la main de Viv comme Helen les présentait, mais sans un « bonjour », sans un « enchantée de faire votre connaissance », rien de tout cela ; au lieu de quoi, elle avait demandé tranquillement, comme si elles se connaissaient depuis des années : « Bonne journée ? Vous avez fait combien de mariages ? » « Combien de malheureux, voulez-vous dire ? » avait répondu Viv ; sur quoi elle avait ri, comme si la plaisanterie venait d'elle-même, et ajouté « de malheureux, absolument... » Son ton de voix était chic, mais son langage négligé : « ... tout foutu en l'air », « complètement zinzin ». Et Viv ne voyait pas du tout en quoi Helen, si gentille, la trouvait aimable à ce point — mais bon, c'était leur affaire. Viv décida de penser à autre chose.

Elle reposa le magazine avec les autres et s'éloigna. Plus trace du jeune homme qui chantonnait pour attirer son attention. L'horloge indiquait dix heures vingt-huit. Elle traversa le hall, se dirigeant non pas vers les quais, mais vers la sortie. Elle demeura immobile contre un pilier, observant la rue ; serra son manteau contre elle, car le froid commençait de la gagner, à être restée si longtemps immobile.

Un instant plus tard, une auto s'arrêta lentement le long du trottoir ; elle s'immobilisa à quelques mètres, à l'écart de la vive lumière de la station de métro. Elle aperçut le chauffeur au passage, tête baissée, qui essayait de la repérer. Il avait un beau visage inquiet, inconsolable : elle se surprit à ressentir ce qu'elle avait ressenti envers Duncan plus tôt dans la soirée ; le même mélange d'amour et d'exaspération. Mais il y avait aussi de l'excitation derrière l'exaspération : de nouveau elle montait en elle, se faisait aiguë. Elle jeta un bref regard dans un sens, dans l'autre, puis courut presque jusqu'à la portière du passager. Reggie se pencha pour l'ouvrir ; et comme elle montait dans l'auto, il tendit la main vers son visage et l'embrassa.

À Lavender Hill, Kay marchait toujours. Elle avait plus ou moins passé l'après-midi et la soirée à marcher, décrivant une sorte de vaste cercle depuis Wandsworth Bridge jusqu'à Kensington, puis Chiswick, puis sur l'autre rive jusqu'à Mortlake et Putney, et revenait là vers la maison de Mr Leonard ; elle n'était plus qu'à deux ou trois rues de chez elle. Depuis quelques minutes, elle marchait au même rythme qu'une jeune fille blonde, et avait fini par engager la conversation. La jeune fille, toutefois, n'était pas très intéressante.

« Je me demande comment vous arrivez à marcher si vite avec des talons pareils, disait Kay.

— Question d'habitude, j'imagine, répondait négligemment l'autre. Ce n'est pas bien difficile. Je vous jure. » Elle ne regardait pas Kay, elle regardait la rue, droit devant elle. Elle disait qu'elle avait rendez-vous avec quelqu'un.

« J'ai entendu dire que c'est un bon exercice, insista Kay, comme de monter à cheval. Que ça fait de jolies jambes.

— Je ne peux pas trop vous dire.

— Peut-être que votre ami, lui, pourrait.

— Je lui demanderai à l'occasion.

— Bizarre qu'il ne vous l'ait pas déjà dit. »

La jeune fille se mit à rire. « Vous aimez bien vous poser des questions, n'est-ce pas ?

— Non, simplement, je vous regarde, voilà tout. Ça laisse rêveuse.

— Vraiment ? »

La jeune fille se tourna vers Kay qui croisa son regard une seconde — elle fronçait les sourcils, elle ne comprenait pas, du tout... « Ah, voilà mon amie ! » fit-elle soudain, levant le bras pour saluer une autre fille de l'autre côté de la rue. Elle accéléra le pas, fit halte au bord du trottoir, regarda à droite et à gauche, et traversa en courant. Ses chaussures à talon haut étaient plus claires sous le cou-de-pied ; Kay pensa à la trace de fourrure blanche que l'on entrevoit au derrière d'un lapin quand il saute.

Elle n'avait pas dit « bonne soirée » ou « au revoir », rien de ce genre ; elle ne se retournait pas. Elle l'avait déjà oubliée. Elle prit le bras de l'autre jeune fille, elles tournèrent au coin de la rue et disparurent.

2

« Où est ta copine ? » demanda Len à Duncan, un peu plus loin sur la chaîne, à la fabrique de bougies de Shepherd's Bush. Il voulait parler de Mrs Alexander, la propriétaire de l'entreprise. « Elle est en retard. Vous avez eu une prise de bec ? »

Duncan sourit et secoua la tête, comme pour dire : *Arrête de faire l'idiot.*

Mais Len l'ignora et poussa du coude l'ouvrière assise à côté de lui. « Duncan et Mrs Alexander se sont disputés. Mrs Alexander l'a surpris à faire de l'œil à une autre femme !

— Duncan est un vrai bourreau des cœurs », répondit-elle avec un sourire.

Duncan secoua de nouveau la tête et continua à travailler.

C'était samedi matin. Ils étaient douze à la chaîne, tous en train de fabriquer des petites chandelles, enfilant la mèche et le support métallique dans les petits tronçons de cire, avant de ranger ceux-ci dans des étuis ininflammables, prêts pour l'emballage. Au centre de leur table de travail, un tapis roulant emportait les chandelles prêtes jusqu'à un chariot qui attendait. Celui-ci avançait avec un murmure de roulement caverneux ponctué d'un couinement régulier

— pas très bruyant mais qui, mêlé aux chuintements et claquements métalliques de la découpeuse dans l'autre partie de la salle, faisait que l'on devait, pour s'adresser à ses voisins, élever la voix juste un peu plus qu'il n'était confortable. Duncan trouvait plus pratique de se contenter de sourires et de gestes. Souvent, il passait des heures sans dire un seul mot.

Len, en revanche, ne savait pas rester silencieux. Cessant de s'amuser de Duncan, il se mit à récupérer les bouts de cire qui traînaient ; Duncan l'observa qui les amalgamait, les pressait et les moulait, jusqu'à ce qu'apparaisse sous ses doigts la silhouette d'une femme. Il était très habile, les sourcils froncés par la concentration, le front penché, la lippe durcie. La femme se faisait plus lisse, plus ronde entre ses mains. Il lui donnait des seins et des hanches exagérés, des cheveux ondulés. Il la brandit d'abord vers Duncan, en disant « Mrs Alexander ! ». Puis il changea d'avis. Il héla une des filles plus loin à la chaîne. « Winnie ! Regarde, c'est toi ! » Il tenait la figurine à bout de bras, la faisait marcher et remuer les hanches.

Winnie poussa un cri. Elle était affligée d'une difformité faciale, avec un nez enfoncé et un quasi-bec-de-lièvre, et de la voix nasale, aiguë, qui allait avec. « Regardez ce qu'il a fait ! » dit-elle à ses voisines. Les filles levèrent les yeux et se mirent à rire.

Len ajouta un peu de cire à la silhouette, aux seins, aux fesses. La fit bouger de manière de plus en plus suggestive. « *Oh, baby ! Oh, baby !* » fit-il, d'un ton outrageusement féminin. « C'est comme ça que tu fais, avec Mr Champion », lança-t-il à Winnie. Mr Champion était le contremaître de la fabrique, un homme aux manières douces, relativement terrorisé par ses filles. « C'est comme ça que tu fais. Je t'ai entendue ! Et voilà ce qu'il fait, Mr Champion. »

Il prit la silhouette de cire au creux de son bras et se mit à l'embrasser avec fougue ; puis il introduisit un ongle entre ses cuisses et fit mine de la chatouiller.

De nouveau, Winnie poussa un cri. Len continua de chatouiller la petite femme de cire, en riant, jusqu'à ce qu'une collègue parmi les plus âgées lui dise sèchement d'arrêter. Son rire se transforma en ricanement. Il adressa un clin d'œil à Duncan. « Elle aimerait bien que ce soit elle », dit-il, trop bas pour qu'elle puisse l'entendre. Il écrasa la femme de cire en un tas informe et la jeta dans le chariot-poubelle.

Il ne cessait pas de se vanter de ses conquêtes auprès de Duncan. « J'aurais pu l'avoir, Winnie Mason, si j'avais voulu, lui avait-il dit plus d'une fois. Mais à ton avis, ça fait quoi, de l'embrasser sur la bouche ? On doit avoir l'impression d'embrasser le trou du cul d'un chien. » Il disait qu'il emmenait souvent des filles dans Holland Park, et qu'il leur faisait l'amour là-bas, la nuit. Il décrivait tout en détail, avec force grimaces et clins d'œil. Il s'adressait toujours à Duncan comme si lui, Len, était le plus âgé des deux, alors qu'il n'avait que seize ans. Il avait un visage hâlé de gitan, avec des taches de rousseur, et une bouche épaisse, rose, satinée. Lorsqu'il souriait, on voyait l'intérieur de cette bouche, et ses dents régulières et très blanches ressortaient contre son teint hâlé.

Il se renversa en arrière, les mains sur la nuque, se balançant sur deux pattes de son tabouret. Parcourut l'atelier d'un regard las, passant d'une chose à l'autre, à la recherche d'une distraction quelconque. Au bout d'une minute, il se projeta brusquement et lança à la cantonade : « Hé, regardez donc, voilà Mrs A. Elle a deux mecs avec elle ! »

Les ouvrières penchées sur les chandelles tournèrent la tête sans cesser de travailler. Elles étaient ravies de la moindre interruption dans la routine de leur tâche. La semaine précédente, un pigeon était entré dans l'atelier, et elles s'étaient égaillées dans la salle en poussant des cris, pendant presque une heure, profitant au maximum de l'événement. Deux ou trois d'entre elles s'étaient carrément levées de leur poste de travail pour mieux voir les hommes qui accompagnaient Mrs Alexander.

Duncan les regarda faire jusqu'à ce que la curiosité devienne irrépressible. Lui aussi se détourna sur son tabouret pour voir. Mrs Alexander se dirigeait vers la plus grosse machine à fabriquer les bougies, précédant un grand type blond, et un plus petit, brun. Le blond tournait le dos à Duncan, hochant la tête. De temps en temps, il inscrivait quelque chose dans un petit carnet. L'autre tenait un appareil photo : la machine ne l'intéressait pas en soi ; il ne cessait de bouger, cherchant le meilleur angle pour la prendre, avec l'ouvrier qui la commandait. Il fit une photo, puis une autre. Le flash de l'appareil éclatait comme une bombe.

« Le Temps et le Mouvement, déclara Len avec autorité. Je parie qu'ils représentent le Temps et... gaffe, les voilà ! »

Il se pencha de nouveau sur la table, prit un tronçon de cire et une longueur de mèche et s'employa à les fixer avec une assiduité et une concentration sans égales. Les filles firent silence, et continuèrent de travailler avec la même vivacité. Mais en voyant le photographe s'approcher, laissant derrière lui Mrs Alexander et l'autre homme, elles se remirent à lever la tête, sans vergogne, l'une après l'autre. Le photographe allumait une cigarette, son appareil se balançant au bout de la courroie accrochée à son épaule.

« Vous ne voulez pas nous prendre en photo ? » lui lança Winnie.

Le photographe la jaugea du regard, puis s'arrêta sur ses voisines — dont l'une montrait un visage et des mains brûlés, aux cicatrices luisantes, et une autre était presque aveugle. « D'accord », dit-il cependant. Il attendit qu'elles se regroupent en souriant, puis leva son appareil, y colla son œil. Mais il fit simplement mine d'appuyer sur le déclencheur, en enfonçant le bouton à mi-course et en faisant claquer sa langue.

Les filles râlaient. « Le flash n'a pas marché !

— Si, si, dit le photographe. Mais c'est un flash spécial, invisible. Un truc aux rayons X. Ça traverse les vêtements. »

C'était là, de manière si évidente, une réponse toute faite destinée aux filles disgracieuses qui le harcelaient pour se faire photographier, que Duncan en fut presque gêné. Mais les filles, même Winnie, éclatèrent toutes d'un rire strident. Elles riaient encore quand Mrs Alexander s'approcha avec l'homme blond.

« Eh bien, mesdemoiselles, fit-elle avec indulgence, de son ton le plus edwardien, que se passe-t-il ? »

Les filles étouffèrent des ricanements. « Rien, Mrs Alexander. » Puis le photographe dut leur faire un clin d'œil ou un signe quelconque, car elles s'esclaffèrent de nouveau.

Mrs Alexander attendit, puis finit par comprendre qu'on ne la mettrait pas dans la confidence. Elle se tourna vers Duncan. « Comment allez-vous, Duncan ? »

Duncan essuya ses mains sur son tablier et se leva lentement. Il était bien connu dans toute la fabrique pour être un des chouchous de Mrs Alexander. Les autres chuchotaient, à portée de son oreille, « Mrs Alexander va léguer tout son argent à Duncan ! Tu ferais mieux d'être sympa avec Duncan Pearce, parce que ce sera ton patron, un jour ! » Quelquefois, il jouait le jeu, il en rajoutait même, pour les faire rire. Mais il ressentait toujours une certaine tension quand Mrs Alexander le distinguait ; et plus encore aujourd'hui, parce qu'elle avait des invités, et s'apprêtait visiblement à le leur présenter comme son « ouvrier modèle ».

Elle tourna la tête, cherchant l'homme aux cheveux clairs qui s'employait toujours à prendre des notes sur la machine. Elle tendit la main, effleura son bras. « Puis-je vous montrer... ? » Le long de la table, les filles avaient cessé de ricaner et levaient toutes les yeux, en attente. L'homme s'approcha, redressa la tête. « Voici notre fabrication de petites veilleuses, lui dit Mrs Alexander. Duncan pourrait peut-être vous expliquer le processus de fabrication ? Duncan, je vous présente... »

L'homme, toutefois, s'était figé, et fixait Duncan comme s'il ne pouvait en croire ses yeux. Un sourire lui vint. « Pearce ! » fit-il, avant que Mrs Alexander pût continuer les présentations. Puis, devant le regard sans expression de Duncan : « Tu ne me reconnais pas ? »

Duncan examina attentivement son visage, et le reconnut enfin. Cet homme s'appelait Fraser — Robert Fraser. C'était son ex-compagnon de cellule.

Duncan demeura un instant trop saisi pour simplement dire un mot. En une seconde, il se retrouvait plongé dans leur ancien univers, avec ses odeurs, ses sons brouillés et pleins d'échos, sa tristesse accablante, l'angoisse, l'ennui... Il sentit son visage glacé, puis brûlant. Il avait conscience de tous les regards sur lui, et eut l'impression d'être surpris, démasqué, d'un côté par Fraser, de l'autre par Mrs Alexander, et Len, et les filles.

Fraser, cependant, s'était mis à rire. Il semblait aussi percevoir l'étrangeté de la situation, mais la prendre comme une formidable plaisanterie. « Nous nous connaissons ! dit-il, s'adressant à Mrs Alexander. Nous nous sommes même

54

bien connus », il croisa le regard de Duncan, « il y a des années de cela. »

Mrs Alexander paraissait presque décontenancée, semblat-il à Duncan. Fraser ne remarqua rien. Il souriait toujours, en regardant Duncan bien en face. Il lui tendit une main quelque peu solennelle ; mais de l'autre il le saisit à l'épaule et le secoua cordialement. « Tu n'as pas du tout changé ! dit-il.

— Toi si », réussit à articuler Duncan.

Car Fraser avait grandi. La dernière fois que Duncan l'avait vu, il avait vingt-deux ans : maigre, pâle, anguleux, la joue constellée de boutons. À présent, il devait approcher les vingt-cinq — il était donc à peine plus vieux que Duncan lui-même, mais aussi différent de lui qu'on puisse l'être : large d'épaules alors que Duncan était mince ; et puis hâlé, respirant une bonne santé, une forme incroyables. Il portait un pantalon de velours côtelé et une chemise à col ouvert, et une veste de tweed marron avec des coudes de cuir. Il avait en bandoulière une serviette dont la courroie lui barrait la poitrine. Ses cheveux clairs étaient longs — Duncan, bien sûr, ne les lui avait vus que coupés ras — mais sans aucun fixatif : avec la vigueur de ses gestes, une mèche tombait de temps en temps sur son front, qu'il remettait chaque fois en place. Sa main était aussi hâlée que son visage ; ses ongles taillés court, mais luisants, comme s'il les polissait.

Il paraissait si adulte et sûr de soi, si à l'aise dans des vêtements civils que Duncan, outre son embarras, se sentit soudain intimidé par lui. Il faillit laisser échapper un rire nerveux ; Mrs Alexander, le voyant sourire, sourit également.

« Mr Fraser est là pour écrire sur vous, Duncan. »

Il dut avoir l'air effaré, et Fraser ajouta vivement : « Je

55

prépare un article sur l'usine, pour un hebdomadaire illustré. Je fais ça, maintenant, des trucs comme ça. Mrs Alexander a eu l'amabilité de me faire visiter l'endroit. Je n'aurais jamais pensé... »

Pour la première fois, son sourire vacilla. Il semblait enfin se rendre compte de ce qu'il faisait là, devant la table de travail de Duncan, et de ce que Duncan y faisait. « Je n'aurais jamais pensé te trouver là, conclut-il. Cela fait longtemps que tu travailles ici ?

— Duncan est chez nous depuis presque trois ans », répondit Mrs Alexander, comme ce dernier hésitait.

Fraser hocha la tête.

« C'est un de nos meilleurs ouvriers. Duncan, puisque Mr Fraser et vous semblez être de vieux amis, pourquoi ne pas lui expliquer en quoi consiste votre travail ? Et Mr Fraser, votre collègue peut peut-être faire quelques photos ? »

Fraser se retourna vaguement, et le photographe s'approcha. Il chercha un angle, posant de nouveau l'œil contre l'appareil et le calant bien, tandis que Duncan prenait un des petits tronçons de cire et commençait à expliquer à Fraser la manière d'assembler cire, mèche, support métallique et socle ininflammable. Il s'en sortait mal. Lorsque le flash éclata, il cligna des paupières et, l'espace d'une seconde, perdit le fil. Cependant, Fraser hochait la tête en souriant, tendant l'oreille et observant d'un regard aigu, concentré, chaque nouvel élément qu'on lui désignait, tout en remettant en place, deux ou trois fois, cette mèche de cheveux libres qui retombait sur son front. « Je vois, je vois, dit-il. Oui oui, bien sûr que j'ai compris. »

L'explication ne prit qu'une minute. Duncan posa la chandelle terminée sur le tapis roulant au milieu de la table, qui l'emporta jusqu'au chariot attendant à son extrémité. « Et voilà », dit-il.

Mrs Alexander s'approcha. Elle était restée un peu en arrière, avec sur le visage cette expression vaguement déçue des parents qui voient leur enfant cafouiller sur scène lors du spectacle de fin d'année. « Très bien », dit-elle toutefois, feignant d'être satisfaite. « C'est très simple, comme vous voyez. Nos petites chandelles sont toutes assemblées à la main... Vous ne pourriez sans doute pas dire combien vous en avez fait depuis que vous travaillez ici, Duncan ?

— Pas vraiment, non.

— Non... Enfin, vous ne perdez pas la main, j'espère ? Et comment... », elle cherchait un moyen de sauver la situation, « comment avance cette collection ? » Elle se tourna vers Fraser. « Vous savez sûrement, Mr Fraser, que Duncan est un grand collectionneur d'antiquités ? »

Fraser, l'air mi-embarrassé mi-amusé, reconnut qu'il l'ignorait. « Oh ! fit Mrs Alexander avec enthousiasme, oh, mais c'est un véritable violon d'Ingres ! Il déniche des choses ravissantes ! Je dis toujours que c'est la malédiction des revendeurs. Quelle est votre dernière trouvaille, Duncan ? »

Duncan vit qu'il ne pourrait pas s'en sortir. D'un air un peu compassé, il lui parla du pot à lait qu'il avait montré à Viv chez Mr Mundy, quelques jours auparavant.

Mrs Alexander ouvrit de grands yeux. Mis à part le fait qu'elle devait élever la voix pour dominer le vacarme de la fabrique, elle aurait aussi bien pu se trouver autour d'un thé, avec des amies.

« Trois shillings six pence, dites-vous ? Il faudra que je raconte cela à mon amie miss Martin. Elle a une passion pour l'argenterie ancienne, elle va être folle de jalousie.

Apportez ce petit pot, Duncan, il faut que je le voie. Vous ferez ça ?

— Oui, dit Duncan, si vous voulez.

— Tout à fait. Et à propos, comment se porte votre oncle ? Duncan s'occupe merveilleusement de son oncle, Mr Fraser... »

Duncan tressaillit, fit un pas précipité, comme pris de panique. Mrs Alexander, voyant l'expression de son visage, se trompa sur sa signification. « Allons, dit-elle, lui tapotant l'épaule. Je vous mets dans l'embarras. Je vous laisse à vos veilleuses. » Elle se tourna vers la table, hocha la tête. « Comment allez-vous, Len ? Tout va bien, Winnie ? Mabel, avez-vous vu Mr Greening, pour votre chaise ? Très bien. » Elle toucha de nouveau le bras de Mr Fraser. « Aimeriez-vous visiter la salle d'emballage, à présent, Mr Fraser ? »

Fraser dit qu'il la suivrait volontiers, dans un petit moment. « J'aimerais prendre encore quelques notes ici, d'abord », dit-il. Il attendit qu'elle s'éloigne, puis se mit à griffonner sur son carnet. Ce faisant, il revint vers Duncan. « Il faut que j'y aille, Pearce, comme tu vois, dit-il d'un ton d'excuse. Quand même, c'est vraiment bizarre, hein ? Tiens, je te donne mon adresse. » Il arracha la page, la tendit à Duncan. « Tu m'appelles ? Cette semaine ? D'accord ? »

— Si tu veux », dit Duncan.

Fraser lui sourit. « C'est chouette. On pourra discuter vraiment. Je veux tout savoir, tout ce que tu as fait depuis. » Il s'éloigna, à contrecœur aurait-on dit. « Tout ! »

Duncan baissa la tête pour tirer son tabouret à lui. Quand il releva les yeux, Fraser, le photographe et Mrs Alexander franchissaient la porte qui menait au bâtiment suivant.

La porte à peine fermée, les filles se remirent à ricaner.

Winnie interpella Duncan de sa voix criarde : « Qu'est-ce qu'il t'a donné ? C'est son adresse ? Je te la rachète cinq shillings !

— Moi, je t'en donne six ! » renchérit sa voisine.

Celle-ci et une autre fille se levèrent et essayèrent de lui arracher le papier des mains. Il se défendit et se mit à rire — soulagé qu'elles prennent la chose de cette manière, et pas d'une autre. « Tu as vu comment il t'a ciré les pompes, Duncan, dit Len. Il a dû entendre dire que tu étais bon pour une promotion. Tu le connais d'où ? »

Duncan se débattait toujours contre les filles, et ne répondit pas. Quand elles eurent fini de le tourmenter pour passer à autre chose, le morceau de papier avec l'adresse de Fraser était tout froissé, presque en boule. Il le glissa dans la poche de son tablier, tout au fond pour qu'il ne s'en échappe pas, mais pendant l'heure qui suivit, ne cessa d'y porter la main, discrètement, comme pour s'assurer qu'il était toujours bien là. En fait, il avait envie de le sortir et de le lire attentivement : mais pas question de le faire devant tout le monde. Finalement, il n'y tint plus. Comme Mr Champion passait, il lui demanda l'autorisation d'aller aux toilettes. Il entra dans une cabine, verrouilla la porte ; il sortit le papier de sa poche et le lissa.

Il était plus ému en faisant cela que quand il parlait directement à Fraser ; il s'était senti trop emprunté. Mais à présent, le fait que Fraser ait débarqué comme ça et se soit montré si cordial — jusqu'à se donner la peine de lui écrire son adresse, de lui dire « Tu m'appelles ? D'accord ? » — paraissait merveilleux. Duncan baissa les yeux sur l'adresse, et se mit à imaginer comment cela se passerait s'il s'y rendait vraiment — un soir, disons. Il se voyait faire le trajet. Il réfléchit à quels vêtements il choisirait : pas ceux qu'il portait pour l'instant, imbibés d'odeurs de stéarine et de parfum, mais à un beau pantalon qu'il avait, et puis une chemise à col ouvert, et une veste élégante. Il imagina comment il se comporterait avec Fraser, quand celui-ci ouvrirait la porte. « Salut, Fraser », dirait-il avec nonchalance, et Fraser se mettrait à pleurer d'effarement et d'admiration. « Pearce ! Mais tu as l'air d'un homme, une fois sorti de cette horrible fabrique ! » « Oh, la fabrique, tu sais..., répondrait Duncan avec un geste de la main. J'y vais uniquement pour faire plaisir à Mrs Alexander... »

Il resta dix minutes à rêver tout éveillé, se repassant sans cesse la même scène, celle de son arrivée à la porte de Fraser ; sans pouvoir vraiment imaginer ce qui se passerait après que ce dernier l'aurait fait entrer... Il continuait ainsi, alors qu'il n'avait en réalité aucune intention de se rendre chez Fraser, alors même qu'une voix en lui disait : *Fraser n'a pas vraiment envie de te voir. Il t'a donné son adresse par politesse. C'est le genre de type qui s'enthousiasme deux minutes sur n'importe quoi, puis oublie et passe à autre chose...*

Il entendit la porte battante des lavabos, puis la voix de Mr Champion : « Ça va, Duncan ?

— Oui, Mr Champion ! » Il tira la chaîne.

De nouveau, il regarda le papier dans sa main. Il ne savait pas quoi en faire. Finalement, il le déchira en petits morceaux qu'il laissa tomber dans la cuvette, dans le tourbillon de la chasse d'eau.

« Mais es-tu obligée de gigoter comme ça ? » disait Julia.

Helen secoua une épaule. « C'est à cause de ces robinets, dit-elle avec humeur. Celui-ci est glacé, et l'autre vous brûle l'oreille comme un fer rouge ! »

Elles étaient toutes deux dans la baignoire. C'était le rituel du samedi matin ; chacune à tour de rôle avait droit au côté sans robinet, et cette semaine, c'était le tour de Julia. Elle gisait bras étendus, la tête renversée en arrière, les yeux clos ; elle avait attaché ses cheveux dans un mouchoir, mais quelques mèches s'en étaient échappées qui, détrempées, suivaient la ligne de sa mâchoire, jusqu'à sa gorge. Fronçant les sourcils, elle les coinça derrière son oreille.

Helen remua de nouveau, puis trouva une position presque confortable et s'immobilisa, goûtant enfin l'intrusion délicieuse de l'eau chaude sous ses aisselles, entre ses jambes — dans tous les recoins et interstices de sa chair. Elle posa les paumes à plat à la surface de l'eau, vérifiant sa résistance, sa texture, sa peau. « Regarde nos quatre jambes mélangées », dit-elle doucement.

Julia et elle parlaient toujours à voix basse quand elles prenaient leur bain. Elles partageaient la salle de bains avec la famille qui occupait l'appartement du sous-sol ; chacun avait une heure précise pour ses ablutions, et l'on ne risquait pas de les surprendre ; mais les carreaux des murs semblaient amplifier tous les sons, et Julia était persuadée que leurs voix, leurs éclaboussures et le frottement de leurs membres contre l'émail pouvaient s'entendre dans les pièces au-dessous.

« Regarde comme ta peau est brune, comparée à la mienne, reprit Helen. Franchement, tu es hâlée comme une vraie gitane.

— C'est l'eau qui la fait paraître sombre, dit Julia.

— Oui, eh bien pas la *mienne*, en tout cas », dit Helen. Elle enfonça l'index dans la chair rose et jaunâtre de son propre ventre. « Je ressemble à du hachis de veau. »

Julia ouvrit les yeux et jeta un bref regard sur les jambes d'Helen. « Tu ressembles à un modèle d'Ingres », dit-elle d'une voix paisible.

Elle avait toujours de ces compliments ambigus. « On dirait une femme sur une fresque soviétique », avait-elle déclaré récemment, comme Helen revenait de faire les courses avec deux filets remplis ; sur quoi Helen avait visualisé une costaude à la mâchoire carrée, avec une ombre de moustache ; à présent, elle évoquait une *odalisque* aux fesses tombantes... elle posa une main sur la jambe de Julia. Une jambe couverte de petits poils drus, intéressante sous la paume ; le tibia était mince, agréable à enserrer. Sur l'os de la cheville, une unique veine apparaissait, gonflée par la chaleur de l'eau. Elle l'observa, l'écrasa sous son doigt, la vit céder ; elle pensa au sang compressé à l'intérieur, et eut un léger frisson. Elle laissa glisser sa main jusqu'au pied de Julia, et se mit à le frotter. Julia sourit. « C'est agréable. »

Julia avait de grands, larges pieds — des pieds d'Anglaise, pensait Helen, la seule partie de son corps vraiment disgracieuse ; pour cette raison, elle leur accordait une sorte de respect particulier. Elle tira lentement sur chaque orteil, insinua un doigt entre chacun ; elle appuya contre eux sa paume ouverte et poussa doucement. Julia soupirait de plaisir. Une boucle de ses cheveux était retombée, et collait de nouveau à sa gorge — sombre, plate et luisante comme une algue, ou une mèche de sirène. Pourquoi, se demanda Helen, les sirènes que l'on voyait dans les albums et les films avaient-elles toujours des cheveux dorés ? Elle était certaine qu'une vraie sirène devait avoir les cheveux sombres, comme Julia. Une vraie sirène devait être étrange, inquiétante — rien d'une actrice ou d'une pin-up.

« Je suis bien contente que tu aies des pieds, et pas une queue, dit-elle, faisant aller et venir son pouce au creux de la cambrure du pied de Julia.

— Vraiment, ma chérie ? Moi aussi.

— Cela dit, tes seins seraient superbes dans un soutien-gorge en coquillages. » Elle sourit. Une blague lui revenait. « Pourquoi le soutien-gorge est-il un électeur idéal ? » demanda-t-elle.

Julia réfléchit. « Je ne sais pas. Pourquoi ?

— Parce qu'il soutient la droite et la gauche sans risque de ballottage. »

Elles se mirent à rire — moins à la stupidité de la plaisanterie qu'à celle d'Helen qui la racontait. Julia avait gardé la tête renversée ; son rire, prisonnier de sa gorge, faisait un bouillonnement contenu, très doux, enfantin, très différent de son rire « mondain », son rire de circonstance, qu'Helen avait toujours trouvé un peu cassant, friable. Elle posa une main sur sa bouche pour étouffer le son. Sur son ventre secoué de spasmes, le nombril se rétrécissait.

« Ton nombril me fait de l'œil, dit Helen, riant toujours. Il est drôlement culotté. Le Nombril culotté. Ça ferait un bon nom pour un pub au bord de la mer, non ? » Elle déplaça ses jambes, bâillant. Elle en avait un peu assez de caresser le pied de Julia ; elle l'abandonna. « Est-ce que tu m'aimes, Julia ? » chuchota-t-elle tout en changeant de position.

Julia referma les yeux. « Bien sûr que oui », dit-elle.

Elles demeurèrent longtemps ainsi, sans parler. Les tuyaux cliquetaient en refroidissant. Un toc-toc d'eau qui goutte leur parvenait de quelque endroit dissimulé dans la tuyauterie. Du dessous, montaient des coups sourds, comme l'homme qui habitait le sous-sol passait lourdement d'une pièce à l'autre ; elles l'entendirent bientôt crier à l'adresse de son épouse, ou de sa fille : « *Mais non, espèce de pauvre gourde !* »

Julia fit claquer sa langue. « Quelle horreur, ce type. » Puis elle ouvrit les yeux. « Helen, fit-elle, contrôlant sa voix, comment peux-tu ? » — car Helen, sans vergogne, se penchait au-dessus du rebord de la baignoire et tendait l'oreille. Elle fit signe à Julia de se taire. « *Tu peux te le mettre au cul, oui !* » l'entendirent-elles crier : une expression qu'il appréciait particulièrement. Suivit un vrombissement aigu de moustique, qui était tout ce qu'elles pouvaient capter des réponses de la femme.

« Franchement, Helen », fit Julia d'un ton désapprobateur. Helen reprit docilement sa place dans la baignoire. Parfois, quand ils commençaient à se disputer, et si elle était seule, elle allait jusqu'à se mettre à genoux sur le tapis de bain et coller son oreille contre le sol, en retenant ses cheveux mouillés. « *Tu finiras comme ces espèces d'eunuques du dessus !* » l'avait-elle un jour entendu crier. Elle ne l'avait pas dit à Julia.

Aujourd'hui, il se contenta de grommeler encore une minute ou deux, puis laissa tomber. Une porte claqua. Les objets qu'Helen et Julia avaient apportés dans la salle de bains — ciseaux et pince à épiler, rasoir de sûreté dans sa boîte — tressautèrent.

Il était onze heures et demie. Elles avaient prévu une journée de paresse, avec des livres et un petit pique-nique dans Regent's Park ; elles ne vivaient pas loin, dans une rue juste à l'est de Edgware Road. Helen attendit encore un peu que l'eau refroidisse, puis elle se redressa pour se laver, se retournant maladroitement pour que Julia puisse lui savonner le dos et le rincer, avant de lui rendre la pareille. Mais comme elle se relevait et sortait de la baignoire, Julia s'y replongea, étendant ses membres dans l'espace libéré, avec un sourire de chat.

Helen l'observa une seconde, puis se pencha et l'embrassa — savourant la vision et le contact des lèvres lisses, chaudes, qui sentaient bon le savon.

Elle passa sa robe de chambre et ouvrit la porte, tendit l'oreille pour vérifier qu'il n'y avait personne dans le couloir. Puis elle courut d'un pied léger jusqu'à l'escalier. Leur salon se trouvait à cet étage, à côté de la salle de bains. La cuisine et la chambre étaient au-dessus.

Elle venait de finir de s'habiller et se peignait devant le miroir de la chambre quand Julia la rejoignit : dans la glace, Helen l'observa qui se poudrait d'un geste négligent, puis arrachait le mouchoir de ses cheveux et allait et venait dans la pièce, nue, choisissant une culotte, des bas, un porte-jarretelles et un soutien-gorge. Elle ajouta sa serviette à un tas de vêtements posés sur les coussins de la banquette, sous la fenêtre ; presque aussitôt, elle tomba au sol, entraînant une socquette et un jupon dans sa chute.

La banquette ménagée sous le rebord de fenêtre était une des choses qui leur avaient aussitôt plu dans cette maison, lorsqu'elles l'avaient visitée. « Nous pourrons nous asseoir là, ensemble, pendant les longues soirées d'été », avaient-elles dit. À présent, Helen regardait le tas de vêtements qui obstruait les vitres, et le lit défait, et puis les tasses et les chopes, et les piles de livres lus et à lire, qui encombraient toutes les surfaces disponibles... « Ce n'est plus possible, cette chambre, dit-elle. Tu te rends compte, deux femmes adultes qui vivent là-dedans, dans cette porcherie. Incroyable. Quand j'étais jeune, je pensais à la maison que j'aurais plus tard, et je l'imaginais toujours bien rangée, impeccable — comme celle de ma mère. J'ai toujours cru qu'un intérieur impeccable était quelque chose de... enfin, de naturel, je ne sais pas.

— Que ça venait tout seul, comme les dents de sagesse ?

— Oui, voilà », dit Helen. Elle passa sa manche sur le miroir, et elle se couvrit de poussière grise.

D'autres qu'elles, à leur âge et de leur milieu, avaient

une femme de ménage. Elles, elles ne pouvaient pas, du fait qu'elles dormaient dans le même lit. Il y avait une autre petite chambre à l'étage supérieur, que l'on présentait aux visiteurs comme « la chambre d'Helen » ; elle était meublée d'un vieux sofa démodé et d'une austère garde-robe victorienne dans laquelle elles rangeaient pardessus, pullovers et bottes de caoutchouc. Mais c'était trop compliqué de devoir faire croire à une femme de ménage qu'Helen y dormait seule chaque soir ; un jour ou l'autre, elles oublieraient, forcément. Et de toute façon, les femmes de ménage étaient connues pour être affreusement intuitives, pour ce genre de chose. À présent que les livres de Julia avaient un tel succès, il leur fallait être plus prudentes que jamais.

Julia s'approcha du miroir. Elle avait enfilé une robe de lin sombre, à jupe plissée, et se recoiffait sommairement de la main ; mais elle aurait pu traverser n'importe quel enfer, se disait Helen, et en sortir absurdement élégante et distinguée, comme maintenant. Elle s'approcha encore de la glace pour se mettre du rouge d'un geste vif. Sa bouche était petite, ses lèvres pleines, ses dents un peu resserrées. Mais elle avait un de ces visages si réguliers, si lisses, qu'ils sont dans la réalité absolument semblables à leur reflet. En comparaison, celui d'Helen apparaissait plutôt étrange, dissymétrique, quand on l'observait dans un miroir. *Tu as l'air d'un ravissant oignon*, lui avait dit Julia, un jour.

Elles finirent de se maquiller, puis passèrent dans la cuisine pour préparer le pique-nique. Elles prirent du pain, de la salade, des pommes, un petit morceau de fromage, et deux canettes de bière. En fouillant, Helen mit la main sur un vieux carré de madras qu'elles avaient utilisé pour protéger les meubles quand elles rénovaient l'appartement ; elles fourrèrent le tout dans un sac de toile, y ajoutèrent leurs livres, leurs sacs et les clefs. Julia remonta à l'étage pour chercher ses cigarettes et ses allumettes. Helen demeura à la fenêtre de la cuisine, observant le jardin de derrière. Elle apercevait le sale type du sous-sol qui s'affairait, penché sur quelque chose. Il élevait des lapins dans la cour, dans un petit clapier qu'il avait fabriqué : il devait les nourrir ou leur donner à boire, ou peut-être vérifier leur embonpoint. C'était toujours pénible de les imaginer là, en bas, écrasés les uns contre les autres. Elle se détacha de la fenêtre, accrocha le sac à son épaule. Les canettes tintèrent contre les clefs. « Julia, appela-t-elle, tu es prête ? »

Elles descendirent et sortirent dans la rue.

La maison faisait partie d'une rangée de constructions mitoyennes datant du début du XIXᵉ siècle, face à un jardin public. Toutes étaient blanches — de ce blanc londonien qui est plus un beige grisâtre marqué de strates ; les rainures et saillies de la façade étaient obscurcies par le brouillard, la suie et, plus récemment, la poussière de brique. Toutes avaient droit à une porte imposante précédée d'un portique et avaient certainement été autrefois de luxueuses résidences, peut-être celles de petites courtisanes de la Régence, des jeunes filles prénommées Fanny, Sophia, Skittles... Julia et Helen se plaisaient à les imaginer descendant vivement les marches dans leur robe Empire, chaussées de souliers à semelles souples, pour monter à cheval et aller se promener dans Rotten Row.

Quand le temps était maussade, le stuc décoloré pouvait avoir triste allure. Aujourd'hui, la lumière emplissait la rue, et les façades apparaissaient d'un blanc d'os contre le bleu du ciel. Helen se dit que Londres avait bonne mine. Les trottoirs étaient poussiéreux — mais poussiéreux comme peut l'être, disons, un pelage de chat après des heures de sieste au soleil. Les portes d'entrée étaient ouvertes, les châssis de fenêtre relevés. Les autos passaient si peu nombreuses que tout en marchant, Helen et Julia distinguaient tel cri d'enfant, tel marmonnement de radio, la sonnerie d'un téléphone dans une pièce vide. Et comme elles approchaient de Baker Street, leur parvint peu à peu la musique de la fanfare de Regent's Park, en une sorte de *pom-pom-pom, clash-pom-pom* — se gonflant et retombant au gré de coups de vent impalpables, comme des vêtements sur un fil d'étendage.

Julia saisit Helen par le poignet, soudain petite fille, faisant mine de la tirer. « Vite ! Vite ! On va manquer le défilé ! » Ses doigts s'agitèrent au creux de la paume d'Helen, puis elle ôta sa main. « C'est l'impression que ça donne, tu ne trouves pas ? Qu'est-ce qu'ils jouent, à ton avis ? »

Elles ralentirent pour écouter attentivement. Helen secoua la tête. « Je ne vois pas du tout. Un truc moderne, atonal ?

— Sûrement pas. »

La musique se fit plus forte. « Vite, vite ! » répéta Julia. Elles sourirent, en adultes, mais se remirent en marche, pressant le pas. Elles entrèrent dans le parc par Clarence Gate, suivirent le sentier qui longeait le lac avec ses canots. Aux abords du kiosque, la musique se faisait plus forte et moins discordante. Comme elles approchaient encore, l'air se révéla enfin.

« Oh ! » fit Helen, et elles éclatèrent de rire ; ce n'était que *Yes ! We have no bananas.*

Elles quittèrent le sentier et trouvèrent un endroit qui leur paraissait sympathique, moitié au soleil et moitié à l'ombre. La terre était dure, l'herbe très jaunie. Helen posa le sac et sortit le carré de tissu ; elles l'étalèrent au sol et ôtèrent leurs chaussures d'un coup de pied, puis disposèrent la nourriture. La bière était encore froide du réfrigérateur, et les canettes glissèrent délicieusement dans la main chaude d'Helen. Mais, retournant au sac et cherchant un moment, elle leva les yeux.

« On a oublié le décapsuleur, Julia. »

Julia ferma les yeux. « Oh non. Et j'ai une soif horrible, en plus. Qu'est-ce qu'on fait ? » Elle saisit une canette et commença de tripoter la capsule. « Tu n'aurais pas une idée de génie pour ouvrir ça sans décapsuleur ?

— Avec mes dents, c'est ça ?

— Tu as bien été dans les Jeannettes, non ?

— Oui, mais tu sais, on n'était pas trop amateur de bière, dans mon groupe. »

Elles tournaient et retournaient les bières entre leurs mains.

« Écoute, ce n'est pas la peine, c'est impossible », dit enfin Helen. Elle regarda autour d'elle. « Il y a des garçons, là-bas. Va donc leur demander s'ils n'ont pas un canif ou quelque chose.

— Je ne peux pas faire ça !

— Vas-y. Tous les garçons ont un canif sur eux.

— Vas-y, toi.

— Moi, j'ai déjà porté le sac. Allez, Julia.

— Bon. » Julia se leva de mauvaise grâce, prit une canette dans chaque main et se dirigea vers un groupe de jeunes gens qui se prélassaient sur l'herbe. Elle marchait d'un pas raide, un peu voûtée, peut-être simplement mal à l'aise, mais l'espace d'une seconde, Helen la vit comme l'aurait vue un étranger : séduisante, mais aussi adulte, déjà presque une femme mûre ; on pouvait deviner chez elle la silhouette anguleuse, aux hanches larges, au torse étroit qui serait la sienne dans dix ans... Les jeunes gens, par contraste, avaient quasiment l'air d'écoliers. En la voyant arriver, ils mirent leur main en visière pour protéger leurs

69

yeux du soleil ; puis ils se redressèrent paresseusement et fouillèrent leurs poches ; l'un d'eux serra une canette contre son estomac tout en s'occupant de la capsule avec quelque chose. Julia demeurait immobile, bas croisés, plus mal à l'aise que jamais, avec aux lèvres un sourire contraint ; lorsqu'elle revint avec les deux bouteilles ouvertes, son visage et sa gorge étaient tout roses.

« Ils se sont simplement servis de leurs clefs, dit-elle. On aurait très bien pu le faire nous-mêmes.

— On saura, pour la prochaine fois.

— Et ils m'ont dit "ne vous en faites pas, ma p'tite dame".

— Laisse tomber », dit Helen.

Elles avaient apporté des tasses. La bière moussait tant et plus jusqu'au bord incurvé de porcelaine. Sous la mousse, elle était glacée, amère, délicieuse. Helen ferma les yeux, savourant la chaleur du soleil sur son visage, et cette légère audace, ce sentiment de vacances qu'il y avait à boire de la bière dans un lieu aussi public... Toutefois, elle cacha les bouteilles dans un pli du sac de toile.

« Imagine qu'un de mes clients me voie ?

— Oh, qu'ils aillent se faire foutre, tes clients », dit Julia.

Elles se penchèrent sur la nourriture, découpèrent le pain et de fines tranches de fromage. Julia s'étendit, utilisant le sac de toile comme coussin sous sa nuque. Helen, elle, s'allongea de tout son long, bien à plat, les yeux clos. L'orchestre avait entonné un nouveau morceau. Elle en connaissait les paroles, et se mit à chanter doucement.

« Il y a quelque chose chez un soldat ! Quelque chose chez un soldat ! Quelque chose chez un soldat ! Quelque chose d'épatant, d'épatant, d'épatant !... »

Quelque part, un bébé pleurait dans son landau. Elle

l'entendait hoqueter, à bout de souffle. Un chien aboyait, comme son propriétaire le taquinait avec une canne. Du lac lui parvenaient les grincements et éclaboussements des rames, les plaisanteries qu'échangeaient garçons et filles ; et des rues qui entouraient le parc, bien sûr, le grondement continu des moteurs. En se concentrant, il lui semblait percevoir l'ensemble comme autant de partitions séparées : comme si chaque son avait été enregistré à part, puis ajouté aux autres pour créer un tout vaguement artificiel : « Après-midi de septembre à Regent's Park ».

Puis un couple d'adolescentes passa devant elles. Elles avaient un journal à la main, et commentaient un article. « Ce doit être affreux de se faire étrangler », entendit Helen. « Tu préférerais te faire étrangler, ou recevoir une bombe atomique sur la tête ? Il paraît qu'au moins, avec la bombe atomique, c'est vite fait... »

Leurs voix s'évanouirent, avalées par une nouvelle envolée de la musique.

« Il y a quelque chose dans sa tenue, dans son allure, dans ses boutons qui brillent, brillent, brillent !... »

Helen ouvrit les yeux sur le bleu éclatant du ciel. Était-ce de la folie, se demandait-elle, d'être aussi heureuse de vivre qu'elle l'était à présent, dans un monde plein de bombes atomiques, et de camps de concentration, et de chambres à gaz ? Les gens continuaient de se déchirer les uns les autres. Les tueries, la famine, l'angoisse existaient toujours, en Pologne, en Palestine, en Inde — Dieu seul savait où encore. La Grande-Bretagne elle-même s'enfonçait doucement dans la banqueroute et la décomposition... Était-ce de la sottise ou de l'égoïsme, de vouloir se laisser charmer par des choses aussi futiles que les éclats sonores de la fanfare de Regent's Park ; la tiédeur du soleil sur son visage, le chatouillis de l'herbe sous ses talons, le cheminement de la bière ambrée dans ses veines, la proximité secrète de son amante ? Ou bien ces futilités étaient-elles tout ce que l'on possédait ? Ne devait-on pas justement les préserver, en faire de petites larmes de cristal que l'on gardait, comme des breloques porte-bonheur à son bracelet, pour se défendre du prochain danger qui apparaîtrait ?

Tout en réfléchissant, elle bougea la main, à peine, toucha des phalanges la cuisse de Julia, à l'abri des regards.

« C'est délicieux, n'est-ce pas Julia ? fit-elle. On devrait venir tout le temps ici. L'été est presque terminé, et qu'est-ce qu'on en a fait ? On aurait pu venir ici tous les soirs.

— L'année prochaine, répondit Julia.

— Oui. Il faudra s'en souvenir. N'est-ce pas ? Julia ? »

Mais Julia n'écoutait plus. Comme elle redressait la tête pour répondre à Helen, son regard avait été attiré par autre chose, plus loin dans le parc. Elle leva une main pour protéger ses yeux et, tandis qu'Helen l'observait, son regard devint fixe et un sourire se dessina sur ses lèvres. « Je crois bien que c'est..., dit-elle. Mais oui, c'est elle. Oh, c'est drôle ! » Elle éleva le bras plus haut, l'agita. « *Ursula !* » appela-t-elle — si fort que sa voix agressa le tympan d'Helen. « Par ici ! »

Helen se redressa à son tour et regarda dans la direction vers laquelle Julia faisait des signes. Elle vit une femme mince, élégante qui se dirigeait vers elles, riant déjà.

« Juste ciel ! fit la femme en approchant. C'est drôle de vous voir là, Julia ! »

Julia s'était levée et défroissait sa robe de lin. Elle riait aussi. « Où allez-vous ? s'enquit-elle.

— J'ai déjeuné avec une amie, répondit la femme, à St John's Wood. Je retourne aux studios. Nous n'avons pas le temps de pique-niquer, à la BBC. Mais c'est charmant, cette petite installation ! Tellement bucolique ! »

Elle regarda Helen. Elle avait des yeux sombres, vaguement malveillants.

Julia se détourna pour faire les présentations. « Je te présente Ursula Waring, Helen. Ursula, je vous présente Helen Giniver...

— Helen, bien sûr ! dit Ursula. Je peux vous appeler Helen, n'est-ce pas ? J'ai tellement entendu parler de vous — et non, ne prenez pas cet air angoissé ! En bien, uniquement en bien ! »

Elle se pencha pour lui serrer la main, et Helen se redressa à demi. Elle se sentait à son désavantage, assise par terre tandis que Julia et Ursula étaient debout ; mais elle était aussi très consciente de son allure, de sa tenue de samedi matin — son corsage défait et recousu pour « faire durer », comme on disait, sa vieille jupe de tweed plutôt usagée aux fesses. Ursula, par contraste, paraissait impeccable, riche, chic. Elle avait rassemblé ses cheveux dans un élégant petit chapeau un peu masculin. Ses gants de cuir étaient lisses et comme neufs, et ses chaussures à talon plat ornées de petites franges de cuir — le genre de chaussures que l'on imagine sur un cours de golf, ou en Écosse, dans les Highlands, ce genre d'endroit à la fois rustique et luxueux. Elle ne ressemblait pas du tout à ce qu'Helen avait imaginé, d'après ce que Julia lui disait d'elle depuis quelques semaines. À entendre cette dernière, on l'aurait crue plus âgée, et sans aucune classe. Pourquoi en parlait-elle ainsi ?

« Vous avez écouté l'émission, hier soir ? demanda Ursula.

— Bien sûr, dit Julia.

— Pas mal, n'est-ce pas ? Qu'en avez-vous pensé, Helen ? Je trouve qu'on a fait quelque chose de très bien... Et puis, la photo de Julia en page centrale du *Radio Times* !

— Oh, une catastrophe, dit Julia avant qu'Helen puisse répondre. Cette photo est si affreusement catholique ! On dirait que je m'apprête à subir le supplice de la roue, ou à me faire arracher les yeux !

— Quelle idée ! »

Elles rirent toutes deux. Puis Julia dit : « Mais joignez-vous à nous, Ursula, installez-vous un moment. »

Ursula secoua la tête. « Je sais que si je m'assois, je serai incapable de me relever... Mais je vais être verte de jalousie en pensant à vous, ici, toute la journée. Vous êtes d'une cruauté sans nom, toutes les deux. Mais vous habitez si près, c'est vrai. Et dans une maison si charmante, en plus ! » De nouveau elle se tourna vers Helen. « Comme je le disais à Julia, on n'imaginerait jamais qu'un tel endroit puisse exister, si près de Edgware Road.

— Vous êtes déjà venue ? fit Helen, surprise.

— Oh, à peine cinq minutes...

— Ursula est passée la semaine dernière, dit Julia. Je te l'ai certainement dit, Helen.

— J'ai dû oublier.

— J'avais envie de jeter un coup d'œil au bureau de Julia, dit Ursula. C'est toujours fascinant, de voir le lieu où un écrivain travaille à ses œuvres. Cela dit, je ne suis pas certaine de vous envier, Helen. Je ne sais pas comment je supporterais d'avoir au-dessus de ma tête mon amie en train de décider quel est le meilleur moyen de se débarrasser de sa prochaine victime — le poison ou la corde ! »

Helen trouva qu'elle donnait au mot « amie » une intonation particulière, comme pour dire : *Nous nous comprenons, bien sûr.* Comme pour dire : *Nous sommes toutes des « amies ».* Elle avait ôté ses gants et sorti de sa poche un étui à cigarettes en argent ; comme elle l'ouvrait, Helen

74

remarqua ses ongles coupés court et manucurés, et la discrète chevalière au petit doigt de sa main gauche...

Elle tendit l'étui à cigarettes. Helen secoua la tête. Julia toutefois s'approcha et Ursula et elles restèrent un moment penchées à se battre avec un briquet — car une brise s'était levée, et ne cessait de souffler la flamme.

Elles parlèrent encore d'« Enquête au coin du feu » et du *Radio Times* ; de la BBC, de ce qu'y faisait Ursula... « Bien, mes enfants, dit enfin cette dernière, une fois sa cigarette terminée, il faut que je me sauve. Ça m'a vraiment fait plaisir. Il faut que vous veniez un jour à Clapham, toutes les deux. Un soir, pour dîner — ou mieux, je peux organiser une petite soirée. » De nouveau son regard se faisait malicieux, malveillant. « On peut faire une soirée rien qu'entre filles. Qu'en dites-vous ?

— Mais bien sûr, avec joie », dit Julia, comme Helen demeurait silencieuse.

Ursula eut un large sourire. « Alors c'est décidé. Je vous dirai quand. » Elle prit la main de Julia, la secoua en riant. « J'ai une ou deux amies qui vont s'évanouir à l'idée de vous rencontrer, Julia. Des inconditionnelles ! » Elle commença d'enfiler ses gants, puis se tourna de nouveau vers Helen. « Au revoir, Helen. J'ai été ravie de vous rencontrer, en vrai... »

« Eh bien », fit Julia, se rasseyant. Elle observait Ursula qui s'éloignait de son pas rapide, élégant, traversant le parc en direction de Portland Place.

« Oui, dit Helen, sans conviction.

— Elle est drôle, non ?

— Oui, je suppose... mais bon, c'est plus ton milieu que le mien. »

Julia se retourna en riant. « Qu'est-ce que je suis censée comprendre ?

— On la sent sûre d'elle, à l'aise, c'est tout ce que je veux dire... Quand l'as-tu amenée à la maison ?

— La semaine dernière. Je te l'ai dit, Helen.

— Vraiment ?

— Tu imagines que je te l'aurais caché ?

— Non, dit vivement Helen. Non.

— Elle est juste restée une minute.

— Je ne la voyais pas comme ça. Il me semble que tu m'avais dit qu'elle était mariée.

— Elle est mariée. À un avocat. Ils vivent chacun chez soi.

— Je ne savais pas qu'elle était... enfin. » Helen baissa la voix. « Comme nous. »

Julia haussa les épaules. « Je ne sais pas trop ce qu'elle est, en fait. Un curieux animal, je pense... En tout cas, ça peut être sympathique, cette soirée. »

Helen la regarda. « Tu ne penses pas y aller, quand même ?

— Mais si, pourquoi pas ?

— Je croyais que c'était juste par politesse. "Une soirée rien qu'entre filles." Tu sais bien ce qu'elle entend par là. » Elle baissa les yeux, rougissant légèrement. « Il peut y avoir n'importe qui. »

Julia resta un moment sans rien dire. Lorsqu'elle répondit enfin, sa voix était agacée, contrariée. « Et alors ? Même si elles sont là ? On n'en mourrait pas... Ça peut même être amusant. Tu imagines !

— Amusant pour Ursula Waring, ça, c'est certain, repartit Helen, avant de pouvoir s'en empêcher. De t'exhiber comme ça, comme un cochon en pain d'épice... »

Julia l'observait. « Qu'est-ce qui ne va pas ? » demandat-elle froidement. Puis, comme Helen ne répondait pas :

76

« Ce n'est pas... Oh non. » Elle se mit à rire. « Ce n'est pas sérieux, Helen ? Ce n'est pas à cause d'*Ursula* ? »

Helen s'écarta. « Non », dit-elle. Elle se rallongea, d'un mouvement brusque, sans grâce. Elle posa un avant-bras sur ses yeux, pour les protéger du soleil et du regard fixe de Julia... Au bout d'un moment, elle la sentit s'étendre aussi. Elle avait dû prendre son livre dans le sac de toile : Helen l'entendait tourner les pages, cherchant l'endroit où elle s'était arrêtée.

Mais dans les cellules rouge sang qui dérivaient derrière ses paupières, elle voyait toujours les yeux noirs d'Ursula Waring. Elle voyait la manière dont Ursula et Julia s'approchaient l'une de l'autre pour allumer leur cigarette. Elle voyait Ursula secouant la main de Julia comme un jouet, pour rire... Puis elle réfléchit. Elle se souvint combien Julia était pressée d'arriver dans le parc : *Viens ! Allez, viens, vite !* — et ses doigts impatients s'échappant de ceux d'Helen. Était-ce Ursula qu'elle avait tellement envie de voir ? Était-ce elle ? Avaient-elles arrangé cette rencontre ?

Son cœur se mit à battre plus vite. Dix minutes auparavant, elle était allongée ainsi, savourant la proximité familière et secrète du corps de Julia. Elle voulait fixer cet instant, en faire une larme de cristal. À présent, le cristal s'était brisé. Car qu'était la jeune femme pour elle, en fait ? Elle ne pouvait pas se pencher vers elle et l'embrasser. Comment faire savoir au monde entier que Julia était à elle ? Quel moyen avait-elle pour s'assurer qu'elle lui restait fidèle ? Elle-même, voilà tout : ses cuisses en hachis de veau, sa tête de ravissant oignon...

Toutes ces pensées parcouraient ses veines comme un torrent de sang noir, tandis que Julia lisait ; que l'orchestre lançait un dernier *Ra-ta-ta-ta* avant de remballer ses instruments ; que le soleil traversait lentement le ciel, et que les ombres s'allongeaient à mesure sur l'herbe jaune... Mais cette angoisse affreuse, pitoyable, finit par s'apaiser. L'ombre se retira de son sang, se replia. Et elle se dit : *Mais quelle idiote tu fais ! Julia t'aime. C'est uniquement l'animal en toi qu'elle déteste, ce monstre grotesque...*

De nouveau elle remua le poignet, à peine, juste assez pour toucher la cuisse de Julia. Celle-ci demeura un instant sans réagir, puis approcha également son poignet jusqu'à toucher le sien. Elle posa son livre, se redressa sur un coude. Elle prit une pomme et un couteau, pela la pomme en une seule longue bande de peau, coupa le fruit en quartiers, en tendit deux à Helen. Elles mangèrent en regardant courir les enfants et les chiens, comme auparavant.

Puis leurs regards se croisèrent. « Ça va mieux ? » demanda Julia, avec néanmoins une légère froideur.

Helen rosit. « Oui, Julia. »

Julia sourit. Ayant fini sa pomme, elle se rallongea, et reprit son livre ; Helen l'observait tandis qu'elle lisait. Ses yeux passaient d'un mot à l'autre, mais à part cela, tout son visage demeurait immobile, fermé, parfaitement lisse, comme toujours.

« On dirait une vedette de cinéma », dit Reggie comme Viv pénétrait dans la voiture. Il la contempla du haut en bas, ostensiblement. « Je peux avoir un autographe ?

— Démarre donc, tu veux bien ? » Cela faisait une demi-heure qu'elle l'attendait, immobile en plein soleil. Ils se penchèrent du même mouvement et échangèrent un rapide baiser. Il abaissa le frein à main et l'auto s'ébranla.

Elle portait une robe de coton léger, un cardigan prune, des lunettes de soleil à monture de plastique claire et, en guise de chapeau, elle avait noué sous son menton un foulard de soie blanche. Foulard et lunettes de soleil se déta-

chaient avec éclat sur le noir de ses cheveux et le rouge de
ses lèvres peintes. Elle lissa sa jupe, s'installa confortablement ; puis elle baissa la glace et posa son coude sur le
rebord de la fenêtre, le visage balayé par le courant d'air —
comme une fille dans un film américain, ainsi que le disait
Reggie. Ralentissant à l'approche d'un feu rouge, il posa
une main sur sa cuisse et murmura d'une voix admirative :
« Si les gars de Hendon pouvaient me voir maintenant ! »

Mais bien sûr, il évitait toujours soigneusement le nord
de Londres. Il l'avait prise à Waterloo et, ayant traversé le
fleuve et rejoint le Strand, il obliqua vers l'est. Ils avaient
leurs endroits favoris, à une heure de la ville ; tel ou tel village du Middlesex et du Kent, avec son pub ou son salon de
thé ; telle petite plage sur la côte. Aujourd'hui, ils allaient à
Chelmsford ; ils rouleraient, simplement, jusqu'à ce qu'ils
trouvent un coin agréable. Des heures devant eux, tout
l'après-midi. Elle avait dit à son père qu'elle allait pique-
niquer avec une amie. La veille au soir, elle avait préparé
des sandwiches sur la table de la cuisine, tandis qu'installé
à l'autre bout de la table, il fixait des semelles de caoutchouc à ses chaussures...

Ils traversèrent en louvoyant la City et Whitechapel ;
arrivé sur une route plus large, plus régulière, Reggie passa
la vitesse supérieure et posa de nouveau la main sur sa
cuisse. Il s'arrêta à la frange du porte-jarretelles, la suivit
des doigts ; sous le tissu fin, elle sentait la pression de sa
main sur sa peau — le pouce, la paume, le doigt — aussi
nettement que si elle avait été nue.

Mais elle n'était pas d'humeur, pour quelque raison.
« Arrête », dit-elle, le saisissant au poignet.

Il gémit comme un homme en proie à la douleur, et fit
mine de se dégager. « Quelle allumeuse tu fais ! Je peux

arrêter la voiture ? Parce que sinon, on file droit dans le décor. »

Mais il n'arrêta pas la voiture. Il accéléra. Les rues se faisaient plus rares. Des panneaux publicitaires apparaissaient sur le côté de la route, *Players, please !* et puis *Wrigley's*, *Teintures « Jiffy »*, et *Vim*. Elle se détendit un peu, regardant défiler les arrière-cours écaillées de la cité — les grandes rues victoriennes massacrées par le Blitz faisant place à des villas edwardiennes, les villas faisant place à de petites maisons impeccables et toutes semblables, comme autant d'employés de bureau à chapeau melon, les maisons faisant place à des pavillons et à des bungalows de préfabriqué. On avait l'impression de reculer dans le temps — si ce n'est que les derniers pavillons et bungalows cédaient à présent devant de vastes champs verts, sur quoi, si l'on serrait les paupières, se dit-elle, en évitant de regarder des choses comme les poteaux télégraphiques ou les avions dans le ciel, on aurait pu se trouver transporté en n'importe quel temps, ou hors du temps.

Ils passèrent devant un pub, et Reggie fit claquer sa langue contre son palais, comme s'il avait soif. Il avait déposé sa veste sur la banquette arrière, mais lui demanda de fouiller dans sa poche et de lui passer la petite fiasque de scotch. Elle l'observa qui la portait à ses lèvres. Sa bouche était douce, lisse ; il s'était rasé le matin même, mais son menton et sa gorge étaient déjà constellés de petits picots noirs de barbe dure. Il buvait maladroitement, sans cesser de surveiller la route. Un ruisselet de whisky coula à la commissure de ses lèvres, et il dut l'essuyer d'un revers de sa main hâlée.

« Regarde-toi, fit-elle, mi-amusée, mi-contrariée. Ça coule partout.

— Je sais, dit-il. C'est d'être assis à côté de toi. »

Elle fit la grimace. Ils roulèrent encore, plus ou moins en silence. Il resta pendant près d'une heure sur la grande route puis, arrivant à un croisement dépourvu de panneaux, prit le chemin qui lui semblait le plus tranquille ; à partir de là, ils choisirent telle ou telle petite route au hasard de leur fantaisie. Soudain, Londres était devenu presque inconcevable — sa dureté, sa sécheresse, sa saleté. Les haies qui bordaient les chemins étaient hautes, humides et, bien qu'on fût en automne, encore vivement colorées : parfois, Reggie se serrait contre elles pour céder le passage à une autre voiture, et les fleurs balayées laissaient tomber leurs pétales sur les genoux de Viv. Une fois, un papillon pénétra dans l'auto, et étendit ses ailes de papier poudré sur la courbure du siège, tout près de son épaule.

Son humeur se faisait plus légère. Ils se mirent à se désigner l'un l'autre de petites choses — une église ancienne, un cottage pittoresque. Ils évoquèrent une autre promenade à la campagne, des années auparavant, où ils s'étaient arrêtés devant une maison et avaient parlé avec son propriétaire qui les avait pris pour un couple marié, les avait invités à entrer au salon et leur avait offert un verre de lait... En ralentissant devant une petite maison de la couleur crémeuse d'un fromage français, Reggie déclara soudain : « Regarde, il y a de la place derrière, pour des poulets et des cochons. Je te vois d'ici, Viv, en train de nettoyer la porcherie. Et puis de cueillir des pommes dans un verger. Tu me ferais des tartes aux pommes, et d'énormes puddings à la graisse de bœuf.

— Et tu grossirais », dit-elle en souriant, lui donnant un petit coup d'index dans le ventre.

Il s'écarta. « Peu importe. C'est normal d'être gros, à la campagne, non ? » Tout en gardant un œil sur la route, il se pencha pour observer les fenêtres de l'étage. Il baissa la

81

voix. « Je suis sûr qu'il y a un matelas de duvet du tonnerre, là-haut.

— Tu ne penses donc qu'à ça ?

— Oui, quand je suis assis à côté de toi — hop là ! »

Il fit une embardée pour éviter la haie, appuya sur le champignon.

Ils commencèrent de chercher un endroit où s'arrêter pour déjeuner, et prirent un chemin à travers champs, qui menait à un bois. Il semblait tout d'abord bien entretenu ; mais plus ils avançaient, plus il devenait étroit et défoncé. L'auto cahotait, fouettée par les ronces, et de hautes herbes ployaient sous la caisse avec un bruissement d'eau fendue par la coque d'un bateau. Viv sautillait sur son siège en riant. Mais Reggie, lui, fronçait les sourcils, accroché au volant. « Si quelqu'un vient en face, on est foutus », dit-il. Et elle comprit qu'il pensait à ce qui arriverait s'ils avaient un accident, et se retrouvaient sans auto, coincés là tous les deux...

Mais le chemin s'enfonçait puis tournait, et ils débouchèrent soudain sur une clairière d'un vert superbe dans laquelle coulait un ruisseau ; un paysage magnifique. Reggie tira le frein à main et coupa le moteur ; ils restèrent un moment immobiles et muets devant un endroit si calme, si serein. Et même en ouvrant les portières, ils hésitaient encore, se sentant intrus : on n'entendait que le bruissement de la rivière, le chant des oiseaux, le froissement des feuilles.

« Ça, on n'est pas à Piccadilly, c'est sûr, déclara Reggie, descendant enfin de l'auto.

— C'est ravissant », dit Viv.

Ils murmuraient presque. Ils s'étirèrent, puis marchèrent dans l'herbe jusqu'au bord de l'eau. Regardant au loin, le long de la rive, ils aperçurent, à demi dissimulé dans les arbres, un vieux bâtiment de pierre aux vitres brisées, au toit défoncé.

« C'est un moulin, dit Reggie, prenant la main de Viv et se dirigeant déjà vers lui. Tu vois le moyeu de la roue ? Ce devait être une vraie rivière, à une époque. »

Elle le tira en arrière. « Il y a peut-être quelqu'un. »

Mais il n'y avait personne. La maison était abandonnée depuis des années. L'herbe poussait entre les dalles. Des pigeons voletaient d'une poutre à l'autre, et le sol était couvert de fiente, d'ardoises et de verre brisés. Un jour, quelqu'un avait dégagé un espace et fait un feu ; il y avait quelques boîtes de conserve et des canettes abandonnées, et des inscriptions obscènes sur les murs. Mais les boîtes étaient rouillées, et le temps avait terni et argenté les canettes.

« Des vagabonds, dit Reggie. Ou des déserteurs. Et des couples. » Ils retournèrent au ruisseau. « Je suis sûr que c'est un fameux rendez-vous des amoureux. »

Elle le pinça doucement. « Et forcément, tu y es allé tout droit, n'est-ce pas. »

Il la tenait toujours par la main. Il éleva ses doigts jusqu'à ses lèvres, l'air contrit, feignant l'humilité. « Qu'y puis-je ? Certains hommes ont ce don, voilà tout. »

Ils parlaient normalement à présent, débarrassés de cette vague crainte de déranger les lieux, et commençaient d'avoir l'impression que ceux-ci étaient tout à eux, que, de manière romanesque, ils les avaient attendus comme leurs propriétaires légitimes. Suivant le ruisseau dans l'autre sens, ils arrivèrent à un pont. Ils restèrent un moment au milieu du dos-d'âne, fumant une cigarette ; Reggie la prit par la taille et posa la main sur son derrière, remuant doucement le pouce et faisant glisser sa robe et son jupon contre la soie de sa culotte.

83

Ils jetèrent leurs mégots de cigarette dans le courant et les observèrent qui s'éloignaient en faisant la course. Puis Reggie plissa les paupières, les yeux fixés sur l'eau.

« Il y a du poisson, là-dedans, dit-il. De sacrés bougres, regarde ça ! » Il descendit la berge, ôta son bracelet-montre et plongea la main dans l'eau. « Je les sens qui me suçotent les doigts ! » Il était excité comme un gamin. « On dirait toute une bande de filles qui viennent m'embrasser. Ils prennent ma main pour un mâle. Ils se disent que c'est leur jour de chance !

— Ils prennent ta main pour leur déjeuner, oui, lança Viv. Et ils vont t'avaler le doigt, si tu ne fais pas attention. »

Il eut un sourire égrillard. « Comme une fille, quoi.

— Le genre de fille que tu fréquentes, peut-être. »

Il se redressa et fit mine de l'éclabousser. Elle s'écarta en riant. Des gouttes avaient atteint ses verres de lunettes, qu'elle essuya, ne faisant que les étaler.

« Regarde ce que tu as fait ! »

Ils retournèrent à la voiture et prirent le pique-nique, laissant les portières ouvertes. Reggie sortit du coffre une couverture écossaise qu'ils étendirent sur l'herbe. Il en tira également une bouteille de gin-orange et deux gobelets — un rose, un vert. C'étaient à l'origine des gobelets d'enfant, Viv le savait : ils râpaient la lèvre, là où ils avaient été mordillés, ou jetés au sol. Mais elle avait l'habitude de ce genre de choses : inutile de se formaliser. Le gin à l'orange avait tiédi dans la voiture ; elle en prit une gorgée, et sentit presque aussitôt la chaleur de l'alcool s'épanouir en elle, apaisante. Elle déballa les sandwiches. Reggie engloutit le sien à larges bouchées rapides, avalant le pain avant même de le mâcher puis mordant de nouveau, et parlant la bouche pleine.

« C'est du jambon du Canada, c'est ça ? Pas si mauvais, finalement. »

Il avait desserré sa cravate, dégrafé le col de sa chemise. Le soleil le faisait grimacer, mettait en évidence les rides sur son front et de part et d'autre de son nez. Il avait trente-six ans, mais Viv trouvait qu'il commençait de faire plus, depuis quelque temps. Son teint était olivâtre — son sang italien — et ses yeux noisette toujours aussi séduisants, mais il perdait ses cheveux — et pas de manière localisée, comme une tonsure bien nette ; ils allaient s'éclaircissant un peu partout, et son crâne apparaissait ici et là, luisant. Ses dents, très droites et très régulièrement plantées, et que Viv se souvenait avoir connues d'une blancheur éclatante, devenaient jaunes. La chair de son cou se faisait molle ; il y avait de petits plis devant ses oreilles... *Il ressemble à son père*, se dit-elle soudain, tout en l'observant qui mangeait. Il lui avait montré une photo, un jour. *Il pourrait facilement avoir quarante ans.*

Mais il surprit son regard, et lui adressa un clin d'œil ; et un peu de son ancienne, de sa pure affection pour lui s'embrasa de nouveau dans sa poitrine. Lorsqu'ils eurent fini leurs sandwiches, il l'attira à lui, et ils s'étendirent sur le plaid, lui sur le dos, le bras passé autour d'elle, elle la joue enfouie dans ce creux chaud et ferme entre son épaule et son torse. De temps à autre, elle relevait un peu la tête pour prendre une gorgée maladroite de son gin ; elle finit par le vider d'un trait et laisser tomber le gobelet vide. Il frottait son visage contre sa tête, son menton mal rasé accrochant ses cheveux.

Elle regarda le ciel. Il était encadré par les branches, par le sommet sans cesse mouvant des arbres toujours chargés de feuilles, mais de feuilles rougeâtres ou dorées, ou du vert-jaune des uniformes. Le ciel, lui, était immaculé, sans un nuage, plus bleu qu'un ciel bleu d'été.

« Quel oiseau est-ce ? demanda-t-elle, le doigt tendu.

— Ça ? C'est un vautour. »

Elle lui donna un coup de coude. « Non, c'est quoi, réellement ? »

Il mit sa main en visière. « C'est une crécerelle. Tu vois comme elle plane ? Elle va plonger. Elle a repéré une souris.

— Pauvre souris.

— Tiens, regarde-la ! » Il souleva la tête, et elle sentit les muscles de sa poitrine et de sa gorge durcir sous sa joue. Le rapace avait plongé, mais remontait à présent les serres vides. Il se rallongea. « Raté.

— Bien fait.

— C'est un déjeuner comme un autre. Elle aussi, elle a bien droit à son déjeuner, non ?

— C'est cruel. »

Il se mit à rire. « Je ne te savais pas si sensible. Tiens, elle essaie encore, regarde. »

Ils observèrent l'oiseau pendant une minute, s'émerveillant de sa vigueur, de la grâce de son essor et de ses descentes. Viv ôta ses lunettes de soleil pour mieux le voir ; et Reggie quitta la crécerelle des yeux pour la regarder, elle.

« Je préfère ça, dit-il. J'avais l'impression de parler à une aveugle. »

Elle se réinstalla sur la couverture, ferma les yeux. « Évidemment, les aveugles, tu as l'habitude.

— Ha ha. »

Il demeura un moment immobile, puis prit quelque chose, le bras passé au-dessus d'elle. Au bout d'une seconde, elle sentit un chatouillis sur son visage et effleura sa joue, pensant qu'une mouche s'était posée sur elle. Mais c'était lui : il avait cueilli un long brin d'herbe et la caressait doucement. Elle fronça les sourcils, mais referma les yeux et le laissa faire. Il suivait la ligne de son front et de son nez, le creux au-dessus des lèvres ; il faisait glisser l'herbe contre sa tempe.

« Tu as changé quelque chose à tes cheveux, non ? dit-il.

— Je les ai fait couper, il y a des siècles de ça. Tu me chatouilles. »

Il appuya plus fort sur le brin d'herbe. « Et comme ça ?

— C'est mieux.

— J'aime bien.

— Quoi ?

— Tes cheveux.

— Vraiment ? Oui, c'est pas mal.

— Ça te va bien... Ouvre les yeux, Viv. »

Elle les ouvrit une seconde et les referma aussitôt, serrant les paupières. « Il y a trop de soleil. »

Il leva une main, la maintint au-dessus de son visage pour lui faire de l'ombre. « Ouvre-les, maintenant.

— Pourquoi ?

— Je veux regarder tes yeux. »

Elle rit. « Mais pourquoi ?

— Comme ça.

— Ils n'ont pas changé depuis la dernière fois, tu sais.

— C'est ce que tu crois. Les yeux des femmes changent sans cesse. Vous êtes comme des chats, toutes. »

Il continua de lui chatouiller le visage jusqu'à ce qu'elle obtempère et ouvre les yeux de nouveau. Mais elle les ouvrit en grand, tout écarquillés, pour rire.

— Pas comme ça. » Elle le regarda normalement. « Voilà, dit-il, avec une expression de grande douceur. Tu as de très jolis yeux. De très beaux yeux. Tes yeux, c'est la première chose que j'ai remarquée chez toi.

87

— Je croyais que c'étaient mes jambes que tu avais remarquées en premier.

— Tes jambes, aussi. »

Il soutint un moment son regard, puis jeta le brin d'herbe, se pencha et l'embrassa, lentement, écartant ses lèvres avec ses lèvres, appuyant doucement. Sa bouche avait toujours goût de jambon ; de jambon, et de gin-orange. Elle se dit que la sienne aussi devait avoir ce goût-là. Tandis que le baiser se prolongeait, un fragment de quelque chose — de viande, de pain — se glissa entre leurs deux langues, et il interrompit le baiser pour les en débarrasser. Mais en revenant vers elle, il se mit à l'embrasser plus profondément ; à s'appuyer plus lourdement contre elle. Sa main courait sur son corps, de la joue à la hanche, puis remontait en la caressant toujours, englobait un sein. Une main chaude, qui la serrait fort, presque jusqu'à lui faire mal. Comme il retirait sa main pour commencer à tripoter les boutons qui fermaient sa robe, elle lui prit les doigts pour l'arrêter, redressa la tête.

« Quelqu'un pourrait arriver, Reg.

— Il n'y a personne, par ici. Personne à des kilomètres à la ronde ! »

Elle baissa les yeux sur sa main qui tiraillait toujours sur les boutons. « Arrête. Tu vas la froisser.

— Fais-le pour moi, alors.

— D'accord. Attends. »

Elle regarda aux alentours, se disant que n'importe qui pouvait les épier, dissimulé dans l'ombre des arbres. Le soleil brillait comme un projecteur, ils étaient installés sur un terrain plat, parfaitement à découvert. Mais les seuls bruits perceptibles étaient toujours ceux du ruisseau, des oiseaux, des feuilles incessamment agitées. Elle défit deux boutons ; puis deux autres. Reggie écarta le haut de sa robe,

88

dévoilant son soutien-gorge ; il posa les lèvres contre la soie, cherchant le bout de ses seins, le tétant au travers du tissu. Elle remuait doucement sous la caresse... Mais l'étrange était qu'elle avait moins envie de lui que tout à l'heure, en voiture, au beau milieu de Stepney ; moins que précédemment, sur le petit pont. Il gardait ses lèvres collées, dures, à son sein, et glissa la main le long de son corps, jusqu'à la cuisse. Quand il saisit sa jupe et commença de la retrousser, elle prit de nouveau sa main pour l'arrêter. « Quelqu'un pourrait nous voir », répéta-t-elle.

Il s'écarta, s'essuya les lèvres, tira sur un coin du plaid. « Je vais nous couvrir avec ça.

— Ça ne changera rien.

— Franchement, Viv ! Là, j'en suis au point où tout un groupe de Jeannettes pourrait passer, ça ne me ferait ni chaud ni froid ! Je suis prêt à exploser d'envie de toi. Toute la journée, j'ai eu envie d'exploser. »

Elle ne le croyait pas. Malgré toutes ses paroles, toutes ces bêtises — ici, maintenant, et aussi dans l'auto —, elle ne le croyait pas ; et elle en avait moins envie que jamais. Il tira la couverture et l'en entoura, puis glissa son bras au-dessous et tenta de nouveau d'atteindre son entrejambe. Mais elle gardait les cuisses serrées ; et comme il levait les yeux vers elle, elle secoua la tête — il pouvait penser ce qu'il voulait. « Laisse-moi... », dit-elle, et sa propre main descendit jusqu'à sa braguette dont elle défit les boutons un à un, avant de se glisser à l'intérieur.

Il gémit au contact des doigts nus. Il tressaillit contre sa paume. « Oh, Viv... Oh, mon Dieu, Viv. »

Les coutures de son slip ne lui facilitaient pas les choses, et au bout d'un moment il intervint et se dégagea lui-même, puis reposa sa main, sans appuyer, autour de celle de Viv. Il la laissa là tandis qu'elle continuait, et garda les yeux fermés ; elle finit par avoir l'impression qu'il aurait aussi bien pu faire ça tout seul. Le plaid allait et venait au-dessus de leurs poignets. À deux ou trois reprises, elle leva les yeux et regarda aux alentours, toujours inquiète.

Et elle repensa à d'autres fois semblables, des années auparavant, quand il était à l'armée. Ils se retrouvaient dans des chambres d'hôtel — des chambres pouilleuses, mais ça n'avait aucune importance. Être ensemble, c'était tout ce qui comptait. Mêler leurs corps, fondre ensemble leurs corps, leur peau, leurs muscles, leurs haleines. C'était cela, exploser de désir. Ce n'était pas ce qu'ils faisaient maintenant. Ce n'était pas plaisanter à propos de matelas de plumes et de rendez-vous des amoureux...

Au tout dernier instant, il referma sa main sur la sienne pour faire une sorte de garrot et retenir le sperme. Puis il se laissa retomber en arrière, rouge et en sueur et riant. Elle le maintint un moment encore avant d'ôter sa main. Il releva la tête, la chair de son cou toute plissée. Il s'inquiétait pour son pantalon.

« Tu as tout ?

— Je pense, oui.

— Fais attention.

— Mais je fais attention.

— Tu es mignonne. »

Il se rangea et referma les boutons. Elle cherchait des yeux un mouchoir, quelque chose ; elle finit par essuyer sa main dans l'herbe.

Il l'observa d'un air approbateur. « C'est bon pour la terre », dit-il. Il avait l'air en pleine forme à présent. « Ça fera pousser un arbre. Ça fera pousser un arbre, et un jour une fille y grimpera ; elle n'aura pas de culotte, et elle se retrouvera en cloque, grâce à moi. » Il tendit les bras. « Viens m'embrasser, sublime créature ! »

90

Elle le trouvait d'un naturel, d'une simplicité absolument extraordinaires. Mais ç'avait toujours été ses failles, ses carences qu'elle préférait en lui. Elle avait gâché sa vie pour ses faiblesses — ses excuses, ses promesses... Elle revint dans ses bras. Il alluma une cigarette qu'ils partagèrent, allongés, le regard de nouveau perdu dans les feuillages. La crécerelle avait disparu ; ils ne savaient pas si elle avait enfin réussi à capturer sa souris, ou en avait cherché une autre. Le bleu du ciel semblait plus délavé.

Puis soudain, septembre fut là — la fin de septembre, et non plus l'été ; elle frissonna brusquement, saisie par un coup de froid. Il lui frictionna les bras, mais bientôt ils se redressèrent, finirent le gin-orange, puis se levèrent et brossèrent leurs vêtements. Il retourna les revers de son pantalon pour en faire tomber les brins d'herbe, lui emprunta son mouchoir et essuya les traces de rouge à lèvres et de poudre sur sa bouche. Il s'éloigna de quelques pas, et se détourna pour uriner.

Lorsqu'il fut revenu, elle lui dit « Reste là » et se dirigea à son tour vers des buissons, retroussa sa robe, fit glisser sa culotte et s'accroupit. « Attention aux orties ! » lança-t-il, mais sans conviction ; il ne savait pas où elle était allée et, une fois baissée, ne la voyait plus. Elle l'observa qui se penchait devant le rétroviseur extérieur de l'auto pour se repeigner ; qui rinçait les deux gobelets dans le ruisseau. Puis elle baissa les yeux sur sa main. Le sperme séché faisait une fine dentelle sur ses doigts ; elle le frotta, et il se transforma en pellicules blanchâtres qui tombèrent comme neige et disparurent sur le sol.

Il devait être rentré pour sept heures, et il était déjà quatre heures et demie. Ils retournèrent lentement jusqu'au petit pont, restèrent un moment les yeux fixés sur l'eau.

Puis ils revinrent au moulin en ruine ; il ramassa un éclat de verre et grava leurs initiales dans le plâtre, parmi les inscriptions obscènes. *RN, VP*, dans un cœur percé d'une flèche.

Puis il jeta le morceau de verre et regarda soudain sa montre.

« Bon, je crois qu'on ferait mieux d'y aller. »

Ils retournèrent à la voiture. Elle secoua le plaid, qu'il plia et rangea dans le coffre avec les gobelets. Il y avait un rectangle d'herbe tout écrasée à la place de la couverture. C'était dommage, dans un endroit si ravissant : elle y alla et tenta de la redresser à légers coups de pied.

L'auto était restée au soleil. En s'y asseyant, elle se brûla presque la jambe sur le siège de cuir. Reggie s'installa à côté d'elle et lui donna son mouchoir, le dépliant sous le creux de ses genoux.

Cela fait, il se pencha et embrassa sa cuisse. Elle posa la main sur sa tête, toucha les boucles sombres, luisantes de brillantine. La peau blanche de son crâne apparaissait au-dessous. Elle leva de nouveau les yeux vers la clairière si verte. « J'aimerais qu'on puisse rester là pour toujours », dit-elle doucement.

Il laissa tomber sa tête dans son giron. « Moi aussi », dit-il. Les mots étaient étouffés. Il se retourna pour croiser son regard. « Tu sais — tu sais que je déteste ça, n'est-ce pas ? Tu sais que si j'avais pu faire autrement... n'est-ce pas ? Tout, je veux dire. »

Elle hocha la tête. Il n'y avait rien à dire qui n'ait été déjà dit auparavant. Il resta encore un moment la tête posée sur ses genoux, puis embrassa de nouveau sa cuisse et se redressa. Il tourna la clef de contact et l'auto se mit à gronder. Le moteur faisait un bruit terrible dans le silence environnant — tout comme ce silence lui-même leur avait paru bizarre, incongru, quand ils étaient arrivés.

Il effectua un demi-tour et reprit lentement le chemin cahoteux, jusqu'à la route ; ils repassèrent devant le cottage couleur de fromage sans ralentir, puis rejoignirent la grande route qui menait à Londres. La circulation était beaucoup plus dense à présent. Les gens rentraient, comme eux, d'un après-midi à la campagne. Les voitures roulaient vite, les moteurs rugissaient. Le soleil dans leurs yeux les obligeait à plisser les paupières : de temps à autre, un virage ou une rangée d'arbres le leur masquait ; puis il réapparaissait, encore plus grand qu'auparavant, rose, gonflé, bas sur le ciel.

Le soleil, la chaleur, et peut-être le gin aussi rendaient Viv somnolente. Elle posa la tête contre l'épaule de Reggie, ferma les yeux. Il frotta doucement sa joue contre ses cheveux, se tournant parfois pour y poser un baiser. Ils se mirent à chanter doucement, d'une voix ensommeillée, de vieilles chansons démodées : « I Can't Give You Anything But Love » et « Bye Bye Blackbird ».

> *No-one here can love or understand me.*
> *Oh what hard luck stories they all hand me !*
> *Make my bed and light the light,*
> *I'll arrive late tonight.*
> *Blackbird, bye bye.*

Comme ils arrivaient dans les faubourgs de Londres, elle bâilla et se redressa à contrecœur. Elle prit son poudrier et se repoudra le nez, se remit du rouge. Soudain, la circulation empira de manière incroyable. Reggie essaya de prendre une autre route, par Poplar et Shadwell, mais ça n'était guère mieux. Ils finirent coincés dans un embouteillage à Tower Hill. Elle le voyait consulter sa montre, et disait « Laisse-moi ici. » Mais à chaque fois il répondait : « Attends encore une seconde, ça va aller. » Il détestait laisser la priorité aux autres voitures. « Si seulement ce crétin devant voulait bien... Oh, c'est pas possible ! C'est des types comme ça qui... »

Ils avancèrent un peu. Puis se retrouvèrent immobilisés par un autre bouchon dans Fleet Street, à l'entrée du Strand. Il chercha un moyen de s'en sortir, mais les rues adjacentes étaient également bloquées par des conducteurs ayant eu la même idée. Il pianotait sur le volant, en répétant « Et merde, et merde ». De nouveau, il regarda sa montre.

Viv restait immobile et tendue, nerveuse par contagion, légèrement recroquevillée sur son siège de crainte que quelqu'un la reconnaisse ; mais elle pensait toujours à ce coin de campagne, ne voulait pas encore abandonner le ruisseau, le moulin, le silence du lieu. *Ça, on n'est pas à Piccadilly...* Avant de repartir, Reggie avait débarrassé la carrosserie de tous les pétales et brins d'herbe qu'ils avaient récoltés en frôlant les haies. Il avait poussé le papillon de ses doigts repliés, jusqu'à ce qu'il s'agite et s'envole enfin.

La tête tournée, elle observait les vitrines allumées des boutiques, les boîtes de chocolats et de fruits factices, les flacons de parfum et les bouteilles d'alcool — la même eau colorée servant probablement pour « Nuits de Parme » et « Irish Malt ». La voiture avança de quelques mètres. Ils arrivaient à la hauteur d'un cinéma, le Tivoli. Des gens faisaient la queue sur le trottoir, et elle observa d'un regard quelque peu mélancolique les jeunes filles avec leur petit ami, les couples mariés. La devanture du cinéma était ornée d'ampoules de couleur, qui semblaient plus lumineuses, plus vives de briller dans le crépuscule que dans la nuit totale. Elle captait de petits détails épars : le feu d'une boucle d'oreille, le lustre d'une chevelure d'homme, les éclats de cristal de roche dans les dalles du trottoir.

Puis Reggie freina brutalement et klaxonna. Quelqu'un venait de traverser devant le capot, et s'éloignait tranquillement. Il leva les bras. « Ça va, hein, mon vieux, vous êtes seul au monde, c'est ça ? Putain, mais c'est pas vrai ! » Il suivit la silhouette, l'air dégoûté, puis son visage changea soudain. La personne avait dû réagir en prenant pied sur le trottoir. Reggie se mit à rire. « Au temps pour moi ! fit-il donnant un coup de coude à Viv. Regarde donc : ce n'est pas mon vieux, c'est ma vieille. »

Viv se retourna — et vit Kay, vêtue d'une veste et d'un pantalon. Elle prenait une cigarette d'un geste négligent, élégant, la tapotait légèrement contre le porte-cigarettes d'argent avant de la porter à ses lèvres...

« Mais qu'est-ce qui se passe ? » demanda Reg, effaré.

Viv avait poussé un cri. Son ventre s'était brusquement contracté, comme si elle avait reçu un coup de poing. Elle leva une main devant son visage, s'enfonçant encore sur son siège. « Vas-y, roule. Mais roule ! » dit-elle d'une voix précipitée, paniquée.

Il la regarda, bouche bée. « Mais qu'est-ce qu'il y a ?

— Avance, roule, je t'en prie !

— Avancer ? Mais tu es dingue ou quoi ? »

La rue devant eux était toujours bloquée. Viv s'agitait, comme sous la torture. Elle se retourna vers Fleet Street. « Va par là, s'il te plaît.

— Par où ?

— Reprends par là, d'où on est venus.

— D'où on est... Mais tu es... ? » Mais elle, déjà, avait littéralement pris le volant. « Juste ciel ! » s'exclama Reggie, repoussant sa main. « D'accord, d'accord ! » Il jeta un coup d'œil par-dessus son épaule et entreprit de faire demi-tour, laborieusement. L'auto derrière klaxonna. Les conducteurs se dirigeant vers Ludgate Circus le regardaient comme si c'était un malade mental. Il s'acharnait sur le levier de vitesses, en sueur et jurant, et réussit peu à peu à dégager la voiture.

Viv gardait la tête baissée ; une seule fois, elle jeta un bref regard en arrière. Kay avait rejoint la queue devant le cinéma : elle portait à présent un briquet à sa cigarette, et la flamme surgissant dans la pénombre illumina brièvement son visage et ses doigts... *Ccchhhut, Vivien*, Viv l'entendait encore. Un souvenir vivace, malgré tout ce temps, vivace et terrible — l'étreinte de sa main, la proximité de sa bouche. *Ccchhhut, Vivien.*

« Eh bien, ça n'est pas un mal ! » fit Reggie comme ils s'éloignaient enfin dans la direction opposée. « Pour ne pas attirer l'attention sur nous, c'est réussi. Mais pourquoi toute cette histoire ? Tu es sûre que ça va ? »

Elle ne répondit pas. Elle avait ressenti jusqu'au fond de son corps, de ses muscles, de ses os, chaque grincement des pignons, chaque mouvement de l'auto, en avant, en arrière. Elle croisa les bras devant sa poitrine, les mains aux épaules, comme pour se maintenir, s'empêcher de s'éparpiller.

« Qu'est-ce qui s'est passé ? demanda Reggie.

— J'ai vu quelqu'un que je connais, dit-elle enfin.

— Quelqu'un que tu connais ? Qui ?

— Quelqu'un, c'est tout.

— Quelqu'un c'est tout. Bon. En tout cas ce quelqu'un aussi a eu l'occasion de bien te voir, et moi avec. Non, franchement, Viv... »

Il continua à râler. Elle n'écoutait plus. Il arrêta finalement l'auto du côté de Blackfriars Bridge ; elle dit qu'elle allait prendre un bus ici, et il ne protesta pas. Il fit halte dans un endroit tranquille, et l'attira à lui pour l'embrasser ; après, il lui emprunta de nouveau son mouchoir pour s'essuyer la bouche. Il essuya également la sueur sur son front, et déclara : « Quelle journée ! » — comme si tout l'après-midi avait été une sorte de catastrophe ; comme s'il avait déjà oublié le ruisseau et le moulin en ruine, leurs initiales gravées sur le mur... Elle s'en moquait. Soudain, le contact de sa main sur son bras, de ses lèvres contre les siennes, l'effrayait. Elle avait envie d'être chez elle, d'être seule, loin de lui.

Mais comme elle ouvrait la portière, il tendit le bras pour la retenir. Il fouillait dans la boîte à gants, en tirait quelque chose. C'étaient deux petites boîtes de conserve : une de corned-beef, une de jambon.

La tête ailleurs, elle les prit machinalement. Elle ouvrit son sac pour les ranger. Mais soudain quelque chose parut céder en elle, elle fut subitement furieuse. Elle les lui rendit d'un geste brusque. « Je ne veux pas de ça ! Reprends-les, donne-les plutôt à ta femme ! »

Les boîtes tombèrent et rebondirent du siège sur le plancher de l'auto. « Viv ! fit Reggie, effaré, blessé. Ne sois pas comme ça ! Qu'est-ce que j'ai fait ? Mais qu'est-ce qui se passe, Dieu du ciel ? Viv ! »

Elle sortit de l'auto, claqua la portière et s'éloigna. Il se pencha par-dessus le siège passager, baissa la vitre et appela de nouveau, toujours sous le choc. « Mais qu'est-ce qui se passe ? Qu'est-ce que j'ai fait ? Qu'est-ce... » Puis sa voix se durcit — pas tant de colère, sembla-t-il à Viv, que de lassitude. « Mais bon Dieu, qu'est-ce que j'ai encore fait ? »

Elle ne se retourna pas. Elle disparut à un coin de rue, les mots se perdirent. Il dut démarrer et s'en aller. Elle se mit à faire la queue à un arrêt de bus, attendit dix minutes ; il ne la suivit pas, ne la rechercha pas.

Arrivée chez elle, elle trouva l'appartement plein de monde. Sa sœur Pamela était passée avec son époux, Howard, et ses trois petits garçons. Ils avaient apporté du thé au père de Viv. Pamela le faisait chauffer sur la gazinière, et l'atmosphère était étouffante dans l'étroite cuisine. Du linge accroché sur le séchoir hissé au plafond pendait presque jusqu'au sol ; ce devait être Pamela, aussi. La TSF marchait à plein volume. Howard était assis à la table de la cuisine. Les deux aînés se poursuivaient dans la maison, et le père de Viv tenait le plus petit sur ses genoux.

« Tu as passé une bonne journée ? » demanda Pamela. Elle se séchait les mains, en insistant bien entre les doigts. Elle regarda Viv des pieds à la tête. « Tu as pris le soleil. Il y en a qui se la coulent douce. »

Viv se dirigea vers l'évier, se pencha sur le miroir où son père se rasait. Son visage était tout rose et blanc, la peau un peu marbrée. Elle ramena ses cheveux en avant. « Il a fait chaud, dit-elle. Bonsoir, papa.

— Ça va, ma chérie ? Réussi, le pique-nique ?

— Très. Ça va, Howard ?

— Ça va bien, Viv. On fait ce qu'on peut, hein ? Tu as vu ce temps ? Moi, je vous dis que... »

Howard était un moulin à paroles. Les deux garçons de même. Ils voulaient absolument lui montrer quelque chose : de petits pistolets à bouchon, très bruyants ; ils ne cessaient de remettre le bouchon et de tirer. Son père suivait les conversations sur les lèvres des uns et des autres — en hochant la tête, souriant et remuant également les lèvres en silence ; il était affreusement sourd. Le bébé s'agitait sur ses genoux, tendait le bras vers les pistolets, cherchait à s'échapper. Comme Viv s'approchait, son père le lui tendit

98

à porter, content de s'en débarrasser. « Il veut aller dans tes bras, ma chérie. »

Mais elle secoua la tête. « Il est trop gros, celui-là. Il pèse une tonne.

— Donne-le à..., intervint Pamela. Maurice, arrête ! Howard, bouge un peu, aide-nous... ! »

Le raffut était terrible. Viv dit qu'elle allait ôter ses chaussures et ses bas. Elle se dirigea vers sa chambre et referma la porte derrière elle.

Pendant quelques secondes, elle demeura là, immobile, ne sachant pas quoi faire d'elle-même — se disant qu'elle allait se mettre à pleurer, ou tomber malade... Mais elle ne pouvait pas pleurer avec son père et sa sœur juste à côté. Elle s'assit sur le lit, puis s'étendit, les mains posées sur le ventre ; toutefois, allongée, elle se sentait encore plus mal. Elle se rassit. Se releva. Tendit la main vers ses pieds. Elle n'arrivait pas à se remettre de ce bouleversement, du choc qu'elle avait ressenti.

Cccchhhhut, Vivien.

Elle fit un pas dans la pièce ; puis pencha la tête, percevant un bruit par-dessus le vacarme étouffé de la radio, se dit que ce devait être Pamela ou l'un des aînés, dans le couloir. Elle demeura figée encore presque une minute, hésitant, se mordant un doigt...

Puis elle se dirigea vivement vers la garde-robe et ouvrit la porte.

La garde-robe était remplie de vieux trucs. Il y avait là d'anciens uniformes d'école de Duncan, accrochés à côté de ses robes ; et même deux ou trois robes ayant appartenu à sa mère, et dont son père n'avait jamais voulu se débarrasser. Elle rangeait ses pull-overs sur une étagère au-dessus de la tringle. Derrière étaient empilés des albums de photos, de vieux carnets d'autographes et des journaux intimes, des choses comme ça.

Elle pencha de nouveau la tête, tendant l'oreille à d'éventuels pas dans le couloir ; puis elle plongea la main dans l'ombre derrière les albums et en sortit une petite boîte à tabac métallique. Elle la prit d'un geste naturel, comme si elle le faisait tous les jours, alors qu'en fait elle l'avait déposée là trois ans auparavant, et n'y avait même plus jeté un regard depuis lors. Elle avait soigneusement refermé le couvercle avant de la ranger, et ses poignets, ses doigts manquaient de force. Elle dut chercher une pièce de monnaie pour faire levier. Comme le couvercle cédait, elle hésita encore une seconde, l'oreille toujours tendue, nerveuse, pour le cas où l'on viendrait.

Puis elle souleva le couvercle.

À l'intérieur de la boîte, se trouvait un morceau de tissu plié. Dans le tissu, il y avait une bague : un simple anneau en or, ancien, marqué de petites entailles et de griffures. Elle la prit, la tint une seconde au creux de sa paume ; puis elle la glissa à son doigt et porta la main à ses yeux, cacha ses paupières.

À six heures moins dix, les ouvriers coupèrent l'air comprimé de la machine, et le brusque silence résonna aux oreilles. C'était comme de sortir de l'eau. Pour les filles à la table de Duncan, cela signifiait qu'il était temps de se préparer pour rentrer à la maison : elles sortirent les tubes de rouge, les poudriers. Les plus âgées se roulèrent une cigarette. Len tira un peigne de la poche arrière de son pantalon et le passa dans ses cheveux. Il les coiffait un peu comme un voyou, trop longs et rejetés derrière les oreilles. En rangeant son peigne, il croisa le regard de Duncan et se pencha vers lui.

100

« Devine ce que j'ai prévu ce soir », dit-il, avec un coup d'œil vers la table. Il baissa la voix. « J'emmène une fille à Wimbledon Common. Et je peux te dire qu'il y a du monde au balcon. » Il fit un geste évocateur, puis roula des yeux et émit un sifflement. « C'est quelque chose ! Dix-sept ans. Elle a une sœur, aussi. La sœur est du tonnerre, mais moins gâtée question nichons... Qu'est-ce que tu en dis ? Tu fais quelque chose, ce soir ?

— Ce soir ? répéta Duncan.

— Tu veux venir ? Je te jure que la sœur est sensationnelle. Tu aimes quel genre ? Je connais plein de filles. Des grosses, des petites, tout. Je peux t'arranger un coup, comme ça ! » Len fit claquer ses doigts.

Duncan ne savait que répondre. Il tenta de visualiser une foule de filles. Mais chacune était semblable à la petite silhouette de cire que Len avait sculptée tout à l'heure, avec des creux et des courbes et un visage brut, sans traits apparents. Il secoua la tête, se mit à sourire.

Len prit l'air dégoûté. « Tu manques quelque chose, je te jure. Elle est à tout casser, cette fille. Elle a un mec, mais il est à l'armée. Elle a l'habitude d'avoir sa dose, et là ça commence à lui manquer. Je te jure, si sa sœur n'était pas si sympa, moi, je foncerais... »

Il continua comme ça jusqu'à ce que la sonnerie retentisse. « Bon, eh bien c'est tant pis pour tes pieds, conclut-il, se levant. Tu penseras à moi à dix heures, ce soir ! » Il adressa un clin d'œil à Duncan, son œil noir et brillant de gitan, et se dépêcha de partir — en se balançant légèrement d'un côté sur l'autre, comme une femme âgée un peu lourde ; sa jambe gauche était plus courte que l'autre, et le genou soudé.

Les jeunes filles et les femmes se hâtaient également.

« Salut, Duncan », lancèrent-elles au passage. « À bientôt, mon grand ! » « Allez, Duncan, à lundi ! »

Duncan hochait la tête. Il ne supportait pas l'ambiance qui régnait à la fabrique à cette heure-là — l'enthousiasme forcé, artificiel, l'agitation du départ. Les samedis soir étaient les pires. Certains couraient littéralement pour arriver dans les premiers à la sortie. Les gars qui avaient une bicyclette s'amusaient à faire la course : pendant dix minutes, un quart d'heure, la cour de l'usine évoquait un évier dont on ouvre brusquement la bonde. Il trouvait toujours un prétexte pour traîner, s'attarder. Il prit un balai et se mit à balayer les déchets de cire et de mèche sous son tabouret. Puis il se dirigea très lentement vers le vestiaire, prit sa veste ; il passa aux lavabos, se repeigna. Arrivé dehors, il avait tellement bien pris son temps qu'il trouva la cour presque déserte : il demeura un instant sur la marche de l'atelier, s'habituant à l'espace et au changement de température. On maintenait une certaine fraîcheur dans l'atelier, à cause de la cire, mais au-dehors, l'air était tiède. Le soleil sombrait dans le ciel, et il eut la sensation vague, mélancolique du temps qui passe — du temps réel, pas du temps de travail — et de l'avoir perdu.

Il baissait le front et commençait de traverser la cour quand il entendit son nom : « Pearce ! Salut, Pearce ! » Il leva les yeux — et déjà son cœur bondissait dans sa poitrine, car il avait reconnu cette voix, sans y croire pourtant. Robert Fraser était là, à la grille. On aurait dit qu'il venait de courir. Il était tête nue, comme Duncan. Il avait le visage tout rose, et ramenait ses cheveux en arrière.

Duncan accéléra le pas, se dirigeant vers lui. Son cœur était toujours incontrôlable. « Qu'est-ce que tu fais là ? dit-il. Tu as attendu tout l'après-midi ?

— Je suis revenu, répondit Fraser, le souffle court. J'ai

102

cru que je t'avais manqué ! J'étais encore à trois rues d'ici quand j'ai entendu la sonnerie... Ça ne t'ennuie pas de me voir ? Ce matin, après être parti, je me suis dit que c'était complètement incroyable de te retrouver là, et... enfin voilà. Tu as une heure devant toi ? Je me suis dit qu'on pourrait aller boire un verre. Je connais un pub, sur le quai.

— Un pub ? » fit Duncan.

Fraser éclata de rire en voyant l'expression de son visage. « Oui. Pourquoi pas ? »

Cela faisait des siècles que Duncan n'avait pas mis les pieds dans un pub, et l'idée d'y entrer, là, avec Fraser — de s'asseoir à une table avec Fraser, devant une bière, comme un type normal, comme tout le monde — cette idée était prodigieusement excitante, mais angoissante aussi. En outre, il pensait à Mr Mundy qui allait l'attendre à la maison, tout seul. Il voyait la table dressée pour le dîner : les couteaux et fourchettes soigneusement disposés, le sel et le poivre, la moutarde déjà prête dans son petit pot...

Fraser dut lire l'hésitation sur son visage. « Tu as autre chose à faire, dit-il, l'air déçu. Bon, ce n'est pas grave. C'était juste une idée, comme ça. Par où vas-tu ? Je peux faire un bout de chemin avec toi...

— Non, dit Duncan, très vite. D'accord. Mais une heure, pas plus... »

Fraser lui donna une claque sur le bras. « Superbe ! »

Il emmena Duncan vers le sud, vers Shepherd's Bush Green : dans la direction opposée à celle qu'il aurait prise normalement. Il marchait tranquillement, l'air décontracté, les mains dans les poches et les épaules bien dégagées, rejetant de temps en temps la tête en arrière pour écarter la mèche de ses yeux. Ses cheveux semblaient très blonds dans le soleil rasant ; son visage toujours rose, et légèrement moite. Quand ils eurent traversé le plus gros de la circulation, il tira un mouchoir et s'épongea le front et la nuque, en disant : « J'ai besoin d'un verre, moi ! De plusieurs, en fait. J'ai passé tout l'après-midi à Ealing, à travailler sur un papier comique sur l'élevage des cochons. Mon photographe s'est acharné à obtenir une expression amusante d'une truie, pour lui tirer le portrait. Je te jure, Pearce, la prochaine fois que je vois une tête de cochon, elle a intérêt à être sur un plat, avec des petits oignons et du persil dans les oreilles... »

Il continuait de bavarder tout en marchant. Il parla à Duncan des sujets de ses derniers articles : un concours du plus beau bébé ; une maison hantée. Duncan écoutait juste assez pour pouvoir hocher la tête et rire quand il le devait. Sinon, il le contemplait simplement, s'habituait à cette vision stupéfiante de Fraser dans la rue, en vêtements ordinaires... Mais Fraser devait faire plus ou moins la même chose, car au bout d'un moment, il cessa de parler, et croisa le regard de Duncan avec une expression presque mélancolique.

« Ça fait drôlement bizarre, hein ? À chaque instant, je m'attends à voir surgir Chase ou Garnish, en train de gueuler "En rang !", "Retourne à ta place !", "Debout à la porte !" J'ai croisé Eric Wainwright, l'an dernier. Lui aussi m'a vu, j'en suis sûr, mais il a fait semblant de ne pas me reconnaître. C'était à Piccadilly, il était avec une espèce de pouffiasse horrible. Et puis je suis aussi tombé sur cette andouille de Dennis Watling, il y a deux mois de cela, dans un meeting politique. Il déblatérait sur la prison, à pleine voix — comme s'il y avait passé douze ans, et pas douze mois. Il a dû être consterné de me voir. Il a dû penser que j'allais lui voler la vedette. »

Ils traversaient Hammersmith à présent, ses rues résidentielles et moroses ; bientôt, Fraser tourna à un coin, et l'atmosphère du quartier changea. Ici et là, les maisons étaient remplacées par des bâtiments plus grands, des entrepôts, des chantiers ; une odeur acide planait dans l'air — une odeur sure, comme celle du vinaigre. Duncan ne connaissait pas du tout ce coin. Fraser avançait d'un pas assuré, et il avait peine à rester à sa hauteur. Il se sentait presque anxieux, brusquement. *Mais qu'est-ce que je fabrique ici ?* En levant les yeux vers Fraser, il voyait un inconnu. L'idée incongrue lui vint que ce dernier était peut-être fou ; qu'il avait pu l'entraîner jusqu'ici pour le tuer. Il ne voyait pas pourquoi Fraser aurait voulu faire une telle chose, mais cette pensée extravagante lui trottait dans la tête. Il visualisait son propre cadavre, étranglé, poignardé. Il se demandait qui le découvrirait. Il pensa à son père, à Viv recevant la visite de la police ; on leur dirait qu'on l'avait retrouvé mort dans ce lieu étrange, et jamais ils ne sauraient pourquoi...

Tournant à un nouveau coin de rue, ils émergèrent soudain de la pénombre, et se trouvèrent au bord du fleuve, devant le pub où Fraser les emmenait : une vieille maison de bois, merveilleusement désuète, qui lui fit aussitôt penser à *Oliver Twist*. Il était sous le charme. Il oubliait toutes ses angoisses, ses idées d'étranglement ou de poignard. Il s'arrêta, posa une main sur le bras de Fraser. « Mais c'est ravissant !

— Tu trouves ? fit celui-ci, lui souriant de nouveau. Je pensais bien que l'endroit te plairait. Et la bière n'est pas mauvaise, en plus. Allez, viens. » Il précéda Duncan par la petite porte de guingois.

À l'intérieur, le lieu n'était pas aussi charmant qu'on aurait pu l'espérer ; il avait été refait, et offrait l'aspect d'un pub normal, avec des objets absurdes accrochés au mur, pièces de harnais, bassinoires et soufflets. À six heures et demie, il était aussi, déjà, relativement bondé. Fraser se fraya un chemin jusqu'au bar et commanda un pichet de quatre pintes de bière. Il désignait par signes des portes au fond de la salle, qui ouvraient sur une terrasse donnant sur le fleuve ; mais il y avait encore plus de monde à l'extérieur qu'au bar. Duncan et lui y firent juste un tour avant de retraverser la cohue pour finalement sortir dans la rue. Devant eux, un escalier descendait jusqu'au fleuve. Fraser fit halte au sommet, jeta un coup d'œil. Il y avait plein de place sur la plage. « La marée est basse. C'est parfait. Viens donc. »

Ils descendirent avec précaution, à cause du pichet et des verres. La plage était boueuse, mais le soleil de l'après-midi avait plus ou moins asséché la vase. Fraser trouva un endroit convenable au pied du mur : il ôta sa veste et l'étala sur le sol, et tous deux s'y assirent côte à côte, leurs épaules se touchant presque. Le mur était chaud, et portait la trace du fleuve : on voyait très nettement la ligne, à presque deux mètres de hauteur, où l'empreinte verdâtre de l'eau laissait place au gris de la pierre toujours à sec. Mais la marée était basse pour le moment ; la Tamise paraissait étroite — ridiculement étroite, on aurait cru pouvoir passer prestement de l'autre côté, sur la pointe des pieds. Duncan plissa les paupières, sa vision se brouilla ; l'espace d'une seconde, il imagina l'eau revenant brusquement et l'avalant. Le mur était tiède contre son dos, il sentait à peine le léger heurt du bras de Fraser contre le sien, comme celui-ci dégrafait ses poignets et roulait ses manches de chemise.

Ce dernier versa la bière. « À ta santé », fit-il en levant son verre. Il vida sa chope en trois ou quatre gorgées, s'essuya la bouche. « La vache ! Ça fait du bien, hein ? » Il se resservit, but encore.

Puis il porta la main à sa poche et en tira une pipe et une blague à tabac. Sous le regard de Duncan, il entreprit de la bourrer, détachant de ses longs doigts bruns les brins de tabac qui dépassaient, puis les incorporant de nouveau dans le fourneau, en appuyant du pouce. Il vit Duncan qui l'observait, et sourit. « Ce n'est pas comme dans le temps, hein ? C'est la première chose que j'ai achetée en sortant. » Il porta le tuyau de la pipe à sa bouche, puis craqua une allumette et l'approcha du fourneau ; sa gorge se raidit tandis qu'il aspirait, et ses joues se gonflèrent, se creusèrent, plusieurs fois — comme les flancs d'une bouillotte, se dit Duncan ; ou, si l'on voulait trouver plus exotique, comme une outre espagnole en peau de chèvre. Il observa les lèvres de Fraser, la fumée bleutée qui s'en échappait avant d'être brusquement saisie et dispersée par un coup de vent.

Ils restèrent un moment ainsi, silencieux, buvant leur bière et se protégeant les yeux du soleil d'un rose extraordinaire, tout gonflé dans ce ciel de fin d'été. La chaleur faisait monter la puanteur de la rivière, mais on ne pouvait pas en être incommodé, pas en ce lieu, devant ce spectacle. Duncan pensait à des marins, à des contrebandiers, à des débardeurs, à de joyeux loups de mer... Fraser rit soudain. « Regarde les gamins », dit-il.

Une bande de jeunes gens avait surgi plus loin sur la plage. Ils avaient ôté chemise, chaussures et chaussettes, roulé leurs bas de pantalon, et couraient vers l'eau. Ils couraient de cette manière maladroite, crispée, féminine qu'adoptent même les hommes adultes sur un rivage constellé de cailloux pointus ; arrivés au fleuve, ils commencèrent de faire les clowns et de s'éclabousser. Ils étaient jeunes — beaucoup plus jeunes que Fraser et Duncan —, quatorze ou quinze ans peut-être. Leurs mains, leurs pieds étaient trop grands pour leur corps très mince, très fin. On aurait dit qu'il y avait trop de vie en eux — que la vie rugissait et se débattait à l'intérieur d'eux, les forçant à des gestes brusques, aux angles disgracieux.

Les gens attablés avec leur bière sur la jetée derrière le pub avaient également vu les jeunes gens, et leur lançaient des encouragements. Les garçons se mirent à s'asperger de boue, et non plus d'eau ; l'un d'eux tomba dans la vase, et en émergea tout noir, comme une statuette d'argile ou comme un étrange mannequin destiné à être porté et exhibé par les rues. Il pataugea un peu plus au large, plongea tête la première, et réapparut propre, lavé, secouant l'eau du fleuve de ses cheveux.

Fraser rit, penché pour mieux voir. Il porta la main à sa bouche et se mit à les encourager, comme les gens sur la jetée. Il semblait aussi plein d'énergie que les jeunes garçons eux-mêmes, avec ses avant-bras nus, très hâlés, ses longues boucles qui dansaient sur son front.

Au bout d'une minute, il se redressa, souriant toujours. Il tira de nouveau sur sa pipe, puis craqua une autre allumette et la porta au fourneau, protégeant la flamme de sa main en conque. Mais ce faisant, il levait les yeux vers Duncan, les sourcils légèrement froncés ; et dès que le tabac brasilla et qu'il eut secoué l'allumette pour l'éteindre, il ôta la pipe de ses lèvres et dit : « C'était drôlement bizarre de tomber sur toi à la fabrique, non ? »

Duncan sentit le cœur lui manquer. Il ne répondit rien. Fraser continuait : « J'ai pensé à toi toute la journée. Jamais je ne me serais attendu à te voir travailler dans ce genre d'endroit.

— Ah bon ? » Duncan leva son verre.

« Sûrement pas, non ! Ce genre de boulot, avec ce genre

de personnes ? Mais c'est quasiment un travail de réinsertion non ? Comment peux-tu supporter ça ?

— Tous les autres le supportent. Pourquoi pas moi ?

— Vraiment, ça ne te fait rien ? »

Duncan réfléchit. « Je n'aime pas trop les odeurs, dit-il enfin. Elles s'imprègnent dans les vêtements. Et puis on a parfois mal à la tête, à cause du bruit ; ou aux yeux, à cause de la chaîne qui n'arrête pas. »

Fraser fonça les sourcils. « Ce n'est pas tout à fait ce que je voulais dire. »

Duncan savait qu'il ne parlait pas de cela. Mais il haussa une épaule, et poursuivit du même ton négligent. « Le travail n'est pas difficile. C'est un peu comme de coudre des sacs postaux, en fait... Et puis ça laisse l'esprit libre pour penser à autre chose. J'aime bien ça. »

Fraser semblait toujours perplexe. « Tu ne préférerais pas faire quelque chose d'un petit peu plus... enfin... d'un peu plus enthousiasmant ? »

Duncan laissa échapper un rire bref, dur. « Peu importe ce que je *préférerais*. Tu imagines la tête de l'agent de probation si je lui avais dit que je *préférerais* faire ceci ou cela ? J'ai de la chance d'avoir un emploi, déjà, même un pseudo-emploi. Pour toi, c'était différent. Si tu étais comme moi — je veux dire, si tu avais un passé comme le mien... » Il laissa tomber. Il se mit à ratisser machinalement des doigts le lit du fleuve, à ramasser les cailloux, les éclats de vaisselle, les fragments d'os. « Je n'ai pas envie de parler de ça », dit-il enfin, voyant que Fraser attendait. « C'est ennuyeux. Raconte-moi plutôt ce que tu as fait, toi.

— Je veux d'abord savoir ce qui t'est arrivé.

— Il n'y a rien à savoir. Tu sais déjà tout ! » Il sourit. « Franchement. Dis-moi où tu es allé. Tu m'as écrit une lettre, un jour, tu étais dans le train.

— C'est vrai ?

— Oui. Juste après ta sortie. Tu ne t'en souviens pas ? Naturellement, ils ne m'ont pas autorisé à la garder ; mais j'ai dû la lire quelque chose comme cinquante fois. Tu avais couvert la feuille, dans tous les coins, et il y avait une tache sur le papier — tu me disais que c'était du jus d'oignon.

— Du jus d'oignon, répéta Fraser, pensif. Oui, je me souviens, maintenant. Une femme avait un oignon, dans le wagon, et c'était le premier oignon que l'on voyait depuis trois ans. Quelqu'un a pris un couteau et l'a découpé, et on l'a mangé, cru. C'était un régal ! » Il rit et reprit une gorgée de bière, sa pomme d'Adam s'agitant comme un poisson dans sa gorge.

Ce train, dit-il, devait être celui qui l'emmenait en Écosse : il avait séjourné dans une sorte d'exploitation forestière, là-bas, avec d'autres objecteurs de conscience, jusqu'à la fin de la guerre. « Et puis je suis rentré à Londres, et j'ai trouvé un emploi dans une organisation caritative qui s'occupait des réfugiés — d'aider ceux qui débarquaient, leur trouver un logement, scolariser leurs enfants. » Il secoua la tête. « J'ai entendu des choses à faire dresser les cheveux sur le crâne, Pearce. Des histoires de gens qui avaient tout perdu. Des Russes, des Polonais, des Juifs ; des gens qui rentraient des camps — c'était à n'y pas croire. Ce que tu lis dans les journaux, ce n'est rien, rien du tout... J'ai fait ça pendant un an. Je n'ai pas tenu le coup plus longtemps. Si j'étais resté encore deux jours, je crois que j'aurais fini par me tirer une balle dans la tête ! »

Il sourit puis se rendit compte de ce qu'il avait dit, croisa le regard de Duncan et rougit ; immédiatement, il enchaîna pour noyer la gaffe... Il avait donc travaillé là-bas jusqu'à l'automne précédent ; puis il avait tâté du journalisme, avec l'idée d'écrire dans des magazines politiques. Un ami lui

110

avait déniché ce boulot de « nègre » ; il s'y tenait, en espérant que quelque chose de plus intéressant se présenterait. Il avait eu une petite amie, pendant un mois ou deux, mais ça n'avait pas marché — de nouveau, il piqua un fard en disant cela. Elle aussi, dit-il, travaillait dans l'organisation caritative, avec les réfugiés...

Sa voix était grave et posée — comme celle d'un speaker à la radio. La bonne éducation était très perceptible dans ses intonations, et une fois ou deux, Duncan se surprit à retenir une petite grimace en songeant que cet accent distingué devait parvenir jusqu'aux oreilles des autres consommateurs, au-dessus de la plage. Il se prit à regarder Fraser, ainsi qu'il l'avait déjà fait, comme un étranger. Il ne parvenait pas à imaginer l'existence qu'il avait menée, dans une exploitation de bois en Écosse, et ensuite à Londres, avec une fille ; il ne pouvait vraiment le visualiser que comme il l'avait connu jour après jour, dans la petite cellule froide de Wormwood Scrubs, la couverture rêche de la prison drapée sur les épaules, en train de saucer son chocolat avec le pain du petit déjeuner, ou immobile sous la fenêtre, son visage maigre et pâle éclairé par la lune ou par les flammes du crépuscule.

Il baissa les yeux sur son verre, se rendit soudain compte que Fraser s'était tu et l'observait en silence.

« Je sais ce que tu penses », dit enfin ce dernier comme il levait les yeux. Il avait baissé la voix, et semblait un peu mal à l'aise. « Tu te demandes ce que j'ai ressenti à travailler avec ces réfugiés, à devoir écouter leurs histoires — en sachant que des hommes s'étaient battus tandis que moi, je ne faisais rien... » Il jeta un caillou qui rebondit sur la plage. « Ça m'a rendu malade, si tu veux le savoir. J'étais écœuré de moi-même — non pas d'avoir refusé de m'engager, mais parce que refuser de m'engager ne suffisait pas.

111

Parce que je n'avais pas été plus loin, je n'avais pas cherché d'autres moyens — ni essayé de faire en sorte que d'autres en cherchent avec moi — plus tôt au cours de la guerre. Malade d'être en bonne santé. D'être vivant, tout simplement... » Il rougit de nouveau, détourna les yeux. Puis il ajouta, d'une voix plus basse encore : « Et je pensais à toi, tu vois.

— À moi !

— Je me souvenais de... enfin, de choses que tu disais. » Duncan contempla de nouveau son verre. « Je croyais que tu m'avais complètement oublié. »

Fraser eut un mouvement agacé. « Ne sois pas crétin ! Tout mon temps était occupé, c'est tout. Pas le tien ? »

Duncan ne répondit pas. Fraser attendit un instant, puis se retourna, comme irrité. Il reprit une gorgée de bière puis se remit à tripoter sa pipe, à tirer sur le tuyau en gonflant de nouveau les joues comme une outre.

Il regrette de m'avoir amené ici, se dit Duncan, saisissant une pierre. *Il se demande pourquoi il a eu cette idée. Il réfléchit au moyen de se débarrasser de moi le plus vite possible...* De nouveau, il pensa à Mr Mundy qui l'attendait à la maison, avec le thé déjà prêt ; qui regardait la pendule ; qui, peut-être, ouvrait la porte d'entrée, avec un regard inquiet sur la rue...

Il sentit soudain, une fois encore, les yeux de Fraser sur lui. Il se retourna, leurs regards se croisèrent. Fraser sourit. « J'avais oublié à quel point tu peux être impossible à cerner, Pearce. Je dois être habitué aux gars qui n'arrêtent pas de parler.

— Je suis désolé, dit Duncan. On peut y aller, si tu veux.

— Grand Dieu, ce n'est pas ce que je voulais dire ! Simplement... enfin, pourquoi ne me racontes-tu rien sur toi-même ? Je n'ai pas arrêté de radoter comme un dingue, et toi, pas un mot. Tu ne... tu n'as pas confiance en moi ?

— Pas confiance ! Non, ce n'est pas ça. Pas du tout. Mais je n'ai rien à raconter, voilà.

— Tu me l'as déjà servie, celle-là. Ça ne marche pas, Pearce ! Allez...

— Mais je n'ai rien à dire !

— Mais si, tu as forcément des trucs. Je ne sais même pas où tu vis ! Alors dis-moi, tu vis *où* ? Près de ta fabrique de bougies, c'est ça ? »

Duncan s'agita, mal à l'aise. « Oui.

— Dans une maison ? Dans une chambre meublée ?

— Eh bien... », fit Duncan. Il remua de nouveau ; il ne voyait pas le moyen d'y échapper... « Dans une maison, concéda-t-il au bout de quelques secondes, à White City. »

Fraser se figea, comme il s'y attendait. « À White City ! Tu plaisantes ! Si près de la taule ! Je me demande comment tu peux supporter ça. Déjà, Fulham, c'était bien assez près pour moi, je te prie de me croire. À White City... » Il secoua la tête, incrédule. « Mais pourquoi là-bas ? Tes parents... » Il essayait de se souvenir. « Ils étaient vers — où déjà ? Streatham, c'est ça ?

— Oh, fit aussitôt Duncan, ce n'est pas avec *eux* que je vis.

— Ah bon ? Pourquoi pas ? Ils se sont bien occupés de toi, n'est-ce pas ? Et tu as des sœurs, il me semble ? Je me souviens d'une en particulier : comment s'appelait-elle ? Valerie ? Viv ! » Il tira sur une mèche de ses cheveux. « Oh ! la la, ça me revient, hein ? Elle venait te voir. Elle était adorable avec toi. Bien plus que ma garce de sœur ne l'était avec moi, en tout cas ! Elle l'est toujours ?

— Ce n'est pas à cause d'elle, dit Duncan. C'est les autres. On ne s'est jamais bien entendus, même avant que...

113

avant, quoi. Quand je suis sorti, ç'a été pire que jamais. Le mari de ma sœur aînée me déteste cordialement. Un jour, je l'ai entendu parler de moi à un de ses amis. Il m'appelait le Petit Lord Fauntleroy. Et puis Mary Pickford, aussi. Et ne ris pas, hein ! » Mais lui-même se mit à rire.

« Je suis désolé, dit Fraser, souriant toujours. Oui, il a l'air d'un type drôlement sympathique.

— C'est simplement le genre de personne qui ne supporte pas que l'on soit différent de lui. Ils sont tous comme ça. Mais pas Viv. Elle accepte que... enfin, que les choses ne soient pas toujours parfaites. Que les gens ne soient pas parfaits. Elle... » Il hésita.

« Elle quoi ? » demanda Fraser.

Ils retrouvaient un peu de leur ancienne intimité. Duncan baissa la voix. « Eh bien, elle voit un homme. » Il regarda autour de lui. « Un homme marié. Ça dure depuis une éternité. Je n'étais pas au courant, là-bas. »

Fraser semblait pensif. « Je vois.

— Ne fais pas cette tête-là ! Ce n'est pas une... enfin, ce n'est pas une putain ni rien de ce genre.

— J'en suis bien certain... Mais ça m'embête d'entendre ça, quand même. Je me souviens d'elle ; je me souviens que je la trouvais charmante. Et tu sais, ces histoires-là, ça tourne rarement bien — surtout pour la femme. »

Duncan haussa les épaules. « C'est leur affaire, pas vrai ? Et puis qu'est-ce que c'est "tourner bien" ? Se marier ? S'ils étaient mariés, probablement qu'ils se détesteraient.

— Peut-être... Mais il est comment, ce type ? C'est quel genre ? Tu l'as déjà rencontré ? »

Duncan avait oublié cette manière qu'avait Fraser de se saisir d'un sujet et de le triturer en tous sens, pour le simple plaisir de la réflexion. « C'est une espèce de représentant, dit-il d'un ton contraint. C'est tout ce que je sais de lui. Il

114

lui apporte de la viande en conserve. Des tonnes, tout le temps. Elle ne peut pas les rapporter à la maison, mon père se poserait des questions. Alors elle nous les donne, à moi et oncle Horace... »

Il s'arrêta brusquement, saisi et gêné par ce qu'il venait de laisser échapper. Attentif à ses paroles, Fraser n'avait rien remarqué...

« Ton oncle, dit-il. Ah oui, Mrs Alexander en a parlé, à la fabrique. Elle disait que tu étais un neveu extraordinaire, ou quelque chose comme ça. » Il sourit. « Donc finalement, ta famille n'est pas aussi terrible que tu la décris. Mon Dieu, j'aimerais bien faire la connaissance de ton oncle, Pearce, et puis de Vivien, aussi. Et je serais très curieux de voir où tu vis. M'autorises-tu à te rendre une petite visite, une autre fois ? Parce que — enfin, rien ne nous empêche de nous revoir, de redevenir amis, n'est-ce pas ? À présent qu'on s'est retrouvés ? »

Duncan hocha la tête, mais il resta silencieux, se méfiant de ce qu'il pourrait dire. Il vida la bière qu'il lui restait, détourna le visage — imaginant la tête que ferait Fraser, il le savait, si par hasard il rentrait avec lui à la maison, et tombait sur Mr Mundy...

Il se remit à tripoter les détritus épars, abandonnés sur la plage. Soudain, son regard fut attiré par un objet en particulier, et il le prit dans sa main. C'était bien, comme il l'avait pensé, une vieille pipe de terre au fourneau à moitié cassé. Il la montra à Fraser, puis se mit à gratter la boue qui la recouvrait avec un morceau de fil de fer. « Il y a trois siècles, dit-il, en partie pour changer de sujet, un type fumait la pipe ici même, comme toi. C'est bizarre, cette idée, n'est-ce pas ? »

Fraser sourit. « N'est-ce pas ? »

Duncan éleva la pipe à hauteur de ses yeux, l'examina.

« Je me demande comment cet homme s'appelait. On ne le saura jamais. Ça ne te trouble pas ? Moi, je me demande où il vivait, à quoi il ressemblait. Il ne pouvait pas imaginer que des gens comme nous retrouveraient sa pipe en 1947.

— Il avait peut-être la chance de ne même pas imaginer qu'il existerait une année 1947.

— Peut-être que quelqu'un retrouvera *ta* pipe, dans trois cents ans.

— Ça, ça m'étonnerait ! fit Fraser. Je parierais à mille contre un que ma pauvre pipe aura été réduite en cendres d'ici là, comme tout le reste... » Il finit son verre et se mit sur pied.

« Où vas-tu ? s'enquit Duncan.

— Rechercher de la bière.

— C'est mon tour.

— Laisse tomber. J'ai presque vidé le pichet à moi tout seul. Et puis il faut que j'aille aux toilettes.

— Tu veux que je t'accompagne ?

— Aux toilettes ?

— Au bar ! »

Fraser se mit à rire. « Non, reste là. Quelqu'un va prendre notre place. Je ne serai pas long. »

Tout en parlant, il commença de s'éloigner sur la plage, heurtant doucement, machinalement le pichet vide contre sa cuisse. Duncan l'observa qui gravissait l'escalier et disparaissait au-delà.

Le pub, de fait, était encore plus bondé que tout à l'heure. Les gens étaient sortis avec leur verre, comme Fraser et Duncan l'avaient fait, et s'étaient installés dans la rue et sur la plage ; quelques hommes et femmes étaient assis ou appuyés sur le muret au-dessus de la tête de Duncan. Il ne s'était pas rendu compte de leur présence. Il n'aimait pas cette idée qu'ils le regardaient, en bas, ou qu'ils avaient pu écouter ce qu'il disait...

Il rangea la pipe en terre dans sa poche ; puis son regard se porta vers le fleuve. La marée changeait, et la surface des eaux semblait lutter contre elle-même, comme remuée par d'invisibles serpents. Les jeunes garçons qui tout à l'heure s'éclaboussaient de boue s'étaient assis sur la rive ; ils se levèrent soudain et remontèrent sur la plage, chassés par le flux. Ils paraissaient encore plus jeunes. Ils couraient, et tremblaient aussi, comme des chiens. Et grimaçaient en marchant, à présent : Duncan imagina la plante de leurs pieds attendrie par le contact de l'eau, et entaillée par les cailloux et les coquillages. Il tenta de détourner le regard tandis qu'ils remontaient l'escalier de la plage ; soudain, l'idée d'un pied de jeune garçon, blanc et souillé de sang, lui faisait horreur.

Il baissa la tête et se remit à tripoter les objets sur le sable. Trouva un peigne avec une dent cassée. Dénicha un morceau de tasse à l'anse délicate, intacte.

Et puis, sans savoir pourquoi — quelqu'un avait pu prononcer son nom, parvenu jusqu'à ses oreilles pendant un de ces étranges silences qui venaient par moments interrompre le brouhaha des voix, des rires, de l'eau —, il tourna de nouveau les yeux vers la jetée, et son regard croisa celui d'un homme chauve assis à l'une des tables, avec une femme. Duncan reconnut aussitôt cet homme. Il était de Streatham ; il vivait non loin de là où lui-même avait grandi. Mais au lieu de le saluer, de lui adresser un sourire, de lui faire un signe de la main, l'homme disait quelque chose à la femme qui l'accompagnait, quelque chose comme « Oui, c'est bien lui » ; et tous deux observaient Duncan avec sur le visage un étonnant mélange de malveillance, d'avidité et d'atonie.

Il détourna aussitôt les yeux. Puis, jetant un nouveau regard, il constata que l'homme et la femme l'observaient toujours, et changea de position, détournant franchement la tête, décroisant et recroisant les jambes pour appuyer son corps sur l'autre coude. Mais il avait toujours cette sensation horrible d'être épié, commenté, évalué avec dégoût. *Regarde-le*, les entendait-il dire. *Il se croit normal, je te jure. Il pense qu'il est comme toi et moi.* Il tentait de se voir au travers de leurs yeux, et se voyait, sans Fraser à ses côtés, comme une sorte de bizarrerie, ou d'imposture... Il tourna de nouveau la tête, plus discrètement — et oui, ils étaient toujours en train de le scruter : ils prenaient une gorgée de leur verre, tiraient sur leur cigarette avec cette expression à la fois neutre et avide des gens qui s'installent au cinéma pour la soirée. Il ferma les yeux. Quelqu'un partit d'un rire rauque au-dessus de sa tête. Il lui sembla être l'unique cause possible de ce rire, que les consommateurs se poussaient du coude les uns après les autres, de table en table, hochant la tête et souriant, répandant la nouvelle que Pearce était là : Duncan Pearce, oui, là, juste en bas, en train de boire tranquillement une bière sur la plage, comme n'importe qui, comme s'il en avait le droit !

Si seulement Fraser pouvait revenir ! Combien de temps s'était-il écoulé depuis qu'il avait disparu avec le pichet ? Duncan aurait eu peine à le dire. Cela lui paraissait une éternité. Il avait sans doute entamé une discussion avec quelqu'un — un type quelconque. Il s'était probablement mis à flirter avec la serveuse. Et imaginez qu'il ne réapparaisse pas, pour une raison ou pour une autre ? Comment Duncan ferait-il pour rentrer ? Il n'était pas certain de retrouver son chemin. Il sentait son esprit vide, ou noyé d'obscurité, essaya de se recentrer, mais eut alors la sensation d'avoir les yeux bandés, et de poser le pied sur un sol

mou, qui se dérobait... Il commençait de paniquer réellement. Il ouvrit les yeux, regarda ses mains car un jour, il
avait entendu un médecin dire que quand on avait peur,
regarder ses mains pouvait vous calmer. Mais il avait à présent trop conscience de lui-même : ses mains lui semblaient
étranges, comme étrangères à lui. Il avait dans tout le corps
une sensation de mal-être, d'erreur : soudain il sentait son
cœur, ses poumons ; il lui semblait que s'il cessait une
seconde de se concentrer sur eux, ses organes allaient
l'abandonner. Il restait assis sur la plage, les paupières serrées, en sueur, haletant presque sous ce fardeau colossal,
effrayant de devoir respirer, obliger le sang à circuler dans
ses veines, empêcher les muscles de ses bras et de ses jambes
de se détendre soudain en un spasme.

Cinq minutes plus tard peut-être — ou bien était-ce dix
minutes, ou même vingt —, Fraser réapparut. Duncan perçut le bruit mat du pichet plein posé sur les pierres, puis
sentit la cuisse de Fraser toucher la sienne comme il s'as-
seyait.

« C'est dingue là-dedans, dit-il, une vraie mêlée de
rugby. Je... Que se passe-t-il ? »

Duncan était incapable de répondre. Il ouvrit les yeux et
tenta de sourire. Mais même les muscles de son visage
étaient contre lui : il sentit sa bouche se tordre ; il devait
faire peur à voir. « Que se passe-t-il, Pearce ? répéta Fraser
d'une voix angoissée.

— Ce n'est rien, dit enfin Duncan.

— Rien ? Mais tu as l'air absolument ravagé. Tiens. » Il
lui tendit son mouchoir. « Essuie-toi, tu es en nage... Ça va
mieux ?

— Oui, un peu.

— Tu trembles comme une feuille ! Mais qu'est-ce qui
t'arrive, enfin ? »

Duncan secoua la tête. « Ça va te sembler idiot », dit-il d'une voix mal assurée. Sa langue lui collait au palais.

« Peu importe.

— C'est cet homme, là-bas... »

Fraser se retourna pour voir. « Quel homme ? Où ?

— Il ne faut pas qu'il te voie le regarder ! Il est assis là-haut, sur la jetée. Un type de Streatham. Un chauve. Il me regardait, avec son amie. Il... il sait tout, pour moi.

— Comment ça ? Il sait que tu as fait de la taule ? »

Une fois de plus, Duncan secoua la tête. « Pas seulement ça. Il sait pourquoi. Il sait, pour moi et... et Alec... »

Il ne pouvait pas continuer. Fraser l'observa encore un instant, puis se détourna et dirigea de nouveau son regard vers les silhouettes des consommateurs sur la jetée. Duncan se demandait ce que l'homme ferait, en voyant Fraser le regarder. Il imaginait quelque geste obscène — ou un simple sourire et un hochement de tête...

Mais au bout d'un moment, Fraser se retourna vers lui. « Personne ne te regarde, Pearce, dit-il doucement.

— Si forcément, dit Duncan. Tu en es sûr ?

— Absolument. Personne. Vérifie toi-même. »

Duncan hésita, puis posa la main sur ses yeux et regarda entre ses doigts... C'était vrai. L'homme et la femme avaient disparu, remplacés par un autre couple, fort différent. Cet homme-là avait des cheveux blond cendré ; il levait un sachet de chips et en vidait les miettes dans sa bouche. La femme bâillait ; elle se tapotait les lèvres d'une main blanche et dodue. Les autres consommateurs discutaient entre eux, ou regardaient vers le bar, ou vers le fleuve — partout en fait, mais pas en direction de Duncan.

Duncan exhala longuement, ses épaules s'affaissèrent. Il ne savait plus quoi penser. Il avait très bien pu imaginer toute cette histoire... Peu importait. Sa crise de panique l'avait épuisé, vidé. Il s'essuya de nouveau le visage. « Il faut que je rentre, déclara-t-il d'une voix tremblante, misérable.

— Attends une minute, dit Fraser. Reprends un peu de bière, avant.

— D'accord. Mais c'est... c'est toi qui vas devoir servir. »

Fraser souleva le pichet et remplit leurs deux verres. Duncan en prit une gorgée, puis une autre. Il était obligé de tenir sa chope à deux mains, pour éviter de renverser de la bière... Au bout d'un moment, toutefois, il commença de se calmer. Il s'essuya la bouche, regarda Fraser.

« Tu dois penser que je suis un peu idiot, non ?

— Ne dis pas n'importe quoi ! Tu ne te souviens pas... ? »

Duncan lui coupa la parole. « Je n'ai pas l'habitude de sortir comme ça, tout seul. Je ne suis pas comme toi. »

Fraser secoua la tête, l'air contrarié, ou exaspéré. Il regarda Duncan, puis détourna les yeux. Quelque chose semblait l'embarrasser. Il changea de position, reprit un peu de bière... Finalement, il parla, et son ton était contraint, empreint de gêne : « J'aurais dû rester en contact avec toi, Pearce. J'aurais dû t'écrire, plus que je ne l'ai fait. Je... Je t'ai laissé tomber. Je m'en rends compte, à présent, et j'en suis navré. Je t'ai salement laissé tomber. Mais après cette année en taule... une fois que j'en suis sorti, ça me semblait — je ne sais pas —, ça m'apparaissait comme un rêve... » Il croisa le regard de Duncan, et ses paupières battirent. « Tu comprends ? Comme si c'était la vie de quelqu'un d'autre, pas la mienne. Comme si on m'avait pris et mis hors du temps — et puis réintégré, d'un seul coup, et que je devais reprendre ma vie là où je l'avais laissée. »

Duncan hocha la tête. « Ça n'a pas été la même chose

pour moi, dit-il lentement. Lorsque je suis sorti, tout avait changé. Plus rien n'était pareil. Je m'y attendais, et j'avais raison. Tout le monde me disait : "Tu vas t'en sortir." Mais moi, je savais que non, jamais. »

Ils demeurèrent un moment sans plus parler, comme épuisés tous les deux. Fraser tira sa pipe et ses allumettes de sa poche, et la flamme jaillit, soudain lumineuse dans le jour qui baissait. Il rabattit ses manches de chemise, boutonna les poignets, et Duncan le sentit frissonner.

Ils observèrent la rivière. En l'espace de quelques minutes, la surface de l'eau avait perdu son air agité, ses remous aléatoires, incessants. La plage se faisait déjà plus étroite, l'eau s'insinuant peu à peu et, telle une langue râpeuse de chat, usant peu à peu les berges à chaque caresse, et chaque ressac. Puis un remorqueur passa, rapide, créant des vagues qui couraient jusqu'à la rive, étaient avalées de nouveau, puis revenaient, plus faibles, s'épuisant d'elles-mêmes.

Fraser jeta un caillou. « Comment dit Arnold, déjà ? fit-il. *La note éternelle de la tristesse* — c'est ça ? Et puis, *le je-ne-sais-plus-quoi aux galets nus du monde...* » Il passa une main sur son visage, se moquant de lui-même. « Grand Dieu, Pearce, dès l'instant où tu m'entends dire de la poésie, c'est qu'il est temps de lever le camp. Allez. » Il se mit sur pied. « Laisse tomber la bière, on y va. Je te raccompagne. Jusqu'à ta porte. Et tu pourras me présenter à ton... oncle Horace, c'est ça ? »

Duncan pensa à Mr Mundy faisant les cent pas dans le salon, et venant ouvrir en boitant... Mais il n'avait plus assez d'énergie pour éprouver de la crainte, ou de l'embarras, ou quoi que ce fût. Il se leva et gravit l'escalier à la suite de Fraser ; ils se mirent en route de concert — vers le nord, vers White City, par les rues que l'ombre gagnait peu à peu.

3

« Vous ne savez donc pas que la guerre est finie ? »
demanda à Kay l'homme derrière le comptoir.

Il disait cela à cause de son pantalon et de sa coupe de
cheveux, il se voulait drôle ; mais elle avait mille fois
entendu ce genre de réflexion, et avait peine à en sourire.
En entendant son accent, toutefois, il changea de ton. Il lui
tendit le sachet avec un « Voici, madame ». Mais il avait dû
faire une grimace ou un signe dans son dos car, comme elle
sortait de la boulangerie, les autres clients se mirent à rire.

À cela aussi, elle était habituée. Elle coinça le sachet sous
son bras, enfonça les mains dans ses poches de pantalon. La
meilleure chose à faire était de répondre par l'effronterie, de
rejeter la tête en arrière et de marcher d'un pas vainqueur,
de choisir d'être un « personnage ». C'était fatigant, quelquefois, quand on n'avait pas l'énergie pour cela, mais sans
plus.

Aujourd'hui, quoi qu'il en soit, elle était plutôt de
bonne humeur. L'idée lui était venue, le matin, de rendre
visite à une amie. Elle était allée à pied de Lavender Hill
jusqu'à Bayswater, et remontait à présent Harrow Road.
Son amie, Mickey, y travaillait dans un garage, où elle servait l'essence.

En s'approchant, Kay l'aperçut devant le bâtiment :

Mickey s'était installée une chaise de toile et lisait tranquillement. Elle se tenait jambes écartées car elle était habillée, non pas exactement en homme, comme Kay, mais en mécano, combinaison et bottes. Ses cheveux clairs avaient la couleur et la texture de la corde sale ; ils se dressaient en bataille comme si elle sortait juste du lit. Sous le regard de Kay, elle mouilla un index et tourna une page. Mickey ne l'avait pas entendue arriver, et Kay se dirigea vers elle avec une sorte d'étrange pincement au cœur. C'était juste le plaisir de voir une amie, après n'avoir vu, des semaines durant, que des étrangers, rien de plus. Mais l'espace d'une seconde, elle crut que ce sentiment allait monter et lui nouer la gorge au point de la faire fondre en larmes. Elle imagina à quel point elle apparaîtrait ridicule aux yeux de Mickey en débarquant comme ça, sans prévenir, et en larmes. Et elle songea à laisser tomber — à filer avant qu'elle ne l'ait vue.

Puis le nœud dans sa gorge disparut peu à peu.

« Salut, Mickey ! » fit-elle doucement.

Mickey leva les yeux, et se mit à rire, heureuse de la voir. Elle riait sans cesse, d'un rire spontané, naturel, qui lui gagnait le cœur des gens. Sa voix était profonde, voilée en permanence. Elle fumait trop. « Salut ! fit-elle.

— Qu'est-ce que tu lis ? »

Mickey lui montra la couverture. Elle lisait les livres que les clients oubliaient dans leur voiture quand ils la portaient au garage. Là, c'était *L'Homme invisible* de Wells, en édition de poche. Kay le prit et sourit. « Je l'ai lu quand j'étais jeune, dit-elle. Tu en es au moment où il rend le chat invisible, sauf les yeux ?

— Oui, c'est drôle, n'est-ce pas ? » Mickey frottait sa paume graisseuse contre sa combinaison pour pouvoir serrer la main de Kay. Elle était petite, mince, sa main, pas plus grande qu'une main d'enfant. Elle pencha la tête, ferma un œil. Elle ressemblait au Fin Renard d'*Oliver Twist*. « Je m'étais presque faite à l'idée de ne plus jamais te voir, cela fait si longtemps ! Comment ça va ?

— Je me suis dit que ce devait être ton heure de pause. Tu as une pause, pour déjeuner ? J'ai apporté des beignets.

— Des beignets ! » fit Mickey, prenant le sachet et jetant un coup d'œil à l'intérieur. Ses yeux bleus s'agrandirent. « Et à la confiture !

— À la vraie saccharine. »

Une auto s'arrêta. « Ne bouge pas », dit Mickey. Elle posa le sachet de beignets et se dirigea vers la vitre du conducteur ; puis elle s'employa à faire le plein. Kay s'installa à sa place dans la chaise de toile, prit le livre, et l'ouvrit au hasard.

« Mais maintenant vous pouvez vous rendre compte, dit l'homme invisible, du grand inconvénient de ma position. Je n'avais aucun abri — pas de protection possible —, m'habiller aurait été me priver de mon seul avantage et faire une moi une chose étrange, terrifiante. Je ne me nourrissais pas non plus, car manger, me remplir de matière m'aurait de nouveau, absurdement rendu visible.

— Je n'avais pas pensé à ça », dit Kemp.

Pendant ce temps, la pompe à essence, ressuscitée, commençait de vibrer, gémir et cliqueter, et l'odeur, jusqu'alors discrète, se faisait entêtante. Kay reposa le livre, regarda Mickey. Elle se tenait dans une pose plutôt nonchalante, une main posée sur le toit de l'auto, l'autre crispée sur la détente du pistolet de la pompe, les yeux rivés sur les chiffres qui défilaient au cadran de l'appareil. Elle n'était pas précisément séduisante, mais avait une certaine classe ;

et c'était extraordinaire de voir combien de filles — même de filles normales — se trouvaient intriguées, impressionnées par son allure.

Le conducteur, toutefois, était un homme. Mickey fit tomber les dernières gouttes en tapotant le pistolet contre l'ouverture du réservoir, revissa le bouchon, prit les bons d'essence ; sur quoi elle revint vers Kay, avec une grimace.

« Pas de pourboire ? demanda Kay.

— Il m'a donné trois pence, et m'a dit de m'acheter du rouge à lèvres avec. De toute façon, sa bagnole est aussi moche que lui. Tu veux aller au bateau ?

— On a le temps ?

— Oui, je pense. »

Elles s'éloignèrent d'un bon pas, empruntant deux ou trois rues jusqu'à Regent's Canal. À une centaine de mètres, le long du chemin de halage, une rangée de bateaux et de péniches d'habitation étaient amarrés. Mickey vivait là depuis le début de la guerre. C'était un vrai petit village. Des entrepôts et des chantiers navals l'entouraient, mais les résidents étaient tous peintres et écrivains, et en outre de vrais bateliers — très conscients d'être « intéressants », d'être « pittoresques », pensait parfois Kay ; ostensiblement fiers de leur singularité, par rapport aux gens qui vivaient dans un appartement ou une maison normale. Mais peut-être était-ce légitime, après tout. Le bateau de Mickey — *Irene* — était une petite barge trapue, avec une proue pointue qui lui faisait toujours penser à un gros sabot. La coque goudronnée était couverte d'une quantité alarmante de réparations, comme des pièces sur un vêtement. Chaque matin, Mickey passait vingt minutes, voire plus, à actionner une affreuse petite pompe. Ses toilettes consistaient en un seau hygiénique derrière une bâche de grosse toile. En hiver, le contenu du seau gelait.

126

Mais l'intérieur de l'embarcation se révélait charmant. Les murs étaient recouverts de panneaux de bois vernis, et Mickey avait construit des étagères pour les livres et les bibelots. L'endroit était éclairé par des lampes à paraffine et des bougies colorées. La cuisine évoquait un plumier géant, avec ses tiroirs secrets et ses portes coulissantes. Des barreaux et des sangles maintenaient assiettes et tasses. Tout était ainsi arrimé, comme en prévision d'une tempête en haute mer ; en réalité, le roulis du canal était très bénin, à peine surprenant quand on n'en avait pas, ou plus, l'habitude.

Kay se tenait toujours légèrement voûtée dans le bateau de Mickey. Si elle se redressait complètement, le sommet de son crâne effleurait le plafond. Mickey, elle, allait et venait confortablement, sans la moindre gêne — faisant coulisser des panneaux des placards pour prendre du thé, une théière, deux chopes d'émail. « Je ne peux pas faire bouillir de l'eau, dit-elle, le fourneau s'est éteint, et ils n'ont pas eu le temps de le rallumer. Je vais en chercher chez la voisine. »

Elle sortit, la bouilloire à la main, et Kay s'assit. Le bateau se mit à rouler doucement, heurtant le quai avec un son creux, au passage d'un train de péniches. Elle perçut des voix d'hommes, désagréablement sonores : « ... *du côté de Dalston. Sans blague ! En train de sauter comme une espèce de singe tout rouge sur un...* »

Mickey réapparut avec l'eau bouillante, et sortit des assiettes de fer-blanc. Kay souleva son beignet, le reposa. À la place, elle prit ses cigarettes, puis interrompit son geste, le briquet suspendu. Elle désigna les taches sur la chemise de Mickey.

« Je suppose que ce n'est pas prudent, de fumer près de toi ? Vu comme tu joues avec la pompe à essence. Tu ne risques pas de t'enflammer comme une torche ?

— Pas si tu fais attention, dit Mickey en riant.

— Dieu soit loué. Parce que je n'aimerais pas ça du tout, tu sais. » Elle lui tendit le paquet. « Une tige de huit ? »

Mickey en prit une. Kay lui donna du feu, puis alluma sa cigarette. Derrière sa tête se trouvait une fenêtre coulissante : elle la fit glisser pour que la fumée s'échappe.

« Comment ça va, chez Sandy ? » demanda-t-elle en se retournant.

Mickey haussa les épaules. Elle travaillait au garage parce que c'était un des rares endroits où une femme pouvait porter un pantalon. Et il lui fallait bien travailler, d'une manière ou d'une autre : elle n'avait pas, comme Kay, une famille aisée derrière elle, un revenu personnel. Elle dit à Kay qu'elle songeait à trouver un boulot de chauffeur. Elle aimait bien l'idée de conduire à nouveau, et de sortir un peu de Londres...

Elles en discutèrent tout en fumant. Mickey mangea son beignet, puis ouvrit le sac et en mangea un autre. Kay toutefois laissait le sien intact sur l'assiette, devant elle ; finalement, Mickey demanda : « Tu ne le manges pas ?

— Pourquoi ? Tu le veux ?

— Ce n'est pas ce que je voulais dire.

— J'ai déjà mangé.

— Je n'en doute pas. Je sais comment tu te nourris. Café et cigarettes.

— Et gin, quand je suis en veine ! »

Mickey rit de nouveau. Son rire se transforma en toux. « Allez, mange, dit-elle, s'essuyant la bouche. Vas-y, tu es encore trop maigre.

— Et alors ? fit Kay. Tout le monde est mince, non ? Je suis la mode, c'est tout. »

En réalité, l'aspect graisseux, sucré du beignet lui don-

128

nait presque la nausée ; mais pour faire plaisir à Mickey, elle le prit et commença de le grignoter sans conviction. Le contact de la pâte sur sa langue et dans sa gorge était horrible, mais Mickey ne la quitta pas des yeux tant qu'elle ne l'eut pas terminé.

« Vous êtes contente, patronne ?

— C'est mieux », fit Mickey, rétrécissant les yeux et se mettant une fois encore à ressembler au Fin Renard. « La prochaine fois, je t'invite à dîner.

— Tu cherches à m'engraisser.

— Pourquoi pas ? On pourrait sortir un peu, et s'en mettre jusque-là. »

Kay fit mine de frissonner. « Je serais comme un squelette au banquet. En plus... — elle eut un coquet mouvement de tête, comme une très jeune fille —, je suis affreusement occupée, ces temps-ci. Je sors sans arrêt.

— Tu vas dans de drôles d'endroits.

— Je vais au cinéma, dit Kay ; il n'y a rien de drôle là-dedans. Quelquefois, je reste pendant deux séances d'affilée. Ou alors j'arrive au milieu du film, et je regarde d'abord la deuxième moitié. Je les préfère presque comme ça — le passé des gens est tellement plus intéressant que leur avenir. Enfin, c'est moi, peut-être... Mais on rencontre toutes sortes de personnages, au cinéma, crois-moi. On peut même...

— Même quoi ? »

Kay hésita. *Même lever une fille*, voilà ce qu'elle avait été sur le point de dire, crûment ; car un soir, récemment, elle s'était mise à bavarder avec une jeune fille un peu pompette, et avait fini par l'emmener dans une cabine des toilettes pour l'embrasser, la caresser. Tout cela assez sauvagement ; elle avait honte en y pensant, à présent. « Même rien, conclut-elle d'une voix ferme. Même rien... En tout cas, tu pourrais déjà me rendre visite.

— Chez Mr Leonard ? » Mickey fit la grimace. « Il me fait froid dans le dos.

— Il est chouette. Un vrai faiseur de miracles. C'est un de ses patients qui me l'a dit. Il l'a débarrassé d'un zona. Il pourrait s'occuper de ta poitrine. »

Mickey eut un mouvement de recul et toussa de nouveau. « Tu parles !

— Mon petit Julot..., fit Kay avec affection. Il n'aurait même pas à t'examiner. Tu restes assise dans un fauteuil, et il te parle en chuchotant.

— Ça m'a l'air d'un vieux dégoûtant, oui. Ça fait trop longtemps que tu habites avec lui ; tu ne te rends plus compte à quel point c'est malsain... Et la maison, au fait ? Toujours pas décidée à s'écrouler ?

— C'est en bonne voie, dit Kay. Quand il y a du vent, je la sens vaciller. Je l'entends gémir. On se croirait en haute mer. Je crois que c'est uniquement grâce à Mr Leonard qu'elle tient debout. Il doit l'empêcher de s'effondrer par la simple force de la volonté. »

Mickey sourit. Mais elle fixait Kay, bien en face, et son regard s'était fait grave. Et quand son sourire eut disparu, elle demanda d'une voix changée : « Tu comptes rester encore longtemps là-bas, Kay ?

— Jusqu'à ce qu'elle s'écroule, j'espère !

— Non, je suis sérieuse », dit Mickey. Elle hésita, comme si elle réfléchissait. « Écoute, dit-elle enfin, se penchant vers Kay, pourquoi ne viendrais-tu pas t'installer ici, avec moi ?

— Ici ? fit Kay, surprise. Sur la si pittoresque *Irene* ? » Elle regarda autour d'elle. « Mais c'est une boîte à chaussures. C'est parfait pour un petit ouistiti comme toi.

— Ce serait provisoire, dit Mickey. Et si je trouve un emploi de chauffeur, je ne dormirai pas là tous les soirs.

— Et le reste du temps ? Si tu ramènes une fille, par exemple ?

— On peut toujours s'arranger.

— Tendre un drap dans le carré ? Ben voyons ! Autant retourner au pensionnat... Et de toute façon, je ne veux pas quitter Lavender Hill. Tu ne sais pas ce que ça représente pour moi. Mr Leonard me manquerait, et puis le petit gamin avec sa grosse chaussure. Et les deux qui ressemblent à une toile de Stanley Spencer ! Non, je me suis attachée à cet endroit.

— Je sais », dit Mickey, d'une voix qui signifiait : *Et c'est bien ce qui me désole.*

Kay détourna les yeux. Elle avait dit tout cela d'un ton léger — faisant comme si, essayant de dissimuler cette réelle émotion qui, comme tout à l'heure, montait en elle, embarrassante, angoissante. Parce qu'elle avait là, devant elle, une Mickey qui, vivant avec quelque chose comme une livre par semaine, était prête à tout partager — comme ça, directement, par pure gentillesse. Et face à Mickey, il y avait elle-même, avec plus d'argent qu'elle n'en dépensait, sans le moindre souci d'aucune sorte, et qui vivait comme une indigente, comme un rat...

Elle se pencha, prit sa chope de thé. S'aperçut avec horreur que ses mains tremblaient. Elle ne voulait pas reposer la chope et attirer l'attention sur elles ; elle la souleva davantage, essayant de la porter à ses lèvres. Mais son tremblement empirait. Du thé se renversa ; elle vit une tache se former sur un des coussins de Mickey. Elle reposa brusquement la chope et tenta d'éponger le plus gros des dégâts avec son mouchoir.

Ce faisant, elle croisa le regard de Mickey ; ses épaules

s'affaissèrent. Elle se laissa aller en avant, les coudes appuyés aux genoux, le visage dans les mains.

« Regarde-moi, Mickey ! fit-elle. Regarde ce que je suis devenue ! Est-ce qu'on a vraiment choisi de faire ce que nous avons fait, toutes les deux, pendant la guerre ? Quelquefois, je n'arrive même pas à me tirer du lit, le matin. On transportait des civières, tu te rends compte ! Je me souviens avoir soulevé... », elle tendit les mains, doigts écartés, « je me souviens avoir soulevé le torse d'un enfant... Mais que m'est-il arrivé, Mickey ?

— Tu sais bien ce qui est arrivé », répondit Mickey d'une voix douce.

Kay se rejeta en arrière et se détourna, dégoûtée d'elle-même. « Il nous est arrivé ce qui est arrivé à des millions d'entre nous. Qui n'a pas perdu quelqu'un, quelque chose de précieux ? Je peux marcher dans n'importe quelle rue de Londres, je n'aurais qu'à tendre le bras pour toucher un homme ou une femme qui a perdu un amour, un enfant, un ami... Mais je... je n'y arrive pas, Mickey. Je n'arrive pas à me remettre, à me reconstruire. » Elle eut un rire triste. « *Me reconstruire.* Quelle drôle de formule ! Comme si la douleur était quelque chose qui vous éparpille dans tous les sens, comme une poupée cassée, et que l'on devait retrouver les morceaux et les remboîter avant de continuer... J'ai perdu des morceaux, Mickey, je ne retrouve plus rien. Et je ne crois pas avoir envie de continuer, c'est surtout ça. Ma vie, elle est en morceaux, je suis une poupée cas... »

Elle ne put continuer. Elle regarda autour d'elle la cabine du bateau ; puis reprit, plus doucement.

« Tu te souviens de cette nuit, où on était toutes ici ? Juste avant... ? Quelquefois, je pense à des moments comme ça. Je me fais du mal, je me torture à penser à des moments comme ça ! Tu t'en *souviens* ? »

Mickey hocha la tête. « Je m'en souviens.

— J'étais allée à Bethnal Green cet après-midi-là. Tu avais préparé des gin slings.

— Des gin gimlets. »

Kay leva les yeux. « Des gin gimlets ? Tu en es sûre ? » Mickey hocha de nouveau la tête. « Il n'y avait pas de citron ?

— De citron ? Où veux-tu que j'aie trouvé des citrons ? Non, il y avait du jus de citron vert dans une bouteille qu'avait apportée Binkie, tu ne te rappelles pas ? »

Kay s'en souvenait à présent. Avoir ainsi transformé ses souvenirs, au point de visualiser Mickey en train de presser des citrons, d'en faire couler le jus, lui causait un vrai malaise.

« Du jus de citron vert, répéta-t-elle, sourcils froncés. Dans une bouteille, oui. Pourquoi ai-je donc oublié ça ?

— Ne te fixe pas sur ça, Kay.

— Je n'ai pas envie de me fixer sur ça ! Mais je ne veux pas non plus oublier. Quelquefois, je n'arrive plus à penser qu'à des choses de ce genre. Comme si mon cerveau était plein de petits crochets. De petits crochets... »

On aurait presque cru entendre une folle, soudain. Elle détourna de nouveau la tête, regarda au-dehors. Le soleil dessinait des motifs à la surface de l'eau. Une flaque d'huile se colorait de bleu et d'argent... Elle se tourna de nouveau vers Mickey, la vit consulter sa montre.

« Kay, fit Mickey, gênée. Je suis désolée, ma grande. Il faut que je retourne chez Sandy.

— Bien sûr.

— Tu ne veux pas rester là jusqu'à ce que je rentre ?

— Ne sois pas sotte. Ça va aller, vraiment. C'est juste pénible. »

Elle finit son thé. Sa main était sûre à présent. Elle

balaya les miettes sur ses cuisses, se leva et aida Mickey à emporter les assiettes.

« Tu vas faire quoi, là ? » demanda Mickey tandis qu'elles remontaient Harrow Road.

Soudain, Kay était redevenue une débutante. Elle eut un geste désinvolte. « Oh ! la la, j'ai des tonnes de choses à faire.

— Vraiment ?

— Mais oui, bien sûr.

— Je ne te crois pas. Réfléchis un peu à ce que je t'ai dit — à ma proposition de venir vivre avec moi. Tu veux bien ? Ou même de sortir un peu toutes les deux, un soir. On pourrait descendre à Chelsea. Il n'y a plus personne là-bas, ce n'est plus la même fréquentation...

— D'accord », dit Kay.

Elle sortit de nouveau ses cigarettes, en prit une, en donna une à Mickey puis en coinça une troisième derrière l'oreille de celle-ci, comme un jeune gars. Mickey lui prit la main et la serra brièvement ; elles restèrent une seconde immobiles, se souriant, les yeux dans les yeux.

Elles s'étaient embrassées, une fois, Kay s'en souvenait — des années auparavant, et sans résultat probant. Toutes deux étaient saoules. Cela avait fini par un fou rire. C'était toujours ce qui arrivait, bien évidemment, quand on était deux du même côté...

Mickey s'éloigna. « Salut, Kay », fit-elle. Kay l'observa qui se hâtait vers le garage. La vit se retourner pour lui faire un signe, une fois. Kay leva la main, puis fit demi-tour et commença de se diriger vers Bayswater.

Elle marcha d'un bon pas tant qu'elle pensa que Mickey pouvait se retourner pour la surveiller, mais à peine tourné à un coin de rue, elle ralentit l'allure. Et arrivée à Westbourne Grove, comme l'animation se faisait plus intense, elle trouva un pas de porte dans l'ombre d'un mur effondré, et s'assit là. Elle repensa à ce qu'elle avait dit à Mickey sur le fait de marcher dans la rue, de tendre le bras pour toucher les gens... Elle observa le visage des passants, pensant : *Et toi, qu'as-tu perdu ? Et toi ? Comment supportes-tu ça ? Comment fais-tu ?*

« J'ai connu une fille d'Enfield, c'était le chambardement dès qu'elle arrivait quelque part, disait Viv tout en saupoudrant du Vim sur le chiffon. C'est toujours comme ça, avec ces allumeuses. »

Helen et elle allaient sortir sur l'échelle d'incendie avec leur déjeuner quand elles avaient remarqué une inscription au crayon sur le mur des lavabos.

UNE LONGUE ET MINCE SE GLISSE PARTOUT,
MAIS RIEN NE VAUT UNE PETITE BIEN TRAPUE !

avait-on écrit au-dessus de la serviette sur son rouleau. L'espace d'une seconde, Helen n'avait plus su où se mettre. Viv paraissait à peine moins embarrassée. « Voilà ce qui arrive, dit-elle, frottant avec acharnement, quand on fait de la réclame dans ces gazettes de quartier. »

Elle recula d'un pas, rouge, clignant des yeux. Le mur était plus clair là où elle l'avait briqué, mais les mots *vaut* et *bien trapue* étaient toujours visibles, incrustés dans la peinture. Elle frotta derechef, puis Helen et elle firent quelques pas à droite, à gauche, plissant les yeux, penchant la tête, vérifiant sous divers angles... Tout à coup, elles se rendirent compte de ce qu'elles faisaient. Elles se regardèrent et se mirent à rire.

« Juste ciel », fit Helen, se mordant la lèvre.

Viv rinça le chiffon et rangea le Vim, les épaules toujours

secouées par le rire. Elle s'essuya les mains, puis effleura ses yeux d'un index replié, craignant pour son mascara. « Arrêtez ! » fit-elle.

Riant toujours, elles ouvrirent la fenêtre et crapahutèrent au-dehors. Elles s'assirent et déballèrent leurs sandwiches, burent un peu de thé, enfin calmées ; puis leurs regards se croisèrent : c'était reparti.

Viv posa sa tasse en éclaboussant la plate-forme de thé. « Oh, mais qu'est-ce que les clients diraient ? »

Son mascara avait fini par couler. Elle tira son mouchoir, en tortilla un coin qu'elle humecta du bout de la langue, puis leva un miroir de poche devant ses yeux écarquillés et se mit à frotter sa paupière inférieure, presque aussi sauvagement, se dit Helen, qu'elle l'avait fait avec l'inscription sur le mur des lavabos. Le sang qui lui montait au visage la faisait paraître plus jeune. Elle était un peu échevelée d'avoir tant ri ; elle semblait tout ébouriffée et pleine de vie.

Puis elle rangea son mouchoir dans sa manche, prit son sandwich ; bientôt, son rire se transforma en soupirs. Elle souleva un coin du sandwich, et la vue de la viande qui le garnissait — ainsi que son goût, une fois qu'elle l'eut entamé — parut la dégriser complètement. Son visage perdait ses couleurs. Ses yeux étaient secs. Elle mâchait très lentement, et finit par reposer le sandwich. Elle portait un cardigan par-dessus sa robe, qu'elle commença de boutonner.

Presque quinze jours s'étaient écoulés depuis ce samedi encore chaud où Helen s'était étendue à Regent's Park avec Julia. Elles ne le savaient pas alors, mais c'était le dernier beau jour d'été. La saison avait basculé. Le soleil passait sans cesse derrière les nuages. Viv renversa la tête en arrière pour regarder le ciel.

136

« Il ne fait pas trop chaud, aujourd'hui, dit-elle.

— Non, pas trop, dit Helen.

— Je suis sûre qu'on va tous bientôt se plaindre du froid. »

Helen vit l'hiver s'approcher, comme un long tunnel obscur sur une voie de chemin de fer. « Il ne fera quand même pas aussi froid que l'hiver dernier ?

— J'espère que non.

— Non, sûrement pas ! »

Viv se frotta les bras. « J'ai lu dans le *Evening Sun* qu'on allait vers des hivers de plus en plus rigoureux et de plus en plus longs ; que dans dix ans, on vivra comme les Esquimaux.

— Des Esquimaux ! s'exclama Helen — visualisant des chapeaux de fourrure et de larges visages amicaux ; l'idée ne lui déplaisait pas.

— C'est ce que dit l'article. Cela aurait quelque chose à voir avec l'inclinaison de la Terre — on l'a modifiée, avec les bombes et tout ça. Et c'est assez logique, quand on y réfléchit. Le type dit que c'est bien fait pour nous.

— Oh, fit Helen, ils écrivent toujours ce genre de truc, dans les journaux. Vous vous souvenez, au début de la guerre, quelqu'un avait écrit que tout cela était une punition parce que nous avions laissé notre roi abdiquer ?

— Oui ! dit Viv. Et j'ai toujours trouvé que c'était un peu dur pour les Français, les Norvégiens, tout ça. Parce que ce n'était pas leur roi, quand même. »

Elle tourna la tête. La porte du perruquier s'était ouverte en bas, et un homme était sorti dans la cour, avec une corbeille à papier sous le bras. Celle-ci était remplie à ras bord d'une masse sombre et fibreuse — probablement un mélange de cheveux et de tulle. Viv et Helen l'observèrent qui se dirigeait vers une poubelle, en soulevait le couvercle, et y vidait le contenu informe. Puis il s'essuya les mains et rentra, sans lever les yeux. La porte refermée, Viv fit la grimace.

Mais Helen pensait toujours à la guerre. Elle mordit de nouveau dans son sandwich. « C'est bizarre, non, dit-elle, que tout le monde parle de la guerre comme s'il y avait, je ne sais pas, des années de cela. Comme si c'était une vieille histoire. Comme si tout le monde se disait : "Allons, pour l'amour de Dieu, ne parlons pas de *ça* !" Comment cela s'est-il fait ? »

Viv haussa les épaules. « Je suppose qu'on en avait tous assez. On avait envie d'oublier.

— Oui, c'est ce que je pense aussi. Mais je n'aurais jamais cru qu'on oublierait, et si vite. Parce qu'alors, eh bien, il n'y avait que ça qui comptait, n'est-ce pas ? On ne parlait que de ça. Rien d'autre n'avait d'importance. On essayait bien de s'intéresser à d'autres choses, mais rien à faire, on en revenait toujours à ça...

— Imaginez que ça recommence..., dit Viv.

— Oh non ! fit Helen. Quelle idée horrible ! De toute façon, ce serait la fin de notre petite affaire. Vous reprendriez votre ancien travail ? »

Viv réfléchit. Elle travaillait au secrétariat d'État aux denrées alimentaires, juste au coin de Portman Square. « Je ne sais pas, dit-elle. Peut-être. J'avais l'impression d'être... utile. J'aimais bien cette idée. Même si en fait, je passais mon temps devant la machine à écrire. J'avais une bonne amie là-bas, une fille appelée Betty ; elle était d'une drôlerie... Mais elle a épousé un Australien à la fin de la guerre, et il l'a ramenée avec lui dans son pays... Je l'envie, maintenant. Si ça recommençait vraiment, à présent, je crois que je m'engagerais. J'aimerais bien partir, voyager. »

Elle semblait mélancolique. « Et vous ? demanda-t-elle à Helen. Vous reprendriez votre ancien travail ?

— J'imagine que oui, même si je n'ai pas été fâchée de le quitter. C'était un drôle de boulot — pas très différent de celui-ci, d'une certaine manière : on s'occupait de malheureux qui demandaient l'impossible. On essayait de faire le maximum, mais on s'épuisait ; et puis on avait en tête ses problèmes personnels... Cela dit, je ne resterais pas à Londres : Londres sera complètement rasée, lors de la prochaine guerre, non ? Mais bon, c'est vrai que tout sera complètement rasé. Ce ne sera pas comme la dernière. Même quand c'était si terrible, en plein Blitz, je voulais rester ici — pas vous ? Je n'y vivais pas depuis longtemps, mais je ressentais une sorte de... de fidélité, de loyauté envers cette ville. Ce doit être ça. Je ne voulais pas la laisser tomber... Ça paraît insensé, à présent ! De la loyauté envers des briques et du ciment ! Et puis il y avait les gens que je connaissais, bien sûr. Envers eux aussi je ressentais une loyauté. Ils étaient à Londres, et je voulais rester près d'eux.

— Comme Julia, par exemple ? demanda Viv. Julia et vous étiez déjà amies, à cette époque ? Elle était à Londres, elle aussi ? »

Helen hocha la tête. « Elle était à Londres, oui. Mais je ne l'ai connue qu'à la fin de la guerre. On partageait un appartement, déjà — un drôle de petit appartement, dans Mecklenburgh Square. Je le revois comme si c'était hier ! Meublé de bric et de broc. » Elle ferma les yeux, se rappelant les lieux, les odeurs. « Les fenêtres étaient condamnées par des planches. Tout se cassait la figure, en fait. Il y avait un type au-dessus de nous, le plancher craquait quand il marchait. » Elle secoua la tête, rouvrit les yeux. « Je me rappelle cet endroit plus nettement que tous ceux où j'ai vécu, je ne sais pas pourquoi. Nous sommes restées

139

là à peu près un an, pas plus. Pendant la plus grande partie de la guerre, j'ai été... » De nouveau, elle détourna les yeux, reprit son sandwich. « Enfin, j'ai été ailleurs. »

Viv attendit. Comme Helen ne continuait pas, elle enchaîna : « Moi, je vivais dans un foyer pour les filles qui travaillaient au ministère. Sur le Strand. »

Helen leva les yeux. « Ah bon ? Je ne savais pas. Je pensais que vous habitiez avec votre père.

— Le week-end, oui. Mais pendant la semaine, ils préféraient nous avoir sous la main — pour que l'on puisse aller travailler si les chemins de fer étaient bombardés. C'était horrible, cet endroit. Toutes ces filles ! Toujours en train de cavaler dans les escaliers. Ou de vous piquer un tube de rouge, une paire de bas. Ou bien on vous empruntait un chemisier ou quelque chose, et quand on vous le rendait, il avait changé de couleur ou de coupe, elles l'avaient teint, ou avaient décousu les manches ! »

Elle se mit à rire. Posa les pieds un barreau plus haut sur l'échelle métallique, remonta les genoux et lissa sa jupe sous elle, puis posa le menton sur ses poings. Comme précédemment, son rire s'éteignit. Son regard se fit lointain, sérieux. *Tiens, voilà le rideau qui tombe...*, se dit Helen. Mais Viv reprit : « C'est drôle, quand on y repense. Ça ne fait que deux ans, mais vous avez raison, on dirait qu'il y a des siècles de cela. Certaines choses étaient plus simples, à l'époque. Il n'y avait pas cinquante manières de vivre, n'est-ce pas ? Quelqu'un avait décidé pour vous que c'était la meilleure manière, et on suivait. Ça me déprimait. J'attendais la paix, j'étais impatiente de pouvoir faire tout ce que je voudrais. Je ne sais pas ce que j'avais en tête, en fait. Ce que je pensais pouvoir faire exactement. Quels changements j'imaginais. On pense que les choses ou les gens seront différents, mais c'est idiot, n'est-ce pas ? Parce

140

que ni les choses, ni les gens ne changent. Pas vraiment. C'est à nous de nous y faire... »

Son expression était grave à présent, et totalement désarmée. Helen tendit la main, lui toucha le bras. « Viv, dit-elle, vous avez l'air affreusement triste. »

Viv, gênée, reprit contenance. Elle rougit, rit de nouveau. « Oh, ne vous inquiétez pas. J'ai un peu tendance à pleurer sur mon sort, ces derniers temps, c'est tout.

— Qu'est-ce qui se passe ? Vous n'êtes pas heureuse, c'est ça ?

— Heureuse ? » Viv battit des paupières. « Je ne sais pas. Cela existe, les gens heureux ? Je veux dire, vraiment heureux ? Ils font semblant.

— Je ne sais pas non plus, dit Helen après un temps. Le bonheur est une chose tellement fragile, de nos jours. On dirait qu'il y en a à peine assez pour tout le monde.

— Comme s'il était rationné, lui aussi. »

Helen sourit. « Exactement ! Et quand on en a un peu, on sait déjà que ça ne durera pas longtemps ; et ça empêche d'en profiter, tellement on est occupé à se demander ce qu'on ressentira, quand il aura disparu. Ou bien on pense à la personne qui en a été privée pour qu'on puisse avoir sa part. »

Elle sentait elle aussi son humeur s'assombrir en disant cela. Elle se mit à crever les petites cloques dans la peinture sur la plate-forme métallique, mettant au jour les fragments de rouille au dessous. Puis elle reprit, d'une voix lente : « C'est peut-être vrai, finalement, ce que disent les prophètes des journaux : que l'on récolte toujours ce qu'on a semé. Nous avons peut-être tous perdu notre droit au bonheur, en faisant le mal, ou en laissant faire le mal... »

Elle regarda Viv. Jamais jusqu'alors elles n'avaient parlé si librement, et elle se rendit compte, comme pour la première fois, à quel point elle s'était attachée à elle, et à quel point elle aimait tout cela, cela, simplement : être assise là, avec elle, à bavarder sur cette plate-forme de métal rouillé... Et puis, elle pensa à autre chose. *Julia et vous étiez déjà amies, à l'époque ?* lui avait demandé Viv, d'un ton léger — comme si c'était la chose la plus naturelle du monde ; comme s'il était parfaitement normal qu'Helen soit restée à Londres, en pleine guerre, pour une femme...

Son cœur se mit à battre plus vite. Soudain, elle avait envie de se confier à Viv. Elle en avait un besoin éperdu ! Elle avait besoin de lui dire : *Écoutez-moi, Viv. Je suis amoureuse de Julia ! C'est une chose merveilleuse, mais terrible, aussi. Quelquefois, j'ai l'impression d'être sans défense, comme une enfant. Quelquefois, j'ai l'impression que cette histoire va me tuer ! Qu'elle me laisse sans forces, désemparée, et ça me fait si peur ! Je ne contrôle rien ! Est-ce normal ? Est-ce que tout le monde vit ça ? Est-ce que vous avez vécu ça, vous aussi ?*

Elle sentait l'émotion monter et, prisonnière de sa poitrine, lui bloquer la respiration. Son cœur battait follement à présent, jusque dans ses joues, au bout de ses doigts. « Viv... », commença-t-elle.

Mais Viv s'était détournée. Elle avait enfoncé les mains dans les poches de son gilet. « Oh, la barbe, fit-elle. J'ai oublié mes cigarettes là-bas. Je ne vais pas tenir tout l'après-midi si je n'en fume pas une maintenant. » Elle commença de se mettre sur pied, s'accrochant à la rambarde de la plate-forme et faisant vaciller tout l'échafaudage. « Vous vous poussez un peu ? » demanda-t-elle.

Helen se dressa, la devançant. « Je suis plus près, dit-elle. Je vais vous les chercher.

— Vous êtes sûre ?

— Mais oui, bien sûr. J'en ai pour une seconde. »

Son souffle lui semblait toujours compressé dans sa poitrine. Elle escalada maladroitement le rebord de fenêtre et atterrit lourdement à côté des toilettes. Elle avait encore le temps de parler, se disait-elle. Et elle en avait envie, maintenant plus que jamais. Une cigarette lui calmerait les nerfs... Elle rajusta sa jupe. « Dans mon sac à main ! » lança Viv par la fenêtre.

Helen hocha la tête. Elle traversa rapidement le palier et emprunta la courte volée de marches jusqu'à la salle d'attente. Elle gardait la tête baissée, et ne leva les yeux qu'à la dernière seconde.

Un homme était debout à côté du bureau de Vivien, regardant vaguement les papiers.

Elle sursauta si violemment qu'elle faillit lâcher un cri. Surpris lui-même, l'homme fit un pas en arrière. Puis il se mit à rire. « Dieu du ciel ! Je suis donc tellement effrayant ?

— Je suis navrée, dit Helen, la main posée sur la poitrine. Je ne m'attendais pas... Mais le bureau est fermé.

— Vraiment ? La porte était ouverte, en bas.

— Eh bien, elle n'aurait pas dû l'être.

— Donc je suis entré, et je suis monté. Et je me demandais bien où était tout le monde. Je suis désolé de vous avoir effrayée, miss... ? »

Il la regardait bien en face. Un homme jeune, séduisant, blond, à l'accent élégant, très à son aise — si différent de leurs clients habituels qu'elle se sentit en position d'infériorité face à lui. Elle avait conscience de son allure, d'être rouge, d'avoir le souffle court, les cheveux pas coiffés. Elle pensa aussi à Viv qui attendait sur l'escalier d'incendie... *Quelle plaie, alors*, se dit-elle.

Elle s'apaisa, se tourna vers l'agenda posé sur le bureau de Viv. « Bien, dit-elle, vous n'avez pas pris rendez-vous, je suppose ? » Elle fit glisser son doigt le long de la page. « Vous n'êtes pas Mr Tiplady ?

— Mr Tiplady ! » Il sourit. « Non, et je dois dire que je m'en félicite.

— Le problème, c'est que nous ne prenons personne sans rendez-vous.

— Je vois. » Il s'était détourné en même temps qu'elle, et examinait la page par-dessus son épaule. « Les affaires marchent magnifiquement, en tout cas. Grâce à la guerre, j'imagine... » Il croisa les bras, bien campé sur ses jambes. « Par pure curiosité, combien prenez-vous ? »

Helen jeta un coup d'œil à la pendule. *Va-t'en ! Va-t'en !* Mais elle était trop bien élevée pour laisser voir son sentiment. « Nous demandons une guinée pour le premier rendez-vous...

— Si cher ? » Il paraissait surpris. « Et j'ai droit à quoi, pour une guinée ? Vous me montrez un album de photos, c'est cela ? Ou bien faites-vous carrément venir les filles... ? »

Son ton avait changé. Il semblait réellement intéressé — mais en même temps continuait de sourire, comme à une plaisanterie secrète. Helen se fit suspicieuse. Il était tout à fait possible que ce fût là un de ces doux dingues, un de ces hommes — comme Heath — à qui l'ambiance générale de l'époque avait fait perdre la tête. Elle ne savait pas si elle devait le croire ou non, à propos de la porte. Et s'il l'avait forcée ? Elle s'était souvent dit que Viv et elle étaient bien vulnérables ici, à deux pas d'Oxford Street, mais à l'écart de l'animation de la rue.

« Je crains de ne pas vraiment pouvoir en parler avec vous pour l'instant, dit-elle d'une voix que l'anxiété et l'impatience rendaient quelque peu agressive. Si vous voulez bien repasser aux heures d'ouverture, je suis certaine que

144

ma collègue... », elle jeta un regard involontaire en direction du palier et des toilettes, « se fera un plaisir de vous expliquer le fonctionnement de l'agence. »

Mais ceci ne parut qu'attiser sa curiosité. « Votre collègue », dit-il, comme si le mot l'intriguait ; il suivit son regard, leva la tête, tout en faisant claquer sa langue contre sa lèvre inférieure, avec l'air de réfléchir. « Je suppose que votre collègue n'est pas disponible pour l'instant, n'est-ce pas ?

— Hélas, les bureaux sont fermés pour le déjeuner, répondit Helen, fermement.

— Oui, bien sûr. C'est ce que vous m'avez dit. C'est bien dommage », ajouta-t-il sans conviction. Il regardait toujours en direction de l'escalier.

Elle tourna une page de l'agenda. « Si vous voulez revenir demain, disons à quatre heures... »

Mais comme il se retournait et voyait ce qu'elle s'apprêtait à faire, son attitude changea de nouveau. Il faillit laisser échapper un rire. « Non, écoutez, je suis désolé. Je pense que je vous ai donné une fausse impression... »

À cet instant, Viv, arrivant par l'escalier, pénétra dans le bureau. Elle avait dû entendre sa voix et se demandait ce qui se passait. Elle le regarda d'un air effaré ; puis, de manière incompréhensible, elle rougit. Helen, croisant son regard, esquissa un signe pour, espérait-elle, la mettre en garde. « Je prenais un rendez-vous pour ce monsieur, dit-elle. Apparemment, la porte en bas était ouverte. »

L'homme, toutefois, s'approcha un peu plus et se mit à rire. « Bonjour », fit-il à l'adresse de Viv, avec un bref hochement de tête. Puis il se retourna vers Helen. « Je crains, dit-il avec une voix sincèrement contrite, de vous avoir induite en erreur. Ce n'est pas une épouse que je cherche, mais miss Pearce, tout simplement. »

La rougeur de Viv s'accentua. Elle jeta à Helen un regard affreusement embarrassé. « Helen, dit-elle, je vous présente Mr Robert Fraser, un ami de mon frère. Mr Fraser, miss Giniver... Duncan va bien ?

— Oui, oui, ce n'est pas du tout cela, dit l'homme d'un ton dégagé. Non, je passais dans le quartier, et je me suis dit que j'allais vous rendre une petite visite.

— C'est Duncan qui vous a demandé de passer ?

— Pour être franc, j'espérais que vous auriez un moment. Que... enfin, c'était juste une idée, comme ça. »

Il rit de nouveau. Puis tomba un silence gêné. Helen repensait au petit geste d'avertissement qu'elle avait adressé à Viv, quelques secondes auparavant, et se sentait idiote. Car tout était différent, soudain. C'était comme si quelqu'un avait pris une craie et, d'un mouvement vif mais sûr, s'était penché pour dessiner une ligne au sol : d'un côté, Viv et cet homme, Robert Fraser, et elle-même de l'autre. Elle eut un geste vague. « Eh bien, dit-elle, je vais devoir vous laisser...

— Non non, ne vous inquiétez pas », dit Viv, précipitamment. Ses paupières battirent. « Je vais... je vais sortir avec Mr Fraser. Mr Fraser... ?

— Bien sûr », dit-il, se dirigeant vers l'escalier avec elle. Au passage, il adressa à Helen un petit salut plein de sympathie. « Au revoir ! Je suis navré de vous avoir dérangée. Et si par hasard je change d'avis, à propos d'une épouse, je ne manquerai pas de vous le faire savoir ! »

Il descendit l'escalier d'un pas irrégulier, avec une énergie d'adolescent. Sur le seuil, par la porte ouverte, elle l'entendit dire à Viv, d'une voix contenue mais néanmoins assez sonore : « J'ai bien peur de vous avoir mis dans une position... »

La porte se referma dans un claquement assourdi.

Helen demeura un moment immobile ; puis elle passa dans son bureau et prit ses cigarettes ; puis jeta le paquet sur la table, sans l'ouvrir. Elle se sentait plus que jamais idiote. Elle se revoyait monter l'escalier et étouffer un cri — comme la vieille fille ridicule dans une comédie de boulevard !

Comme cette pensée la traversait, il lui sembla percevoir un rire au-dehors. Elle se dirigea vers la fenêtre, regarda en bas.

À certains moments, pendant la guerre, on avait collé de l'étamine sur la fenêtre : quelques reliefs de tissu et de colle adhéraient encore aux vitres, déformant la vision que l'on avait du dehors. Mais elle distinguait assez nettement le dessus de la tête de Fraser, et ses larges épaules qui se soulevaient et se penchaient alternativement à chaque geste. Elle distinguait, aussi, la courbe rose de la joue de Viv et le bout de son oreille, ses doigts écartés sur l'avant-bras replié...

Elle laissa sa tête tomber lentement, jusqu'à ce que son front s'appuie sur le verre souillé de colle sèche. Comme c'était facile, se dit-elle avec amertume, pour les hommes et les femmes. Ils pouvaient comme cela se tenir dans la rue, et se disputer, flirter, ils pouvaient s'embrasser, s'aimer — ils avaient la bénédiction du monde entier. Tandis que Julia et elle...

Elle repensa à ce qu'elle avait été sur le point de faire, de dire, sur l'escalier d'incendie. *Je suis amoureuse de Julia. J'ai l'impression que cette histoire va me tuer !*

Elle ne s'imaginait plus disant cela, à présent. Cela semblait tellement absurde ! Elle resta à la fenêtre, les yeux baissés sur la rue, jusqu'à ce qu'elle voie Fraser esquisser un pas et serrer la main de Viv, comme pour lui dire au revoir ; alors, elle retourna vivement à son bureau et prit un dossier.

Elle entendit le verrou que l'on refermait au rez-de-

147

chaussée, puis des pas. Viv monta lentement l'escalier, traversa la salle d'attente. Elle se tenait à présent sur le seuil du bureau d'Helen. Celle-ci ne leva pas la tête. Viv demeura un instant silencieuse. « Je suis vraiment désolée, dit-elle enfin, d'une voix gênée.

— Il n'y a pas de quoi, répondit Viv, levant enfin les yeux et se forçant à sourire. Cela dit, il m'a flanqué la peur de ma vie ! La porte était vraiment ouverte ?

— Oui.

— Bon, alors on ne peut pas lui reprocher d'être entré.

— Il s'est dit qu'il pouvait venir me voir, comme ça, dit Viv. En fait, je ne le connais pas du tout. Il est passé chez mon frère la semaine dernière, un soir que j'étais là. Nous avons juste échangé quelques mots. Ils se connaissent depuis bien longtemps. Je ne sais pas pourquoi il a débarqué ici... »

Elle s'était mise à se mordiller un doigt, rongeant la peau autour de l'ongle. Elle gardait la tête basse, et la masse sombre de ses cheveux cachait un peu son visage. Helen l'observa une seconde, puis se pencha de nouveau sur son dossier.

« Voulez-vous que l'on retourne là-bas ? » demanda enfin Viv d'une voix mal assurée.

Helen releva les yeux. « Dehors ? Nous avons le temps ? » Elle jeta un regard sur l'horloge. « Plus que dix minutes... Je ne sais pas. Et vous ?

— Mon Dieu, pas si ça ne vous dit rien. »

Elles se regardèrent, comme si elles étaient sur le point de révéler quelque chose ; mais l'instant des confidences était passé. Helen agita ses papiers. « Je ferais mieux de me mettre un peu à ça, je pense.

— Oui, dit aussitôt Viv. Oui, très bien. »

Elle demeura encore un moment sur le seuil du bureau,

prête à ajouter quelque chose ; puis elle se retira dans la salle d'attente. Bientôt Helen l'entendit remettre les magazines en pile sur la table basse, secouer les coussins.

Tout le monde a ses secrets, après tout, se dit-elle. Cette idée la déprimait affreusement. Elle lui faisait penser à Julia. Elle reposa les papiers et resta là, immobile à son bureau, la tête dans les mains, les yeux clos. Si seulement Julia pouvait être là, avec elle, tout de suite ! Elle se languissait du son de sa voix, du contact apaisant de sa main... Que pouvait-elle faire, à cette heure de la journée ? Helen tenta de la visualiser. Elle appuya ses doigts sur ses yeux, essaya de traverser mentalement les rues de Marylebone jusqu'à ressentir la présence de Julia, d'une manière incroyablement réelle, palpable. Elle la voyait assise à son bureau, à la maison : silencieuse, solitaire, s'ennuyant peut-être, ou bien nerveuse, pensant peut-être à elle... Julia commençait de lui manquer si terriblement qu'elle ressentait physiquement cette absence, comme une nausée ou une migraine. Elle ouvrit de nouveau les yeux, son regard tomba sur le téléphone... Elle ne devait pas appeler, pas dans l'état d'esprit où elle se trouvait. De toute façon, elle n'appellerait pas avec Viv juste à côté, qui entendrait chaque mot ; et elle n'avait pas le courage de se lever, d'aller sur la pointe des pieds fermer la porte du bureau.

Si Viv va aux toilettes, j'appelle, se dit-elle. *Sinon, non.*

Elle resta immobile et raidie sur sa chaise, l'oreille tendue, tandis que Viv brossait le tapis et redisposait les fauteuils. Puis elle entendit l'écho de ses talons hauts s'éloigner sur le palier.

Aussitôt, elle décrocha l'appareil et composa le numéro.

Il y eut un son grêle, électrique. Elle visualisait le téléphone qui se mettait à sonner sur le bureau de Julia ; la voyait sursauter, poser son stylo, tendre la main — la lais-

149

sant peut-être suspendue quelques secondes au-dessus du combiné, car tout le monde, bien sûr, laissait sonner deux ou trois fois au lieu de décrocher en hâte... Mais la sonnerie continuait. Peut-être Julia était-elle en bas, dans la cuisine ; ou à l'étage au-dessous, dans la salle de bains. Helen la voyait à présent gravir quatre à quatre l'escalier étroit jusqu'à son bureau, ses espadrilles claquant sur les marches ; coincer derrière son oreille une boucle de cheveux échappée, avant de tendre la main vers l'appareil, le souffle court...

Mais la sonnerie continuait. Peut-être Julia avait-elle finalement décidé de ne pas répondre. Helen savait qu'il lui arrivait de le faire, lorsqu'elle était au beau milieu d'un chapitre. Mais si elle se doutait que c'était Helen, elle allait bien décrocher, quand même ? Si Helen laissait sonner assez longtemps, Julia comprendrait que c'était elle, et décrocherait...

Brrrr, brrrr. Brrrr, brrrr. Le bourdonnement haïssable ne cessait pas. Au bout de presque une minute d'horloge, Helen reposa finalement le combiné, ne pouvant supporter plus longtemps la vision du téléphone glapissant, seul, abandonné, dans sa propre maison déserte.

« Je n'ai pas beaucoup de temps devant moi, dit Viv, balayant Oxford Street du regard.

— C'est très aimable à vous de m'accorder ne fût-ce qu'une minute », répondit Fraser.

Il était six heures à peine passées. Au moment du déjeuner, elle lui avait donné rendez-vous ici, devant le John Lewis Building dévasté. Elle craignait un peu qu'Helen soit encore dans les parages et les repère ; mais en la voyant jetant des coups d'œil inquiets autour d'elle, il se méprit. Les trottoirs grouillaient de gens rentrant chez eux d'un pas rapide, ou faisant la queue à un arrêt d'autobus, et il pensa que c'était la foule qui l'oppressait. « Non, on ne peut pas rester ici, n'est-ce pas ? fit-il. Laissez-moi vous emmener dans un café, un endroit calme... » Il posa une main sur son bras.

Mais elle dit qu'elle n'avait pas le temps ; elle devait retrouver quelqu'un dans trois quarts d'heure, dans un autre quartier. Ils marchèrent donc jusqu'à un banc, dans Cavendish Square. Le banc était jonché de feuilles mortes, dorées, luisantes comme des morceaux de ciré jaune. Il les balaya de la main pour qu'elle puisse s'asseoir.

Ce qu'elle fit, assez raide, les mains au fond des poches et le manteau boutonné jusqu'au col. Quand il lui offrit une cigarette, elle secoua la tête. Il rangea les cigarettes et sortit une pipe.

Elle l'observa qui tassait le tabac du pouce. Un gamin, se disait-elle, un gamin qui joue. « J'aurais préféré que vous ne veniez pas au bureau, Mr Fraser, dit-elle sans sourire. Je ne sais pas ce qu'a pu penser miss Giniver.

— Pour ne rien vous cacher, elle a eu l'air de penser que j'allais la précipiter à terre et me jeter sur elle ! » dit-il. Puis voyant que Viv ne souriait toujours pas : « Désolé. Cela m'a semblé la manière la plus simple de vous rencontrer.

— Oui, mais je ne comprends toujours pas pourquoi vous avez voulu me voir. Mon frère vous a-t-il fait quelque chose ?

— Ce n'est pas cela du tout.

— Ce n'est pas lui qui vous a demandé de passer ?

— Non, je vous l'ai déjà dit. Votre frère n'a rien à voir là-dedans. Il ne sait même pas que je suis venu. Il m'a simplement dit un jour, en passant, où vous travailliez. Mais il parle toujours de vous avec énormément d'affection. Il est évident que... » Il tint la flamme au-dessus du fourneau de

151

la pipe, aspira la fumée. « Il est évident qu'il tient beaucoup à vous. Et c'était déjà le cas quand nous étions en prison, je m'en souviens. »

Il n'avait fait aucun effort pour atténuer le mot, et Viv tressaillit légèrement. Il le vit, et baissa la voix. « C'était déjà le cas quand je l'ai connu, aurais-je dû dire. Il attendait vos visites plus que tout au monde. »

Elle détourna les yeux. Au mot de « visites », elle ne se revoyait que trop bien, trop nettement, assise avec son père et Duncan dans le parloir de Wormwood Scrubs. Elle se remémorait l'impatience des autres visiteurs, l'expression sur le visage des hommes, le brouhaha horrible des conversations mêlées, l'atmosphère âcre, confinée de la salle. Elle se souvenait aussi de Fraser, à cette époque — car elle l'avait croisé plus d'une fois. Elle entendait son rire effronté de gosse de riches, et l'un des visiteurs déclarer que « c'était une honte », tandis qu'un autre homme l'apostrophait directement : « Alors, on n'a rien dans le ventre, objecteur de mes deux ? » Elle s'était sentie plutôt désolée pour lui. Elle l'avait trouvé courageux de faire face ainsi — mais d'un courage inutile. Il ne changeait rien à rien, finalement... Elle éprouvait plus de compassion pour ses parents. Elle revoyait sa mère assise à la table éraflée du parloir : une femme aimable, élégante, à la voix douce, au visage blême, affreusement marqué par la douleur.

Duncan, naturellement, et même à cette époque, trouvait Fraser sensationnel. Duncan trouvait sensationnel quiconque pouvait parler intelligemment et d'un ton bien élevé. Lorsque Viv était arrivée chez Mr Mundy, mardi soir, il était venu lui ouvrir, les yeux tout brillants d'excitation. « Devine qui j'ai rencontré ! Tu ne devineras jamais ! Il doit venir tout à l'heure ! » Il avait passé toute la soirée aux aguets, à attendre Fraser ; et lorsque celui-ci était enfin

152

arrivé, il avait bondi sur ses pieds et s'était précipité vers la porte...

Tout cela avait empli Viv d'un terrible malaise. Mr Mundy et elle demeuraient assis là, gênés, embarrassés, ne sachant où poser les yeux...

Elle regardait à présent Fraser qui tournait sa pipe entre ses mains. « Je ne vois toujours pas ce que vous attendez de moi », dit-elle.

Il rit. « Pour être tout à fait honnête, moi non plus, je n'en sais rien.

— Vous disiez que vous travailliez pour un journal ou quelque chose comme ça. Vous n'allez pas faire un article sur Duncan, quand même ? »

Apparemment, l'idée ne lui était jamais venue à l'esprit. « Non, dit-il. Bien sûr que non.

— Parce que si c'est ce dont il s'agit...

— Il ne "s'agit" de rien. Comme vous êtes soupçonneuse ! » Il rit de nouveau. Mais comme elle gardait un visage grave, il rejeta ses cheveux en arrière et changea de ton.

« Écoutez, je sais que c'est bizarre de débarquer comme ça, de surgir de nulle part, sans prévenir. Cela doit vous sembler étrange que je m'intéresse soudain à votre frère, si longtemps après. Je ne sais pas moi-même pourquoi j'y accorde tant d'importance. Simplement, le fait d'être tombé sur lui, de manière si inattendue, à la fabrique de bougies ; de voir quelqu'un comme lui obligé de travailler dans un endroit pareil ! Et puis, oh mon Dieu, il y a Mr Mundy ! Je n'en ai pas cru mes yeux. Il m'avait dit où il vivait, et moi, je pensais qu'il plaisantait ! Je ne peux pas vous expliquer le choc que j'ai eu, la première fois qu'il m'a emmené là-bas. J'y suis retourné, deux ou trois fois, et cela

153

continue de me laisser sans voix. Votre frère habite réellement là depuis sa libération ? Depuis le jour où il est sorti ?

— C'était son choix, dit Viv. Mr Mundy a été très bon avec lui. »

Son ton n'était pas très convaincant, même à ses propres oreilles. Fraser leva les sourcils. « Oui, il est certainement très bien installé... Mais je repense à ces jours-là, quand on était ensemble, là-bas. À l'époque, naturellement, c'était Mr Mundy, tout simplement. Il n'était pas question d'''oncle Horace'' ou je ne sais quoi. La première fois que j'ai entendu ça, j'ai cru avoir des hallucinations auditives !

— Peu importe, n'est-ce pas ?

— Votre famille ne dit rien ?

— Pourquoi devrait-elle dire quelque chose ?

— Je ne sais pas. C'est une curieuse manière de vivre, je trouve, pour un jeune garçon comme Duncan. D'ailleurs ce n'est plus un jeune garçon, n'est-ce pas ? Et en même temps, impossible de le voir autrement. Comme s'il était resté bloqué. Et je pense qu'il est resté bloqué. Je pense qu'il s'est arrangé lui-même pour rester bloqué, comme pour — pour se punir de tout ce qui est arrivé il y a des années de cela, de tout ce qu'il a fait et pas fait... Je pense que Mr Mundy, lui, fait tout son possible pour qu'il le reste ; et — ne m'en veuillez pas —, après vous avoir vue agir avec lui, mardi soir, j'ai l'impression que personne ne va intervenir pour, disons, le débloquer... je pense à cette fascination qu'il a pour les objets du passé, par exemple.

— C'est juste un passe-temps, dit Viv.

— Un passe-temps assez morbide, vous ne trouvez pas ? Pour un garçon comme lui ? »

Elle perdit brusquement patience. « "Un garçon comme lui, fit-elle, un garçon comme lui." C'est toujours ce que les gens ont dit, depuis qu'il est tout petit. "Un garçon comme lui" ne devrait pas fréquenter cette école, il est beaucoup trop sensible. "Un garçon comme lui" devrait aller à l'université. »

Fraser la regarda, les sourcils froncés. « Vous est-il jamais venu à l'esprit que tous ces gens disaient ça parce que c'était tout simplement vrai ?

— Mais bien sûr que c'était vrai ! Et alors ? Regardez où ça l'a conduit ! C'est nous, sa famille, qui avons dû affronter tout cela, Mr Fraser, pas vous. Quatre ans à faire sans cesse l'aller et retour jusqu'à cet endroit horrible. Quatre ans, et plus de quatre ans d'angoisse. Mon père a failli y laisser la vie. Peut-être que si Duncan avait été comme vous quand il était jeune — s'il avait eu ce que vous avez eu, les mêmes personnes autour de lui, les mêmes chances au départ, peut-être tout serait-il différent. S'il s'est tourné vers Mr Mundy en sortant, c'est qu'il n'avait nulle part où aller. Étiez-vous là, à ce moment ? Puisque vous êtes un si grand ami, où étiez-vous ? »

Fraser détourna les yeux, abaissa sa pipe et la fit tourner entre ses doigts ; il ne répondit pas. « De toute façon, peu importe à présent, reprit-elle, plus doucement. Mais je ne peux pas m'empêcher de penser que vous voir débarquer comme ça, d'un seul coup : qu'est-ce que ça va lui faire ? Quand Duncan m'a dit qu'il vous avait revu, j'ai pensé que ce n'était pas une bonne chose, pour être franche avec vous. Que peut-il en sortir ? Cela ne va rien lui apporter. Cela ne va faire que lui tourner la tête ; remuer des émotions anciennes, le bouleverser. »

Il cherchait des allumettes dans sa poche. « Vous pourriez le laisser en décider tout seul, dit-il sèchement.

— Mais vous savez bien comment il est. Vous venez vous-même de le dire. Il possède une sorte de... de sagesse, pour certaines choses ; mais pour beaucoup d'autres, c'est

155

encore, oui, un jeune garçon. Il est influençable, comme un enfant. On peut le... »

Elle se tut, embarrassée. Fraser avait la boîte d'allumettes en main, mais s'était tourné vers elle et la regardait, figé. « Et selon vous quelle influence aurais-je sur lui ? » demanda-t-il lentement.

Elle avala sa salive, baissa les yeux. « Je ne sais pas.

— Vous pensez à ce garçon, n'est-ce pas ? Celui qui est mort ? Alec ? » Et comme elle relevait les yeux vers lui, il hocha la tête. « Oui. Vous voyez, je sais tout de lui... Mais vous ne pensez quand même pas que je suis comme lui ? » Elle ne répondit rien. Il rougit, comme si la colère le gagnait. « C'est ce que vous pensez ? Parce que dans ce cas... eh bien, je pourrais vous fournir toute une liste de filles qui vous remettraient les idées en place, voyez-vous ! »

Il était tout à fait sérieux ; puis il dut se rendre compte de sa presque véhémence. Il rougit de plus belle, porta la main à ses cheveux, baissa la tête. Ce mouvement spontané, un peu maladroit, était la chose la plus touchante qu'il ait faite jusqu'à présent. Pour la première fois, elle s'autorisa à voir combien il était séduisant, lisse, intact. Et jeune, en fait : plus jeune qu'elle.

Il tenait toujours la pipe et les allumettes, mais demeurait immobile, les mains posées, inertes, sur les cuisses. « Je suis désolé, dit-il. Je voulais juste vous voir pour, peut-être, réussir à aider votre frère.

— Mon Dieu, je pense que la meilleure manière pour vous de l'aider serait de le laisser tranquille.

— Est-ce vraiment ce que vous souhaitez ? Le voir vivre comme ça, avec Mr Mundy, dans cette situation si bizarre ?

— Il n'y a rien de bizarre là-dedans !

— En êtes-vous bien certaine ? » Il soutint son regard ;

156

et comme elle détournait les yeux, il ajouta d'une voix lente : « Non, vous ne l'êtes pas, n'est-ce pas ? Je l'ai lu sur votre visage, la semaine dernière... Et ce travail, cette fabrique de bougies ? Vous voulez le voir y rester pour le restant de ses jours ? À fabriquer des veilleuses pour les chambres d'enfant ?

— Beaucoup de gens travaillent à l'usine, et peu importe ce qu'ils fabriquent. Mon père a travaillé trente ans à l'usine !

— Est-ce une raison pour que votre frère en fasse autant ?

— Pourquoi pas, si cela lui convient ? C'est ça que vous n'avez pas l'air de comprendre. Je ne veux qu'une chose, c'est le bonheur de Duncan. Comme nous tous. »

Mais une fois encore, sa voix manquait de conviction. Et au fond d'elle-même, elle savait qu'il était dans le vrai. Qu'une des raisons pour lesquelles elle s'était sentie si consternée, lorsqu'il avait débarqué chez Mr Mundy, était qu'en le voyant dans la maison, elle avait perçu la maison par ses yeux... Mais elle était lasse. Et elle se dit ce qu'elle finissait toujours par se dire, quand il s'agissait de Duncan : *Ce n'est pas ma faute. J'ai fait tout ce que je pouvais. J'ai bien assez avec mes propres problèmes.*

Mais tandis que ces formules familières traversaient machinalement son esprit, elle entendit sonner moins le quart à une horloge, non loin ; elle reprit conscience du temps qui passait.

« Mr Fraser...

— Oh, mais appelez-moi Robert, n'est-ce pas ? fit-il, souriant de nouveau. Je suis certain que c'est ce que votre frère souhaiterait. Moi oui, en tout cas.

— Robert..., fit-elle donc.

157

— Et puis-je vous appeler Vivien ? Ou bien... comment Duncan vous appelle-t-il ? Viv ?

— Si vous voulez, dit-elle, se sentant rougir. Cela m'est un peu égal. C'est très aimable à vous d'essayer d'aider Duncan. Mais en fait, je ne peux pas en discuter. Je n'ai pas le temps.

— Vous n'avez pas de temps pour votre frère ?

— Si, j'ai du temps pour mon frère ; mais pas pour cela. »

Il rétrécit les yeux. « Vous ne tenez pas mes motivations en grande estime, n'est-ce pas ?

— Je ne sais toujours pas quelles sont vos motivations. Et je ne suis pas certaine que vous le sachiez vous-même. »

Ce qui fit de nouveau monter le rouge à ses joues. Ils demeurèrent ainsi un moment, silencieux, tous deux le sang au visage. Puis elle s'agita, prête à partir, enfonça les mains dans les poches de son manteau. Elle sentit sous ses doigts de vieux tickets d'autobus, des piécettes abandonnées, un papier de chewing-gum, puis ils rencontrèrent autre chose : le morceau de tissu plié qui renfermait la lourde bague en or.

Son cœur bondit. Elle se leva soudain. « Il faut que j'y aille, je suis désolée, Mr Fraser.

— Robert, la reprit-il, se mettant aussi sur pied.

— Je suis désolée, Robert.

— Pas de problème. Je dois y aller, moi aussi. Mais écoutez, je ne veux pas que vous vous mépreniez. J'aimerais vous accompagner un peu, nous pourrons parler en marchant.

— Franchement, je préfère...

— Dans quelle direction allez-vous ? »

Elle ne voulait pas le lui dire. Il la vit hésiter et choisit de prendre cela pour une acceptation. Elle se mit en route, et il commença de marcher à ses côtés ; une fois, leurs bras se frôlèrent, et il s'excusa à profusion et prit bien soin de s'écarter. Mais quelque chose d'étrange s'était produit entre eux. En le laissant l'accompagner, elle avait réussi à infléchir leur rapport, de manière très subtile, à le placer sur un autre plan. Se dirigeant vers Oxford Street, ils durent faire halte sur le trottoir, devant une vitrine ; elle les vit tous deux reflétés, et dans ce reflet, leurs regards se croisèrent. Il sourit en voyant ce qu'elle-même voyait là : un jeune couple, sympathique, un jeune couple d'amoureux.

Il changea de manières. Tandis qu'ils se frayaient un chemin dans la circulation d'Oxford Circus, il dut accélérer le pas pour rester à sa hauteur. « En tout cas, vous savez où vous allez, dit-il d'un ton qu'il n'avait pas encore employé avec elle. Et j'aime bien ça, chez une femme... C'est une amie, avec qui vous avez rendez-vous ? »

Elle secoua la tête.

« Un petit ami, alors ?

— Ce n'est personne, dit-elle pour couper court aux questions.

— Vous avez rendez-vous avec personne ? Mon Dieu, à mon avis, ça ne durera pas longtemps, dans cette ville... Écoutez, vous vous êtes méprise sur moi, complètement, vous savez. Si on reprenait tout à zéro — autour d'un verre, cette fois ? »

Ils arrivaient à la hauteur d'un pub, en bordure de Soho. De nouveau, elle secoua la tête, sans s'arrêter. « Je ne peux pas. »

Il lui toucha le bras. « Même pas vingt minutes ? »

Elle sentit la pression de ses doigts, ralentit, leva les yeux vers lui. Il paraissait très jeune de nouveau, plein d'énergie. « Je ne peux pas, répéta-t-elle. Je suis désolée. J'ai quelque chose à faire. »

159

— Je ne peux pas le faire avec vous ?

— Je préférerais pas.

— Alors, je peux vous attendre. »

L'embarras dut se lire sur son visage. Il regarda autour de lui, éperdu. « Mais nom d'un chien, où allez-vous comme ça ? fit-il enfin. Vous allez montrer vos jambes dans un cabaret ? Si c'est cela, inutile d'être aussi gênée. J'ai l'esprit très ouvert, vous savez. Si vous voulez, je peux m'asseoir parmi le public, et j'écarterai les admirateurs trop pressants. » Il rejeta sa longue mèche en arrière, sourit. « Laissez-moi vous accompagner encore un peu, au moins. Je ne pourrais plus me considérer comme un galant homme, si je vous abandonnais toute seule dans un quartier pareil. »

Elle hésita. « Bon, d'accord, fit-elle enfin. Je vais vers le Strand. Vous pouvez m'accompagner jusqu'à Trafalgar Square, si vous y tenez à ce point. »

Il s'inclina. « Trafalgar Square, c'est parfait. »

Il lui proposa son bras. Elle ne voulut pas le prendre — puis elle pensa aux minutes qui s'écoulaient... Elle glissa doucement la main au creux de son coude, sans appuyer, et ils se mirent en route. Son bras était incroyablement dur, elle sentait les muscles rouler doucement sous ses doigts au rythme de la marche.

Comme il l'avait laissé entendre, ils s'engageaient à présent dans des rues assez louches : maisons aux issues condamnées par des planches et terrains vagues clôturés, night-clubs d'allure sinistre, pubs et cafés italiens. Il y régnait une odeur mêlée de légumes pourrissants, de poussière de brique, d'ail, de parmesan ; ici et là, une porte ou une fenêtre ouverte laissait échapper une musique tonitruante. La veille, elle était passée par là, seule, et un type avait vaguement tenté de l'attraper par la manche en disant avec un faux accent new-yorkais : « Hé, la pin-up, combien pour un petit câlin ? » En plus, c'était une sorte de compliment, dans sa bouche... Mais ce soir, aucun homme ne l'interpellait, parce que tous pensaient que c'était la petite amie de Fraser, ce qui était tout à la fois amusant et agaçant. Peut-être aussi le remarquait-elle parce qu'elle n'était pas habituée à cette sensation. Jamais elle ne venait avec Reggie dans ce genre de quartier. Ils n'allaient jamais danser, jamais au restaurant. Ils n'allaient que dans des lieux isolés, toujours différents mais isolés ; ou bien ils restaient dans l'auto, la radio allumée. Elle se sentit soudain nerveuse à l'idée de tomber par hasard sur une personne qu'elle connaîtrait. Puis elle se rendit compte qu'elle n'avait aucune raison de l'être...

Tout en marchant, Fraser parlait de Duncan. Il en parlait comme s'ils étaient d'accord sur le principe ; comme s'ils n'avaient plus qu'à s'asseoir pour en discuter sérieusement, et décider de ce qu'ils allaient faire pour l'aider. Il fallait commencer par son travail à la fabrique, décrétat-il. Il avait un ami dans une imprimerie, à Shoreditch ; celui-ci pourrait sans doute lui trouver un emploi là-bas, il apprendrait le métier. Un autre de ses amis tenait une librairie. Le salaire serait dérisoire, mais peut-être les livres le tenteraient-ils davantage. Qu'en pensait-elle ?

Elle fronça les sourcils, pas très attentive, consciente de la présence de la bague dans son morceau de tissu, au fond de sa poche, consciente de l'heure qui tournait... « Pourquoi ne pas poser la question directement à Duncan, plutôt qu'à moi ? demanda-t-elle finalement.

— Je tenais à avoir votre avis, c'est tout, je pensais que nous... enfin, j'espérais que nous pourrions être amis. De toute façon, nous allons forcément nous croiser de nouveau chez Mr Mundy, et... »

Ils étaient arrivés à l'angle de Trafalgar Square, et ralentissaient le pas. Viv regarda autour d'elle, cherchant une horloge. Lorsqu'elle se retourna vers Fraser, elle lut une expression étrange sur son visage.

« Qu'est-ce qu'il y a ? » s'enquit-elle.

Il sourit. « Vous ressemblez tellement à votre frère, quelquefois. À l'instant, c'était tout à fait lui. Vous vous ressemblez énormément, tous les deux, n'est-ce pas ?

— Vous avez déjà dit cela, chez Mr Mundy.

— Vous ne pensez pas ?

— Ce doit être de ces choses dont on n'arrive pas à se rendre compte soi-même. » Elle aperçut le cadran de l'horloge sur la façade de l'église St Martin : sept heures moins vingt. « Bon, il faut vraiment que je vous laisse, maintenant.

— Très bien. Mais attendez, juste une seconde. »

Il fouilla dans la poche de sa veste, en tira un crayon et un morceau de papier. Il y griffonna quelque chose : le numéro de téléphone de l'endroit où il habitait. « Vous m'appellerez, dit-il en lui donnant le papier, si jamais vous avez envie de me parler, en privé ? Je veux dire, pas seulement de votre frère. » Il sourit. « D'autres choses, aussi.

— Oui, dit-elle, fourrant le papier dans sa poche. Très bien, je... » Elle lui tendit la main. « Je suis désolée, Mr Fraser, il faut absolument que j'y aille, là. Au revoir ! »

Sur quoi elle se détourna et s'éloigna, traversa la place sans se retourner. Il devait sans doute demeurer immobile, l'observant et se demandant qui diable elle allait retrouver, et pourquoi ; cela lui était égal. Profitant d'un espace dans la circulation, elle se mit à courir, pénétra dans le Strand.

Les journées diminuaient enfin. La rue était plus sombre que lorsqu'elle l'avait empruntée en voiture avec Reggie : l'obscurité plus dense gratifiait les gens de visages en deux

162

dimensions, aux traits absents et, tout en se hâtant, elle se surprit à scruter les passants avec un mélange d'agacement, d'excitation, d'angoisse... Elle avait menti à Fraser. Elle n'avait aucun rendez-vous. Elle cherchait Kay, voilà tout. Cela faisait cinq ou six fois qu'elle venait par là, en quinze jours. Elle espérait la voir ; espérait la repérer soudain parmi la foule...

Elle arrivait presque à hauteur du Tivoli, restant sur le trottoir nord de la rue, d'où la vue était plus vaste. Elle ralentit le pas, puis s'arrêta dans une porte d'immeuble, un peu en retrait.

Aux yeux de quiconque l'aurait observée, elle serait passée pour folle, à épier ainsi chaque visage, d'un air aussi avide. À chaque instant, elle croyait reconnaître la silhouette de Kay. Elle se remit en marche, le cœur battant, s'arrêta de nouveau... mais à chaque fois, la silhouette se révélait être celle, très improbable, d'un jeune garçon ou d'un homme entre deux âges.

La file d'attente se clairsemait devant le cinéma. Elle se dit que la séance avait dû commencer. Mais il y avait d'abord les actualités, puis un dessin animé de Mickey, disons. C'était peut-être complètement idiot, de rester là à guetter. Elle avait peut-être déjà manqué Kay. Et toute cette histoire, avec Fraser ! Elle tapait du pied, agacée. Peut-être ferait-elle mieux de traverser, de prendre un ticket et de pénétrer dans la salle ; de passer dans les allées ; ou de s'installer sur un siège d'où elle pourrait surveiller les retardataires au fur et à mesure qu'ils entraient...

Mais à quoi bon, se dit-elle soudain. Était-il à ce point probable que Kay revienne ici ? Elle y était peut-être venue une seule fois, pour ce film précisément. Elle pouvait se trouver n'importe où dans Londres ! Quelle chance, réellement, Viv avait-elle de la retrouver ?

La file d'attente avait presque disparu. Un groupe de jeunes gens arriva en toute hâte, puis plus rien. De nouveau, Viv enfonça les mains dans ses poches, toucha la bague enveloppée de tissu, la fit tourner encore et encore entre ses doigts — sachant qu'il était absurde de rester là à attendre, mais ne se résolvant pas à partir, à laisser tomber, rentrer à la maison...

Soudain, une voix d'homme résonna tout près d'elle.

« Donc, c'était bien un rendez-vous avec personne ? »

Elle sursauta. C'était Fraser.

« Mais ce n'est pas possible ! fit-elle. Qu'est-ce que vous voulez, maintenant ? »

Il leva les mains. « Rien ! Je me suis assis là où vous m'avez abandonné, à Trafalgar Square, j'ai regardé les pigeons. Incroyablement apaisants pour les nerfs, les pigeons. J'ai complètement perdu la notion du temps. Puis je me suis dit que j'allais faire un peu de lèche-vitrines et descendre le Strand... Je ne m'attendais pas à vous trouver là, franchement. Et je vois bien à votre expression combien cela vous fait plaisir de me voir. Ne vous en faites pas, je suis extrêmement discret, dans ce genre de situation. Je ne vais pas m'attarder, pour gâcher vos chances avec l'autre. »

Elle regardait par-dessus son épaule, scrutant toujours le visage des passants. Puis elle saisit ses paroles — et le contraste entre ce qu'il imaginait et la véritable raison de sa présence ici parut brusquement l'abattre. Elle baissa la tête. « Peu importe, de toute façon. La personne en question n'arrivera pas.

— Ah bon ? Comment le savez-vous ?

— Je le sais, c'est tout, dit-elle d'une voix dure. J'ai été idiote de venir, de rester là à attendre... »

Elle ne put achever, et se détourna. Il posa la main sur

164

son bras. « Écoutez, dit-il doucement, d'un ton grave, je suis désolé. »

Elle inspira. « Ça va, ça va.

— Non, ça n'a pas l'air d'aller. Laissez-moi vous offrir un verre quelque part.

— Ne vous donnez pas cette peine.

— Ça n'en est pas une.

— Vous avez bien quelque chose à faire, non ? »

Son visage s'assombrit. « En fait, j'avais promis de passer voir votre frère, chez Mr Mundy... Mais il ne se formalisera pas si je suis une heure en retard, j'en suis sûr. Allons, venez. »

Il l'entraîna par le bras. Elle s'était remise à observer la foule sur les trottoirs, c'était plus fort qu'elle. Mais elle se laissa guider. « Il y a un pub, juste là », dit-il.

Elle secoua la tête. « Pas dans un pub.

— Pas dans un pub, d'accord. Dans un café, alors ? Il y en a un là-bas, tenez, avec une vitrine qui donne sur la rue. Allons-y. Comme cela, si votre ami finit quand même par venir... »

Ils pénétrèrent dans le café, trouvèrent une table près de la porte. Il commanda du café et une assiette de pâtisseries. Puis, quelques minutes plus tard, comme une table se libérait juste à côté de la vitre, ils s'y installèrent.

L'endroit était plein. La porte s'ouvrait et se fermait à chaque instant. De derrière le comptoir, leur parvenait sans cesse des tintements de faïence et le chuintement régulier de la vapeur. Viv gardait le visage tourné vers la rue. Fraser l'imitait par instants ; mais ses yeux demeuraient surtout fixés sur son visage. Il essaya de la faire rire : « J'ai changé d'idée, en ce qui vous concerne. Je ne pense plus du tout que vous montrez vos jambes dans un cabaret. Je pense que vous êtes détective privé. Est-ce que je brûle ? »

165

Elle laissait son café intouché refroidir devant elle. Les gâteaux arrivèrent — peu appétissants, de la couleur d'une peinture phosphorescente en plein jour, et chacun couronné d'un tortillon de crème industrielle tournant déjà en eau. Elle n'avait pas faim. Du coin de l'œil, il lui semblait toujours voir apparaître Kay. Elle avait presque oublié la présence de Fraser, avait juste conscience qu'il était devenu silencieux... Mais au bout de quelques minutes, il parla de nouveau. Sa voix, cette fois, était tranchante.

« Vous savez, j'espère franchement qu'il en vaut la peine. »

Elle le regarda sans comprendre. « Qui ?

— Le type que vous attendez. Et vu de ma fenêtre, pour être franc, ça n'a pas trop l'air d'être le cas. Pour vous avoir mis dans un tel état, il ne...

— Parce que vous pensez que c'est "il", naturellement, coupa-t-elle, se retournant vers la vitre. C'est bien une idée d'homme.

— Ah, ce n'est pas "il" ?

— Non. C'est une femme, si vous voulez tout savoir. »

Tout d'abord, il refusa de la croire. Mais elle le voyait réfléchir. Puis il se recula et s'adossa à sa chaise, hochant la tête, avec une expression différente. « Ah..., fit-il. Je vois. La légitime. »

Il avait pris un ton cynique, froid, et ce commentaire était si éloigné de la réalité — et si proche en même temps, d'une certaine manière — qu'elle se sentit piquée au vif. Elle se demanda ce que Duncan avait pu lui raconter, sur elle et Reggie. « Ce n'est pas — ce n'est pas du tout ce que vous pensez », dit-elle.

Il écarta les mains. « Je vous ai dit que j'ai l'esprit très ouvert, comme garçon.

— Mais ce n'est pas du tout ça. C'est juste une... »

166

Son regard ne la quittait pas. Un regard bleu, toujours un peu empreint d'une vilaine complicité, mais au fond parfaitement clair, limpide ; et comme elle soutenait ce regard, s'y plongeait, il lui apparut brusquement que c'était la première personne, depuis bien des années probablement, avec qui elle avait parlé plus de quelques minutes sans mentir, d'une façon ou d'une autre... La porte du café s'ouvrit, et deux jeunes gens entrèrent, et se mirent à plaisanter avec le barman. Elle profita de leurs rires pour continuer, à voix plus basse. « J'ai croisé une personne, ici, dit-elle doucement. J'ai croisé une personne, il y a quinze jours, et j'espérais la revoir. C'est tout. »

Elle était sérieuse, de toute évidence. Il se pencha de nouveau sur la table. « Une amie ? »

Elle baissa les yeux. « Une femme. Une femme que j'ai connue, pendant la guerre.

— Et vous avez rendez-vous avec elle ce soir ?

— Non. Je l'ai juste aperçue en passant, devant le cinéma. Je suis revenue ici et j'ai attendu, plusieurs fois. Je pensais que je finirais par... » Elle sentait la gêne la gagner. « Ça semble absurde, n'est-ce pas ? Oui, je sais bien. C'est absurde. Mais vous voyez, quand je l'ai vue l'autre jour, j'ai, comment dire... je me suis enfuie. Et puis j'ai regretté. Elle a été très bonne pour moi, dans le temps. Incroyablement bonne. Elle a fait quelque chose pour moi...

— Et vous l'avez perdue de vue ? » s'enquit Fraser dans le bref silence qu'elle laissait planer. « Ce sont des choses qui arrivaient tout le temps, pendant la guerre.

— Non, ce n'est pas ça. J'aurais pu la retrouver si je l'avais voulu ; c'était très facile. Mais ce qu'elle a fait pour moi, vous voyez, me faisait penser à autre chose, à une chose dont je n'avais pas envie de me souvenir... » Elle

167

secoua la tête. « C'est idiot, en fait, parce que je m'en souviens forcément, de toute façon. »

Il ne la poussa pas à lui en dire plus. Ils restèrent ainsi, en silence, de part et d'autre des gâteaux ridicules ; il touillait le fond de son café tiède, l'air de réfléchir à ses paroles. « La guerre, cela veut aussi dire la bonté, dit-il enfin. On a tous tendance à l'oublier. Au cours des derniers mois, j'ai travaillé avec des gens venus d'Allemagne, de Pologne. Leurs histoires... Juste ciel ! Ils m'ont raconté des choses affreuses, atroces ; des choses que je n'arrivais pas à croire, dans la bouche d'un homme ordinaire, habillé comme vous et moi, dans mon univers familier... mais ils m'ont raconté des choses magnifiques, aussi. Sur le courage des gens, leur bonté inimaginable. Quand j'ai revu votre frère, je crois que c'est d'avoir entendu tout ça qui m'a poussé à... je ne sais pas. Mais lui aussi a été bon pour moi, en prison, je peux vous le dire. Peut-être comme cette femme, votre amie, l'a été pour vous.

— Ce n'était même pas une amie, en fait, dit Viv. Nous ne nous connaissions pas.

— Mon Dieu, il est quelquefois plus facile d'être bon envers des inconnus qu'envers les proches... Elle a pu vous oublier, cela dit — y avez-vous songé ? Ou bien elle peut ne pas avoir envie qu'on lui rappelle tout ça. Et êtes-vous même sûre que c'est bien elle que vous avez vue ?

— C'est elle, dit Viv. Je sais que c'est elle. Et oui, elle m'a peut-être oubliée, et je ne devrais peut-être pas la déranger. Mais... je ne peux pas l'expliquer. J'ai l'impression qu'il le faut. » Elle le regarda, craignant soudain d'en avoir trop dit. Elle avait envie de lui demander de ne pas en parler à Duncan. Mais à quoi cela rimerait-il, sinon à créer un secret de plus ? Un secret entre elle et lui ? Il fallait bien avoir confiance en quelqu'un, après tout ; et il avait peut-

168

être raison, il était plus facile de se confier aux inconnus... Elle ne lui demanda rien. Elle tendit la main vers un gâteau et se mit à l'émietter. Puis elle tourna la tête et regarda vers la rue — machinalement à présent, sans chercher Kay, certaine, au fond d'elle-même, d'avoir laissé passer cette unique chance.

Mais avant même que son regard se soit posé, une silhouette approchait tranquillement, en provenance de Waterloo Bridge : une haute silhouette élégante, mince, étonnante, qui n'évoquait nullement celle d'un jeune homme ou d'un homme mûr, malgré les mains dans les poches et la cigarette nonchalamment coincée entre les lèvres... Viv se colla à la vitre. Fraser la vit faire, se pencha à son tour.

« Qu'y a-t-il ? demanda-t-il. Vous l'avez vue ? C'est laquelle ? Pas la fille en costume, qui se pavane, là-bas ?

— Arrêtez ! fit Viv, reculant et tendant le bras au-dessus de la table pour l'écarter aussi de la vitre. Elle va nous voir.

— Je pensais que c'était votre but ! Mais qu'est-ce qu'il y a ? Vous n'y allez pas ? »

Elle perdait son contrôle. « Je ne sais pas. Qu'est-ce que je fais ?

— Après tout ce que vous venez de me raconter ?

— Il y a si longtemps. Elle va penser que je suis dingue.

— Mais vous êtes là pour ça, non ?

— Oui.

— Alors allez-y ! Qu'attendez-vous ? »

Une fois de plus, c'est l'éclair bleu de jeunesse, d'ardeur dans ses yeux qui la décida. Elle se leva et sortit du café ; elle se mit à courir, et rejoignit Kay à l'instant où celle-ci arrivait aux portes battantes du cinéma. Elle sortit de sa poche la bague enveloppée de tissu, et toucha le bras de Kay, à peine...

Cela ne prit qu'une minute. C'était la chose la plus aisée qu'elle ait jamais faite de sa vie. Mais en revenant au café, elle était tout exaltée. Elle s'assit, souriant, souriant sans cesse. Fraser l'observait. Il souriait aussi.

« Elle s'est souvenue de vous ? »

Viv hocha la tête.

« Elle était contente de vous voir ?

— Je ne sais pas trop. Elle était... différente. Mais je suppose que tout le monde est différent de ce qu'il était à cette époque.

— Vous la reverrez ? Êtes-vous contente d'avoir fait ça ?

— Oui, dit Viv. Oui, je suis contente de l'avoir fait. »

Elle se retourna, jeta un regard vers le cinéma. Il n'y avait plus trace de Kay. Mais son exaltation persistait. Elle se sentait capable de n'importe quoi ! Elle finit son café, l'esprit enfiévré. Elle pensait à tout ce qu'elle pouvait faire. Elle pouvait laisser tomber son travail ! Elle pouvait quitter Streatham, se prendre un petit appartement à elle ! Elle pouvait appeler Reggie ! Son cœur bondit. Elle pouvait entrer dans une cabine, tout de suite, l'appeler, lui dire — lui dire quoi ? Que c'était fini entre eux, pour toujours ! Qu'elle le pardonnait ; mais que pardonner n'était pas suffisant... Toutes ces possibilités soudain offertes lui tournaient la tête. Peut-être ne ferait-elle rien de tout cela. Mais mon Dieu, que c'était merveilleux de simplement savoir qu'elles étaient là, à portée de main !

Elle reposa sa tasse et se mit à rire. Fraser l'imita. Mais son sourire était empreint d'une légère gravité, comme un imperceptible froncement de sourcils ; et, sans cesser de la regarder, il secoua la tête.

« C'est extraordinaire comme vous ressemblez à votre frère ! » dit-il.

170

La maison était déserte quand Helen rentra ce soir-là. Elle fit halte dans l'entrée, appelant Julia, mais alors même qu'elle prononçait son nom, elle ressentit le vide mortel des lieux. Les lampes étaient éteintes ; dans la cuisine, le fourneau et la cafetière étaient froids. Sa première pensée, affolée, absurde, fut *Julia est partie* ; elle pénétra dans leur chambre, glacée d'appréhension, et ouvrit lentement la porte de la garde-robe, persuadée que les vêtements de Julia avaient disparu... Tout ceci, elle le fit sans même ôter son propre manteau ; et quand elle vit que les affaires de Julia étaient toujours là, ses valises toutes rangées, sa brosse à cheveux et ses bijoux et son maquillage toujours éparpillés sur la coiffeuse, elle se laissa tomber assise sur le lit, tremblant de soulagement.

Pauvre idiote, se dit-elle, riant presque à présent.

Toutefois, *où* était Julia ? Helen retourna à la garde-robe. Après un petit examen, elle constata que Julia était sortie vêtue d'une de ses robes les plus élégantes et d'un de ses meilleurs manteaux. Elle avait aussi pris son sac à main correct, et non pas le vieux tout râpé. Peut-être était-elle allée rendre visite à ses parents, se dit Helen. Ou bien elle avait rendez-vous avec son agent littéraire, ou son éditeur. *Elle est peut-être avec Ursula Waring*, ajouta une petite voix grinçante, émanant d'un coin sombre, crasseux de son cerveau ; mais Helen refusa de l'écouter... Julia était probablement sortie avec son éditeur ou son agent ; son agent, oui, avait dû l'appeler à la dernière minute, comme il en avait l'habitude, pour lui demander de passer en urgence au bureau pour signer des papiers — quelque chose de ce genre.

Si cela était le cas, bien sûr, Julia avait laissé un mot. Helen ôta son manteau — parfaitement sereine à présent — et se mit à chercher dans toute la maison. Elle retourna à la cuisine. À côté du grand placard à provisions, elles avaient accroché une petite main de cuivre faisant pince, dans laquelle elles glissaient divers bouts de papier, listes de courses, pense-bête, messages ; mais tous ceux qu'elle trouva dataient de plusieurs jours. Elle regarda par terre, pour le cas où un mot serait tombé. Elle regarda sur les plans de travail et les étagères et, ne trouvant rien, se mit à chercher dans toutes sortes d'autres endroits très improbables : la salle de bains, sous les coussins du divan, dans les poches d'un cardigan de Julia... Au fur et à mesure, ses recherches se teintaient d'une fébrilité proche de la panique, ses gestes se faisaient compulsifs. De nouveau, cette voix grinçante résonna dans sa tête — lui faisant remarquer qu'elle était là, en train de fouiller dans la poussière comme une imbécile, tandis que Julia était quelque part avec Ursula Waring ou une autre femme, et riait en l'imaginant ainsi...

Elle força cette voix à se taire, comme on écrase le ressort d'un diable pour le faire rentrer dans sa boîte. Il n'était pas question de céder à de telles pensées. Il était sept heures, c'était un soir comme les autres, et elle avait faim. Tout allait pour le mieux. Julia était sortie, sans penser rentrer si tard. Julia avait été retardée, voilà tout. Pour l'amour de Dieu, mais cela arrivait tout le temps, à tout le monde ! Elle décida de commencer de préparer le dîner. Prit dans les placards de quoi faire un parmentier. Le temps de le mettre au four, Julia serait rentrée.

Tout en s'affairant, elle alluma la radio, à très bas volume ; tandis qu'elle faisait bouillir l'eau, éminçait la viande, écrasait les pommes de terre en purée, elle demeura nerveuse, l'oreille tendue vers le bruit de la clef de Julia dans la serrure, au rez-de-chaussée.

Une fois le hachis prêt, elle ne sut plus si elle devait attendre Julia ou non. Elle le servit sur deux assiettes qu'elle remit à four doux, pour les garder chaudes, puis fit la vaisselle, puis l'essuya, en prenant son temps. Quand elle aurait terminé, Julia serait rentrée, aucun doute, et elles pourraient s'asseoir et dîner tranquillement ensemble... Elle mourait de faim à présent. La vaisselle achevée, elle sortit son assiette du four, la posa sur la cuisinière et entama la purée du bout de sa fourchette. Elle avait l'intention de n'en prendre qu'une bouchée ou deux, pour tromper sa faim ; elle finit par tout manger — comme ça, debout, avec encore son tablier, la buée ruisselant sur les vitres de la cuisine, tandis que, dans la cour, le couple de voisins se lançait dans une nouvelle dispute, ou la nouvelle version d'une dispute, toujours la même.

« *Tu peux te le mettre au cul, oui !* »

Elle était restée si longtemps dans la cuisine vivement éclairée qu'en sortant, le reste de la maison lui parut obscur. Elle passa rapidement de pièce en pièce, donnant de la lumière au fur et à mesure. Elle descendit au salon, se versa un gin allongé d'eau. Elle s'assit sur le divan et prit son tricot ; tricota pendant cinq, dix minutes. Le gin ne lui réussissait pas, la rendait maladroite, nerveuse. Elle rejeta son ouvrage, se releva. Elle revint machinalement vers la cuisine, cherchant encore vaguement un hypothétique message. En passant devant le pied de l'escalier qui montait au bureau de Julia, le besoin la submergea brusquement de monter voir là-haut.

Il n'y avait bien sûr aucune raison de se sentir mal à l'aise, se disait-elle en gravissant l'escalier. Julia ne lui avait jamais dit qu'elle préférait qu'Helen n'y entre pas, par exemple. Ce sujet n'avait jamais été évoqué ; au contraire, il était même arrivé que Julia, sortie pour quelque rendez-vous en ville, téléphone pour dire : « Désolée, Helen, je suis sotte, j'ai laissé un papier là-haut. Tu veux bien monter

173

le prendre dans mon bureau ? » Ce qui prouvait bien qu'elle se souciait peu qu'Helen aille même jusqu'à ouvrir les tiroirs ; et si ceux-ci étaient munis de serrure, les clefs restaient dessus.

Néanmoins, il y avait quelque chose de furtif, de gênant, à pénétrer dans le bureau de Julia en son absence. C'était comme, enfant, d'entrer dans la chambre des parents : on sentait que des choses se passaient là, des choses très précises mais impossibles à deviner, qui vous concernaient et dont, à la fois, vous étiez totalement exclu... C'est du moins ce qu'Helen ressentait. Elle avait toujours eu cette impression, même, comme maintenant, à être juste présente dans la chambre — sans soulever un papier ni jeter un regard discret dans une enveloppe décachetée —, à se tenir simplement immobile, là, regardant la pièce autour d'elle.

Le bureau occupait presque tout le dernier étage, sous le toit. Il était silencieux, plongé dans la pénombre sous le plafond légèrement mansardé — un véritable antre d'écrivain, plaisantaient-elles toujours. Les murs étaient d'une nuance de vert olive pâle, le parquet recouvert d'un authentique tapis turc, à peine usé. Un bureau semblable à celui d'un directeur de banque et une chaise pivotante faisaient face à une des fenêtres ; en face de l'autre était installé un vieux divan de cuir — car Julia écrivait par rafales, et aimait à se reposer ou à lire entre deux accès d'inspiration. À côté du divan, se trouvait une petite table, et sur cette table, des tasses et verres sales, une soucoupe pleine de miettes de biscuits, un cendrier, de la cendre. Tasses et mégots de cigarette portaient la trace du rouge à lèvres de Julia. Son pouce avait laissé une trace sur un verre à eau. En fait, elle était partout présente, disséminée — quelques cheveux sombres sur les coussins du divan, sur le sol ; sous le bureau, ses espadrilles abandonnées d'un coup de pied ;

174

une rognure d'ongle à côté de la corbeille à papier, un cil, des particules de poudre tombées de son visage...

Si jamais j'apprenais que Julia est morte aujourd'hui, je monterais ici, exactement comme je le fais, et tout ce fouillis m'apparaîtrait tragique. Son regard passant d'un objet à l'autre, elle ressentit en elle ce frottement familier mais inconfortable d'émotions fort différentes : amour, agacement, angoisse. Elle se souvenait des conditions aléatoires dans lesquelles Julia avait commencé à écrire, dans ce studio de Mecklenburgh Square dont elle avait parlé à Viv l'après-midi même, sur l'escalier d'incendie. Elle se revoyait allongée sur le divan-lit tandis que Julia travaillait à une table branlante, à la lumière d'une unique bougie — sa main posée sur la page semblant contenir la flamme, sa paume comme un miroir, son beau visage tout éclairé... Elle venait enfin la rejoindre, après avoir écrit ainsi pendant des heures, et s'allongeait épuisée, mais sans pouvoir dormir, l'esprit ailleurs, absente ; parfois, Helen posait une main sur son front, et il lui semblait sentir les mots bourdonner et se bousculer au-dessous comme autant d'abeilles dans une ruche. Cela ne l'ennuyait pas. Elle aimait presque ça. Parce que après tout, le roman n'était qu'un *roman* ; les personnages n'étaient pas de vraies personnes ; c'était elle, Helen, qui était réelle, elle qui pouvait ainsi s'allonger aux côtés de Julia, toucher son visage...

Elle s'approcha du bureau. Il était, comme tout chez Julia, mal tenu, encombré d'un buvard maculé, d'un pot de trombones renversé, d'un fatras de feuillets, mouchoirs sales et enveloppes, peaux de pomme et rubans encreurs. Au milieu de ce fouillis, trônait un des cahiers de brouillon Century qu'utilisait Julia. *Languir, 2*, avait-elle inscrit sur la couverture bleue : il renfermait le plan du roman sur lequel elle travaillait actuellement, situé dans une maison de santé, et qu'elle avait intitulé *Languir et Mourir*... C'est Helen qui en avait trouvé le titre. Elle en connaissait l'intrigue alambiquée dans tous ses détails. Elle ouvrit le cahier, jeta un coup d'œil ; les notations apparemment sibyllines — *Inspecteur B. à Maidstone — voir RT, et infirmière Pringle — du sirop, —* pas *une aiguille !* — étaient parfaitement claires pour elles. Il n'y avait rien là qu'elle ne comprît. Tout cela lui était aussi connu, aussi familier que son propre visage asymétrique.

Pourquoi alors Julia lui semblait-elle s'éloigner, quand elle s'approchait d'objets tels que celui-ci ? Et où, où était Julia, en cet instant ? Elle ouvrit de nouveau le cahier de brouillon, se mit à feuilleter les pages avec une angoisse grandissante, comme pour y chercher un indice. Elle saisit un mouchoir taché d'encre, le secoua. Elle souleva le sous-main. Ouvrit les tiroirs. Elle déplaça un feuillet, une enveloppe, un livre...

Sous le livre, se trouvait le *Radio Times* datant d'une quinzaine de jours, ouvert sur l'article concernant Julia.

URSULA WARING nous présente le nouveau et palpitant roman de Julia Standing...

Et en regard, bien sûr, la petite photo. Julia s'était rendue chez un photographe de Mayfair pour ce portrait, et Helen l'avait accompagnée, « histoire de rire »... En fait, l'après-midi ne s'était pas révélé drôle du tout. Helen avait l'impression d'être une écolière disgracieuse escortant une amie ravissante chez le coiffeur — elle avait tenu le sac de Julia tandis que l'homme de l'art lui faisait prendre la pose, changer, s'immobiliser ; elle l'avait regardé arranger les cheveux de Julia, incliner son visage, prendre ses mains dans les siennes pour les disposer comme ci ou comme ça...

Les portraits achevés étaient flatteurs, même si Julia prétendait ne pas les aimer ; elle y apparaissait séduisante — mais non pas, pensait Helen, de cette séduction sensuelle qui était réellement, naturellement la sienne quand elle allait et venait dans l'appartement, par exemple, en pantalon froissé et chemise reprisée. Ils lui donnaient l'air *mariable*, Helen ne voyait pas de meilleur terme. Et c'est avec consternation qu'elle avait imaginé tous les gens qui, feuilletant machinalement le *Radio Times*, s'étaient arrêtés une seconde sur le visage de Julia en se disant, admiratifs : « Quelle belle femme ! » Elle les voyait comme autant de doigts avides, polissant peu à peu l'effigie sur une pièce de monnaie ; ou comme des oiseaux querelleurs lui donnant de petits coups de bec jusqu'à le dépecer, lambeau après lambeau...

Elle s'était réjouie en secret lorsque ce numéro avait quitté les kiosques pour laisser place au suivant. Mais là, en regardant la page du magazine — la photo de Julia, le nom d'Ursula Waring —, toute cette ancienne angoisse remontait en elle, soudain réactivée. Elle s'accroupit, ferma les yeux, laissa tomber sa tête ; son front rencontra le bord du bureau ; elle appuya, jusqu'à ce que l'arête dure lui fasse mal. *Je souffrirais cent fois cela*, se dit-elle, *pour être sûre que Julia est à moi !* Elle songea à tout ce qu'elle donnerait volontiers : un bout de doigt, un orteil, le dernier jour de sa vie. Elle se dit qu'il devrait exister un système — une sorte d'épreuve moyenâgeuse — qui permettrait aux gens d'obtenir ce qu'ils veulent passionnément en se faisant fouetter ou marquer au fer rouge ou lacérer. Elle aurait presque souhaité l'échec de Julia. Elle prononça la phrase, dans sa tête : *Je souhaiterais qu'elle ait tout raté !* Quelle garce minable elle était ! Comment avait-elle fait pour en arriver là, en arriver à souhaiter une telle chose à Julia ? *Mais c'est parce que je l'aime*, se dit-elle, misérable.

177

Sur ces mots, elle perçut le tintement des clefs dans la serrure de l'entrée. Elle se mit sur pied en toute hâte, éteignit dans le bureau et dévala l'escalier ; elle fila à la cuisine et fit mine d'être occupée à quelque chose devant l'évier : elle ouvrit le robinet, remplit un verre d'eau pour le vider aussitôt. Elle ne se retourna pas. *Ne fais pas de scène. Tout va bien. Sois absolument naturelle. Calme-toi.*

Puis Julia arriva, vint vers elle, l'embrassa ; et elle sentit le parfum de vin et de cigarette sur ses lèvres, vit l'expression ravie, épanouie sur son visage un peu rouge. Et son cœur — bien qu'elle tentât désespérément de retenir ses mâchoires —, son cœur se referma sur lui-même comme un piège.

« Je suis vraiment désolée, ma chérie ! s'exclama Julia.

— De quoi ? demanda Helen, froidement.

— D'être en retard ! Je comptais rentrer bien avant. Je ne me suis pas rendu compte.

— Où étais-tu ? »

Julia se détourna. « J'étais avec Ursula, tout simplement, dit-elle d'un ton léger. Elle m'a invitée pour le thé. Et tu sais bien comme c'est, le thé s'est transformé en dîner...

— Pour le thé ?

— Oui », dit Julia. Elle se dirigeait vers le couloir en ôtant son manteau et son chapeau.

« Ça ne te ressemble pas, de prendre sur ta journée de travail.

— Oh, j'en avais fait bien assez. J'ai travaillé comme une perdue, de neuf heures à quatre heures ! Et quand Ursula a appelé, je me suis dit...

— Je t'ai appelée à deux heures moins dix. Tu étais en train de travailler ? »

Julia demeura un moment sans répondre. « À deux

heures moins dix ? fit-elle enfin, depuis le couloir. Quelle précision. Oui, je devais travailler.

— Tu n'as pas entendu le téléphone sonner ?

— J'étais sans doute en bas. »

Helen sortit de la cuisine, vint vers elle. « Tu l'as bien entendu quand c'était Ursula Waring, cela dit. »

Julia se recoiffait devant le miroir du couloir. « Helen, pas ça, je t'en prie », fit-elle avec une patience ostensible. Elle se retourna et la regarda en fronçant les sourcils. « Mais qu'est-ce que tu as au front ? Il est tout rouge. Tiens, regarde. »

Elle tendit le bras vers Helen pour l'inviter à approcher du miroir. Cette dernière balaya sa main d'un geste. « Mais je ne savais pas où tu étais passée ! Tu ne pouvais pas au moins me laisser un mot ?

— Je n'y ai pas pensé. Quand on sort simplement pour déjeuner, on ne... »

Helen saisit la balle au bond. « Pour déjeuner ? Ce n'est pas pour le thé, finalement ? »

Les joues de Julia s'empourprèrent légèrement. Elle baissa la tête, passa devant Helen et entra dans la chambre. « Mais j'ai dit *déjeuner* comme ça, c'était un exemple. Pour l'amour de Dieu !

— Je ne te crois pas, dit Helen, la suivant dans la pièce. Ce que je crois, c'est que tu as passé toute la journée avec Ursula Waring. » Il n'y eut pas de réponse. « Alors ? »

Julia s'était dirigée vers la coiffeuse et prenait une cigarette. Au ton querelleur d'Helen, elle se figea, la cigarette aux lèvres, les yeux rétrécis, et secoua la tête, comme incrédule, comme écœurée. « Je devrais me sentir flattée ? C'est ça ? » Elle se détourna, craqua une allumette, alluma posément sa cigarette. Lorsqu'elle se tourna de nouveau, son visage était devenu marmoréen, comme sculpté dans un

179

bloc de marbre ou de bois parfaitement lisse. Elle ôta la cigarette de ses lèvres. « Pas *ça*, Helen, fit-elle d'une voix dure, calme, qui résonnait comme un avertissement.

— Pas quoi ? » demanda Helen, l'air stupéfait. Mais une partie d'elle-même aussi se recroquevillait devant cet échange, pétrie de honte devant cette image affreuse qu'elle donnait d'elle-même. « Pas quoi, Julia ?

— Ne commence pas comme ça. Je n'ai pas l'intention d'écouter ce genre de trucs ! » Écartant Helen, elle retourna dans la cuisine.

Helen la suivit. « Tu veux dire que tu n'as pas l'intention de te laisser surprendre à mentir. Ton dîner est prêt, mais je suppose que tu n'en voudras pas. Je suppose qu'Ursula Waring t'a emmenée dans un restaurant très chic. Là où vont tous les gens de la BBC, probablement. Merveilleux, tu prends du bon temps. Moi j'ai mangé toute seule. Toute seule, debout, là, devant le four, avec mon tablier. »

Une expression écœurée réapparut sur le visage de Julia, mais dans le même instant, elle se mit à rire. « Mais pourquoi ? Qu'est-ce qui t'a pris ? »

Helen n'en savait rien. Cela lui semblait absurde à présent. *Oh, Julia je suis idiote, idiote !* Si seulement elle pouvait le dire. Elle se sentait comme un passager tombé par-dessus bord. Elle regarda Julia qui fumait sa cigarette, branchait la bouilloire : elle avait l'impression de voir les autres passagers en train de vaquer à leurs occupations, de boire un verre, de flâner sur le pont. Il était encore temps de crier, de faire des signes, d'appeler au secours. Il était encore temps, le bateau ferait demi-tour, et elle serait sauvée...

Mais elle ne cria pas ; et il n'était déjà plus temps, le bateau s'était éloigné rapidement, et elle était seule au milieu d'un vaste cercle de mer grise. Elle commença de se débattre. De parler haut et fort. Sa voix avait pris des intonations sifflantes. Tout allait bien pour Julia, disait-elle, Julia faisait ce que bon lui semblait. Julia croyait peut-être qu'Helen ne savait pas ce qu'elle trafiquait derrière le dos d'Helen, pendant qu'Helen était au travail — si Julia pensait pouvoir se moquer d'elle ainsi... — car Helen savait, elle avait su à l'instant où elle était rentrée que Julia était avec Ursula Waring ! Julia s'imaginait-elle que... ? Etc. Tout à l'heure, elle avait fait rentrer de force dans sa boîte cet affreux diable grimaçant. À présent, il en avait jailli de nouveau, et sa voix était devenue la sienne propre.

Julia allait et venait, raidie, dans la cuisine, elle préparait du thé. « Non, Helen, disait-elle de temps en temps d'une voix lasse, non, ce n'est pas ça. » Et puis : « Ne sois pas ridicule, Helen.

— C'était prévu depuis longtemps ? demanda Helen.

— Mais quoi ?

— Ce petit rendez-vous amoureux avec Ursula Waring.

— *Amoureux*... ! Elle m'a appelé ce matin, voilà tout. C'est si grave ?

— Apparemment, oui, c'est grave, puisque tu es obligée de dissimuler et de faire des cachotteries. Obligée de me *mentir*...

— Mais qu'est-ce que tu veux que je fasse ? » s'écria soudain Julia, perdant finalement patience. Elle posa violemment sa tasse, renversant un peu de thé. « C'est parce que je sais que tu vas réagir comme ça ! Tu déformes tout. Tu me vois d'avance comme coupable. Et du coup, j'ai l'air coupable, même — Dieu du ciel ! —, même à mes propres yeux ! » Elle baissa d'un ton, pensant, même au milieu de sa colère, au couple en bas. Elle reprit : « Si à chaque fois que je rencontre une femme, que je me fais une amie... Mais ça n'est pas possible ! L'autre jour, Daphne Rees m'a appelée. Elle m'a proposé de déjeuner avec elle — déjeuner, tu vois, déjeuner, quoi de plus normal ? —, eh bien j'ai dit non, j'ai dit que j'avais trop de travail ; parce que je savais ce que *tu* allais imaginer. Phyllis Langlade m'a écrit il y a un mois. Non, ça, tu l'ignorais, n'est-ce pas ? Elle disait combien elle avait été ravie de faire notre connaissance à toutes deux, à la soirée de Caroline. J'ai failli lui répondre en lui expliquant la scène épouvantable que tu m'avais faite dans le taxi, en rentrant ! Ça, ç'aurait été une lettre ! "Chère Phyllis, j'adorerais prendre un verre avec vous à l'occasion, mais voyez-vous, il se trouve que mon amie est du genre jaloux, ce qu'on appelle une tigresse. Bien sûr, si vous étiez mariée ou excessivement laide, ou bien encore difforme, je peux vous assurer que les choses seraient fort différentes. Mais une femme ravissante comme vous, non ma chère, je ne peux pas prendre ce risque ! Et peu importe que la femme en question soit intéressée ou non ; apparemment, je suis moi-même si irrésistible que si par hasard ses goûts ne la poussent pas vers les femmes, il lui suffira de prendre un cocktail avec moi pour en sortir métamorphosée en lesbienne déchaînée !"

— Tais-toi, dit Helen. À t'entendre, je suis folle à lier ! Mais je ne suis pas folle. Je te connais, je sais qui tu es. Je t'ai vue agir, avec les femmes...

— Tu penses que je m'intéresse à d'autres femmes ? » Julia éclata de rire. « Si seulement c'était vrai ! »

Helen la regarda. « Ce qui veut dire... ? »

Julia détourna la tête. « Rien. Rien, Helen... simplement, ça me laisse toujours stupéfaite, que ce soit toi qui fasses cette... cette fixation à la con. Tu as quelque chose contre les aventures en soi ? Est-ce que c'est — je ne sais pas — un truc de religion, un truc catholique ? C'est vraiment la paille et la poutre ! »

Elle croisa le regard d'Helen, puis détourna de nouveau les yeux. Elles demeurèrent un instant ainsi, en silence. « Tu peux te la mettre au cul », laissa tomber Helen. Elle lui tourna le dos et s'éloigna, descendit au salon.

Elle avait dit cela d'une voix calme, elle descendait calmement l'escalier, mais sa violence intérieure l'effrayait. Elle était incapable de s'asseoir, de demeurer immobile. Elle vida son gin allongé d'eau, et s'en versa un autre, à ras bord. Elle alluma une cigarette — et l'écrasa presque aussitôt. Elle se posta devant la cheminée, tremblante ; elle avait peur de pouvoir, d'une seconde à l'autre, se mettre à hurler, à ravager la maison, arracher les livres des étagères, déchirer les coussins. Elle aurait pu saisir ses propres cheveux à pleines mains et les arracher de sa tête. Lui eût-on tendu un couteau, elle se le serait planté dans la chair.

Au bout d'une minute, elle entendit Julia monter à son bureau et fermer la porte. Puis ce fut le silence. Que faisait-elle ? Que pouvait-elle bien faire, pour fermer ainsi la porte derrière elle ? Elle téléphonait peut-être... Plus elle y songeait, plus elle commençait d'en être certaine. Elle appelait Ursula Waring — elle l'appelait pour se plaindre, pour se moquer, pour arranger un prochain rendez-vous... C'était horrible, horrible de ne pas savoir ! Elle ne supportait pas ça. Sur la pointe des pieds, dans un silence machiavélique, elle se dirigea vers le pied de l'escalier et, retenant son souffle, essaya d'écouter...

Puis elle se vit dans le miroir du couloir : elle vit son visage rouge, déformé ; le dégoût la submergea. Le dégoût, c'était pire que tout. Elle se cacha les yeux, retourna au salon. Elle ne songeait pas à monter retrouver Julia. Il lui semblait évident, à présent, que Julia devait la détester, se détournerait d'elle ; elle se détestait, aurait voulu pouvoir s'abandonner, quitter sa peau. Elle se sentait totalement prisonnière, suffocante. Elle resta là un moment, ne sachant que faire d'elle-même, puis se dirigea vers la fenêtre, écarta le rideau. Elle regarda la rue, le jardin, les façades de stuc écaillé. Elle y vit autant d'ennemis vicieux, prêts à la tromper, la piéger, la railler. Un homme et une femme passèrent, main dans la main, souriants : il lui apparut qu'ils devaient posséder un secret, celui de la sécurité, du bien-être, de la confiance, qu'elle-même avait perdu.

Elle s'assit, éteignit la lampe. Au sous-sol, le couple et leur fille s'interpellaient d'une pièce à l'autre ; la fille mit un disque, écoutant encore et encore la même comptine hachée, répétitive. Aucun bruit ne lui parvint de l'étage jusque vers les dix heures, quand la porte s'ouvrit et que Julia descendit discrètement à la cuisine. Helen captait tous ses mouvements avec une netteté insupportable : elle l'entendit aller et venir entre la cuisine et la chambre ; la vit passer pour se rendre aux toilettes puis à la salle de bains ; la vit remonter à la chambre, éteignant sur son passage ; entendit les grincements de parquet tandis qu'elle ôtait ses vêtements et se mettait au lit... Elle n'avait pas tenté de parler à Helen, ni même de faire une incursion dans le salon, et Helen ne l'avait pas appelée. La porte de la chambre était poussée, mais pas fermée ; pendant un quart d'heure, la lumière de la veilleuse éclaira vaguement l'escalier, puis elle s'éteignit.

Après quoi la maison plongea dans l'ombre dense, et cette ombre, ce silence pesèrent plus encore à Helen. Elle n'aurait eu qu'à tendre la main vers l'interrupteur, ou le cadran de la TSF, pour changer d'atmosphère ; mais elle n'y parvenait pas, coupée qu'elle était de ses repères et réflexes habituels. Elle demeura encore un moment assise, puis se leva et se mit à faire les cent pas. Mais cela avait quelque chose d'artificiel ; elle avait l'impression d'être une actrice arpentant la scène pour communiquer aux spectateurs un état d'angoisse ou de folie. Elle se coucha sur le sol, replia les genoux, enfouit son visage dans ses avant-bras ; cette position ne lui semblait pas plus réelle, mais elle la garda pendant presque une vingtaine de minutes. *Peut-être que Julia va descendre, et me trouver comme ça, par terre*, se disait-elle ; elle se disait qu'en la voyant ainsi, cette dernière se rendrait compte de l'état d'extrême bouleversement dans lequel elle se trouvait...

Puis elle comprit qu'elle aurait simplement l'air ridicule. Elle se releva. Elle était gelée, ses articulations raidies. Elle se dirigea vers le miroir. Rien de plus déconcertant que de se regarder dans une glace dans une pièce plongée dans l'ombre ; mais un réverbère donnait une vague lueur, et elle put constater que sa joue et son bras nu étaient marqués de stries rouges et blanches, comme de petites traces de fouet, là où ils avaient reposé sur le tapis. Cela au moins se révélait satisfaisant. En fait, elle rêvait depuis longtemps de traduire sa jalousie de manière physique ; *je vais me brûler*, se disait-elle dans ces moments-là, *je vais me mutiler*. Parce qu'une brûlure, une blessure étaient des choses que l'on pouvait montrer, que l'on pouvait soigner, qui pouvaient se cicatriser pour devenir une sorte d'emblème pathétique ; et resteraient *là*, au moins, à la surface d'elle-même, au lieu de la ronger de l'intérieur... La pensée lui venait de nouveau de se marquer à vie, d'une manière ou d'une autre. Elle lui venait comme une solution à un problème. *Je ne ferai pas ça comme une gamine hystérique*, se disait-elle. *Je ne ferai pas ça pour Julia, en espérant qu'elle va arriver et me surprendre. Ce ne sera pas comme de m'allonger au milieu de salon. Je ferai ça pour moi, comme un secret entre moi et moi.*

Elle n'alla pas jusqu'à considérer quel pauvre, quel minable secret cela serait. Elle se dirigea silencieusement vers la cuisine et prit sa trousse de toilette dans le placard ; redescendit à la salle de bains, ferma et verrouilla doucement la porte derrière elle, alluma ; aussitôt, elle se sentit mieux. La lumière était éclatante, comme celle d'une salle d'opération, dans un film ; les surfaces nues, blanches, du lavabo et de la baignoire ajoutaient encore à une atmosphère clinique, un sentiment d'efficacité, voire même de devoir à accomplir. Non, elle n'avait rien d'une gamine hystérique. Elle aperçut de nouveau son visage dans la glace, les traces rouges avaient disparu de ses joues, elle paraissait absolument maîtresse d'elle-même, absolument calme.

Elle agissait comme si tout cela avait été prévu à l'avance. Elle ouvrit la trousse et en tira l'étroite boîte chromée renfermant le rasoir de sûreté que Julia et elles utilisaient pour leurs jambes. Elle le prit, dévissa la molette, ôta le petit axe métallique et dégagea la lame. Combien elle était mince, et flexible ! On avait l'impression de ne rien tenir entre les doigts — comme avec une gaufrette, un jeton de casino, un timbre-poste. Son seul problème était de savoir où s'entailler. Elle regarda ses bras ; peut-être à l'intérieur de l'avant-bras, se dit-elle, là où sous la peau fine, la chair était en principe plus tendre, offrait moins de résistance. Pour les mêmes raisons, elle envisagea le ventre. Elle ne songeait pas aux poignets, aux chevilles ou aux tibias, rien de ce genre. Elle finit par opter pour l'intérieur de la cuisse. Elle posa un pied sur le rebord arrondi, glacé, de la baignoire ; trouva la position trop étriquée, inconfortable ; leva la jambe plus haut et cala bien son pied contre le mur au-dessus de la baignoire. Elle tira sur sa jupe, hésita à la rentrer dans sa culotte, ou à l'ôter complètement. Car elle risquait de la souiller, non ? Elle ne savait pas du tout combien de sang allait couler.

Sa cuisse était pâle — d'un blanc crémeux contre le blanc parfait de l'émail — et lui paraissait soudain énorme sous sa main. Jamais jusqu'alors elle ne l'avait observée sous cet angle, et elle fut frappée par sa neutralité, son anonymat. L'eût-elle vue séparée du reste de son corps, elle aurait eu peine à deviner que c'était là une partie de membre, servant à quelque chose. Elle ne l'aurait sans doute même pas identifiée comme sienne.

Elle posa une main sur sa jambe, étira la chair entre le pouce et les autres doigts ; tendit rapidement l'oreille pour vérifier que personne ne venait dans le couloir, et pourrait l'entendre ; puis elle abaissa le tranchant de la lame et fit une petite entaille. Celle-ci, quoique peu profonde, se révéla incroyablement douloureuse ; elle en ressentit le choc jusqu'au cœur, une secousse horrible, comme quand on pose un pied dans l'eau glacée. Elle se crispa un instant, puis essaya de nouveau. La sensation était la même. Elle en eut le souffle coupé. *Encore, mais plus vite !* se dit-elle ; mais la finesse, la flexibilité de la lame, qui lui étaient apparues presque tentantes auparavant, se révélaient soudain répulsives au contact de la chair souple, capitonnée de graisse. L'entaille était trop précise. Les coupures qu'elle avait faites se remplissaient de sang ; mais celui-ci montait lentement à la surface — comme à contrecœur — et semblait noircir et se coaguler aussitôt. Les bords de la plaie se rejoignaient et se soudaient déjà : elle reposa la lame et les écarta de ses doigts. Le sang arriva un peu plus rapidement — il déborda enfin sur sa peau. Elle l'observa pendant une minute ; pressa les plaies, écarta de nouveau les bords, deux ou trois fois, pour activer la montée du sang ; puis elle nettoya sa jambe, autant que possible, avec un mouchoir humecté.

Elle se retrouvait avec deux courtes lignes écarlates,

187

comme auraient pu en faire les griffes d'un chat s'énervant en jouant.

Elle s'assit sur le rebord de la baignoire. Le choc nerveux occasionné par les coupures lui semblait avoir provoqué un changement en elle, une modification presque chimique : elle se sentait très étrangement lucide — et vivante, et maîtresse d'elle-même. S'entailler la jambe ne lui semblait plus une chose raisonnable ni salubre ; elle aurait détesté, par exemple, que Julia, ou une de ses amies, arrive et la surprenne en train de le faire. Elle aurait été morte de gêne ! Et pourtant, elle contemplait toujours les lignes écarlates d'un œil mi-perplexe, mi-admiratif. *Pauvre folle*, se disait-elle, mais avec indulgence presque souriante. Finalement, elle reprit la lame, la rinça, la revissa sur le rasoir, et remit celui-ci dans sa boîte. Elle éteignit, laissa ses yeux s'habituer à l'obscurité, puis sortit dans le couloir et monta à la chambre.

Julia était allongée sur le côté, dos tourné à la porte, le visage dans l'ombre, ses cheveux très noirs sur l'oreiller. Impossible de dire si elle dormait ou non.

« Julia, dit Helen, doucement.

— Quoi ? demanda Julia au bout d'un moment.

— Je suis désolée. Je suis désolée. Tu me hais ?

— Oui.

— Tu ne me hais pas autant que je me hais moi-même. »

Julia roula sur le dos. « C'est censé être une consolation ?

— Je ne sais pas », dit Helen. Elle s'approcha, toucha les cheveux de Julia.

Celle-ci tressaillit. « Ne me touche pas ! Tu as la main glacée. » Elle prit la main d'Helen. « Mais juste ciel, pourquoi es-tu si froide ? Où étais-tu ?

— Nulle part. Dans la salle de bains.

— Mets-toi au lit, d'accord ? »

Helen s'écarta pour se déshabiller, ôter les épingles de ses cheveux, passer sa chemise de nuit, tout cela avec d'une manière vaguement craintive, soumise. « Tu es toute glacée ! répéta Julia comme elle se glissait dans le lit.

— Je suis navrée », dit Helen. Elle n'avait pas jusqu'alors ressenti le froid, mais au contact du corps tout chaud de Julia, elle se mit soudain à grelotter. « Je suis navrée », dit-elle encore. Ses dents claquaient, cela résonnait jusque dans son crâne. Elle tenta de se raidir ; les tremblements empirèrent.

« Mon Dieu ! » fit Julia ; elle entoura Helen de son bras, la serra contre elle. Elle portait une chemise de nuit de garçon à rayures, imprégnée d'une odeur de sommeil, de lit défait, de cheveux pas lavés — mais agréablement, délicieusement. Helen se laissa aller contre elle et ferma les yeux. Elle se sentait épuisée, comme vidée. Elle pensa à la soirée qui venait de s'écouler ; il lui semblait incroyable que l'on puisse passer en quelques heures par tant d'émotions différentes, et si intenses.

Peut-être Julia se disait-elle la même chose. Elle leva une main, la passa sur son visage. « Quelle soirée grotesque ! dit-elle.

— Tu me hais vraiment, Julia ?

— Oui. Non, j'imagine que non.

— C'est plus fort que moi, dit Helen. Je ne me reconnais plus, quand je suis comme ça. C'est comme si... »

Mais elle n'arrivait pas à l'expliquer ; elle n'avait jamais pu. À chaque fois, cela semblait puéril. Elle n'avait jamais pu expliquer à Julia à quel point c'était horrible d'avoir en soi cette espèce de petit diable tout crochu, mauvais, qui bondissait soudain, et vous ravageait, vous calcinait de l'intérieur ; à quel point c'était épuisant de devoir à chaque fois

189

le repousser, l'enfermer de nouveau dans sa poitrine, quand il en avait fini ; combien il était effrayant de le sentir là, vivant, en soi, n'attendant que l'occasion de bondir à nouveau...

« Je t'aime, Julia, dit-elle simplement.

— Idiote, répondit Julia. Dors, maintenant. »

Après quoi elles restèrent silencieuses. Julia demeura un moment raidie, mais bientôt ses membres se détendirent, son souffle se fit plus lent et plus profond. Une fois, comme saisie par un rêve, elle fit un bond, et Helen l'imita ; puis elle retomba dans les limbes. Des voix résonnaient au-dehors, dans la rue. Quelqu'un se mit à courir, en riant. Dans la maison voisine, on arracha une prise de courant, une fenêtre grinça puis se ferma violemment.

Julia s'agitait dans son sommeil, de nouveau rattrapée par des rêves. De qui rêvait-elle ? se demanda Helen. Pas d'Ursula Waring, finalement. *Mais pas de moi non plus...*, se dit-elle. Car bien éveillée, lucide, elle voyait tout très clairement à présent : ce retour tardif de Julia, alors qu'il aurait été si simple de lui laisser un mot ; qu'elle aurait pu faire tout ça différemment, en secret, ou ne pas le faire du tout... *Pas ça, Helen*, disait Julia à chaque fois, exaspérée. Mais si elle ne voulait pas d'histoires, pas de scènes, pourquoi lui offrait-elle ainsi les moyens d'en créer ? Quelque chose en elle devait désirer cela, se dit Helen. Le désirer parce qu'elle savait qu'au-dessous, il n'y avait rien : que le vide, l'indifférence, la surface aride de son propre cœur sec.

À quel moment Julia a-t-elle cessé de m'aimer ? se demanda Helen. Mais c'était là une question trop effrayante pour qu'on l'approfondisse, et elle était trop épuisée. Elle restait là, les yeux ouverts dans le noir, toujours collée contre le corps de Julia, sentant toujours la chaleur de ses membres, le va-et-vient régulier de sa respiration. Mais elle finit par changer de position et s'écarter d'elle.

Tout en laissant sa main glisser sur le coton de la chemise de nuit de Julia, elle se mit à penser à autre chose — une chose idiote —, à un pyjama qu'elle avait autrefois, pendant la guerre, et qu'elle avait perdu. Un pyjama de satin, couleur de nacre : le plus beau pyjama qui soit, lui semblait-il à présent, tandis qu'elle gisait, seule, isolée dans l'obscurité aux côtés de Julia ; le plus beau pyjama qu'elle ait jamais vu.

En rentrant du travail ce soir-là, Duncan avait mis à chauffer une bouilloire pleine d'eau ; puis il avait monté la bouilloire dans sa chambre, s'était mis en gilet et avait lavé ses mains, son visage, ses cheveux — essayant de les débarrasser de la vague odeur de la fabrique, d'être à son avantage, autant que possible, pour la soirée avec Fraser.

Toujours en gilet et pantalon, il était redescendu pour cirer ses chaussures, puis avait disposé un torchon sur le plan de travail de la cuisine pour repasser une chemise. Celle-ci avait un col mou, comme celles que portait Fraser ; et lorsque Duncan l'enfila, encore chaude du fer à repasser, il laissa ouvert le premier bouton — comme le faisait Fraser. Il songea également à ne pas utiliser de brillantine. Remonté dans sa chambre, il se posta devant le miroir et entreprit de se coiffer comme ceci, puis comme cela — essayant différentes raies, diverses manières de laisser ses cheveux retomber sur son front... Mais ceux-ci, en séchant, devenaient électriques ; il commençait à ressembler au petit garçon des réclames « Bubbles » pour Pears Soap. Donc il se résolut à mettre de la brillantine — craignant toutefois de s'y prendre trop tard ; il passa encore cinq ou dix minutes le peigne à la main, essayant de fixer ses ondulations.

Quand il en eut terminé, il redescendit. « Juste ciel ! les filles vont se régaler, ce soir, aucun doute ! s'écria Mr Mundy en le voyant, avec une sorte de bonne humeur horriblement forcée. À quelle heure passe-t-il te prendre, fiston ?

— À sept heures et demie, répondit Duncan timidement. Comme la dernière fois. Mais nous allons dans un autre pub, ailleurs le long du fleuve. Fraser dit que la bière est meilleure là-bas. »

Mr Mundy hocha la tête, la bouche toujours étirée en un affreux sourire. « Oui, dit-il, les filles ne vont pas savoir ce qui leur arrive ! »

Il n'en avait pas cru ses yeux quand Duncan avait ramené Fraser à la maison ce soir-là, quinze jours auparavant. Fraser non plus n'en croyait pas ses yeux. Tous trois s'étaient assis dans le salon, sans rien trouver à se dire ; c'est finalement le petit chat qui, en arrivant, trottant innocemment, les avait sauvés. Ils avaient passé vingt minutes à jouer avec lui, à le faire courir après des bouts de ficelle. Duncan s'était même allongé sur le sol pour montrer à Fraser son numéro, avec l'animal escaladant son dos... Depuis lors, Mr Mundy se traînait comme un homme blessé. Son boitement s'était aggravé ; il commençait de se voûter. Mr Leonard, dans sa maison de guingois de Lavender Hill, se montrait fort alarmé de ce changement. Il lui parlait plus ardemment que jamais de l'absolue nécessité de résister au piège de l'Erreur et de la Croyance erronée.

Ce soir, une fois Fraser arrivé, Duncan avait l'intention de filer aussi vite que possible. Mr Mundy et lui prirent leur thé, puis firent la vaisselle ensemble devant l'évier ; les assiettes rangées, il mit aussitôt sa veste. Il s'assit dans le

192

salon, au bord d'un fauteuil — prêt à bondir dès qu'il entendrait frapper.

Toutefois, il prit un livre pour passer le temps, et se donner un air naturel. C'était un livre de bibliothèque sur l'argenterie ancienne, avec une table des poinçons : il la suivit de l'index, essayant de mémoriser la signification des ancres, couronnes, lions, chardons — mais sans cesser une seconde, bien sûr, de tendre l'oreille vers la porte... Sept heures et demie, sept heures et demie passées. Il commençait de se sentir nerveux. D'imaginer toutes les raisons les plus banales qui pouvaient retenir Fraser. Il le voyait arriver sur le seuil, hors d'haleine — tout comme il était arrivé hors d'haleine à la grille de l'usine, l'autre soir. Ses joues seraient toutes roses, ses cheveux cascaderaient sur son front. « Pearce ! Tu m'as attendu, hein ? Oh, je suis désolé ! J'ai été... » Ses excuses se faisaient plus éperdues au fur et à mesure que les minutes s'égrenaient à la pendule. Il était coincé dans le métro, fou de rage et d'impatience. Quelqu'un s'était fait renverser par une auto devant lui, et il avait dû appeler une ambulance !

À huit heures et quart, Duncan commença de s'angoisser à l'idée que Fraser ait pu venir, et qu'il ne l'ait pas entendu frapper. Mr Mundy avait allumé la TSF, et la musique était assez forte. Donc, prenant prétexte d'aller se chercher un verre d'eau, il sortit dans le couloir et demeura parfaitement immobile, la tête penchée, guettant un bruit de pas ; il alla même jusqu'à ouvrir la porte, tout doucement, pour regarder dans la rue, dans un sens, dans l'autre. Aucune trace de Fraser... Il revint au salon, laissant la porte du couloir entrouverte. Le programme de radio changea, puis changea de nouveau une demi-heure plus tard. La pendule continuait de ponctuer chaque quart d'heure de son carillon sépulcral...

193

Il lui fallut attendre jusqu'à neuf heures et demie pour comprendre enfin que Fraser ne viendrait pas. Sa déception fut immense — mais il était habitué à la déception ; la douleur initiale fit aussitôt place à une sorte d'atonie du cœur. Il posa son livre, toujours sans avoir lu la table des poinçons. Il sentait le regard de Mr Mundy sur lui, mais ne pouvait se résoudre à le croiser. Finalement, Mr Mundy se leva, vint vers lui d'un air gêné et lui tapota l'épaule. « Allons. Ce doit être un gars très occupé. Il a dû rencontrer des copains. C'est sûrement ça, tu verras ! » Voilà ce que dit Mr Mundy, et Duncan ne put rien répondre. Il s'aperçut qu'il haïssait presque le contact de sa main sur son épaule... Mr Mundy attendit un peu, puis sortit de la pièce et se dirigea vers la cuisine. Il laissa la porte du salon se refermer derrière lui, et Duncan ressentit soudain l'étouffement, le confinement de cette petite pièce sombre, étriquée, encombrée. Il eut la sensation horrible d'être lui-même, et de tomber, de tomber sans cesse, comme entre les parois d'un puits étroit.

Mais comme la déception, la panique donna en lui une seule grande flamme avant de s'éteindre aussitôt. Déjà Mr Mundy revenait, avec une tasse de chocolat chaud : Duncan la lui prit des mains et la but, résigné. Puis il rapporta la tasse à la cuisine et la rinça, la faisant tourner encore et encore entre ses doigts sous le jet d'eau froide. Il restait un peu de lait dans la casserole ; il le versa dans une soucoupe qu'il posa au sol, pour le chat. Il sortit pour aller aux toilettes, et fit halte un moment dans la cour, les yeux levés vers le ciel.

Lorsqu'il revint au salon, Mr Mundy s'employait déjà à secouer les coussins avant de monter se coucher. Sous le regard de Duncan immobile, il éteignit les lampes une à une. L'ombre se fit dans la pièce, les visages sur les photos aux murs, les sculptures de la cheminée plongèrent dans l'obscurité. Il était à peine dix heures.

Ils gravirent ensemble l'escalier, lentement, une marche après l'autre. Mr Mundy gardait la main posée au creux du coude de Duncan ; au sommet, il dut s'arrêter, sans lâcher son bras, pour reprendre souffle.

« Vous entrez une minute, jeune homme, pour me dire bonsoir ? » Sa voix était enrouée. Il ne regardait pas Duncan.

Duncan ne répondit pas immédiatement. Ils restèrent là, en silence, et il sentit Mr Mundy se raidir, comme effrayé... « Oui, dit-il enfin, rapidement, si vous voulez. »

Mr Mundy hocha la tête, ses épaules s'affaissant de soulagement. « Merci mon garçon », dit-il. Il retira sa main et se dirigea vers sa porte, traînant lentement les pieds sur le palier. Duncan entra dans sa propre chambre et commença de se déshabiller.

C'était une petite pièce : une chambre de jeune garçon — celle-là même, en fait, où Mr Mundy dormait quand il était jeune, et vivait dans la maison avec ses parents et sa sœur. Le lit victorien était haut, orné de boules de cuivre à chaque coin ; un jour, Duncan en avait dévissé une, pour voir, et avait découvert à l'intérieur une petite bande de papier sur lequel était inscrit d'une écriture enfantine, à l'encre baveuse : *Mabel Alice Mundy, si tu lis cela tu seras maudite !* Les livres rangés sur l'étagère étaient des récits d'aventures, au dos cartonné vivement coloré. Sur la cheminée, étaient disposés en ordre de bataille de vieux soldats de plomb maladroitement peints. Mais Mr Mundy avait également installé une étagère pour les objets de Duncan, ceux qu'il achetait au marché aux puces et chez les brocanteurs. Avant de se mettre au lit, Duncan passait toujours un moment à contempler les pots à lait, les pichets ornementés, les cuillères à thé et les lacrymaires — les prenant un à un, les admirant comme si c'était la première fois, imaginant leur provenance, leurs propriétaires, leur histoire.

Mais ce soir, il les considérait d'un œil presque indifférent. Il saisit le morceau de pipe en terre qu'il avait ramassé sur la plage, près du pub en bordure du fleuve, et le reposa aussitôt. Il passa lentement son pyjama, boutonnant la veste avant d'en fourrer soigneusement les pans dans le pantalon. Il se brossa les dents, se peigna de nouveau — différemment cette fois, impeccablement, avec une raie sur le côté, comme un enfant... Il avait conscience que Mr Mundy l'attendait patiemment dans la chambre voisine ; il l'imaginait, allongé, immobile et très droit, la tête posée sur ses oreillers de plume, les couvertures bien tirées jusqu'à ses aisselles, les mains croisées, mais prêtes à tapoter le bord du lit en un geste d'invitation, quand Duncan entrerait... Ce n'était pas grand-chose. Ce n'était presque rien. Duncan pensait à autre chose. Il y avait ce tableau accroché au-dessus du lit de Mr Mundy : un ange conduisait des enfants sur un pont enjambant un précipice. Il se concentrait sur le tableau jusqu'à ce que ce soit terminé. Il contemplait les plis complexes de la robe de l'ange, et les visages épanouis, tout pleins d'une malveillance innocente, des enfants victoriens.

Il posa son peigne et reprit en main le morceau de pipe, le porta à sa bouche. Il était frais, très lisse. Il ferma les yeux, le fit glisser doucement entre ses lèvres, d'avant en arrière — savourant la sensation, mais soudain très triste, aussi ; conscient de ce tiraillement déplaisant qu'elle éveillait au fond de lui. Si seulement Fraser était venu ! Peut-être avait-il simplement oublié, finalement. C'était peut-être aussi bête que cela. *Si tu étais autrement que tu n'es*, se dit-il, *tu ne serais pas resté là à l'attendre pendant des heures,*

196

tu serais parti à sa recherche. Si tu étais un type normal, tu parti-
rais à sa recherche, maintenant...

Il ouvrit les yeux et rencontra son propre regard dans le miroir. Ses cheveux bien peignés montraient une raie impeccable, son pyjama était boutonné jusqu'au menton ; mais ce n'était pas un petit garçon. Il n'avait plus dix ans. Il n'en avait même plus dix-sept. Il avait vingt-quatre ans, et il pouvait faire ce que bon lui semblait. Il avait vingt-quatre ans, et Mr Mundy...

Mr Mundy pouvait aller se faire voir, pensa-t-il brusquement. Pourquoi Duncan ne sortirait-il pas à la recherche de Fraser, si c'était ce qu'il voulait ? Il savait dans quelle rue celui-ci habitait. Il savait dans quelle maison il vivait, car une fois, Fraser et lui étaient passés au bout de la rue, et il la lui avait désignée !

Ses gestes étaient vifs à présent. Il ébouriffa ses cheveux, saccageant la raie bien droite. Il passa son pantalon et une veste directement par-dessus son pyjama, refusant de perdre une seule minute pour l'ôter. Il enfila ses chaussettes et ses chaussures bien cirées et, en se baissant pour nouer les lacets, s'aperçut que ses doigts tremblaient, mais il n'avait pas peur. Il se sentait presque gris.

Ses semelles devaient résonner sur le plancher. Il perçut le grincement pénible du sommier de Mr Mundy et cela le poussa à se hâter davantage. Il sortit de sa chambre, jeta un unique regard vers la porte de Mr Mundy ; puis il descendit rapidement l'escalier.

La maison était plongée dans l'ombre, mais il la connaissait, la traversa en aveugle — tendant les mains vers les poignées de porte, anticipant les marches et les tapis glissants. Il ne prit pas la porte d'entrée, car la chambre de Mr Mundy donnait sur la rue, et il tenait à filer discrètement. Même au sein de cette exaltation — même après s'être dit que Mr Mundy pouvait aller se faire voir ! —, il aurait été horrible, il en était certain, de se retourner pour le voir à la fenêtre, le regardant s'éloigner.

Il s'éclipsa donc par-derrière, traversa la cuisine et sortit dans la cour, passa devant les toilettes. Ce n'est qu'en arrivant au portillon du fond qu'il se rappela que celui-ci était fermé par un cadenas. Il savait où se trouvait la clef, et aurait pu retourner la chercher en courant ; mais l'idée de faire marche arrière, ne fût-ce que jusqu'au tiroir de la cuisine, lui était insupportable à présent. Il traîna deux caisses et les escalada, tel un voleur, pour atteindre le haut du mur, et se laissa tomber de l'autre côté, atterrit violemment et se tordit la cheville, sautillant de douleur.

Mais la sensation d'avoir laissé derrière lui une porte verrouillée était soudain extraordinaire. *Tu ne peux plus faire machine arrière, D.P.*, se dit-il, avec la voix d'Alec.

Il emprunta l'allée derrière la maison de Mr Mundy, et déboucha dans une rue résidentielle. Il y passait souvent mais, dans l'obscurité, elle lui paraissait métamorphosée. Il ralentit le pas, saisi par l'aspect étrange que tout avait revêtu, très conscient de la présence des gens dans les maisons, des lumières qui s'éteignaient au rez-de-chaussée pour s'allumer brusquement dans les chambres et sur les paliers, comme les occupants allaient se coucher. Il vit une femme soulever un voilage de macramé blanc pour atteindre une poignée de fenêtre : le rideau la drapait comme un voile de mariée. Dans une maison moderne, la vitre de verre dépoli d'une salle de bains était éclairée et, derrière, apparaissait distinctement la silhouette d'un homme en gilet : il prenait une gorgée d'eau, renversait le cou pour se gargariser, puis se penchait brusquement pour cracher. Duncan perçut le tintement du verre reposé sur l'émail, et comme l'homme ouvrait un robinet, entendit l'eau s'enfuir dans le conduit d'évacuation et gargouiller en arrivant dans les égouts. Le monde lui semblait regorger de choses nouvelles, extraordinaires. Personne ne le mettait au défi, de rien. Personne même ne le regardait. Il parcourait les rues comme un fantôme.

Ainsi, comme dans un rêve, en pleine irréalité, il traversa Shepherd's Bush et Hammersmith ; cela lui prit presque une heure, puis il ralentit le pas, se fit plus attentif en arrivant au bout de la rue où habitait Fraser. Les maisons étaient relativement plus imposantes que celles auxquelles il était habitué : c'était ce genre de grosses constructions edwardiennes en brique rouge que l'on voit converties en clinique privée ou foyer pour les aveugles ou — comme dans ce cas — en pension de famille. Chacune portait un nom, en lettres plombées dans un panneau de vitrail, au-dessus de la porte. En s'approchant, il vit que celle de Fraser s'appelait *St Day's*. Un panneau indiquait : *Complet*.

Duncan demeura immobile, hésitant devant la grille qui ouvrait sur un étroit jardin de façade. Il savait que la chambre de Fraser était celle du rez-de-chaussée, à gauche de la porte. Il s'en souvenait car ce dernier avait plaisanté sur le fait que sa logeuse appelait cette chambre « le devant du bas », une expression d'infirmière, disait-il... Les rideaux étaient tirés. De vieux rideaux datant du black-out, parfaitement opaques. Mais demeurait un mince ruban de couleur vive, dans l'interstice qu'avait laissé Fraser en les tirant. Duncan crut aussi percevoir une voix dans la pièce, monocorde.

D'entendre une voix le fit soudain s'interroger. Et si Mr Mundy avait raison, si Fraser avait passé la soirée avec des amis ? Que penserait-il en voyant Duncan débarquer au beau milieu de la fête ? Et quelle sorte de gens pouvaient être ces amis ? Duncan imaginait un genre universitaire à lunettes, pipe et cravate tricotée... Puis lui vint une pensée encore plus déprimante. Fraser était peut-être avec une fille. Il la voyait très nettement, cette fille : lourdaude, vulgaire, avec un rire niais ; avec des lèvres rouges et une haleine de cherry brandy.

Jusqu'à cette vision, il s'apprêtait à franchir la grille pour aller sonner à la porte, comme n'importe quel visiteur. À présent, au fur et à mesure que la nervosité le gagnait, la tentation de se diriger à pas de loup vers la fenêtre pour jeter un bref coup d'œil devenait irrépressible. Il souleva le loquet du portillon, qui s'ouvrit devant lui sans grincer. Il emprunta la petite allée, puis se fraya un passage vers la fenêtre, froissant des buissons bas. Le cœur battant, il colla son visage à la vitre.

Immédiatement, il vit Fraser, assis dans un fauteuil au fond de la pièce, derrière le lit. Il était en manches de chemise, et se tenait la tête renversée ; à côté de son fauteuil se trouvait une table recouverte d'un fatras de papiers, avec aussi sa pipe dans un cendrier, un verre, et une bouteille de ce qui semblait être du whisky. Immobile, il paraissait sommeiller, bien que la voix continuât de s'élever, monotone... Mais elle laissa soudain place à une vague de musique étouffée, et Duncan comprit que c'était tout simplement la radio. La musique toutefois parut réveiller Fraser. Il se mit sur pied, se frotta le visage. Traversa la pièce, sortant du champ de vision de Duncan, tandis que la musique s'arrêtait net. Au passage, Duncan vit qu'il avait ôté ses chaussures. Ses chaussettes avaient des trous : de grands trous laissant apparaître ses orteils et ses ongles de pied pas taillés.

Les trous, plus les ongles pas soignés, rendirent courage à Duncan. Comme Fraser retournait à son fauteuil, semblant devoir s'y affaler de nouveau, il tapa à la vitre.

200

Aussitôt, Fraser tourna la tête, sourcils froncés, cherchant d'où venait le bruit. Il regarda vers l'interstice entre les rideaux — droit dans ses yeux, sembla-t-il à Duncan ; mais il ne pouvait le voir. Cette sensation était troublante. Une fois de plus, Duncan eut l'impression — moins plaisante cette fois — d'être un fantôme. Il leva la main, frappa encore, plus fort — sur quoi Fraser traversa la pièce, saisit le rideau et le tira.

En découvrant Duncan, l'effarement se peignit sur son visage. « Pearce ! » fit-il. Puis il grimaça, et jeta un bref coup d'œil en direction de la porte. Il dégagea du pouce le loquet de la fenêtre et souleva silencieusement le châssis, un doigt posé sur les lèvres.

« Doucement. Je crois que la logeuse est dans le couloir... Mais qu'est-ce que tu fous là ? Ça va ?

— Oui, ça va, dit Duncan à voix basse. Je suis juste venu te chercher. Je t'attendais chez Mr Mundy. Pourquoi n'es-tu pas venu ? Je t'ai attendu toute la soirée. »

Fraser parut honteux. « Je suis désolé. J'ai perdu la notion de l'heure. Ensuite il a été trop tard, et... » Il eut un vague geste de résignation. « Enfin je ne sais pas.

— Mais je t'attendais, répéta Duncan. J'ai cru qu'il t'était arrivé quelque chose.

— Je suis désolé, vraiment. Je ne pensais pas que tu viendrais me chercher jusqu'ici ! Comment es-tu venu ?

— À pied.

— Mr Mundy t'a laissé sortir ? »

Duncan eut un rire bref, dur. « Mr Mundy n'a pas pu m'empêcher ! J'ai marché, marché. »

Fraser l'observa de haut en bas, s'arrêtant sur sa veste, les sourcils froncés, mais avec une amorce de sourire. « Tu es... tu es en pyjama ! »

201

— Et alors ? fit Duncan, portant une main hésitante à son col. Où est le problème ? Ça me fera gagner du temps.

— Quoi ?

— Ça me fera gagner du temps tout à l'heure, quand j'irai me coucher.

— Tu es dingue, Pearce !

— Non, c'est toi qui es dingue... tu sens l'alcool. Tu pues ! Mais qu'est-ce que tu as fait ? »

De manière déconcertante, Fraser s'était mis à rire. « Je suis sorti avec une fille, dit-il.

— Je le savais ! Quelle fille ? Et qu'est-ce qu'il y a de si drôle ?

— Rien », dit Fraser. Mais il riait toujours. « C'est juste que cette fille...

— Oui, eh bien ?

— Oh, Pearce... » Fraser s'essuya les lèvres tenta de reprendre son sérieux. « C'est ta sœur », conclut-il.

Duncan le regarda fixement, sentant un froid le gagner. « Ma sœur ! Mais de quoi parles-tu ? Tu ne veux pas dire Viv, quand même ?

— Si, Viv, tout à fait. On a été au pub. Elle est adorable, elle a ri à toutes mes blagues ; elle m'a même laissé l'embrasser, pour finir. Elle a eu aussi la délicatesse de rougir quand, en rouvrant les yeux, je l'ai surprise en train de jeter un regard sur sa montre... Du coup, je l'ai mise dans le bus et l'ai renvoyée chez elle.

— Mais comment... ? fit Duncan.

— Eh bien, on a marché jusqu'à un arrêt de bus...

— Tu sais très bien ce que je veux dire ! Comment l'as-tu rencontrée ? Pourquoi fais-tu ça ? Sortir, avec elle, je veux dire, et... ? »

Fraser riait de nouveau. Mais son rire avait pris un écho un peu sinistre à présent, presque gêné. Il cacha sa bouche.

202

Et au bout d'un moment, Duncan aussi se mit à rire. C'était plus fort que lui. Même s'il ne savait pas de quoi il riait — si c'était de Fraser, ou de lui-même, ou de Viv, ou de Mr Mundy, ou de tout le monde. Mais pendant presque une minute d'horloge, Fraser et lui restèrent là, de part et d'autre de la fenêtre ouverte, la paume pressée sur la bouche, rouges et les yeux remplis de larmes, essayant désespérément d'étouffer leurs hoquets et hennissements de rire.

Puis Fraser se calma un peu. Il jeta un nouveau coup d'œil par-dessus son épaule. « Bon, ça va, ça va, chuchota-t-il. Je crois qu'elle est partie. Entre, pour l'amour de Dieu ! avant que quelqu'un nous repère, un policier ou je ne sais qui. »

Il recula d'un pas et écarta le rideau opaque pour laisser Duncan franchir le rebord de fenêtre et pénétrer dans la chambre.

« Ah, miss Langrish », fit Mr Leonard, ouvrant sa porte.

Kay sursauta. Elle avait gravi silencieusement l'escalier plongé dans la pénombre, mais un craquement de marche avait dû la trahir. Mr Leonard, lui, devait se tenir seul dans son cabinet — en pleine veille, priant tant et plus à l'intention de ses patients. Il était en manches de chemise, les poignets roulés. Il avait allumé la lampe indigo qu'il utilisait pour ses séances nocturnes, et dont la lueur bleue éclairait étrangement le palier.

Il demeurait sur le seuil, le visage dans l'ombre. « J'ai pensé à vous ce soir, miss Langrish, dit-il doucement. Comment allez-vous ? »

Elle lui dit que ça allait. « Vous êtes sortie, je suppose, vous avez passé une bonne soirée », reprit-il. Il pencha la tête de côté. « Vous avez vu de vieux amis ?

— Je suis allée au cinéma », répondit-elle d'une voix brève.

Il hocha la tête, comme un sage. « Au cinéma, oui. Un drôle d'endroit, le cinéma. Très, très instructif... La prochaine fois que vous irez au cinéma, miss Langrish, essayez donc quelque chose. Vous tournez la tête, et vous regardez par-dessus votre épaule. Que voyez-vous ? Des visages, une quantité de visages éclairés par la lumière mouvante, vacillante, des choses fugaces. Des yeux fixes, élargis, écarquillés de terreur ou de concupiscence... Ainsi voyez-vous, est l'esprit non évolué, assujetti à la chose matérielle, à l'illusion, aux rêves... »

Sa voix était basse, égale, persuasive. Comme elle ne disait rien, il s'approcha et lui prit doucement la main. « Je pense que vous faites partie de ces esprits, miss Langrish. Je pense que vous cherchez, mais que vous êtes prisonnière. C'est pourquoi vous cherchez avec les yeux baissés, sans rien voir que la poussière au sol. Vous devez lever les yeux, ma chère. Vous devez apprendre à voir au-delà de la chose périssable. »

Sa paume, le bout de ses doigts étaient doux, leur étreinte à peine appuyée ; néanmoins, elle dut insister un peu pour retirer sa main. « J'y songerai. Je... Merci, Mr Leonard », fit-elle, et sa propre voix lui parut ridicule, sourde, vague, fort différente de ce qu'elle était habituellement. Elle s'écarta de lui ; gravit l'escalier d'un pas lourd et sans grâce ; se battit un peu avec la serrure avant de réussir à l'ouvrir et à entrer dans sa chambre.

Elle attendit le déclic de celle de Mr Leonard en bas puis, sans allumer, se dirigea vers le fauteuil, s'y assit. Son pied heurta quelque chose au passage, et l'envoya promener dans un froissement sur le tapis mal tendu. Sur le bras du fauteuil étaient posées une assiette sale et une vieille terrine débordant de cendres et de mégots. Une chemise et quelques cols, lavés récemment, étaient accrochés à une corde dans la cheminée, pâles et comme impalpables dans la pénombre.

Elle resta un moment immobile, puis porta la main à sa poche et en tira la fameuse bague. Elle était volumineuse sous les doigts, et celui auquel elle la portait autrefois était à présent trop mince, et ne la maintenait plus. Lorsqu'elle l'avait prise, dans la rue, la bague gardait encore la chaleur de la main de Viv. Elle s'était assise dans la salle, regardant sans la voir la pantomime saccadée, accompagnée d'une bande-son tonitruante, qui se déroulait sur l'écran, faisant tourner encore et encore l'anneau d'or, caressant du bout des doigts ses écorchures et ses entailles... Finalement, incapable de supporter ça plus longtemps, elle l'avait rangée dans sa poche et s'était levée, s'était faufilée en titubant entre les sièges, avait traversé vivement le hall et pris pied dans la rue.

Depuis lors, elle n'avait cessé de marcher. D'Oxford Street à Rathbone Place, de Rathbone Place à Bloomsbury — fiévreuse, en quête de quelque chose, comme l'avait deviné Mr Leonard. Elle avait songé à retourner au bateau de Mickey, était même allée jusqu'à Paddington avant d'abandonner l'idée. À quoi bon ? À la place, elle était entrée dans un pub et avait bu deux whiskeys. Avait offert un verre à une blonde ; ensuite, elle s'était sentie mieux.

Sur quoi elle était rentrée lentement vers Lavender Hill. À présent, elle était épuisée. Elle faisait tourner la bague sur son doigt comme elle l'avait fait dans le cinéma, mais ce simple poids d'un bijou lui semblait déjà trop lourd pour sa main. Machinalement, elle chercha des yeux un endroit où la poser — et finit par la laisser tomber dans la terrine, au milieu des mégots de cigarette.

Mais elle continuait de briller là, nullement ternie par les cendres ; elle continuait d'attirer son regard, et au bout d'une minute elle la repêcha, la frotta pour la nettoyer, la remit à son doigt mince et ferma le poing pour l'empêcher de glisser.

La maison était silencieuse. Londres tout entière semblait silencieuse. Ne lui parvenait, de la pièce au-dessous, que la vibration étouffée du murmure de Mr Leonard, lui indiquant qu'il s'était sérieusement remis au travail ; elle le visualisa, baigné de lumière indigo, penché, concentré, envoyant ses bénédictions farouches dans la fragilité de la nuit.

1944

1

À chaque fois que Viv et son père sortaient de la prison, ils devaient faire halte une minute ou deux pour que Mr Pearce puisse se reposer, tirer son mouchoir et s'essuyer le visage. On aurait dit que les visites le laissaient épuisé, à bout de souffle. Il contemplait derrière lui la lourde porte ancienne, grise, d'aspect médiéval, comme un homme qui vient de recevoir un coup de poing. « Je n'aurais jamais pensé... », disait-il, ou « Si on m'avait dit un jour que... ».

« Remercions le bon Dieu que ta mère ne soit plus là pour voir ça, Viv », dit-il ce jour-là.

Viv lui prit le bras. « Il n'y en a plus pour très longtemps, répondit-elle en articulant bien, pour qu'il puisse entendre. Tu te souviens de ce qu'on a dit, au début ? "Ce n'est pas pour toujours." »

Il se moucha. « C'est vrai. C'est juste. »

Ils se mirent en marche. Il insistait pour porter la sacoche de Viv, mais elle aurait aussi bien fait de la prendre elle-même, car il paraissait s'appuyer sur sa fille de tout son poids, expirant brièvement de temps à autre, les joues gonflées. Ç'aurait pu être son grand-père, se disait-elle. Duncan, et tous ces soucis, avaient fait de lui un vieillard.

La journée de février avait été froide mais ensoleillée. Il était à présent cinq heures moins le quart, et le soleil commençait de se coucher : seuls deux ballons de protection, là-haut, reflétaient la dernière lumière, dérivant, d'un rose ardent, dans le ciel déjà sombre. Viv et son père se dirigèrent vers Wood Lane. Près de la station de métro, il y avait un café où ils s'arrêtaient généralement. Toutefois, en y arrivant ce soir-là, ils y aperçurent des visages familiers : les petites amies et épouses d'hommes incarcérés dans d'autres quartiers de la maison d'arrêt. Elles retouchaient leur maquillage, les yeux fixés sur le miroir de leur poudrier, s'esclaffant tant et plus. Viv et son père choisirent un autre établissement. Ils entrèrent, commandèrent deux tasses de thé.

Ce café-ci n'était pas aussi plaisant que l'autre. L'endroit n'offrait qu'une unique cuiller, utilisée par tous les clients, et attachée au comptoir par une ficelle. Les tables étaient recouvertes de toiles cirées graisseuses, et les vitres embuées montraient des taches et des traînées là où les gens avaient dû appuyer la tête, avachis sur leur chaise. Mais Viv se dit que son père ne voyait rien de tout cela. Il avait l'air d'un homme hors d'haleine, ou effaré. Il s'assit et porta la tasse à ses lèvres ; sa main tremblait : il dut baisser vivement la tête et prendre une gorgée de thé avant d'en renverser. Et quand il se roula une cigarette, le tabac s'éparpilla sur la table. Elle posa sa tasse et l'aida à en ramasser les brins — avec ses ongles longs, en en faisant une sorte de jeu.

Après sa cigarette, il se calma un peu. Il finit son thé, et ils marchèrent jusqu'au métro — d'un pas plus rapide à présent, dans le froid. Il avait un long trajet à faire jusqu'à Streatham, mais elle devait, dit-elle, retourner au travail, à Portman Square — et compenser par des heures supplémentaires celles qu'elle avait prises pour aller visiter Duncan. Ils étaient assis côte à côte dans le wagon, sans pouvoir échanger un mot à cause du vacarme de la rame.

Lorsqu'elle descendit, à Marble Arch, il descendit avec elle pour l'embrasser sur le quai.

C'était une de ces stations utilisées comme abri, la nuit. Il y avait là des couchettes, des seaux ; le sol était jonché de papiers ; il y planait une âcre odeur d'urine. Des gens arrivaient déjà, s'y installaient, des gamins et des vieilles dames.

« Enfin voilà, dit le père de Viv, essayant de voir le bon côté des choses. Disons que ça fait encore un mois de moins.

— Exactement.

— Et comment l'as-tu trouvé ? Tu as trouvé qu'il avait bonne mine ? »

Elle hocha la tête. « Oui, il avait l'air en forme.

— Oui... Et tu vois, Viv, ce que je me dis toujours, c'est : au moins, on sait où il est. Il y a des gens qui s'occupent de lui. Et en temps de guerre, il y a plein de pères qui ne peuvent pas en dire autant de leur fils, n'est-ce pas ?

— Oui, plein.

— Il y a beaucoup de pères qui m'envieraient. »

Il tira de nouveau son mouchoir, s'essuya les yeux. Mais son visage exprimait la rage plus que la tristesse, maintenant. Au bout d'un moment, il reprit, d'une voix changée : « Dieu me pardonne de dire du mal des morts, mais c'est ce jeune gars qui devrait être là-dedans, pas Duncan ! »

Elle lui serra le bras, sans rien dire. Elle vit la colère monter en lui, se durcir, puis s'épuiser. Il expira, lui tapota la main.

« Tu es une gentille fille, Vivien. Une très gentille fille. »

Ils restèrent là sans plus rien dire jusqu'à ce qu'une autre rame arrive en rugissant. « Voilà ton métro, dit-elle. Vas-y, maintenant. Ne t'en fais pas pour moi.

211

« — Tu ne veux pas que je t'accompagne jusqu'à Portman Square ?

— Mais ne sois pas sot ! Allez, vas-y... Et embrasse Pamela pour moi ! »

Il ne l'entendait plus. Elle le regarda monter dans le wagon ; toutes les fenêtres étaient obturées par le maillage de protection, et elle le perdit de vue dès qu'il s'avança pour prendre un siège. Mais elle n'avait pas envie qu'il l'aperçoive en train de filer en courant : elle attendit que les portes se referment et que le train démarre avant de s'éloigner elle-même.

Elle se transforma alors, brusquement, devint presque une autre personne. Les manières quelque peu exagérées qu'elle était obligée d'adopter quand elle parlait à son père — articuler les mots, faire des gestes — disparurent. Soudain, elle se révélait sobre, efficace, sûre d'elle : elle consulta sa montre et s'éloigna rapidement, ses talons cliquetant sur le sol de ciment. Quiconque la voyant ainsi, après avoir entendu la conversation qui venait d'avoir lieu, en serait resté sans voix : elle ne prit pas les couloirs qui menaient vers l'escalier et la sortie, ne jeta même pas un coup d'œil dans cette direction. Au contraire, elle traversa la station d'un pas décidé jusqu'à un autre quai, direction ouest, et attendit la prochaine rame ; et quand celle-ci arriva, elle monta à bord et reprit exactement le chemin qu'elle venait de faire, en sens inverse. À Notting Hill Gate, elle changea et prit la Circle Line, en direction de Euston Square.

En fait, elle n'était pas du tout obligée de retourner au travail. Elle se rendait dans un hôtel, à Camden Town. Elle devait y retrouver Reggie. Il lui avait envoyé l'adresse de l'endroit, avec un vague plan pour s'y rendre, et elle avait tout mémorisé, de sorte qu'en sortant du métro, elle put

212

trouver son chemin sans trop hésiter. Elle portait ses sobres vêtements de l'administration, un imper bleu marine et un foulard, et la nuit était bien tombée. Elle traversait comme une ombre les rues d'Euston encore assombries par le couvre-feu, en direction du nord.

Il y avait plein de petits hôtels dans le quartier. Certains plus accueillants que d'autres. Certains pas du tout accueillants : on aurait dit des hôtels de passe ; ou bien y logeaient des familles de réfugiés, venues de Malte, de Pologne, Dieu savait d'où encore. Celui qu'elle cherchait était situé dans une rue donnant sur Mornington Crescent. Il y régnait une odeur de graillon et de tapis poussiéreux. Mais la femme à la réception avait l'air sympathique. « Miss Pearce », dit-elle, jetant un coup d'œil sur les papiers de Viv, avant de feuilleter le registre des réservations. « Vous ne restez pas longtemps, c'est cela ? Parfait. »

Vu la situation générale, une jeune femme pouvait avoir mille raisons pour passer une seule nuit dans un hôtel à Londres.

Elle tendit à Viv une clef accrochée à une plaquette de bois. La chambre était bon marché, en haut de trois volées de marches grinçantes. Elle comportait un lit à une place, une très vieille armoire, un fauteuil marqué de brûlures de cigarette, et un petit lavabo dans un renfoncement du mur. Le radiateur, peint et repeint, à chaque fois d'une couleur différente, diffusait une vague tiédeur. Sur la table de chevet, trônait un réveil attaché au plateau par un fil de fer. Il indiquait six heures dix. Elle calcula qu'elle avait trente ou quarante minutes devant elle.

Elle ôta son imperméable et ouvrit sa serviette. À l'intérieur, se trouvaient deux grosses enveloppes beiges provenant du ministère des Denrées alimentaires, sur lesquelles était apposé le tampon *Confidentiel*. La première renfermait une paire de chaussures du soir. La deuxième une robe, et une paire de vrais bas de soie. Toute la journée, elle s'était inquiétée pour la robe qui, en crêpe, se froissait facilement : elle la sortit délicatement de l'enveloppe et la déplia, la laissant pendre au bout de ses doigts, puis passa quelques minutes à tirailler ici et là et à tenter d'aplanir les faux plis. Quant aux bas, elle les avait lavés et portés plus d'une fois ; ils montraient d'imperceptibles remaillages, à points infimes, l'œuvre de doigts de fée. Elle les fit glisser entre ses doigts, jouissant de la sensation tout en cherchant un éventuel accroc.

Elle aurait aimé pouvoir prendre un bain. Elle avait la sensation que les odeurs rances de la prison s'étaient imprégnées en elle. Mais elle n'avait plus le temps. Elle sortit sur le palier, alla aux toilettes, puis revint dans sa chambre et se mit en soutien-gorge et culotte pour faire sa toilette au petit lavabo.

Elle s'aperçut qu'il n'y avait pas d'eau chaude : le robinet tournait à vide sous sa main. Elle fit donc couler l'eau froide et s'aspergea le visage, puis leva les bras et s'appuya au mur pour se rincer les aisselles, frissonnante, l'eau glacée ruisselant le long de son torse et s'égouttant sur le tapis. La serviette était d'un blanc jaunâtre, et très fine, comme un lange de bébé. Le savon était couturé de lignes grises. Mais elle avait apporté du talc ; elle prit un petit flacon de parfum, qu'elle passa sur ses poignets, sa gorge et ses clavicules, et entre ses seins. Quand elle enfila la robe de crêpe impalpable, et troqua ses bas de fil pour ceux de soie couleur chair, elle eut l'impression de se retrouver en chemise de nuit, légère et presque nue, vulnérable.

C'est un peu gênée qu'elle descendit au bar et prit un verre — un gin gingembre — pour apaiser ses nerfs.

« On n'en sert qu'un par personne », dit le barman, mais

il lui sembla qu'il lui versait une dose généreuse. Elle s'assit à une table, tête baissée. C'était presque l'heure du dîner, et les clients commençaient d'arriver. Un homme, en croisant son regard, en venant vers elle, en insistant pour s'asseoir, gâcherait tout. Elle avait pris un stylo et un morceau de papier qu'elle posa sur la table, puis se mit à écrire, sans faire semblant, à une fille qu'elle connaissait, à Swansea.

Chère Margery
Eh oui, c'est moi ! Comment vas-tu ? Un petit mot pour te
faire savoir que je ne suis pas encore morte, malgré tous les
efforts de Hitler, ha ha ha. Mais j'espère que la vie est un
peu plus tranquille chez toi...

Il arriva à sept heures à peine passées. Elle avait jusqu'alors jeté un coup d'œil discret à chaque homme qui entrait. Et là, ayant entendu un pas sans penser que c'était le sien, elle leva machinalement les yeux ; leurs regards se croisèrent comme il franchissait le seuil, et elle rougit de manière insensée. Elle l'entendit parler à la dame de la réception — il lui disait qu'il avait rendez-vous avec quelqu'un, un homme. Pouvait-il l'attendre ici ? La femme lui répondit qu'il pouvait tout à fait.

Il entra dans le bar, échangea une plaisanterie avec le serveur : « Je prendrais une goutte de ce truc-là, s'il vous plaît », désignant de la tête une des bouteilles factices exposées, pour garnir, derrière le bar. Il finit par prendre un gin, comme tout le monde. Il vint s'asseoir avec son verre à la table voisine de celle de Viv et le posa sur un sous-bock. Il portait son uniforme — mal, comme toujours, la veste paraissant une taille trop grande pour lui. Il tira sur son pli de pantalon, s'assit ; puis il sortit un paquet de cigarettes de l'armée et leva les yeux vers elle.

« Bonsoir », fit-il.

Elle bougea, rentra sa jupe sous ses cuisses. « Bonsoir. »

Il lui tendit le paquet de cigarettes. « Vous fumez ?

— Non, merci.

— Cela ne vous ennuie pas si j'en allume une ? »

Elle secoua la tête et revint à sa correspondance — même si, en sa présence, dans l'excitation qui enveloppait tout cela, elle avait perdu le fil de ce qu'elle écrivait... Au bout d'une seconde, elle le vit pencher la tête : il tentait de lire par-dessus son épaule. Lorsqu'elle se tourna, il se redressa brusquement, comme pris en flagrant délit.

« Ce doit être un sacré gars, pour avoir droit à un tel roman, dit-il en désignant la page du menton.

— C'est une amie, en fait. » Sa voix était irritée.

« Au temps pour moi. Oh, mais non, ne le prenez pas comme ça ! fit-il, comme elle pliait la feuille et commençait de revisser le capuchon de son stylo. Ne partez pas à cause de moi, quand même.

— Cela n'a rien à voir avec vous, dit-elle. J'ai rendez-vous. »

Il roula des yeux, prit le barman à témoin. « Pourquoi les jeunes filles ont-elles toujours rendez-vous dès que j'apparais ? »

Il adorait tout ça. Il pouvait jouer ainsi pendant des heures. Elle trouvait cela simplement crispant : elle se disait qu'ils devaient ressembler à deux mauvais comédiens amateurs, pénibles à voir. Elle avait toujours peur de se mettre à rire. Une fois d'ailleurs, dans un autre hôtel, elle s'était effectivement mise à rire ; et cela l'avait fait rire, lui aussi ; ils étaient là, tous les deux, à pouffer comme des gamins... Elle vida son verre. C'était le pire moment. Elle prit sa lettre, son stylo, son sac, et...

« N'oubliez pas ceci, mademoiselle », dit-il, posant une

main sur son bras et ramassant la clef sur la table. Il la lui tendit, accrochée à sa plaquette de bois.

Elle rougit de nouveau. « Merci.

— Mais je vous en prie. » Il rajusta son nœud de cravate. « C'est mon numéro porte-bonheur, en plus. »

S'il adressa un nouveau clin d'œil au barman, elle n'en sut rien. Elle sortit du bar et monta jusqu'à sa chambre — si excitée qu'elle en avait presque le souffle coupé, à présent. Elle alluma. Elle jeta un regard au miroir, se recoiffa. Se mit à grelotter. Elle avait pris froid, assise dans le bar, avec cette robe : elle drapa son manteau sur ses épaules et vint se coller au radiateur tiède dans l'espoir de se réchauffer, se frottant les bras pour essayer de faire disparaître la chair de poule qui les parcourait. Elle jeta un coup d'œil au réveil ligoté, et attendit.

Au bout d'un quart d'heure, un coup discret fut frappé à la porte. Elle courut ouvrir, se débarrassant de son manteau au passage ; Reggie entra en trombe.

« Juste ciel ! chuchota-t-il. Il y a foule, dans cet endroit ! J'ai dû rester deux plombes dans l'escalier, à faire semblant de renouer mes lacets. Une femme de chambre est passée, deux fois, elle m'a regardé bizarrement. Elle a dû croire que je regardais par les trous de serrure ! » Il l'entoura de ses bras, l'embrassa. « Oh, ma belle, ma belle à moi ! »

C'était si merveilleux d'être là, dans ses bras, qu'elle se sentait presque grise. L'espace d'une minute horrible, elle crut même qu'elle allait se mettre à pleurer. Elle gardait la joue enfouie contre son cou, pour qu'il ne puisse pas voir son visage. « Tu as besoin de te raser, dit-elle enfin, quand elle put de nouveau parler.

— Je sais, répondit-il, frottant son menton contre le front de Viv. Ça pique ?

— Oui.

217

— Ça t'ennuie ?

— Non.

— Tant mieux. Parce que je me vois mal commencer à sortir le rasoir et tout ça... Pffff, ç'a été l'enfer, pour pouvoir descendre jusqu'ici.

— Tu regrettes d'être venu ? »

Il l'embrassa de nouveau. « Si je regrette ? J'ai attendu ça toute la journée.

— Seulement toute la journée ?

— Toute la semaine. Tout le mois. Toujours. Oh, Viv... » Il l'embrassa encore, plus fort. « Tu m'as manqué, tu ne peux pas savoir.

— Attends, chuchota-t-elle, s'écartant.

— Mais je ne peux pas. Je ne peux pas ! Bon, d'accord. Laisse-moi te regarder. Tu es magnifique, tu es fabuleuse. Quand je t'ai vue en bas, je peux te jurer que je me suis retenu à quatre mains pour ne pas te toucher, simplement. C'était une véritable torture. »

Ils traversèrent la chambre, se tenant par la main. Il se frotta les yeux, regarda autour de lui. L'ampoule n'éclairait pas grand-chose, mais il en voyait bien assez, et fit la grimace.

« C'est un trou à rats, hein ? Morrison m'avait dit que l'hôtel était correct. Moi, je le trouve encore pire que celui de Paddington.

— Ce n'est pas grave, dit-elle.

— Si, c'est grave. Ça me crève le cœur. Attends la fin de la guerre, quand je retrouverai un salaire décent. On alternera le Ritz et le Savoy, histoire de changer.

— Peu importe.

— En tout cas, tu verras.

— Ça m'est égal, du moment que tu es là. »

Elle dit cela d'une voix presque timide. Ils se regardèrent

218

— se regardèrent simplement, s'habituant à retrouver devant soi le visage de l'autre. Elle ne l'avait pas vu depuis un mois. Il était cantonné près de Worcester, et ne descendait à Londres que toutes les quatre ou cinq semaines. Ce qui n'était rien, en temps de guerre, elle le savait. Elle connaissait des filles dont le petit ami se battait en Afrique du Nord ou en Birmanie, ou au milieu de l'Atlantique, ou végétait dans un camp de prisonniers... Mais elle devait être égoïste, car elle haïssait le temps, qui l'éloignait d'elle ne fût-ce qu'un mois. Elle le haïssait de les rendre, chaque fois, étrangers l'un à l'autre, alors qu'ils auraient dû ne pas se quitter. Elle le haïssait de le reperdre à chaque fois, quand elle commençait juste à se faire à sa présence.

Peut-être lut-il tout cela sur son visage. Il l'attira à lui pour l'embrasser encore. Puis, au contact de son corps contre le sien, il recula, se souvenant de quelque chose.

« Attends, dit-il, déboutonnant le rabat de sa poche de veste. J'ai un cadeau pour toi. Tiens. »

C'était une plaquette de pinces à cheveux. La dernière fois, elle s'était plainte de ne plus en avoir. « Un gars en vendait, à la base. Ce n'est pas grand-chose, mais...

— Mais c'est tout ce que je demandais », dit-elle doucement. Elle était touchée qu'il s'en soit souvenu.

« Vraiment ? Il me semblait bien que tu en avais besoin. Et puis tiens, et ne ris pas, hein. » Il rougit légèrement. « Je t'ai apporté ça, aussi... »

Elle crut qu'il allait lui donner des cigarettes. C'était un paquet tout cabossé. Mais il l'ouvrit avec précaution, puis lui prit la main et en vida le contenu dans sa paume.

C'étaient trois perce-neige un peu fanées, qui tombèrent dans sa paume dans un entrecroisement de fines tiges vertes.

« Elles ne sont pas cassées, tu vois ? dit-il.

219

— Elles sont magnifiques ! dit Viv, effleurant le cœur en forme de bouton, les pétales comme un tutu de ballerine. Où les as-tu trouvées ?

— Le train est resté bloqué pendant trois quarts d'heure, et la moitié des gars sont descendus pour fumer une clope. Et en baissant les yeux, je les ai vues, devant moi. Et j'ai... enfin, elles m'ont fait penser à toi. »

Elle voyait bien qu'il était gêné. Elle l'imagina se penchant pour cueillir les fleurs, avant de les ranger dans son paquet de cigarettes — vite fait, pour que ses copains ne le surprennent pas... Soudain, son cœur lui semblait trop grand pour sa poitrine. Elle craignit de nouveau de se mettre à pleurer. Mais il ne fallait pas. C'était stupide, de pleurer, c'était absurde — une affreuse perte de temps. Elle éleva une perce-neige devant ses yeux, la secoua doucement, puis jeta un regard vers le lavabo.

« Je vais les mettre dans l'eau.

— Elles sont fichues, maintenant. Accroche-les à la robe.

— Je n'ai pas d'épingle. »

Il prit les pinces à cheveux. « Utilise ça. Ou bien... Tiens, j'ai une meilleure idée. »

Il fixa les fleurs dans ses cheveux. Ses gestes étaient maladroits ; elle sentit la pointe de la pince griffer son cuir chevelu. Puis il tint son visage entre ses mains hâlées, la contempla.

« Voilà, dit-il. C'est incroyable, tu es plus belle à chaque fois. »

Elle se dirigea vers le miroir. Elle n'était pas belle du tout. Elle avait les joues rouges, son rouge à lèvres avait bavé sous les baisers. Les tiges de perce-neige, écrasées par la pince, pendaient, inertes. Mais le blanc des corolles restait lumineux, ravissant sur le brun sombre de ses cheveux.

Elle se tourna vers la pièce. Elle n'aurait pas dû quitter

ses bras. Une distance s'était glissée entre eux, qu'ils ressentaient ; ils redevenaient timides l'un face à l'autre. Il se dirigea vers le fauteuil et s'assit, ouvrit les deux premiers boutons de sa veste d'uniforme, desserra son col et son nœud de cravate. Au bout d'un bref silence, il s'éclaircit la gorge. « Alors, beauté, demanda-t-il, qu'avez-vous envie de faire, ce soir ? »

Elle haussa une épaule. « Je ne sais pas. Ça m'est égal. C'est comme tu voudras. » Elle n'avait qu'une envie, rester là, avec lui.

« Tu as faim ?

— Pas vraiment.

— On peut sortir.

— Si tu veux.

— Je prendrais bien un verre.

— C'est ce que tu viens de faire !

— Un whisky, je veux dire... »

Il y eut encore un silence. Elle sentait de nouveau le froid la gagner. Elle se dirigea vers le radiateur et se frotta les bras, comme tout à l'heure.

Il ne le remarqua pas. Il parcourait de nouveau la chambre des yeux. « Tu n'as pas eu trop de mal à trouver l'endroit ? s'enquit-il, comme par politesse.

— Non. Non, c'était très facile.

— Tu as travaillé, aujourd'hui ? »

Elle hésita. « Je suis allée voir Duncan, dit-elle, détournant les yeux. Avec papa. »

Il savait, pour Duncan — ou du moins, il savait où était Duncan. Il pensait que c'était pour vol, escroquerie... Son attitude changea. Il la regarda attentivement.

« Ma pauvre chérie ! Il me semblait bien que tu avais un peu de vague à l'âme. Ça s'est bien passé ?

— Normalement.

221

— C'est terrible que tu doives aller dans un endroit pareil !

— Il n'a personne d'autre, à part papa.

— C'est lamentable, un point c'est tout. Si c'était moi, et que ma sœur... »

Il se tut. Un claquement de porte leur était parvenu, incroyablement proche ; des voix s'élevaient de l'autre côté de la cloison. Un homme et une femme parlaient fort, peut-être se disputaient-ils : la voix de l'homme résonnait plus clairement, mais toutes deux étaient contenues, avec de brusques éclats, comme les couinements d'un chiffon sur une table cirée.

« C'est pas vrai ! chuchota Reggie. Il ne manquait plus que ça.

— Tu crois qu'ils peuvent nous entendre ?

— Pas si on se tait, et pas s'ils continuent comme ça. Espérons que oui ! Parce que s'ils se réconcilient, on va être mal, nous. » Il eut un sourire de biais. « Ce sera la course.

— Si c'est une question de rapidité, je sais qui gagnera », dit-elle aussitôt.

Il prit l'air choqué. « Tu peux me laisser une chance, non ? »

Il la regardait différemment, soudain ; puis il tendit la main. « Viens ici, beauté... », fit-il d'une voix câline.

Elle secoua la tête en souriant, refusant d'aller vers lui.

« Viens... » fit-il de nouveau, mais elle ne bougeait toujours pas. Alors il se leva, saisit le bout de ses doigts, et l'attira doucement à lui — comme un marin tire sur la corde, une main après l'autre. « Regarde-moi, murmurait-il. Je suis en train de me noyer. Je suis foutu. Je suis perdu, Viv. »

Il l'embrassa — doucement, au début ; puis, comme le baiser se prolongeait, ils se firent tous deux plus graves, presque farouches. Tous les sentiments contenus dans le cœur de Viv s'échappèrent une fois encore, l'inondèrent. C'était comme s'il appelait la vie en elle, la faisait monter jusqu'à la surface de sa peau. Il se mit à la cajoler, la caresser, s'attardant sur ses fesses, ses hanches, les pressant contre lui, de sorte qu'elle devinait les reliefs de sa veste d'uniforme, les boutons et les plis au travers de sa robe légère. Il commençait de durcir : elle le sentit, sous son pantalon, contre son ventre. C'était un phénomène incroyable, se disait-elle, aujourd'hui encore ; jamais elle ne s'était habituée à cela. Parfois, il lui prenait la main, la posait là. « C'est grâce à toi, tout ça, disait-il en riant. Tout cela t'appartient. Tu as ton nom gravé dessus. » Mais là, il ne disait rien. Ils étaient trop sérieux. Ils se pressaient et s'écrasaient l'un contre l'autre comme deux rapaces avides du corps de l'autre.

Toutefois, elle avait toujours conscience des voix qui leur parvenaient par bouffées depuis la pièce voisine. Elle entendit quelqu'un marcher, siffloter un air de danse, passer devant leur porte. Le gong appelant les gens pour le dîner, en bas, résonna dans la cage d'escalier... Reggie et elle s'embrassaient sans fin au milieu de tout cela, silencieux et presque immobiles mais, lui semblait-il, au cœur d'une tempête de bruit et de mouvements : le souffle saccadé des respirations, la pulsation du sang, la moiteur des corps, l'étirement des tissus et des peaux.

Elle commença de remuer les hanches contre lui. Il la laissa faire un moment, puis s'écarta.

« Dieux du ciel ! fit-il, s'essuyant la bouche. Tu me tues ! »

Elle le ramena à elle. « N'arrête pas !

— Je n'arrête pas. Mais je n'ai pas non plus envie de finir avant d'avoir commencé. Attends. »

Il ôta sa veste et la jeta au sol, se débarrassa de ses bretelles d'un mouvement d'épaules. Puis il l'entoura de ses bras et l'entraîna vers le lit pour l'y allonger. À peine l'avaient-ils touché, cependant, que le sommier émit un grincement sonore. Le lit grinçait, quel que fût l'endroit où ils se posaient. Il finit par étaler sa veste sur le sol, et ils s'étendirent tous les deux sur elle.

Il releva sa robe et passa la main sur la chair nue de sa cuisse, sous les fesses. Elle pensa à sa robe de crêpe toute froissée, à ses précieux bas de soie filés — puis oublia. Elle détourna la tête, et les perce-neige tombèrent au sol, bientôt écrasées, et cela lui était égal. Elle respirait la douteuse, déplaisante odeur de poussière du tapis ; elle imaginait tous les hommes et toutes les femmes qui avaient pu s'étreindre là, comme eux, ou qui en cet instant s'étreignaient dans d'autres chambres, dans d'autres maisons — étrangers à eux, tout comme Reggie et elle leur étaient étrangers... L'idée était délicieuse, soudain. Reggie vint sur elle, la recouvrit, et elle se détendit, s'abandonnant à son poids, mais sans cesser de remuer les hanches. Elle oublia son père, son frère, la guerre ; se sentit écrasée, délivrée, libérée d'elle-même.

L'attente, se disait Kay, était ce qu'il y avait de pire ; elle ne s'y était jamais habituée. Et lorsque l'alerte se déclencha, juste après dix heures, elle se sentit effectivement soulagée. Elle s'étira sur sa chaise, avec un bâillement voluptueux.

« Deux trois fractures toutes simples, ça m'irait bien, pour ce soir, dit-elle à Mickey. Rien de trop sanglant, j'ai eu ma dose de tripes et de boyaux, pour un bon moment. Et personne de trop lourd non plus. J'ai failli me briser le dos la semaine dernière, avec ce policier d'Ecclestone Square !

224

Non, deux trois gamines avec la cheville cassée, ce serait parfait.

— Moi, j'aimerais une gentille petite vieille », dit Mickey, bâillant à son tour. Elle était allongée sur le sol, sur un vieux matelas de camping, et lisait une histoire de cow-boys. « Une gentille vieille dame avec un sac de bonbons. »

Elle venait de reposer son livre et fermait les yeux quand Binkie, la chef de station, entra dans le foyer en claquant des mains. « Debout, Carmichael ! lança-t-elle à Mickey. On ne fait pas la sieste au boulot. C'était l'alerte orange, vous n'avez pas entendu ? On devrait avoir une heure ou deux devant nous avant que ça commence vraiment à rigoler, mais bon, on ne sait jamais. Si vous alliez plutôt vérifier les réserves d'essence ? Howard et Cole, allez-y aussi. Et vous mettrez l'eau à chauffer dans les voitures, au passage. D'accord ? »

Divers grognements et jurons s'élevèrent. Mickey se mit lentement sur pied, se frottant les yeux et adressant des signes de tête aux autres. Elles prirent leur manteau et se dirigèrent vers le garage.

Kay s'étira de nouveau. Elle jeta un coup d'œil à la pendule, puis regarda autour d'elle, cherchant quelque chose à faire : elle voulait se tenir prête, tout en faisant passer l'attente. Elle trouva un paquet de cartes graisseuses, les prit, les battit. Les cartes, destinées aux soldats, étaient ornées au dos de photos de pin-up déshabillées. Au fil des ans, les filles des ambulances les avaient gratifiées de barbes et de moustaches, de lunettes et de dents manquantes.

Elle appela Hugues, un autre ambulancier. « Une partie, ça te dit ? »

Il s'employait à repriser une chaussette et leva les yeux, paupières plissées. « Tu mets combien ? »

— Un penny le point ?

— Ça marche. »

Elle traîna sa chaise jusqu'à lui. Il était installé contre le radiateur à huile, et refusait d'en bouger ; car la salle — incluse dans une station d'ambulances située sous Dolphin Square, au bord de la Tamise — était toujours glaciale, avec son sol de béton et ses murs de brique chaulée. Hughes portait sur son uniforme un pardessus d'astrakan noir dont il avait relevé le col. Ses mains et ses poignets semblaient blancs et cireux, protégés par les longues manches volumineuses. Son visage était d'une minceur fantomatique, et ses dents fort tachées de nicotine. Il portait des lunettes à monture d'écaille sombre.

Kay distribua les cartes, et l'observa qui les triait délicatement. Elle secoua la tête. « J'ai l'impression de jouer avec la Mort », dit-elle.

Il soutint son regard, éleva une main — puis tendit l'index, se détourna. L'index se fit crochu. « *Ce soir* », chuchota-t-il d'une voix sinistre de film d'horreur.

Elle lui jeta un penny. « Arrête. » La piécette rebondit sur le sol.

« Hé, qu'est-ce qui se passe ? » fit quelqu'un — une femme appelée Partridge. Elle était à genoux sur le béton, en train de couper une robe d'après un patron de papier.

« Hughes me donne la pétoche, dit Kay.

— Il donne la pétoche à tout le monde.

— Non non, cette fois, il l'a fait exprès. »

Sur quoi Hughes répéta son numéro d'horreur à l'usage de Partridge. « Ce n'est pas rôle, Hughes », dit-elle. Comme deux autres ambulancières passaient dans la salle, il le fit de nouveau pour elles. L'une d'entre elles poussa un cri. Hughes se leva, se dirigea vers un miroir et le répéta pour lui-même. Puis il revint s'asseoir, l'air plutôt défait.

« J'ai entrevu ma propre tombe », dit-il, ramassant ses cartes.

Mickey apparut.

« Alors, qu'est-ce qui se passe, là-bas ? » demandèrent-elles.

Elle se frottait les mains, transie. « D'après le central ça dégringole un peu, du côté de Marylebone. Ils sont déjà sortis, à la station 39. »

Kay croisa son regard. « Ça va, à Rathbone Place, tu crois ? »

Mickey ôta son manteau. « Oui, je pense. » Elle souffla sur ses doigts. « À quoi vous jouez ? »

Un silence relatif tomba. Une nouvelle, O'Neil, sortit son manuel de premiers secours et s'employa à tester les procédures sur elle-même. Conductrices et aides-soignantes entraient et sortaient. Une femme, dans le civil professeur de danse, passa un pantalon de golf en laine et se mit à faire des exercices : flexions, étirements, élévations.

À onze heures moins le quart, la première explosion proche retentit. Peu après, le tac-tac-tac de la DCA se déclencha dans Hyde Park. La station était à environ trois kilomètres des batteries, mais les détonations semblaient naître du sol, faisaient vibrer leurs semelles. Les couverts et assiettes dans la cuisine se mirent à tinter faiblement.

Mais seule O'Neil, la nouvelle, manifesta son émotion. Toutes les autres continuèrent ce qu'elles étaient en train de faire sans même lever les yeux : Partridge à épingler son patron sur le tissu, un peu plus vivement peut-être ; la professeur de danse, au bout d'un moment, à poser ses poids pour se changer de nouveau et passer son pantalon. Mickey avait ôté ses godillots ; elle les remit avec des gestes lents, commença de les lacer. Kay alluma une cigarette au mégot de la précédente. Dans ces moments, se disait-elle, cela valait le coup de fumer plus que nécessaire, pour compenser la panique à venir, et ces heures d'affilée, peut-être, pendant lesquelles il faudrait s'en passer...

Le grondement d'une nouvelle explosion se fit entendre, apparemment plus proche que la précédente. Une tasse à thé qui avait peu à peu traversé une table, comme guidée par la main d'un esprit, tomba enfin et se brisa au sol.

Un rire s'éleva. « Ce soir, on est bonnes ! » lança une autre voix.

« Ce sont peut-être des raids d'intimidation », dit Kay.

Hughes ricana. « Ou bien c'est ma tante Fanny qui pète, oui. Non, ils ont balancé des fusées éclairantes, hier soir, je vous jure, ils ont pris des photos. Ils reviennent pour les voies ferrées, dans le meilleur des cas... »

Il tourna la tête. Le téléphone s'était mis à sonner dans le bureau de Binkie. Tout le monde fit silence. Kay ressentit un bref, violent accès d'angoisse, un coup au cœur. Binkie décrocha, le téléphone se tut. Sa voix leur parvint très nettement : « Oui. Oui, je vois. Très bien, tout de suite.

— Hop, on y va », fit Hughes, se levant et arrachant son manteau d'astrakan.

Binkie surgit dans le foyer, rejetant en arrière ses cheveux blancs.

« Deux incidents pour l'instant, dit-elle. Mais ils en prévoient pas mal d'autres. Bessborough Place et Hugh Street. Bessborough Place, deux ambulances, une voiture ; Hugh Street, une seule ambulance et une voiture. Donc, disons — elle désignait les visages, réfléchissant tout en parlant — Langrish et Carmichael, Cole et O'Neil, Hughes et Edwards, Partridge, Howard... Allez, en route ! »

Kay et les autres chauffeurs filèrent aussitôt au garage, coiffant leur casque tout en courant. Les ambulances et autos grises étaient alignées, prêtes à partir ; Kay grimpa au

228

volant et appuya sur le démarreur, pressant puis relâchant l'accélérateur pour faire chauffer le moteur. Mickey la rejoignit bientôt. Elle était passée voir Binkie pour prendre le billet leur indiquant plus précisément où aller et ce qu'elles allaient trouver. Elle arriva en hâte, sauta sur le marchepied et s'installa dans la cabine tandis que Kay démarrait.

« On a lequel ?

— Hugh Street. »

Kay hocha la tête et effectua une large boucle pour sortir du garage et gravir la rampe qui menait à la rue — lentement d'abord, pour que Partridge puisse les suivre avec l'auto, derrière, puis accélérant franchement. Le véhicule était une vieille fourgonnette de commerçant convertie en ambulance au début de la guerre ; il fallait faire un double débrayage à chaque changement de vitesse — opération assez laborieuse. Mais elle connaissait bien la camionnette et tous ses caprices, et conduisait en douceur, d'une main sûre. Dix minutes auparavant, en jouant aux cartes avec Hughes, elle avait presque failli s'endormir. La sonnerie du téléphone avait retenti comme un coup de poignard dans sa poitrine. Et à présent, elle se sentait non pas sereine, parce qu'il aurait fallu être complètement idiote pour ne pas ressentir la peur, en ces circonstances, mais bien éveillée, alerte, vivante jusqu'au bout de tous ses membres.

Il fallait prendre par le nord-ouest pour rejoindre Hugh Street, et c'était un trajet sinistre, les maisons minables au cœur de Pimlico laissant place, avec une régularité effrayante, à des zones dévastées — montagnes de gravats, rangées d'habitations pulvérisées. La DCA faisait toujours son tac-tac-tac ; entre chaque salve, Kay percevait aussi le vrombissement sourd des avions, le sifflement des bombes et des obus. Tout cela n'était finalement pas très différent d'un feu d'artifice pour la nuit de Guy Fawkes, avant la

229

guerre ; mais pas l'odeur : ce n'était pas là celle, innocente — c'est ainsi que Kay la ressentait à présent —, de la poudre, mais une puanteur vague de caoutchouc brûlé qui émanait des canons, et celle, putride, des obus.

Un léger brouillard planait dans les rues désertes. Au cours des raids, Pimlico prenait un aspect étrange, fantomatique — l'impression d'un lieu jusqu'à présent grouillant de vie, et brusquement, violemment vidé de toute présence, de toute agitation. Et lorsque la canonnade cessait, l'atmosphère se faisait plus étrange encore. Une fois ou deux, Kay et Mickey étaient allées marcher le long du fleuve, après leur service. L'endroit était surnaturel : plus tranquille, à sa manière, que la campagne profonde ; la vue sur le fleuve, en direction de Westminster, n'était faite que de masses irrégulières, tronquées, comme si la guerre avait précipité Londres dans le passé, en faisant un regroupement de villages contigus, chacun se défendant contre des forces inconnues, farouchement, et seul.

Elles arrivèrent en haut de St George's Drive et trouvèrent là un homme — un policier réserviste — qui les attendait pour les guider vers le lieu de l'incident. Kay lui fit un signe de la main et baissa sa vitre ; il courut jusqu'à la camionnette, traînant la patte sous le poids de l'uniforme, du casque, du sac de toile accroché en travers de sa poitrine, qui se balançait à chaque pas. « Au coin là-bas, à gauche, dit-il. Vous verrez tout de suite. Mais attention au verre. »

Il fila pour arrêter Partridge, derrière, et lui répéter la même chose.

Kay redémarra, plus doucement. À peine avait-elle tourné dans Hugh Street que, comme elle s'y attendait, des saletés de toute sorte commencèrent de se coller au pare-brise : poussière de brique et de pierre pulvérisée, fragments de plâtre et de bois. La lumière des phares — déjà assez faible, car les optiques étaient en partie masquées — semblait s'épaissir, s'ennuager, tourbillonner lentement, comme la bière brune tout juste tirée, qui se décante dans une pinte. Elle se pencha pour mieux voir, ralentit encore l'allure, percevant les crissements et craquements sous les roues, inquiète pour les pneus. Puis elle distingua une autre faible lumière, à une cinquantaine de mètres devant : le rayon de la torche d'un chef d'îlot de la défense passive. Il l'éleva légèrement en les entendant approcher. Elle arrêta la camionnette, et Partridge s'arrêta derrière elle.

L'îlotier vint vers elle et ôta son casque pour s'essuyer le front avec un mouchoir, avant de se moucher. Derrière lui s'alignait une rangée de maisons presque noires contre le ciel sombre. Plissant les yeux pour deviner quelque chose au travers de la poussière tourbillonnante, Kay vit que l'une d'elles était presque entièrement détruite, toute la façade comme écrasée, réduite à un amas de gravats et de poutres, comme sous le pas distrait d'un géant.

« Une bombe ? » demanda-t-elle à l'homme en descendant, ainsi que Mickey.

Il remit son casque, hocha la tête. « D'au moins cinquante kilos, oui. » Il les aida à sortir les couvertures, les bandages et une civière de l'arrière de l'ambulance, puis commença de les guider au milieu des gravats, balayant les décombres du rayon de sa torche.

« C'est cette baraque qui a tout pris, dit-il. Trois appartements. On pense qu'il n'y avait personne au premier ni au deuxième. Mais en bas, tout le monde était là — ils étaient descendus à l'abri et ils venaient juste de ressortir, pas croyable, hein. Heureusement qu'ils n'ont pas eu le temps d'arriver jusqu'à la maison ! L'homme est pas mal amoché, à cause des éclats de verre. Les autres ont été plus ou moins projetés, vous verrez dans quel état ils sont. C'est une

231

vieille dame qui a le plus souffert. C'est pour elle que vous aurez besoin de la civière. Je leur ai dit de rester dans le jardin jusqu'à votre arrivée. Il leur faudrait un médecin, en fait ; mais au centre de contrôle, ils m'ont dit que la voiture du toubib a été prise dans une déflagration... »

Il trébucha, puis se redressa et continua d'avancer en silence. Partridge toussait à cause de la poussière. Mickey se frottait les yeux. C'était une scène de chaos infernal. À chaque pas, Kay sentait quelque chose craquer sous son pied, ou se prendre autour de sa cheville : vitres brisées mêlées à des miroirs brisés, vaisselle, morceaux de tables, de chaises, lambeaux de rideaux, de tapis, plumes d'un coussin ou d'un oreiller, grands éclats de bois pointus... Le bois surprenait encore Kay : avant la guerre, elle s'était imaginé que les maisons étaient entièrement bâties en dur, en pierre — comme celle du dernier des trois petits cochons. Ce qui l'effarait, également, était de voir qu'un grand bâtiment pouvait se réduire à un tas de gravats si ridicule. Cet édifice, une heure auparavant, était fait de trois étages, trois appartements ; la pile de débris devant elle ne dépassait pas un mètre cinquante de hauteur. Elle en concluait qu'en fait les maisons — tout comme les vies qu'elles abritaient — étaient essentiellement faites de vide. C'était l'espace qui comptait, finalement, pas la brique.

L'arrière de la bâtisse, toutefois, était plus ou moins intact. Ils traversèrent une sorte de couloir au plancher grinçant et émergèrent, de manière singulière, dans une cuisine, avec encore les tasses et les assiettes posées sur leur étagère, les tableaux accrochés au mur, l'ampoule électrique allumée, le rideau noir de la défense passive bien tiré. Mais une partie du plafond s'était effondrée, et des ruisselets de poussière suintaient par les fentes dans le plâtre au-dessous ; les poutres continuaient de tomber, dit le chef d'îlot, et toute la maison allait finir par dégringoler.

Il les emmena dans le petit jardin, puis retraversa la maison jusqu'à la rue, pour prendre des nouvelles des voisins. Kay releva son casque sur son front. On ne voyait pas grand-chose dans la pénombre, mais elle finit par distinguer la silhouette d'un homme assis sur une marche, la tête dans les mains ; puis une femme étendue de tout son long, immobile, sur une couverture ou une carpette, avec une autre femme à ses côtés, qui semblait lui frictionner les mains. Derrière elle, une petite fille errait comme une somnambule. Une autre se tenait assise sur le seuil d'un abri ouvert. Elle tenait quelque chose dans ses bras, qui émettait des couinements et gémissements et que Kay prit tout d'abord pour un bébé blessé. Puis le bébé se tortilla et lâcha un jappement aigu, et elle vit que c'était un chien.

La poussière tourbillonnait toujours, tout le monde toussait. Il régnait cette atmosphère à la fois oppressante et irréelle que Kay avait toujours retrouvée dans ces situations. L'air semblait battre d'une pulsation rapide — comme vibrant encore, de manière palpable, physique — comme si les atomes qui constituaient la maison, le jardin, les gens eux-mêmes, avaient été secoués, arrachés à leur gravitation naturelle, et la retrouvaient peu à peu. Kay avait aussi conscience, dans son dos, de la présence du bâtiment qui menaçait de s'effondrer. Elle passa vivement d'une victime à l'autre, tirant une couverture sur des épaules, allumant sa torche pour observer les visages.

« Bien », dit-elle enfin, se relevant. Une des filles semblait avoir la jambe ou la cheville cassée : elle envoya Partridge s'occuper d'elle. Mickey se dirigea vers l'homme assis sur les marches. Quant à Kay, elle se pencha sur la femme allongée sur la couverture. Elle était très âgée, et avait reçu quelque chose dans la poitrine. Comme Kay s'agenouillait à ses côtés pour chercher son cœur, elle laissa échapper un gémissement.

« Ça va aller, n'est-ce pas ? » demanda l'autre femme, trop fort. Elle grelottait, et ses longs cheveux poivre et sel tombaient tout emmêlés sur ses épaules ; elle devait les porter en une natte ou un chignon, que le souffle avait défait. « Elle n'a pas dit un mot depuis qu'on l'a allongée. Elle a soixante-seize ans. C'est à cause d'elle qu'on était tous sortis. On était installés là-dedans », elle désigna l'abri, « bien tranquilles en train de jouer aux cartes en écoutant la TSF... Et puis elle a dit qu'elle devait aller aux toilettes. Je l'ai aidée à sortir, et le chien nous a suivies, naturellement. Alors les gamines se sont mises à pleurer, donc *il* est sorti », elle parlait de son mari, « et s'est mis à courir après dans le jardin, comme un idiot, en plein black-out. Et puis... Non, franchement, mademoiselle, on aurait cru que c'était la fin du monde. » Elle s'accrochait à la couverture, tremblant toujours. À présent qu'elle avait commencé, elle ne pouvait plus s'arrêter de parler. « Et voilà, sa mère, reprit-elle, de la même voix sonore, saccadée, gémissante, et moi, et les filles, nous voilà avec combien de jambes cassées, hein ? Et la maison ? Il n'y a plus de toit, n'est-ce pas ? Et le type n'a rien voulu nous dire — il ne nous a même pas laissés entrer dans la cuisine. Mais j'ai peur d'aller voir. » Elle posa une main tremblante sur le bras de Kay. « Dites-moi, mademoiselle, les plafonds sont tombés ? »

Aucun d'entre eux n'avait encore vu la façade ; de l'arrière, et dans la pénombre, la maison semblait presque intacte. Kay avait palpé rapidement le corps de la vieille dame, ses bras, ses jambes. « Il y a pas mal de dégâts, j'en ai bien peur, dit-elle, sans lever les yeux.

234

— Quoi ? » fit la femme. La déflagration l'avait rendue sourde.

« C'est difficile à dire, dans le noir », dit Kay, articulant mieux. Elle se concentrait sur sa tâche. Il lui semblait avoir senti sous ses doigts la saillie de côtes cassées. Elle tendit la main vers le sac, en sortit les bandages et commença, aussi rapidement et habilement que possible, à entourer, bien serré, le torse de la femme.

« Tout ça, c'est à cause d'elle, reprit l'autre.

— Donnez-moi un coup de main, si c'est possible ! » cria Kay, pour lui faire penser à autre chose.

Mickey, pendant ce temps, examinait l'homme. Il avait semblé à Kay qu'il avait le visage noirci, par de la terre ou de la suie, avait-elle pensé. Mais comme elle dirigeait sur lui le rayon de sa torche, le noir s'était révélé d'un rouge éclatant. Il en était de même pour ses bras et sa poitrine, et en déplaçant le rayon de lumière, elle avait fait surgir de petits miroitements noirs bien nets. L'homme était couvert d'éclats de verre plantés dans sa chair. Mickey s'efforça d'en retirer le maximum avant de le bander. Il grimaçait à chaque geste, remuait la tête comme un aveugle le ferait. Ses yeux étaient mi-clos, les paupières collées par le sang coagulé.

Il dut sentir une hésitation chez Mickey. « C'est très grave ? demanda-t-il.

— Pas trop, répondit-elle. Vous ressemblez un peu à un hérisson, mais c'est tout. N'essayez pas de parler. Il faut qu'on bouche tous ces petits trous. Sinon, vous ne pourrez plus jamais boire une pinte, ça s'échappera de partout. »

Il n'écoutait pas, ou n'entendait pas. « Comment va ma mère ? » demanda-t-il, lui coupant la parole. Puis il héla Kay, d'une voix rauque. « C'est ma mère !

235

« — N'essayez pas de parler, répéta Mickey. Votre mère va bien.

— Et les petites ?

— Les petites aussi. »

Puis la poussière lui obstrua soudain la gorge. Mickey lui soutint la tête pour qu'il puisse tousser. Comme la quinte l'ébranlait et le secouait, Kay visualisa les blessures en train de se rouvrir, les éclats de verre s'enfoncer plus profondément en lui... Elle avait aussi conscience du vrombissement continu, monotone des avions au-dessus de leur tête. Soudain, leur parvinrent le craquement, puis le fracas d'un toit qui s'effondrait dans une rue proche. Elle accéléra le rythme de ses gestes. « C'est bon, Partridge ? fit-elle, serrant le dernier bandage. Tu en as encore pour longtemps ?

— C'est presque fini.

— Et toi, Mickey ?

— C'est quand tu voudras.

— Bon. » Kay déplia la civière qu'elle avait apportée de la camionnette. Le chef d'îlot réapparut à cet instant. Il l'aida à y installer la vieille dame, et à border la couverture autour d'elle.

« Par où peut-on l'emmener ? demanda Kay, une fois prête. Il y a un chemin jusqu'à la rue, par le jardin ? »

L'îlotier secoua la tête. « Pas par celui-ci. On va devoir repasser par la maison.

— Par la maison ? Dieu du ciel. Alors allons-y tout de suite. Prêt ? Un, deux... »

Se sentant soulevée de terre, la vieille femme ouvrit enfin les yeux et regarda autour d'elle, effarée. « Qu'est-ce que vous faites ? » demanda-t-elle dans un chuchotement.

Kay assura sa prise sur les bras de la civière. « Nous vous emmenons à l'hôpital. Vous avez les côtes abîmées. Mais ça va aller.

236

— À l'hôpital ?

— Soyez gentille de ne pas bouger, d'accord ? Ne vous en faites pas, il n'y en a pas pour longtemps. On vous emmène jusqu'à l'ambulance. » Kay lui parlait comme à une amie — à Mickey, par exemple. Elle avait déjà entendu des policiers et des infirmières s'adresser aux blessés comme si c'étaient des retardés mentaux : « Allez, mon petit », « Tout va bien, mamy », « Un petit sourire et il n'y paraîtra plus. »

« Votre fils vient avec nous, dit-elle en voyant Mickey aider l'homme ensanglanté à se relever. Partridge, c'est bon, avec les filles ? Parfait, on y va. Sans traîner, mais en douceur. »

Ils traversèrent la cuisine en file indienne, misérable caravane. La lumière les fit grimacer et se couvrir les yeux. Et les filles, bien sûr, virent dans quel état elles se trouvaient, couvertes de saletés et de coupure — et celui, bien pire, de leur père, emmailloté de bandages, le visage plein de sang. Elles se mirent à pleurer.

« Ne vous inquiétez pas, dit leur mère, toujours tremblante. Ne vous inquiétez pas. On est sains et saufs, hein ? Phyllis, ferme à clef en sortant. Prends le thé, Eilen. Et mets quelque chose pour cacher cette boîte de corned-beef ! On ne sait jamais... Oh, mon Dieu ! » Elle venait d'arriver sur le seuil de la cuisine, et découvrait le chaos au-delà. Elle n'en croyait pas ses yeux. Elle resta immobile, figée, la main pressée sur le cœur. « Oh, mon Dieu, mon Dieu ! »

Les filles se mirent à pousser des cris, derrière elle.

De nouveau, le pied de Kay glissa tandis qu'avec l'îlotier elle tentait de transporter la vieille dame au travers des décombres. Chaque pas soulevait un nouveau maelström de poussière, de plumes, de suie. Ils arrivèrent enfin à la limite de ce qui était naguère le jardin du devant. Deux gamins jouaient à se balancer, accrochés aux poignées de porte de l'ambulance.

« On peut vous aider, monsieur ? » demandèrent-ils, s'adressant à l'îlotier, ou peut-être à Kay elle-même.

C'est lui qui répondit. « Non, pas besoin. Et vous feriez mieux de retourner à l'abri, et vite, avant de vous faire arracher la tête. Où est votre mère ? Vous croyez que c'est quoi, ces avions ? Des bourdons ?

— C'est la vieille Mrs Parry ? Elle est morte ?

— Allez, décampez ! »

« Oh, mon Dieu, mon Dieu ! » répétait la femme, encore et encore, enjambant les décombres de ce qui avait été sa maison.

L'ambulance était équipée de quatre couchettes métalliques comme on en trouvait dans les abris. Il y avait une petite lumière, mais aucun chauffage d'aucune sorte, et Kay entoura la vieille dame d'une couverture supplémentaire avant de l'attacher à la couchette avec une ceinture de toile, puis disposa une bouillotte sous ses genoux, et une autre à ses pieds. Mickey fit entrer l'homme. Ses paupières étaient à présent complètement fermées, collées par le sang et la poussière ; elle devait le guider dans tous ses gestes, comme s'il avait oublié l'usage de ses bras et de ses jambes. Son épouse suivait. Elle s'était mise à ramasser des petites choses au passage : un unique chausson à carreaux, une plante en pot. « Je ne peux pas tout abandonner comme ça ! » avait-elle dit comme l'îlotier voulait la faire monter dans la voiture de Partridge pour qu'on l'emmène au centre de premiers secours le plus proche. Elle s'était mise à pleurer. « Voulez-vous aller chercher Mr Grant, dans la maison juste en face ? Il surveillera nos affaires. Vous voulez bien, Mr Andrews ? »

238

« On ne peut pas te laisser le prendre, disait Partridge à la petite fille qui tenait le chien.

— Alors je ne veux pas y aller ! » s'écria l'enfant. Elle serra plus fort contre elle le chien qui laissa échapper un couinement. Puis elle baissa les yeux. « Oh, Maman, c'est la photo que tu avais de l'oncle Patrick, elle est toute déchirée !

— Laisse-la emmener son chien, dit Kay. Ça n'est pas bien gênant. »

Mais la décision revenait à Partridge, pas à elle ; et elles n'avaient de toute façon pas le temps d'en débattre. Elle les laissa donc discuter, adressa un signe de tête à Mickey déjà installée à l'arrière, ferma les portes, puis courut essuyer le pare-brise : car, depuis quelque vingt minutes qu'il était resté immobile dans la rue, une épaisse couche de poussière avait recouvert le véhicule. Elle grimpa dans la cabine et démarra.

« Andrews, lança-t-elle à l'îlotier, tout en commençant de faire demi-tour, vous voulez bien surveiller mes pneus ? Si je crève maintenant, c'est la catastrophe... » Il s'écarta de la femme et des petites filles et dirigea le rayon de sa lampe sur les roues de l'ambulance puis leva la main pour faire signe à Kay.

Elle roula tout d'abord très doucement puis, dès que la voie fut plus dégagée, accéléra. Quand elles transportaient des blessés, elles étaient censées ne pas dépasser le vingt-cinq à l'heure, mais elle pensa à la vieille dame aux côtes fracturées, à l'homme en sang, et dépassa la vitesse autorisée. De temps à autre, elle se penchait aussi sur le pare-brise pour jeter un coup d'œil vers le ciel. Le vrombissement des avions était toujours menaçant, les tirs de la DCA assourdissants, mais le moteur aussi était bruyant, et elle ne pouvait dire si elle roulait vers le cœur de la bataille ou s'en éloignait.

Une vitre coulissante était ménagée dans le panneau derrière elle : elle devinait les mouvements de Mickey dans l'ambulance. Gardant un œil sur la route, elle tourna légèrement la tête. « Ça va ?

— À peu près, répondit Mickey. Mais la vieille dame a mal, à cause des cahots.

— Je fais ce que je peux », dit Kay.

Elle scruta la chaussée, essayant désespérément d'éviter les nids-de-poule, jusqu'à ce que ses yeux la brûlent.

Quand elle s'arrêta devant l'entrée des brancards de l'hôpital de Horseferry Road, l'infirmière à la réception accourut à leur rencontre, baissant la tête comme sous la pluie. La chef de salle, toutefois, suivait d'un pas presque dégagé, apparemment indifférente aux éclairs et aux détonations.

« Alors, on ne peut plus se passer de nous, Langrish ? fit-elle par-dessus une nouvelle rafale. Qu'est-ce que vous nous apportez, ce soir ? »

C'était une blonde, solide, à forte poitrine, et les ailes de sa coiffe se recourbaient en pointe : en les voyant, Kay pensait toujours aux cornes de Vikings que portaient parfois les chanteuses d'opéra. Elle demanda qu'on apporte une civière et une chaise roulante, houspillant les brancardiers comme si c'étaient des oies. Et comme l'homme blessé par les éclats de verre sortait de l'ambulance, hagard, elle le houspilla lui aussi : « Allez, vite ! »

Kay et Mickey soulevèrent doucement la vieille dame et la déposèrent sur la civière. Mickey avait épinglé sur sa poitrine un billet expliquant en deux mots où et comment elle était touchée. Elle tendait la main devant elle, effrayée, et Kay lui prit les doigts. « Ne vous en faites pas. Ça va aller. »

240

Puis elles installèrent l'homme dans la chaise roulante. Lui aussi tendit une main et tapota le bras de Mickey, en disant « Merci, mon garçon. » Il l'avait entr'aperçue, au début, et n'avait pas cessé de la prendre pour un homme...

« Pauvre gars », fit-elle quand Kay et elle remontèrent dans la cabine. Elle tentait de se débarrasser du sang qui lui souillait les mains. « Il va rester couturé de partout, hein ? »

Kay hocha la tête. Mais en fait, ayant remis l'homme et sa mère entre des mains compétentes, sains et saufs, elle commençait déjà à les oublier. Elle se concentrait sur la route à prendre pour retourner à Dolphin Square ; et sur la bataille qui continuait de faire rage, entre les avions et la DCA. Elle se pencha de nouveau pour regarder le ciel. Mickey l'imita et, au bout d'une minute, baissa sa glace et passa la tête au-dehors.

« Alors, ça a quelle allure ? demanda Kay.

— Rien de bien sensationnel. Deux avions, c'est tout, mais ils sont juste au-dessus. On dirait qu'ils tournent en rond.

— Autour de nous ?

— Ouais, on dirait bien. »

Kay accéléra. Le casque de fer-blanc de Mickey tinta contre le cadre de la fenêtre ; elle y porta la main, le remit en place. « Les projos l'ont repéré, dit-elle. Ah, ils l'ont perdu, maintenant. Ah non, ils — hou là », elle rentra précipitamment la tête. « Ils tirent dessus. »

En tournant au coin d'une rue, Kay leva les yeux. Elle distinguait le rayon d'un projecteur et, dans le faisceau, la silhouette brillante d'un avion. Sous son regard, une ligne d'obus s'éleva vers l'appareil, apparemment silencieux — car si elle entendait, sentait les détonations, il était curieusement difficile de faire le lien avec ces chapelets de lumières fulgurantes, ou ces petits panaches de fumée quand les lumières s'éteignaient... Bientôt, toutefois, elle dut quitter l'avion du regard, car des éclats tombaient sur elles. Ils heurtèrent le toit et le capot de la camionnette dans un vacarme métallique — comme si les pilotes de bombardier avaient emporté le tiroir de la cuisine avec eux, et le vidaient de là-haut.

Mais soudain, elles ressentirent un impact beaucoup plus fort, puis un autre ; et la route devant elles s'illumina d'un éclat blanc, aveuglant. L'avion larguait des cartouches incendiaires.

« Chouette, dit Mickey. Qu'est-ce qu'on fait ? »

D'instinct, Kay avait ralenti, et son pied hésitait au-dessus du frein. Elles étaient censées poursuivre leur route, quoi qu'il arrive. Se trouver prises dans un nouvel incident pouvait se révéler fatal. Mais à chaque fois, elle avait peine à s'enfuir comme ça devant le danger...

Prenant une décision, elle arrêta l'ambulance aussi près que possible du cylindre crachotant. « Je ne vais pas la laisser mettre le feu à toute la rue, dit-elle avant d'ouvrir la portière et de sauter. Binkie dira ce qu'elle voudra. »

Regardant autour d'elle, elle aperçut un tas de sacs de sable devant la fenêtre d'une maison et, se protégeant le visage de la mousse de magnésium aveuglante qui s'échappait, elle en tira un et le laissa tomber sur l'engin. L'éclat blanc disparut. Mais déjà une autre cartouche incendiaire se déclenchait plus loin dans la rue. Elle y transporta un deuxième sac de sable et l'en couvrit. Elle dama du pied les parcelles qui ne faisaient que couver ; elles éclatèrent en une pluie d'étincelles mauvaises. Mickey vint à la rescousse et, une minute plus tard, un homme et une jeune fille sortaient d'une maison pour les rejoindre : tous se mirent à caracoler dans la rue comme des footballeurs devenus fous...

242

Mais certaines cartouches étaient tombées sur les toits et dans les jardins, hors d'atteinte ; l'une s'était plantée dans un panneau de bois « À louer », qui commença déjà de s'embraser.

« Mais où est votre îlotier ? demanda Kay à l'homme.

— J'aimerais bien le savoir, répondit l'homme, haletant. Cette rue est à la limite de deux secteurs. Ils passent leur temps à s'engueuler pour savoir qui doit la surveiller. Vous croyez qu'on a besoin des pompiers ?

— Deux pompes à main suffiraient, si seulement on avait des échelles ou des cordes.

— Je vais téléphoner ? »

Kay regarda autour d'elle, éperdue. « Oui, dit-elle. Oui, je pense que c'est préférable. »

L'homme partit en courant. Kay se tourna vers la jeune fille. « Vous devriez aller vous mettre à l'abri. »

Elle portait un manteau d'homme en lainage, et une capuche de lutin. Elle secoua la tête, avec un large sourire. « Je préfère rester ici. Il y a plus d'animation.

— Oui, mais il risque d'y avoir un peu trop d'animation, d'ici une minute. Tenez, qu'est-ce que je disais ? »

Une explosion, suivie d'une sorte de bruit de succion, venait de retentir dans une maison, plus loin sur la rue, accompagnée d'une dégringolade de verre. Kay et Mickey se précipitèrent, talonnées par la jeune fille. Elles découvrirent une fenêtre du rez-de-chaussée béante, volets arrachés, les rideaux encore accrochés à une tringle brisée, noirs de fumée ou de suie ; un épais nuage sombre tout empli de particules de plâtres en sortait, sans qu'il y ait trace de flammes.

« Attention, dit Kay, comme Mickey et elle se penchaient pour jeter un coup d'œil à l'intérieur. Elle est peut-être à retardement.

243

— Peut-être », dit Mickey. Elle braqua le rayon de sa torche vers la pièce. C'était une cuisine, ravagée, les chaises et la vaisselle éparses, le papier peint écorché de partout, la table projetée contre le mur, les pieds en l'air. Juste au-delà de la table, elles distinguèrent la silhouette d'un homme étendu au milieu du carnage. Il était en pyjama et robe de chambre et se tenait la cuisse. « Oh, oh ! Oh ! la vache, la vache ! » entendirent-elles.

Mickey agrippa le bras de Kay. Elle tentait de percer le nuage de poussière. « Kay, fit-elle d'une voix étranglée, j'ai l'impression qu'il a perdu sa jambe. Arrachée, carrément ! Il nous faut un garrot pour arrêter l'hémorragie.

— Qu'est-ce que c'est ? s'écria l'homme, se mettant aussitôt à tousser. Qui est là ? Au secours ! »

Kay courut jusqu'à l'ambulance. « Ne regardez pas ! » jeta-t-elle au passage à la jeune fille qui restait là devant la maison. Le vrombissement des avions avait cessé, mais les multiples petits foyers d'incendie qui s'étaient déclarés d'un bout à l'autre de la rue commençaient de prendre de l'ampleur, avec à présent de vraies flammes, jaunes, orange, rouges, et non plus blanches. Ce qui allait immanquablement attirer d'autres avions, chargés de vraies bombes cette fois, mais elle n'y pouvait plus rien. Elle prit une trousse de pansements et retourna en hâte vers la maison. Mickey était à l'intérieur, en compagnie du blessé. Elle avait dégagé un espace dans les décombres et s'employait à arracher le pyjama de l'homme.

« Aidez-moi à me lever, disait-il.

— N'essayez pas de parler.

— C'est ma jambe, elle...

— Je sais. Ça va aller. On va devoir vous mettre un garrot.

— Un quoi ?

— Un truc pour vous empêcher de trop saigner.

— De saigner ? Je saigne ?

— À mon avis, un peu, oui », dit Mickey, le visage sinistre.

Elle tira une dernière fois, violemment, sur la couture du pyjama, et dirigea le faisceau de sa lampe sur la cuisse nue de l'homme. Sa jambe s'arrêtait un peu au-dessus du genou. Le moignon, toutefois, était propre, rose, lisse, presque luisant... « Attends », dit Kay, posant la main sur l'épaule de Mickey. L'homme expira, se mit à rire, puis à tousser de nouveau.

« Hé hé, fit-il. Si vous trouvez une jambe, c'est que vous êtes une magicienne, carrément. Je l'ai perdue dans la dernière guerre... »

La jambe manquante était de liège. En outre, la déflagration qui l'avait projeté à terre ne provenait pas d'une bombe, mais d'un fourneau à gaz défectueux. Il avait approché une allumette du brûleur sous la bouilloire, et tout avait explosé. Sa jambe de bois avait été arrachée, et avait volé dans la pièce comme tout le reste : elles l'aperçurent, pendue par une de ses attaches au crochet d'un tableau disparu.

Mickey la lui tendit, l'air dégoûté. « Comme s'il n'y avait pas assez d'explosions ces temps-ci. Il faut que vous en rajoutiez.

— Je voulais juste me faire une tasse de thé, dit-il, toussant toujours. On peut encore se faire une tasse de thé, non ? »

En le relevant, elles virent à quel point il était choqué. Il avait des brûlures au visage et aux mains, et avait perdu une partie de ses cheveux ainsi que ses cils et ses sourcils, carbonisés. Elles décidèrent de le transporter à l'hôpital plutôt que de le laisser là, le sortirent et l'emmenèrent jusqu'à l'ambulance.

Des feux brûlaient toujours sur la place, mais la jeune fille qui les avait aidées à éteindre les cartouches à magnésium s'était mise à frapper aux portes des maisons ; des gens sortaient à présent avec des seaux d'eau et de sable, des pompes à main. L'homme à la jambe de bois héla quelqu'un qu'il connaissait, et lui demanda de condamner sa fenêtre avec des planches en son absence.

« Ouais, on sera aussi bien ailleurs », dit-il à Kay et à Mickey, observant les silhouettes qui s'agitaient. « J'espère simplement qu'ils ne vont pas arroser ma maison. Je préfère le feu à l'inondation, ça, c'est sûr. Qu'est-ce que vous faites ? demanda-t-il, comme Kay refermait la porte arrière de la camionnette. Vous n'allez pas m'enfermer avec elle, hein ? » Il parlait de Mickey.

« Il n'y a aucun risque, dit Kay.

— C'est vous qui le dites. Vous n'avez pas vu comment elle s'est attaquée à mon pyjama... »

« Quel numéro, dit Mickey, après qu'elles l'eurent déposé à l'hôpital.

— Oui. Un vrai comique.

— Franchement... une jambe de bois. Si les autres apprennent ça un jour... »

Kay fit claquer sa langue. « Kay ! Kay ! fit-elle d'une voix rauque d'angoisse, j'ai l'impression qu'il a perdu sa jambe ! »

Mickey leur alluma deux cigarettes. « Bon, ça va, hein.

— Mais non, ne t'en fais pas. N'importe qui aurait pensé la même chose.

— Peut-être... En tout cas, elle avait de très jolis yeux noisette, cette fille, non ?

— Ah bon ?

246

— Tu ne regardes jamais les brunes. »

La DCA se taisait, après avoir chassé l'avion. On avait le sentiment qu'un poids se levait. Kay et Mickey rentrèrent à Dolphin Square sans cesser de rire et de bavarder... Mais Partridge les attendait au garage, et leur lança un regard d'avertissement. « Ça va être votre fête, les filles. »

Binkie apparut. Elle tenait à la main une liasse de notes.

« Langrish et Carmichael, ou étiez-vous passées ? On vous a vues partir pour rentrer ici il y a presque une heure de cela. J'étais sur le point d'appeler le central pour vous déclarer disparues. »

Kay expliqua l'histoire des bombes incendiaires et de l'homme blessé.

« C'est tout à fait regrettable, dit Binkie, mais vous devez revenir directement entre deux missions. Vous faites cela depuis trop longtemps pour ne pas le savoir, Langrish.

— Vous préféreriez que je laisse le feu prendre à toute une rue, pour attirer encore des bombes ? Parce que là, nous en aurions, des missions.

— Vous connaissez le règlement. Dernier avertissement. La prochaine fois, ce sera celle de trop. »

La sonnerie du téléphone la ramena à son bureau ; quelques instants plus tard, elle revenait pour envoyer Kay et Mickey sur une autre mission. Les bombardiers s'étaient éloignés de Pimlico, mais il y avait du grabuge à Camberwell et à Walworth. Deux ambulances du secteur avaient été touchées, et étaient hors service : Kay et Mickey, ainsi que quatre autres ambulancières de Dolphin Square, traversèrent le fleuve pour aller les remplacer. Les missions se révélèrent assez horribles. À Camberwell, une maison s'était effondrée, et ses occupants avaient été blessés par les poutres qui tombaient : Kay dut aider un médecin à fixer

247

des attelles sur la jambe broyée d'un enfant qui hurlait tant et plus, à peine le touchait-on. Un peu plus tard, dans une autre rue, deux hommes avaient reçu des éclats : ils étaient dans un tel état qu'on aurait cru qu'un maniaque s'était acharné sur eux à coups de couteau...

À deux heures et quart — soit presque à la fin de leur service — Kay et Mickey étaient sorties cinq fois. Elles rentrèrent enfin à Dolphin Square, mortes de fatigue. Kay coupa le moteur en entrant dans le garage, et laissa la camionnette descendre la rampe en roue libre. Elle serra le frein à main, et Mickey et elle fermèrent les yeux, la tête renversée en arrière.

« Qu'est-ce que tu vois ? demanda-t-elle.

— Des bandages, répondit Mickey. Et toi ?

— La route. Je roule toujours. »

L'ambulance était crasseuse comme jamais : elles passèrent encore un quart d'heure à remplir des seaux et des seaux d'eau glacée pour la laver, intérieur et extérieur. Puis elles durent s'occuper d'elles-mêmes. Il y avait pour cela une pièce sans chauffage, sur la porte de laquelle un panneau indiquait DÉSINFECTION : FEMMES. La pièce était équipée d'une sorte d'auge, et d'eau également glacée... Le mélange sang et poussière était incroyablement difficile à nettoyer sur la peau et les vêtements. Mickey, au moins, avait les mains nues. Kay, elle, portait une bague en or massif au petit doigt, qu'elle ne voulait jamais quitter ; elle devait la forcer à coulisser jusqu'à la jointure pour ôter la saleté au-dessous.

Ayant fait ce qu'elles pouvaient pour leurs mains, elles ôtèrent leur casque. La chair était restée rose au travers de leur front et sous leur menton, à l'endroit où passaient les lanières de cuir, sinon, leur visage était d'un rouge sombre, leur peau incrustée de poussière de brique et de fumée, avec parfois une trace plus claire là où elles avaient essuyé la sueur, ou quelques rigoles pâles là où la transpiration avait ruisselé. Leurs cils étaient chargés de particules diverses : elles y faisaient très attention, car parfois celles-ci comportaient de minuscules éclats de verre. Elles s'examinèrent à tour de rôle, à la lumière de la torche. « Lève les yeux... En bas maintenant... Superbe ! »

Kay passa dans le foyer. La plupart des ambulanciers étaient déjà rentrés. Hughes se faisait bander la tête par O'Neil, la nouvelle.

« Pas si serré, cocotte.

— Désolée, Hughes.

— Qu'est-ce qui s'est passé ? demanda Kay, s'asseyant à côté d'eux.

— Comment ça ? Oh, rien, rien du tout. O'Neil s'entraîne. »

Kay bâilla. C'était toujours une erreur de s'asseoir avant que ne résonne la fin de l'alerte : elle était épuisée, d'un seul coup. « Et vous, ça a été comment, la soirée ? » s'enquit-elle, histoire de ne pas s'endormir sur place.

Hughes haussa les épaules, le regard posé sur le bandage qui s'enroulait autour de sa tête. « Pas trop dur. Un estomac perforé, et un œil crevé.

— Et vous, O'Neil ?

— Quatre fractures à Warwick Square. »

Kay fronça les sourcils. « C'est une chanson, ça, non[1] ?

— Howard et Larkin, reprit O'Neil, ont récupéré un homme qui était tombé dans un escalier, à Bloomfield Terrace. Ce n'était même pas le souffle ; il était pris de boisson, c'est tout.

---

1. Allusion à « A Nightingale Sang in Berkeley Square », ballade des années 40.

249

— Pris de boisson ! » répéta Kay, et elle se mit à rire tant l'expression lui plaisait. Son rire finit en un nouveau bâillement. « Grand bien lui fasse. Par les temps qui courent, celui qui peut mettre la main sur assez de bibine pour être pris de boisson, comme vous dites, mérite une médaille. »

Mickey préparait du thé dans la cuisine. Kay tendit un moment l'oreille au tintement des tasses, puis se mit péniblement sur pied pour aller l'aider. Elles ajoutèrent des feuilles fraîches au magma répugnant qui demeurait en permanence au fond de la théière ; puis elles durent attendre et attendre que l'eau bouille sur une flamme ratatinée, tant la pression de gaz était faible. La fin de l'alerte résonna à l'instant où elles versaient le thé, et les derniers ambulanciers apparurent. Binkie passa de salle en salle, comptant son effectif.

L'atmosphère commença de se réchauffer, de devenir joyeuse. C'était cette sorte d'exaltation d'avoir survécu, d'être passé au travers, d'avoir subi encore un nouveau raid, et de s'en être sorti. Tout le monde était souillé de sang et de poussière, épuisé après avoir crapahuté dans les décombres, s'être baissé et relevé cent fois, avoir conduit dans le noir ; mais toutes les horreurs vues devenaient matière à plaisanterie. Kay, arrivant avec les tasses, fut saluée par des vivats. Partridge prit une petite cuiller et s'en servit comme catapulte pour envoyer des boulettes de papier aux quatre coins de la salle. O'Neil avait fini de bander la tête de Hughes, et lui remit ses lunettes par-dessus le crêpe.

Quand le téléphone sonna, personne ne se tut ni ne dressa l'oreille : ce devait être le Central qui confirmait simplement la fin de l'alerte. Mais Binkie réapparut bien-

250

tôt, levant les mains. Elle fut obligée de crier pour se faire entendre.

« On a encore besoin d'une ambulance, une seule, dit-elle. À Sutherland Street, extrémité nord. Qui est rentré depuis le plus longtemps ?

— Mince ! fit O'Neil, ôtant une épingle de sûreté d'entre ses lèvres. C'est Cole et moi. Cole ? »

Cole bâilla et se mit sur pied. D'autres hourras éclatèrent.

« Allez, courage les filles ! dit Kay, se laissant aller en arrière sur le banc.

— Ouais, salut, les filles ! fit Hughes, soulevant le bandage qui lui couvrait un œil. Vous en banderez un à ma santé.

— Attendez une seconde, intervint Binkie. O'Neil, Cole... » Elle baissa d'un ton. « Je crains qu'on n'ait besoin d'un corbillard plus que d'une ambulance. Il n'y a aucun survivant. Un corps, au moins, et peut-être deux autres, une mère et son enfant. Il faut emmener les morceaux à la morgue... Vous allez tenir le coup ? »

Le silence tomba dans la salle. « Putain », fit Hughes, laissant retomber son bandage et relevant son col.

O'Neil en avait l'air malade d'avance. Elle n'avait que dix-sept ans. « Eh bien... », fit-elle.

Tout se figea quelques secondes. « Bon, j'y vais, dit soudain Kay, se levant. J'y vais avec Cole. Ça ne t'ennuie pas, Cole ?

— Du tout.

— Non, attendez », dit O'Neil. Si pâle à la seconde précédente, elle s'était soudain empourprée. « C'est bon. Je n'ai pas envie de me faire dorloter comme ça.

— La question n'est pas là, dit Kay. Mais tu auras bien assez l'occasion de voir des choses horribles, dans ce boulot, donc inutile d'en rajouter quand ça n'est pas absolument nécessaire... Mickey, tu partiras avec O'Neil, s'il y a un autre appel entre-temps ?

— Bien sûr », dit Mickey. Elle adressa un signe de tête à O'Neil. « Kay a raison, O'Neil. Laisse tomber.

— Oui, dis-toi plutôt que tu as de la chance, dit Hughes. Langrish, tu feras la même chose pour moi, la prochaine fois ! »

O'Neil rougissait toujours. « Bon..., fit-elle. Eh bien merci, Langrish. »

Kay sortit derrière Cole, qui se dirigeait déjà vers le garage. Elle mit en marche sa camionnette et démarra lentement. « Apparemment, ce n'est pas la peine de foncer... Tu veux une clope ? Il y en a, là-dedans. »

Elle désignait un vide-poches, sous le pare-brise. Kay fouilla à l'intérieur et en tira un porte-cigarettes plat de métal oxydé sur lequel était inscrit au vernis à ongles : *E.M. Cole, pas touche !* Elle alluma deux cigarettes, en tendit une à la conductrice.

« Merci, dit Cole, prenant une bouffée. Ah, ça fait du bien... Au fait, c'est vraiment chouette ce que tu as fait pour O'Neil. »

Kay se frotta les yeux. « C'est une gamine.

— Quand même... Oh ! la la, ce moteur pète comme pas possible ! J'ai l'impression que le carburateur est foutu. »

Elles firent le reste du trajet en silence, concentrées sur la route. Elles devaient se rendre au nord, vers Hugh Street. « C'est vraiment là ? » demanda Kay comme Cole serrait le frein à main : la maison avait l'air en parfait état. En sortant, elles constatèrent que les dégâts étaient tous dans le jardin derrière — une bombe droit sur un abri. Des gens tout juste sortis de leur propre abri étaient regroupés le long du muret du jardin, essayant de voir quelque chose. La police avait dressé une bâche. Un homme conduisit Kay et Cole, pour leur montrer ce qui se trouvait derrière : le corps d'une femme, vêtue et chaussée de pantoufles, mais sans tête ; et le torse nu d'un enfant de sexe non identifiable, encore ceint du cordon de sa robe de chambre. Tout cela gisait sous une couverture. À côté, enveloppés dans une toile cirée, divers morceaux de membres : de petits bras, de petites jambes ; une mâchoire ; et une articulation bien ronde, qui pouvait être celle d'un genou, ou d'un coude.

« Tout d'abord, nous avons pensé à une femme, sa fille et son fils, dit le policier à mi-voix. Mais franchement, il y a... » Il s'essuya la bouche. « Enfin, il y en a trop, là. Donc maintenant, on pense à trois enfants, peut-être même quatre. On voit ça avec les voisins... Vous allez vous en sortir ? »

Kay hocha la tête. Elle se détourna et retourna à l'ambulance. Après avoir vu ce genre de chose, c'était toujours mieux de bouger, de s'activer... Cole et elle sortirent les brancards : elles y déposèrent le corps de la femme et le torse de l'enfant, et y attachèrent des étiquettes, avec un peu de ficelle. Elles voulaient emporter les membres épars dans la toile cirée, mais le policier leur dit qu'il en avait besoin. Elles apportèrent donc une caisse qu'elles garnirent de papier journal avant d'y mettre les bras et les jambes. Le pire était de prendre la mâchoire, avec ses petites dents de lait. Cole s'en chargea, et faillit vomir dans la caisse — finalement vaincue non pas par la pitié, mais par la simple horreur de la chose.

« Ça va ? demanda Kay, posant une main sur son épaule.

— Oui. Ça va aller.

— Va là-bas si tu te sens mal. Je vais finir.

— Mais ça va, je te dis. »

Elles emportèrent la caisse jusqu'à l'ambulance, y collè-rent une étiquette et la hissèrent à bord. Kay prit bien soin de l'arrimer, entourée d'une ficelle. Une fois, elle avait transporté une cargaison de ce genre jusqu'à la morgue ins-tallée au marché au poisson de Billingsgate, où l'on gardait dans la glace les parties de cadavre non identifiées. Elle n'avait pas attaché la caisse, et en ouvrant les portes de l'ambulance, une fois arrivée au marché, la tête d'un homme avait roulé et atterri sur le sol à ses pieds.

« Quelle vacherie de saloperie de métier », fit Cole comme elles remontaient dans la cabine.

Il était quatre heures et quart quand elles rentrèrent à la station. Les équipes avaient changé : Mickey, Binkie, Hughes, tout le monde était parti. Les nouvelles, ne sachant pas d'où elles venaient, se moquèrent d'elles. « Ben alors, Langrish ? Tes heures ne te suffisent pas, il faut que tu empiètes sur les nôtres ?

— Ouais, tu peux rester et prendre ma place, si tu veux. Ou bien Cole, ça te dit, Cole ?

— On serait encore capables de faire mieux que vous, ça, c'est sûr ! » dit Kay.

Elle rejoignit Cole dans la pièce de désinfection. Elles se lavèrent soigneusement les mains, côte à côte, sans échan-ger un mot ni un regard. Puis elles passèrent leur manteau et se mirent en route ensemble, en direction de West-minster. Cole leva les yeux vers le ciel.

« On a quand même eu de la chance qu'il ne pleuve pas, hein ? » fit-elle.

Elles se séparèrent à St James's Park, sur quoi Kay accé-léra le pas. Elle habitait au nord d'Oxford Street, dans une ancienne écurie transformée en logement et donnant sur une ruelle, du côté de Rathbone Place. Elle empruntait toujours le même trajet, traversant les petites rues de Soho

— un trajet pratique et rapide, si l'on ne craignait pas d'être seule dans ce quartier, la nuit, ni l'aspect fantomatique des nombreuses maisons bombardées, le silence des restaurants et des boutiques. Elle ne croisa presque personne, à part, non loin de chez elle, Henry Varney, l'îlotier de son quartier.

« Ça va, Henry ? » fit-elle à voix basse.

Il leva la main. « Ça va très bien, miss Langrish ! J'ai vu l'ami Fritz qui se baladait au-dessus de Pimlico, et j'ai bien pensé à vous. Ils ne vous laissent pas chômer, hein ?

— Pas trop, non. Et par ici ?

— Tranquille comme tout.

— Eh bien, que demander de plus, n'est-ce pas ? Allez, bonne nuit.

— Bonne nuit, miss Langrish. Mais n'oubliez pas de mettre vos boules Quies, on ne sait jamais !

— J'y penserai ! »

Elle reprit sa marche rapide vers Rathbone Place ; arrivée à l'entrée de la ruelle, toutefois, elle ralentit quelque peu — car elle ressentait l'angoisse secrète, permanente d'arriver une nuit pour trouver l'endroit dévasté, en flammes, en ruine... Mais tout était calme. Son appartement se trouvait au fond de la cour des écuries, au-dessus d'un garage et accolé à un entrepôt ; elle y accédait par une volée de marches de bois. Devant la porte, elle fit halte pour ôter son manteau et ses bottes ; puis elle prit sa clef et se glissa à l'intérieur sans faire de bruit. Elle passa au salon et alluma une petite lampe, puis se dirigea sur la pointe des pieds vers la porte de la chambre, qu'elle entrebâilla. Dans la faible lueur de la lampe, elle distinguait à peine le lit et la silhouette endormie — les bras écartés, les cheveux emmêlés, la plante d'un pied jaillissant de sous les couvertures.

Elle ouvrit un peu plus grand la porte, alla jusqu'au lit,

255

s'accroupit à côté. Helen s'agita, ouvrit les yeux ; pas vraiment réveillée, mais juste assez pour tendre les bras, recevoir un baiser.

« 'soir..., fit-elle d'une voix à peine audible.

— Bonsoir, murmura Kay.

— Il est quelle heure ?

— Affreusement tard — ou affreusement tôt, c'est comme on veut. Tu es restée tout le temps là ? Tu n'es pas descendue à l'abri ? » Helen secoua la tête. « Je préférerais, quand même.

— Mais je n'aime pas, Kay... » Elle posa la main sur le visage de Kay, pour vérifier si elle n'était pas blessée. « Ça a été ?

— Oui. Tout va bien. Rendors-toi, maintenant. »

Elle caressa doucement le front d'Helen, elle lissa ses cheveux en arrière, observant ses paupières qui cessaient de frémir ; elle sentit l'émotion monter dans sa poitrine et fut presque effrayée, l'espace d'un instant, par la violence même de cette émotion. Elle pensa soudain aux morceaux de corps que Cole et elle avaient dû ramasser dans le jardin de Sutherland Street, et cette abomination la saisit brusquement, beaucoup plus que sur l'instant — la douceur horrible de la chair humaine, la fragilité des os, la minceur angoissante d'un cou, d'un poignet, de phalanges... Il lui apparut presque miraculeux de pouvoir revenir ainsi d'un tel enfer, et retrouver tant de douceur, de vie, de chaleur, tant de beauté intacte.

Elle resta encore une minute à contempler Helen, attendant d'être sûre que celle-ci avait bien replongé dans le sommeil ; puis elle se releva et borda la couverture autour de ses épaules, l'embrassa légèrement de nouveau. Elle referma la porte de la chambre aussi silencieusement qu'elle l'avait ouverte, retourna au salon. Là, elle ôta sa cravate, défit son col. Passant la main sur son cou, elle sentit des fragments de poussière sous ses doigts.

Une petite bibliothèque était installée contre un mur du salon. Derrière un livre, se trouvait une bouteille de whisky. Elle alla chercher un verre et tira la bouteille de sa cachette. Alluma une cigarette, s'assit.

Tout alla bien pendant quelques minutes. Puis le whisky commença de vaciller dans le verre qu'elle portait à sa bouche, la cigarette de répandre sa cendre sur ses jointures. Elle s'était mise à trembler. Cela arrivait, quelquefois. Bientôt, elle tremblait si fort qu'elle eut peine à garder sa cigarette aux lèvres ou à prendre une gorgée d'alcool. C'était comme si un train express, un train fantôme la traversait ; il n'y avait rien à y faire, elle le savait, que le laisser passer en elle, boggie après boggie, wagon après wagon... Le whisky était là pour ça. Elle réussit à se calmer assez pour finir sa cigarette et se décrisper dans son fauteuil. Une fois apaisée, et certaine que le train ne reviendrait pas, elle pourrait aller se coucher. Elle serait sans doute incapable de dormir avant une heure, ou même plus. Mais elle écouterait la respiration régulière d'Helen dans l'obscurité. Elle prendrait peut-être son poignet, pour sentir sous ses doigts le battement miraculeux de son pouls.

C'était extraordinaire, le calme qui pouvait régner dans la prison à cette heure de la nuit ; fascinant, de penser au nombre d'hommes qui y gisaient — trois cents, rien que dans le quartier de Duncan —, parfaitement tranquilles, sans faire d'histoires. Et pourtant, c'était aussi l'heure à laquelle Duncan se réveillait : comme si ce silence même, dans l'atmosphère du lieu, agissait sur lui tel un son, une vibration.

Il était éveillé, à présent. Il était allongé sur sa couchette, sur le dos, les mains sous la nuque : il gardait les yeux fixés sur un espace de noir total que créait la couchette de Fraser, à un mètre au-dessus de lui. Il se sentait parfaitement calme, les idées claires, soulagé de ce poids qu'était le jour des visites, ayant réussi à supporter celle de son père sans dispute ni bouderie, sans s'effondrer ni se rendre grotesque de quelque manière. Il avait tout un mois devant lui, maintenant, avant la prochaine. Et un mois, en prison, c'était un siècle. Un mois, en prison, c'était comme une rue envahie par le brouillard : on distinguait assez nettement les choses les plus proches, mais tout le reste était gris, impalpable, sans relief ni profondeur.

Comme tu as changé ! se dit-il. Car auparavant, il se morfondait, des jours durant, sur des petits détails qui avaient émaillé la visite de son père ; il gisait rongé par le tourment, revoyait le visage de son père, entendait sa voix et la sienne propre — comme un projectionniste devenu fou, qui repasserait sans cesse la même bobine. Ou bien il rédigeait mentalement des lettres insensées pour lui dire de ne jamais revenir le voir. Une fois, il avait rejeté les couvertures et s'était effectivement assis à la table pour écrire, dans l'obscurité presque absolue, une lettre à Viv. Il écrivait d'une main fiévreuse, avec un bout de crayon, sur une feuille de garde arrachée à un livre de la bibliothèque ; et en constatant le lendemain ce qu'il avait fait, il avait cru voir l'œuvre d'un fou, les lignes qui se chevauchaient et s'entrecroisaient, les mêmes idées, les mêmes mots qui revenaient sans cesse répétés : *L'ordure qu'est cet endroit — c'est indescriptible — j'ai peur, Viv — toute cette crasse.* Il avait reçu un blâme pour avoir abîmé le livre.

Il se tourna sur le côté, préférant ne pas penser à tout ça.

La lune avait disparu, mais les étoiles devaient briller : Fraser et lui avaient tiré le rideau de la défense passive, et la fenêtre — constituée d'affreux petits carreaux — projetait une ombre intrigante sur le sol. Duncan s'était aperçu qu'en se concentrant assez fort, on la voyait bouger ; ou bien, en restant allongé sur le dos, la tête de biais, selon un angle fatigant, on voyait les étoiles, la lune, le jaillissement irrégulier des tirs de DCA... Les éclats de lumière donnaient le frisson. Il faisait froid dans la cellule. Au bas du mur, était ménagée une ouverture dans la brique, couverte d'une grille ouvragée de style victorien : en principe un système de chauffage, mais le courant d'air qui s'en échappait était toujours glacé. Duncan portait son pyjama de prisonnier, son gilet et ses chaussettes ; le reste de ses vêtements — chemise, veste, pantalon et pèlerine — était étalé par-dessus la couverture, pour lui fournir un peu de chaleur supplémentaire. Sur la couchette supérieure, Fraser avait fait de même.

Mais ce dernier avait bougé dans son sommeil, et sa pèlerine, ou sa chemise, pendait légèrement sur le côté. Il avait étendu un bras aussi, et l'on distinguait ses doigts : fuselés, sombres, semblables aux pattes de quelque araignée énorme et musclée. Sous le regard de Duncan, les doigts tressaillirent — comme s'ils cherchaient prise sur quelque chose, ou s'apprêtaient à bondir... *Ne regarde pas*, s'ordonna Duncan, car souvent, il le savait, de petites choses absurdes, comme celle-ci, pouvaient envahir ses pensées, la nuit, et le mettre dans un état bizarre. Il se tourna de l'autre côté. C'était mieux ainsi. En tendant la main, il pouvait toucher le mur, sentir sous ses doigts les écorchures du plâtre, les inscriptions gravées par des hommes étendus ici même, des années auparavant : *J.B. Décembre 1922, L.V.C. neuf mois dix jours, 1934...* Les dates n'étaient pas assez anciennes pour donner réellement l'impression d'un passé lointain, mais il aimait bien penser à ces hommes, et aux petits instruments qu'ils

259

avaient dû utiliser pour faire cela, les aiguilles et les clous dissimulés, les éclats de faïence... *R.I.P., George K., le roi du fric-frac* : il se demandait si un prisonnier était mort dans cette cellule, assassiné, ou suicidé. Un autre homme avait dressé un calendrier — mais en donnant trente jours à chaque mois, de sorte que son calendrier était quasiment inutilisable. Un autre avait écrit un poème : *Cinq ans de solitude, cinq ans sans ma femme aimée, j'arpente ma cellule, en souhaitant qu'elle soit là* — et au-dessous, une autre main avait ajouté : *Pas elle, connard, elle est trop occupée à se faire bourrer par tous tes potes, ha ha ha.*

Duncan ferma les yeux. Qui d'autre à part lui était éveillé, dans tout le bâtiment, se demanda-t-il. Peut-être les gardiens, uniquement. On les entendait faire leur ronde : ils passaient dans un sens, dans l'autre, toutes les heures, comme les figurines au fronton de l'horloge d'une cathédrale. Leurs semelles étaient souples, mais faisaient résonner les coursives de métal : un son froid, réverbérant, un battement régulier comme celui d'un sang glacé. On ne l'entendait guère durant la journée, sans doute parce que l'endroit était trop bruyant ; pour Duncan, il faisait partie de cette atmosphère particulière de la nuit, comme s'il émanait du silence et de l'ombre mêmes. Il l'attendait. Il signifiait encore soixante minutes de prison en moins, finalement. Et s'il était le seul prisonnier éveillé, conscient, ces soixante minutes lui appartenaient, à lui seul ; elles tombaient dans son escarcelle, dans un glissement et un tintement métallique, comme des piécettes dans une tirelire en forme de petit cochon. Malheur à ceux qui dormaient ! Ils n'avaient droit à rien... Mais si quelqu'un se mettait à s'agiter — toussait, ou cognait sur sa porte pour appeler un gardien —, si un homme se mettait à pleurer ou à appeler, alors Duncan partageait avec lui ces minutes, moitié-moitié, trente chacun. Ce n'était que justice.

Tout cela était idiot, en fait, car le temps passait évidemment beaucoup plus vite quand on dormait ; et en restant éveillé sur sa couchette, comme en cet instant, Duncan ne faisait que rendre les choses pires. En même temps, il fallait bien avoir ses petits trucs, ses petits systèmes ; il fallait transformer cette attente en quelque chose de plus palpable : un travail, un puzzle. Il n'y avait rien d'autre à faire. La prison n'était rien d'autre que ça ; non pas une tirelire en forme de cochon, mais une immense machinerie très lente, destinée à broyer votre temps. Une machine que vous alimentiez de votre vie, et qui la réduisait en poudre.

Il souleva la tête, changea encore de position, roulant sur l'autre côté. La réverbération métallique se faisait entendre sur la coursive, mais si légère, cette fois, si délicate, qu'il sut que ce devait être Mr Mundy qui passait ; Mr Mundy travaillait dans cette prison depuis plus longtemps que tous les autres gardiens, et savait marcher discrètement pour ne pas déranger les détenus. Le pas se rapprochait, mais en ralentissant ; il s'éteignit doucement, comme un cœur qui cesse de battre. Duncan retint son souffle. Sous la porte de sa cellule, il voyait un rai de lumière bleutée, malsaine. Au centre de la porte, à environ un mètre cinquante du sol, le petit cercle noir d'un judas couvert. Il vit le rai de lumière vaciller, tandis que le judas s'illuminait l'espace d'une seconde, avant de s'obscurcir de nouveau. Mr Mundy était là, en train de regarder dans la cellule. Car, de même qu'il savait marcher discrètement, il savait aussi, disait-il, quand un de ses hommes se tourmentait et n'arrivait pas à trouver le sommeil...

Il demeura ainsi, parfaitement immobile, pendant

presque une minute. « Ça va ? » fit-il enfin, tout doucement.

Duncan ne répondit pas. Il craignait que Fraser ne se
réveille. Puis enfin il se décida. « Oui, ça va ! » chuchotat-
t-il. Puis, comme Fraser ne faisait pas mine de bouger, il
ajouta : « Bonne nuit ! »

« Bonne nuit ! » répondit Mr Mundy.

Duncan ferma les yeux. Puis le pas régulier, résonant,
reprit et s'éloigna. Quand il regarda de nouveau, le rai de
lumière au bas de la porte était de nouveau intact, le cercle
plus pâle du judas avait disparu. Il roula sur son autre flanc,
glissa ses mains jointes sous sa joue — comme un petit garçon attendant patiemment le sommeil, dans un livre
d'images.

2

« Helen ! » entendit-elle appeler, par-dessus le grondement de la circulation de Marylebone Road. « Helen ! Par
ici ! »

Se détournant, elle aperçut une femme vêtue d'un blouson et d'une salopette de mécanicien, plutôt crasseuse aux
genoux, les cheveux pris dans un turban également douteux. La femme lui souriait en levant la main. « Helen ! »
fit-elle de nouveau, se mettant à rire.

« Julia ! » s'exclama enfin Helen. Elle traversa. « Je ne
vous avais pas reconnue !

— Ça n'a rien d'étonnant. Je dois ressembler à un ramo-
neur, n'est-ce pas ?

— Mon Dieu, un peu, oui. »

Julia se leva. Elle était assise au soleil sur un bout de
muret effondré. Elle tenait un roman de Gladys Mitchell
dans une main, et une cigarette dans l'autre : elle prit une
dernière, rapide bouffée de sa cigarette et la jeta au loin.
Elle se frotta la main sur la poitrine de sa combinaison et fit
mine de la tendre à Helen. Puis, regardant sa paume, elle
prit l'air perplexe.

« J'ai bien peur que la saleté soit incrustée à vie. Cela
vous ennuie ?

— Bien sûr que non. »

263

Elles échangèrent une poignée de main. « Où allez-vous ? demanda Julia.

— Je retourne au travail », répondit Helen, vaguement mal à l'aise ; quelque chose chez Julia — dans ses manières, sa voix posée, claire, son ton élégant — l'intimidait toujours. « Je viens de déjeuner. Je travaille ici, à la mairie.

— À la mairie ? » Julia regarda au loin dans la rue. « Alors nous avons déjà dû nous croiser sans nous voir. Mon père et moi travaillons par ici, on a fait toutes les rues. Nous avons installé une sorte de quartier général dans une maison de Bryanston Square. Cela fait une semaine. Il devait voir un îlotier, et moi j'en profite pour m'accorder une petite pause. »

Helen savait que le père de Julia était architecte. Il passait en revue les bâtiments endommagés par les bombes, aidé de sa fille. Mais Helen s'était toujours imaginé qu'ils travaillaient à des kilomètres de là, dans l'East End ou quelque chose comme ça. « Bryanston Square ? fit-elle. C'est drôle. J'y passe tout le temps !

— C'est vrai ? »

Elles se regardèrent un instant, souriant et fronçant les sourcils tout à la fois. Puis Julia reprit, plus vivement : « Comment allez-vous, à part ça ? »

Helen haussa les épaules, soudain timide, de nouveau. « Ça peut aller. Un peu fatiguée, bien sûr, comme tout le monde. Et vous ? Vous écrivez toujours ?

— Un peu.

— Vous y arrivez, entre deux explosions ?

— Exactement, entre deux explosions. Ça doit m'empêcher d'y penser. Je lis ça, pour l'instant », elle leva le livre, « ... histoire de voir où en est la concurrence... Mais comment va Kay, dites-moi ? »

Elle avait posé la question tout naturellement mais

264

Helen se sentit rougir. Elle hocha la tête. « Kay va très bien.

— Elle travaille toujours aux ambulances, à Dolphin Square ?

— Oui, toujours.

— Avec Mickey ? Et Binkie ? C'est quelque chose, ces deux-là, n'est-ce pas ? »

Helen se mit à rire, approuvant : c'était quelque chose, en effet... Le soleil se fit plus ardent, et Julia éleva le livre devant son front pour s'ombrager. Mais ce faisant, elle gardait les yeux fixés sur le visage d'Helen, comme si elle réfléchissait à quelque chose.

« Écoutez », dit-elle enfin. Elle tira sur son bracelet-montre qui avait tourné autour de son poignet. « Mon père ne sera pas de retour avant dix minutes. J'allais justement prendre un thé ; il y a une sorte de cantine, à côté de la gare. Ça vous dit ? Ou bien devez-vous retourner immédiatement au travail ?

— Eh bien, fit Helen, surprise, en fait, je devrais déjà être à mon bureau, là.

— C'est vrai ? Alors voyons les choses autrement. Disons que le thé vous donnera des forces pour travailler deux fois plus vite.

— Peut-être, oui », dit Helen.

Elle avait conscience de rougir de nouveau ; et elle ne voulait pas que Julia se dise qu'elle ne pouvait pas parler de Kay, normalement, dans la rue, comme si tout cela n'était pas absolument naturel, parfaitement légitime... D'ailleurs Kay serait ravie d'apprendre qu'elles s'étaient croisées ; elle devait raisonner ainsi. Elle jeta un regard sur sa propre montre, sourit. « Parfait, mais alors pas longtemps. J'oserai affronter l'ire de miss Chisholm, pour une fois.

— Miss Chisholm ?

— Une collègue à moi, très à cheval sur le travail. Vous la verriez, quand elle pince les lèvres... affreux. Pour ne rien vous cacher, elle me terrorise littéralement. »

Julia rit. Elles se mirent en route. Elles remontèrent la rue d'un bon pas et se joignirent à une file de gens attendant leur tour d'être servis devant le panneau relevé d'une cantine itinérante.

La journée, quoique ensoleillée et presque sans un souffle de vent, était froide. L'hiver avait été extrêmement rude. Ce qui, aujourd'hui, rendait le bleu du ciel d'autant plus appréciable, pensa Helen. Tout le monde avait l'air de bonne humeur, comme touché par les souvenirs d'une époque plus heureuse. Un soldat en uniforme kaki avait appuyé son sac et son fusil contre la camionnette et se roulait tranquillement une cigarette. La jeune fille devant Helen et Julia portait des lunettes de soleil. Devant elle, un homme âgé arborait un panama crème. Mais elle comme lui portaient aussi un masque à gaz accroché à l'épaule : Helen avait remarqué que les gens commençaient de les exhumer et de sortir avec. Cinquante mètres plus loin, dans Marylebone Road, un immeuble de bureaux avait été récemment bombardé : une citerne d'eau était encore installée ; des fragments de papier calciné, mouillé, collaient à la chaussée, une couche de cendres recouvrait les murs et les arbres, et des traces boueuses serpentaient à terre jusque dans le bâtiment en ruine, là où l'on avait traîné les tuyaux au travers de la rue.

La file avança. Julia demanda deux tasses de thé à la fille derrière le comptoir. Helen sortit son porte-monnaie, et ce fut l'éternelle chamaillerie entre deux femmes, pour savoir qui va payer. Finalement, c'est Julia qui gagna, arguant que c'était son idée, au départ. Cela dit, le thé avait l'air abominable : grisâtre, probablement à base d'eau chlorée et de lait

266

en poudre qui faisait des grumeaux. Julia prit les tasses et précéda Helen jusqu'à un tas de sacs de sable, un peu plus loin, sous une fenêtre condamnée par des planches. Les sacs avaient reçu le soleil. Il en émanait une odeur de toile de jute chaude, pas déplaisante. Certains, par des fentes, laissaient voir une terre pâle, et de vagues reliefs décolorés d'herbe et de fleurs.

Julia tira sur une tige cassée. « La Nature triomphe de la Guerre », fit-elle d'une voix de speaker de la TSF ; c'était le genre de chose que l'on entendait sans cesse à la radio — on parlait des nouvelles variétés de fleurs repérées sur les sites bombardés, des nouvelles espèces d'oiseaux, tout cela —, c'en était devenu affreusement ennuyeux. Elle prit une gorgée de thé, fit la grimace. « Mon Dieu, c'est une horreur. » Elle tira un paquet de cigarettes et un briquet. « Cela ne vous ennuie pas, si je fume dans la rue ?

— Bien sûr que non.

— Vous en voulez une ?

— J'ai les miennes, quelque part...

— Ne soyez pas sotte. Allez-y, prenez.

— Bon, merci. »

Elles partagèrent la flamme, leurs têtes toutes proches, la fumée leur piquant les yeux. Machinalement, Helen appuya doucement ses doigts contre la main de Julia.

« Vous avez les phalanges tout égratignées », dit-elle.

Julia baissa les yeux. « Oui, en effet. Ce doit être les éclats de verre. » Elle porta ses doigts à sa bouche, suça les jointures. « J'ai été obligée de me glisser par l'imposte d'une maison, ce matin.

— Dieux du ciel ! fit Helen. Comme Oliver Twist !

— Exactement.

— Ce n'est pas interdit ?

— En principe si. Mais mon père et moi avons une sorte

d'autorisation spéciale. Quand une habitation est vide, et qu'on n'a pas pu trouver les clefs, nous avons le droit d'y pénétrer comme nous le pouvons. C'est un sale boulot, pas du tout aussi excitant qu'on pourrait l'imaginer : les pièces sont ravagées, les tapis en loques, les miroirs brisés. Souvent, la tuyauterie en a pris un coup, et l'eau gicle et transforme la suie en boue. Le mois dernier, en entrant dans certaines maisons, j'ai trouvé des choses absolument intactes, comme figées : le divan, la nappe, des choses comme ça. Ou bien tout est calciné. Ou bien une cartouche incendiaire atterrit sur le toit : en brûlant, elle passe au travers, de manière bien nette, d'un étage à l'autre ; résultat, vous êtes au rez-de-chaussée, et vous voyez le ciel... Je ne sais pas pourquoi, je trouve ce genre de dégâts finalement plus attristants qu'une maison franchement réduite en miettes : c'est comme si un cancer l'avait rongée.

— Est-ce très effrayant ? demanda Helen, captivée par la description que lui faisait Julia. Moi, je crois que cela m'impressionnerait énormément.

— Quelquefois, ça me fiche un peu la frousse. Et puis bien sûr, il y a toujours le risque de tomber sur quelqu'un, un pillard qui est entré de la même façon. Des gamins qui se sont introduits là histoire de s'amuser. Parfois, on trouve des dessins obscènes sur les murs, aussi ; on se met à la place de la famille qui va devoir revenir chez elle. Mais il arrive aussi que l'endroit n'ait pas été abandonné. Il y a quelques mois, mon père est entré comme ça dans une maison, il a fait le tour pour évaluer les dommages, et dans la dernière chambre, il est tombé sur une très vieille dame à cheveux blancs, en chemise de nuit jaune, en train de dormir dans un lit à baldaquin aux tentures déchirées. »

Helen visualisait très nettement la scène. « Et qu'a fait votre père ? s'enquit-elle, fascinée.

— Il ne l'a pas dérangée, il est redescendu en silence ; ensuite, il a prévenu le chef d'îlot du secteur. L'îlotier lui a dit que la vieille dame avait une fille, qui venait lui faire à dîner, et allumer le feu ; qu'elle avait quatre-vingt-treize ans, et refusait obstinément de bouger quand un raid s'annonçait. Qu'elle se souvenait avoir vu le prince Albert et la reine Victoria passer en calèche, à Hyde Park... »

Tandis que Julia parlait, le soleil ne cessait d'entrer et de sortir des nuages. Quand il dardait, elle portait la main à son front, ou élevait son livre, comme tout à l'heure ; soudain, comme il se faisait plus ardent, elle se tut, ferma les yeux un moment et renversa la tête.

Mais elle est ravissante ! se dit soudain Helen, brusquement arrachée à l'histoire de la vieille dame ; le soleil éclairait Julia comme un projecteur, et le bleu de son blouson et de sa combinaison faisait ressortir son teint hâlé, le noir de ses cils et de ses sourcils bien dessinés, parfaitement droits ; ses cheveux relevés sous le turban dégageaient les lignes gracieuses de sa mâchoire et de sa gorge. Elle avait entrouvert les lèvres. Sa bouche était sensuelle, ses dents légèrement trop serrées. Mais même ce petit défaut était charmant : une de ces imperfections qui rendent un beau visage plus que simplement beau, mieux que simplement parfait.

Ce n'est pas étonnant, pensa Helen, avec un sentiment étrange — mélange d'envie, d'admiration, et d'une pointe d'angoisse au cœur —, *ce n'est pas étonnant que Kay ait été amoureuse d'elle.*

Car c'était là son seul lien avec Julia. On ne pouvait même pas dire qu'elles fussent amies. Julia était l'amie de Kay, comme Mickey — ou plus exactement, pas du tout comme Mickey, car contrairement à Mickey, elle ne sortait pas avec Kay et Helen, elles ne se voyaient pas à la maison, au pub, dans des soirées. Elle n'était pas aussi ouverte et sympathique et décontractée. Il y avait une sorte de mystère en elle — et un mystère séduisant, se disait Helen.

Il en avait toujours été ainsi, depuis la première fois. « Il faut absolument que je te présente Julia », disait sans cesse Kay, après qu'elles s'étaient installées chez elle. « Je voudrais tellement que vous fassiez connaissance. » Mais toujours quelque chose s'interposait : Julia était occupée, Julia écrivait ; Julia avait des horaires bizarres, on ne savait jamais quand la trouver... Elles avaient quand même fini par se rencontrer, environ un an auparavant, et par hasard ; Kay et Helen étaient tombées sur elle à la sortie d'un théâtre, après une représentation de — le croiriez-vous — *L'esprit s'amuse*. Julia s'était montrée charmante, ravissante, impressionnante, distante : Helen n'avait eu qu'un regard à lui jeter, avait remarqué la manière imperceptiblement fébrile, embarrassée avec laquelle Kay la lui présentait, et avait tout compris.

Plus tard ce soir-là, elle avait demandé à Kay : « Qu'y a-t-il eu entre Julia et toi ? » et Kay s'était montrée de nouveau mal à l'aise.

« Rien.

— Rien ?

— Une sorte de... de maldonne, disons. Il y a des siècles de cela.

— Tu étais amoureuse d'elle », avait dit Helen, d'un ton brusque.

Et Kay s'était mise à rire. « Écoute, parlons plutôt d'autre chose ! » Mais elle avait également rougi — chose rare chez elle.

Et ce rouge montant à ses joues était le seul lien qui existait entre Helen et Julia — un lien curieux, quand on y réfléchissait...

Julia sourit et pencha la tête de côté. Elles ne se trouvaient qu'à une cinquantaine de mètres de la gare de Marylebone, et comme une accalmie se faisait dans la circulation, des échos leur parvinrent soudain des quais : un coup de sifflet, un chuintement de vapeur. Elle ouvrit les yeux. « J'aime bien ces bruits.

— Moi aussi, dit Helen. Cela évoque les vacances, n'est-ce pas ? Les seaux et les pelles, les châteaux de sable. Cela me donne envie de partir — de sortir de Londres, juste un moment. » Elle fit tourner le thé qui restait au fond de sa tasse. « Mais bon, autant rêver.

— Vraiment ? fit Julia, le regardant. Vous ne pouvez pas organiser quelque chose ?

— Où aller ? Et puis les trains, ces temps-ci... De toute façon, je n'arriverais jamais à convaincre Kay. Elle fait des heures supplémentaires à Dolphin Square, maintenant. Jamais elle ne prendrait un peu de temps pour elle, alors que ça va si mal. »

Julia tira sur sa cigarette, puis la jeta et posa le pied sur le mégot. « Kay est une véritable héroïne, n'est-ce pas, dit-elle en soufflant la fumée. La générosité même. »

Elle plaisantait sans doute ; mais son ton n'était pas si léger, et elle avait regardé Helen du coin de l'œil, presque à la dérobée — comme si elle la testait, évaluait sa réaction.

Helen se souvint alors d'une réflexion que Mickey avait faite un jour, à propos de Julia : qu'elle avait un besoin permanent d'être admirée, qu'elle ne supportait pas que l'on aime quiconque plus qu'elle, et qu'elle était dure. Et l'espace d'une seconde, elle ressentit une violente bouffée d'antipathie. *C'est vrai, vous êtes dure*, pensa-t-elle. Et dans cette seconde, elle se sentit soudain vulnérable, presque en danger.

Mais le plus étrange était que cette sensation d'être en danger, que cette brusque antipathie même avait quelque

271

chose d'excitant. Elle jeta de nouveau un coup d'œil sur le beau visage lisse, élégant de Julia, et pensa à des perles, à des bijoux. Être dure ne faisait-il pas nécessairement partie de la séduction, finalement ?

Puis Julia changea de position, et cette sensation s'évanouit. Elle consulta de nouveau sa montre ; Helen vit combien il était tard. « Mince », fit-elle. Elle finit rapidement sa cigarette, laissa tomber le mégot dans la tasse presque vide, l'entendit chuinter. « Il faut absolument que j'y retourne. »

Julia hocha la tête, finit son thé en une gorgée. « Je vous accompagne. »

Elles revinrent à la cantine, reposèrent leurs tasses sur le comptoir ; puis elles se dirigèrent vers le bureau d'Helen, à quelque deux cents mètres de là.

« Votre fameuse miss Prism va vous sonner les cloches, d'être si en retard ? demanda Julia.

— Miss Chisholm ? répondit Helen en souriant. Il y a des chances, oui.

— Alors dites que c'est ma faute. Dites-lui que c'était un cas d'urgence. Que j'ai... disons... perdu ma maison, et tout ce qu'elle contenait ?

— Tout ? » Helen réfléchit. « Cela concernerait quelque chose comme six services différents, j'en ai bien peur. Personnellement, je ne peux vous fournir qu'un bon pour la réparation des lampes. Pour la reconstruction en soi, il vous faudra vous adresser au Bureau des dommages de guerre ; lequel est tout à fait capable de vous renvoyer à nous. Miss Link, au troisième étage, pourra probablement vous aider pour tout ce qui est remise en état des objets encore récupérables — rideaux, tapis, tout cela. Mais surtout n'oubliez pas d'apporter vos factures de teinturerie ; ainsi, bien entendu, que le bon que nous vous avons remis lorsque vous êtes venue déclarer les dégâts. — Comment cela, vous avez perdu le bon ? Oh, c'est bien ennuyeux. Vous allez être obligée de tout recommencer, depuis le début... C'est un peu comme le jeu de l'Oie, vous voyez. Et tout ceci, bien sûr, à supposer que nous ayons eu le temps de vous recevoir, au départ. »

Julia fit la grimace. « Vous avez l'air de bien aimer ce que vous faites.

— C'est extrêmement frustrant, voilà tout. On espère toujours servir à quelque chose. Mais maintenant, on voit revenir des gens que nous avons relogés il y a trois ans : ils se sont de nouveau fait bombarder. Et nous avons de moins en moins d'argent. Et la guerre nous coûte de plus en plus cher — combien disent-ils, déjà ? Onze millions par jour, c'est cela ?

— Ne me posez pas la question, dit Julia. J'ai renoncé à lire les journaux. Puisque le monde a l'air de vouloir courir à sa propre perte, il y a des mois que j'ai décidé de regarder ailleurs, et de ne plus m'en préoccuper.

— J'aimerais bien pouvoir faire la même chose, dit Helen. Mais je me rends compte que je me sens encore plus mal de ne pas savoir ce qui se passe que de le savoir... »

Elles étaient arrivées à la mairie, et firent halte au pied des marches pour se dire au revoir. L'escalier était flanqué de deux lions de pierre à l'air angoissé, couverts d'une fourrure de cendres grises. Julia tendit la main vers l'un d'eux, lui donna une petite tape, et rit.

« J'ai une envie affreuse de monter à cheval sur son dos. Qu'en dirait miss Chisholm ?

— Je crois qu'elle en ferait une crise cardiaque..., dit Helen. Au revoir, Julia. » Elle tendit la main. « Et arrêtez de crapahuter dans les impostes, d'accord ?

— Je ferai ce que je peux. Au revoir Helen. J'ai été ravie... Enfin, c'est un mot absurde, n'est-ce pas ?

— C'est un mot magnifique. Moi aussi, j'ai été ravie.

— Vraiment ? Alors j'espère que le hasard refera bien les choses. Ou plutôt, demandez à Kay de vous amener un jour à Mecklenburgh Square. On pourrait dîner ensemble.

— Mais oui », dit Helen. Pourquoi pas, finalement ? Cela semblait tout simple, à présent. « Tout à fait, je lui en parlerai. » Elles s'écartèrent l'une de l'autre. « Et merci pour le thé ! »

« Il y a une foule à l'attente, miss Giniver, fit miss Chisholm quand elle pénétra dans le bureau.

— Vraiment ? » demanda Helen. Elle traversa le bureau et prit le couloir jusqu'aux toilettes des employés, ôta son chapeau, fit halte devant le miroir des lavabos pour se repoudrer. Ce faisant, elle revoyait le visage de Julia, les traits lisses, aigus, la longue gorge, les yeux sombres, les sourcils bien dessinés ; la bouche aux lèvres pleines, aux dents légèrement irrégulières, où le regard revenait sans cesse.

La porte s'ouvrit, et miss Link entra.

« Oh, miss Giniver, je suis contente de vous voir. J'ai une bien triste nouvelle, cela dit. C'est Mr Piper, du fonds d'aide communale : son épouse est morte.

— Oh, non..., fit Helen, baissant lentement la main.

— Si. Une bombe à retardement. Tôt ce matin. C'est affreux, il a fallu que ça tombe sur elle. Nous préparons une carte de condoléances. Nous n'allons pas demander à tout le monde de la signer — ça finit par être pénible à lire — mais j'ai pensé que vous aimeriez être au courant.

— Tout à fait, merci. »

Helen referma son poudrier et le rangea, puis se dirigea

274

tristement vers son bureau — et ne pensa plus guère à
Julia, après cela ; plus guère.

« Eh bien, fit le prisonnier qui précédait Duncan dans la
file d'attente pour le dîner, une affreuse vieille folle sur-
nommée tante Vi, que nous propose-t-on, aujourd'hui ? Du
homard Thermidor, peut-être ? Du foie gras ? Du rôti de
veau ?

— Du mouton, Tantine, répondit le garçon qui remplissait les assiettes.

— Ttt-ttt, fit tante Vi. Il n'a même pas eu la décence de
se déguiser en agneau. Mon Dieu, mon Dieu. Vas-y, ne
lésine pas, mon chéri. D'après ce qu'on dit, le menu de chez
Brooks n'est pas beaucoup plus fameux, ces derniers
temps. »

Ceci en se retournant vers Duncan, avec des roulements
d'yeux et en se tapotant les cheveux, qu'elle avait légèrement oxygénés sur le devant, et magnifiquement ondulés
— car elle dormait chaque nuit avec des ficelles autour de
la tête pour maintenir les boucles en place. Elle portait un
peu de fard à joues, et ses lèvres étaient rouges comme
celles d'une fille : on ne pouvait plus trouver dans la bibliothèque un seul livre à couverture rouge qui ne soit marqué
de traces pâles, sucé tant et plus par des hommes comme
elle.

Duncan ne la supportait pas. Il prit son assiette sans rien
dire, et elle finit par s'éloigner. « Juste ciel, fit-elle néanmoins en passant, *on* fait bien sa fière, aujourd'hui... » Et
lorsqu'il lui jeta un regard de loin, il la vit s'installer à
table et porter sa main à la poitrine. « Mes chéries ! lança-
t-elle à ses copines. Je viens de me faire snober ! Mais alors,
quelque chose de bien ! Par qui ? Mon Dieu, mais par notre
princesse de tragédie, miss Pearce, là-bas... »

275

Il baissa la tête, et emporta son assiette à l'autre extrémité de la cantine. Il partageait une table avec Fraser et huit autres détenus, près des grilles. Fraser était déjà là. Il parlait avec animation à son voisin d'en face — un type appelé Watling, objecteur de conscience, lui aussi. Watling se tenait bras croisés, et Fraser se penchait vers lui, tapant de l'index sur la toile cirée, pour bien marquer ses propos. Il ne remarqua pas l'arrivée de Duncan qui prit une chaise à quelques sièges de lui. Les autres, toutefois, levèrent la tête et le saluèrent avec des hochements de tête, de manière plutôt amicale : « Salut, Pearce. » « Ça va, mon gars ? »

La plupart étaient relativement âgés. Duncan et Fraser étaient parmi les plus jeunes détenus dans la prison. Duncan en particulier était apprécié, et sa présence recherchée... « Comment ça va ? lui demanda l'homme assis à côté de lui. Tu as reçu de la visite, récemment ? De ta petite sœur ?

— Oui, elle est venue samedi, répondit Duncan en s'asseyant.

— Elle est gentille avec toi. Et mignonne, en plus. » L'homme lui fit un clin d'œil. « Ce qui ne gâte rien, hein. »

Duncan sourit, mais se mit bientôt à renifler, plissant le nez. « C'est quoi, cette puanteur ?

— À ton avis ? fit son autre voisin. Cette saloperie est encore bouchée. »

À quelques mètres de leur table, se trouvait une tinette dans laquelle les détenus du rez-de-chaussée devaient vider leur pot de chambre. Le siphon se bouchait sans cesse ; Duncan y jeta un regard malheureux, et la vit pleine à ras bord d'un ragoût infect d'urine et de crottes.

« Oh non ! » fit-il, tournant sa chaise. Il se mit à picorer dans son assiette. Mais la nourriture l'écœurait tout autant.

Le mouton était plein de gras, les patates grisâtres ; le chou pas lavé, trop cuit, encore souillé de terre.

En le voyant peiner sur son dîner, l'homme en face sourit. « Appétissant, hein ? Imagine-toi que j'ai trouvé des crottes de souris dans mon cacao, hier soir.

— Et Evans, du troisième étage, intervint quelqu'un d'autre, dit qu'un jour, il a trouvé des rognures d'ongles de pied dans son pain ! Ces salopards du bâtiment C le font exprès. Et le pire, dit Evans, c'est qu'il avait tellement la dalle qu'il a continué à manger ! Il ôtait simplement les bouts d'ongle au fur et à mesure ! »

Tout le monde fit la grimace. Le voisin le plus âgé de Duncan commenta : « Ouais, comme disait toujours mon vieux père : "Ventre affamé n'a pas d'oreilles." Et ça, je ne l'ai jamais vraiment compris avant d'arriver ici... »

Ils continuèrent de bavarder ainsi. Duncan ôta encore un peu de terre de son chou, puis y plongea sa fourchette. Tout en mangeant, il percevait des bribes de la conversation entre Fraser et son voisin, par-dessus le bavardage des autres : « Mais tu ne vas pas me dire, avec tant d'objecteurs, entre ici et Maidstone, que... », la fin de la phrase lui échappa. Ils étaient assis à une table de quinze, installée sur le sol de ciment de leur quartier. Chaque table recevait dix ou douze détenus, et le vacarme mêlé des conversations et des rires, des raclements de chaises, des cris des matons, était presque insoutenable — amplifié, bien entendu, par l'acoustique même de l'endroit, qui transformait le moindre éclat de voix en une annonce par haut-parleur sur les quais de King's Cross.

Soudain, une brusque agitation fit sursauter tout le monde. Mr Garnish, le surveillant de cantine, s'était élancé dans une travée et braillait sur un détenu, lui hurlant en plein visage — « Espèce de petit connard ! » —, tout cela

277

parce que l'homme avait fait tomber une pomme de terre, ou renversé un peu de sauce, quelque chose de ce genre... Les injures pleuvaient, terribles, évoquant des rugissements de bête furieuse ; mais les têtes se tournaient une seconde, pour voir, puis se détournaient aussitôt, comme déçues. Duncan remarqua que Fraser ne se retournait même pas. Il discutait toujours avec Watling. Il se mit à rire, faisant mine de s'arracher les cheveux, qu'il avait ras. « On ne sera jamais d'accord ! »

Sa voix portait nettement à présent ; un calme relatif s'était fait, après l'éclat de Mr Garnish. L'homme à la droite de Watling — un type nommé Hammond, déserteur, et en prison pour vol — jeta un regard mauvais à Fraser. « Pourquoi tu continues à nous emmerder, alors ? dit-il. Tu ne peux pas nous lâcher un peu, non ? Bla bla bla, c'est tout ce que tu sais faire. Facile de parler, pour toi. C'est les mecs comme toi qui profiteront de la guerre — comme vous avez profité de la paix.

— Tout à fait, répondit Fraser. Parce que les mecs comme moi — comme tu nous appelles — peuvent compter sur des mecs comme toi, et leurs raisonnements. Parce que tant que les travailleurs ne verront aucun bien à vivre en temps de paix, ils n'auront aucune raison de ne *pas* aller faire la guerre. Qu'on leur donne des boulots corrects, des maisons correctes, des écoles correctes pour leurs enfants, et ils comprendront l'intérêt du pacifisme.

— Oh, fais chier ! » fit Hammond, l'air dégoûté ; mais malgré lui, il entra dans le débat. Son voisin également. Quelqu'un dit que si l'on écoutait Fraser, l'ouvrier de base ne pouvait jamais se tromper. « Tu devrais essayer de diriger une usine », ajouta-t-il. Lui se trouvait là pour détournement de fonds. « Je peux te dire que tu changerais vite de point de vue. » « Et les nazis, alors ? intervint Hammond. Ce sont bien des travailleurs de base, non ?

— Absolument, répondit Fraser.

— Et les Japs ?

— Ah, eux, c'est pas pareil », affirma le voisin de Fraser, un autre déserteur appelé Giggs, « les Japs, ce ne sont pas des êtres humains. Tout le monde sait ça. »

La conversation se poursuivit ainsi pendant plusieurs minutes. Duncan finit son dîner infect, écoutant sans rien dire. De temps à autre, il jetait un regard à Fraser — qui, ayant déclenché le débat et mis toute la tablée en émoi, se renversait sur sa chaise, les mains derrière la nuque, l'air content de lui. Duncan se fit cette réflexion que son uniforme lui allait aussi mal qu'à tous les autres détenus ; le gris de la veste, avec son étoile rouge crasseuse, semblait absorber les couleurs de son visage ; son col de chemise était noir de saleté ; et pourtant, il réussissait, par quelque mystère, à rester séduisant — à paraître simplement mince, disons, alors que tous les autres avaient l'air décharnés, sous-alimentés. Cela faisait trois mois qu'il était à Wormwood Scrubs, et il ne lui en restait que neuf à faire ; mais il avait déjà à son actif une année à la prison de Brixton, connue pour être plus dure que celle-ci. Un jour, il avait dit à Duncan que même Brixton n'était pas pire que son ancienne école privée... Seules ses mains avaient vraiment souffert de son séjour ici — car il travaillait à l'atelier des paniers, et n'avait pas encore l'habitude de manier les outils. Il avait aux doigts des ampoules de la taille d'un shilling.

Tournant la tête, il surprit le regard de Duncan sur lui, et sourit. « Tu ne te mêles pas à la discussion, Pearce ? lança-t-il. Quelle est ton opinion sur tout ça ?

— Pearce n'a pas d'opinion, sur rien, dit Hammond

avant que Duncan puisse répondre. Il baisse la tête, c'est tout — pas vrai, mon pote ? »

Duncan rougit, gêné. « Je ne vois pas l'intérêt de radoter sans arrêt, si c'est ce que tu veux dire. On ne peut pas changer les choses. Alors pourquoi essayer ? Ce n'est pas notre guerre. »

Hammond hocha la tête. « Ça, c'est sûr, ce n'est pas la nôtre, du tout !

— Vraiment ? demanda Fraser, s'adressant à Duncan.

— Oui, dit Duncan, puisqu'on est ici. C'est comme tout le reste. Rien n'est à nous, quand on est ici. Rien de ce qui compte, je veux dire : les choses agréables comme les choses désagréables...

— Oh putain ! fit Giggs, bâillant. Tu parles comme un vieux repris de justice, mon gars. Comme un condamné à perpète, carrément.

— En d'autres termes, reprit Fraser, tu fais exactement ce qu'ils attendent de toi. Garnish, Daniels — et Churchill, et toute la bande. Tu abdiques ton droit à réfléchir ! Je ne te blâme pas, Pearce. C'est difficile, ici, sans aucune incitation à réagir autrement. Alors qu'on ne nous laisse même pas écouter les nouvelles à la radio ! Quant à cela... » Il tendit le bras sous la table. Il y avait un journal au sol, un numéro du *Daily Express*. Mais quand il le déplia, on aurait cru une de ces guirlandes de Noël comme les enfants en fabriquent à l'école : des morceaux d'articles avaient été découpés, et il n'en restait quasiment plus que les pages pratiques, les nouvelles sportives, et les bandes dessinées. Fraser le laissa retomber. « Voilà ce qu'ils feront avec notre cerveau, dit-il, si on les laisse agir. Il ne faut pas les laisser, Pearce ! »

Il parlait d'un ton extrêmement passionné, en soutenant le regard de Duncan de ses yeux bleu pâle, et Duncan se

sentit de nouveau rougir. « C'est facile pour toi de... »,
commença-t-il.

Mais le regard de Fraser s'était décalé, il fixait maintenant quelque chose derrière l'épaule de Duncan, et son
expression avait changé. Il venait de voir Mr Mundy qui
venait vers eux entre les tables. Il leva la main.

« Eh bien, Mr Mundy, s'exclama-t-il avec une amabilité
ostensible, artificielle. Il ne manquait que vous ! »

Mr Mundy approchait lentement. Il salua Duncan d'un
hochement de tête, puis regarda Fraser d'un air plus distant. « Que se passe-t-il ? demanda-t-il de sa voix douce,
agréable.

— Il ne se passe rien, répondit Fraser. Je pensais juste
que vous pourriez peut-être nous expliquer pourquoi le système carcéral semble vouloir absolument transformer les
prisonniers en débiles mentaux, alors qu'il pourrait
— oh, je ne sais pas — les éduquer, peut-être ? »

Mr Mundy eut un sourire indulgent, mais ne se laissa
pas embarquer dans la discussion. « Et voilà, fit-il.
Toujours à râler, à se plaindre. Au moins, la prison vous y
autorise.

— À râler, oui, mais pas à réfléchir ! insista Fraser. Ni à
lire les journaux, ni à écouter la TSF. Alors, quel intérêt ?

— Vous le savez très bien, quel intérêt. Ça ne vous vaut
rien d'entendre parler des choses de l'extérieur, dans lesquelles vous n'avez aucun rôle à jouer. Ça ne fait que vous
agiter pour rien.

— Autrement dit, cela nous permet d'avoir une idée
à nous, des opinions ; et cela nous rend plus difficiles à
tenir. »

Mr Mundy secoua la tête. « Si vous avez des doléances,
mon garçon, il faut vous adresser à Mr Garnish. Mais si
vous étiez dans le circuit depuis aussi longtemps que moi...

« — Mais depuis *quand* êtes-vous dans le circuit, Mr Mundy ? » coupa Hammond. Giggs et lui écoutaient attentivement. Les autres aussi. Mr Mundy hésita. « Parce que d'après ce que nous a dit Daniels, reprit Hammond, vous seriez ici depuis quarante ans, quelque chose comme ça.

— Eh bien, répondit Mr Mundy, hésitant, cela fait vingt-sept ans que je suis là ; et avant, j'ai travaillé dix ans à Parkhurst. »

Hammond lâcha un sifflement. « Dieu du ciel ! s'exclama Giggs. C'est plus qu'une peine pour meurtre, non ? Mais à quoi cela ressemblait la vie ici, dans le temps ? Comment étaient les hommes, Mr Mundy ? »

On aurait dit des gamins, se dit Duncan, des écoliers en train d'essayer de pousser le prof à leur raconter sa bataille à Ypres. Et Mr Mundy était trop gentil pour les planter là. En outre, il préférait sans doute s'adresser à Hammond qu'à Fraser... Il prit appui sur son autre jambe, plus confortablement. Il croisa les bras, réfléchit un instant.

« Je dirais que les hommes étaient à peu près les mêmes qu'aujourd'hui, dit-il enfin.

— À peu près les mêmes ? fit Hammond. Comment cela, vous voulez dire qu'il y avait déjà des gars comme Wainwright, à ne parler que de la bouffe, ou comme Watling et Fraser, à tanner tout le monde avec leurs histoires de politique — et vous supportez ça depuis trente-sept ans ? Nom d'un chien ! Je me demande comment vous avez fait pour ne pas perdre la boule, Mr Mundy. Je me demande comment vous n'êtes pas devenu marteau !

— Et les matons, monsieur ? demanda Giggs, tout excité. Il devait y avoir des types drôlement cruels, non ?

— Eh bien, dit Mr Mundy d'une voix conciliante, il y a toujours de bons gardiens et de moins bons, partout, des

282

braves types et des brutes. Mais les conditions de vie en prison... » Il plissa le nez. « La prison était affreusement dure,
à cette époque ; oui, affreusement dure. Vous vous plaignez
du traitement que vous recevez ; mais je peux vous dire que
c'est du velours, comparé à ce que c'était autrefois. J'ai
connu des gardiens qui sortaient la cravache dès qu'un
homme osait lever les yeux. J'ai vu des gamins se faire
fouetter — des enfants de onze, douze, treize ans, c'était à
vous briser le cœur. Oui, c'était une époque extrêmement
brutale... Mais c'est comme ça. Comme je le dis toujours,
en prison, on voit le pire et le meilleur des hommes. J'ai
aussi connu beaucoup de gens très bien, au cours de ces
années. J'ai vu entrer ici de véritables canailles, qui en sortaient quasiment saints — et l'inverse. J'ai accompagné à la
potence des hommes dont j'étais fier de serrer la main...

— Cela a vraiment dû les réconforter ! » lança Fraser.

Duncan regarda Mr Mundy, et le vit rougir, comme
embarrassé, pris en faute. « Qui était le type le plus dur
que vous ayez eu, ici ? demanda Hammond, très vite. Le
plus terrible ? » — mais Mr Mundy ne voulait plus se laisser faire. Il décroisa les bras, se redressa.

« Très bien, fit-il, s'éloignant. Vous feriez mieux de finir
votre dîner, maintenant. Allez. »

Il reprit sa ronde dans la cantine, lentement, et boitant
toujours légèrement, à cause de sa hanche.

Giggs et Hammond étouffèrent un rire mauvais.

« Quelle nouille ! fit Hammond, lorsque Mr Mundy fut
assez loin. Quelle lavette, hein ? Je vais vous dire, moi je
pense qu'il doit être complètement à la masse, après... combien de temps il a dit ? Trente-sept ans ? Dans ce putain
d'endroit ? Attendez, trente-sept jours, c'était déjà trop
pour moi. Trente-sept minutes, oui. Trente-sept secondes...

— Regardez-le ! renchérit Giggs. Regardez-le avancer.

Pourquoi il marche comme ça ? On dirait un vieux canard. Imaginez qu'un mec décide de s'évader pendant que Mr Mundy le surveille ! Imaginez Mr Mundy en train de lui courir au cul... !

— Mais fichez-lui donc la paix ! » intervint soudain Duncan.

Hammond le regarda, éberlué. « Qu'est-ce que tu as ? On se marre, c'est tout. La vache, si on ne peut même plus rigoler un peu, ici...

— Laissez-le, c'est tout. »

Giggs fit la grimace. « Excuse-nous, hein. On avait oublié que vous étiez si proches, tous les deux.

— On n'est rien du tout, dit Duncan. Mais simplement...

— Oui, lâchez-le un peu, d'accord ? » fit une autre voix, celle du détourneur de fonds. Il essayait de lire le *Daily Express* mutilé. Il le secoua pour le lisser, et un morceau en tomba au sol. « De vrais rapaces. On se croirait au zoo, à l'heure du repas. »

Giggs repoussa sa chaise et se leva. « Allez, viens mon vieux, dit-il à Hammond. De toute façon, ça pue, à cette table. »

Ils prirent leur assiette et s'éloignèrent. Au bout d'un moment, l'escroc et un autre type s'en allèrent aussi. Les hommes à la gauche de Duncan resserrèrent le rang à la table. L'un d'eux avait sur lui un petit jeu de dominos, fait de chutes de bois carrées, et ils commencèrent d'installer les pièces.

De nouveau, Fraser s'étira sur sa chaise. « Et voilà, un dîner normal à Wormwood Scrubs, bâtiment D... » Il se tourna vers Duncan. « Je ne t'aurais jamais cru capable de t'en prendre à Hammond et à Giggs, Pearce. Et tout ça à propos de Mr Mundy ! Il serait très touché, tu sais. »

284

Duncan tremblait légèrement, en fait. Il haïssait les disputes, l'agressivité ; il avait toujours détesté ça. « Hammond et Giggs me tapent sur les nerfs, dit-il. Il est très bien, Mr Mundy... Bien mieux que Mr Garnish et tous les autres, personne ne peut dire le contraire. »

Mais Fraser faisait la moue. « Moi, je vote Garnish, des deux mains. Je préfère un sadique avoué, honnête, à un hypocrite. Attends, tu as entendu ces absurdités, à propos du mec à la potence, et de la poignée de main.

— Il a un travail à faire, comme tout le monde.

— Comme tous les salopards et les criminels payés par l'administration !

— Mr Mundy n'est pas comme ça, dit Duncan, l'air buté.

— En tout cas, intervint Watling, jetant un regard à Duncan mais s'adressant à Fraser, c'est un drôle de chrétien, avec de drôles d'idées en tête. Vous l'avez déjà entendu parler de ça ?

— Il me semble, oui, dit Fraser. Il fait partie de la secte de Mary Baker Eddy, non ?

— Il m'a dit un truc, un jour que j'étais à l'infirmerie, avec des furoncles comme ça. Il m'a dit que les furoncles n'étaient qu'une *manifestation* — c'est le mot qu'il a employé, hein —, une *manifestation de ma croyance en la douleur*. Il m'a dit comme ça : "Vous croyez en Dieu, n'est-ce pas ? Eh bien, Dieu est parfait, et il a créé un monde parfait. Donc comment pouvez-vous avoir des furoncles ?" Et il a conclu : "*Ce que les médecins appellent furoncles est en fait la manifestation d'une croyance erronée ! Retrouvez la foi, et vos furoncles disparaîtront !*" »

Fraser lâcha un hennissement de rire. « Quel poète ! s'exclama-t-il. Et quel réconfort, pour un type qui vient de se faire arracher la jambe, ou de prendre une baïonnette dans le ventre ! »

Duncan fronça les sourcils. « Tu es aussi méchant que Hammond. Tout simplement parce que tu n'es pas d'accord avec lui.

— Comment ça, d'accord ? demanda Fraser. On ne peut pas être d'accord ou pas d'accord avec des foutaises. Et ça, c'est des foutaises ou je ne m'y connais pas. Une de ces inventions destinées à calmer les vieilles en manque de sexe. » Il eut un ricanement. « Comme le Service volontaire des femmes. »

Watling lui jeta un regard hostile. « Jamais entendu parler de ça.

— De toute façon, il n'est pas si différent de toi », dit Duncan.

Fraser souriait toujours. « Qu'est-ce que tu veux dire par là ?

— Watling a raison. Vous pensez tous les deux que le monde peut être parfait, n'est-ce pas ? Mais lui, au moins, *fait* quelque chose pour le rendre parfait, en refusant l'idée du mal, en le chassant par la volonté. Au lieu de... enfin, au lieu de rester assis là sur son cul. »

Le sourire de Fraser s'éteignit. Il regarda Duncan, puis détourna les yeux. Il y eut un bref silence gêné... Puis Watling se pencha. « Je vais te poser une question, Fraser, dit-il, comme s'il poursuivait une conversation à laquelle Duncan n'avait aucune part. Si, au tribunal, on t'avait dit que... »

Fraser croisa les bras pour écouter, et peu à peu se remit à sourire — ayant apparemment retrouvé toute sa bonne humeur.

Duncan attendit, puis se détourna. Ses voisins venaient de finir une partie. Deux d'entre eux applaudissaient silencieusement. « Bien joué », fit l'un d'eux, très fair play. Ils firent glisser sur la table les minuscules brins de tabac qui constituaient l'enjeu ; puis tous trois s'employèrent à retourner les dominos et à les mélanger, pour en faire une autre. « Tu joues ? » demandèrent-ils, voyant Duncan plus ou moins seul dans son coin ; mais celui-ci secoua la tête. Il avait le sentiment d'avoir froissé Fraser, et en était désolé. Il voulait attendre une minute, pour voir si Fraser allait laisser tomber sa discussion avec Watling et s'adresser à lui...

Mais ce dernier ne se retourna pas ; et bientôt, la puanteur de la tinette se fit intolérable. Duncan réunit son couteau et sa fourchette. « À plus tard, dit-il aux joueurs de dominos.

— Ouais, à, plus tard, Pearce. Ne te... »

La phrase fut interrompue par un cri aigu : « *You-hou ! Miss Tragédie ! You-hou !* »

C'était tante Vi, accompagnée de deux copines — deux garçons à peine plus âgés que Duncan, appelés respectivement Monica et Stella. Tous trois avançaient à petits pas dans la travée entre les tables, fumant et agitant la main. Ils avaient dû voir Duncan se lever de table. Le cri retentit de nouveau : « You-hou ! Mais que se passe-t-il, miss Tragédie ? Elle ne nous aime plus ? »

Duncan rangea sa chaise. Il remarqua que Fraser avait levé les yeux, l'air agacé. Watling arborait une expression hostile, mauvaise. Tante Vi, Monica et Stella s'approchaient en ondulant. Duncan prit son assiette et fila à l'instant où elles arrivaient à hauteur de sa table.

« Oh, mais regardez, elle a failli trébucher ! entendit-il Monica s'exclamer dans son dos. Mais où va-t-elle si vite ? Vous croyez qu'elle a un mari qui l'attend, dans une cellule remplie de fleurs ?

— Pas elle, mes chéries, fit tante Vi, pouffant dans sa

cigarette roulée à la main. Pas tant qu'elle portera le deuil du dernier. Mon Dieu, mais c'est une véritable allégorie de la Patience, littéralement *envoûtée* par le Chagrin ! Vous connaissez son histoire, non ? Vous ne l'avez jamais vue à l'atelier des sacs postaux, salle numéro un ? Oh, il faut voir ça : et que je couds, et que je couds, avec ses petites mains de fée ; et la nuit, imaginez-vous que telle Pénélope, elle y revient pour défaire son ouvrage... »

Leurs voix se perdirent tandis qu'elles s'éloignaient. Mais Duncan se sentit rougir — rougir horriblement, comme un coupable, de la gorge à la racine des cheveux. Pis encore, en se retournant, il vit le visage de Fraser, et son expression était tellement odieuse — mélange de gêne, de colère, de dégoût — qu'il faillit en avoir la nausée.

Il racla les reliefs de son repas dans la poubelle, puis rinça assiette, couteau et fourchette dans le bac d'eau froide et sans savon dans lequel ils devaient laver leurs couverts. Il traversa la cantine jusqu'à l'escalier et commença de le gravir, aussi vite que possible.

Il se trouva presque aussitôt à bout de souffle. Le moindre exercice physique les épuisait, tous. Au troisième, il dut faire halte pour reprendre haleine. Arrivé à sa coursive, il s'appuya à la rambarde devant sa cellule, attendant que son cœur s'apaise. Il croisa les bras et s'accouda, les yeux baissés vers le réfectoire.

Là-haut, le vacarme des disputes, des rires et des cris lui parvenait affaibli. Il contemplait un spectacle saisissant et horrible. Le bâtiment était aussi long qu'une rue de village, et couvert d'une verrière occultée. Un fin grillage était tendu sur toute sa surface, au niveau du premier palier : Duncan voyait les hommes au travers d'un brouillard de mailles métalliques et de fumée de cigarette, dans une lumière artificielle, malsaine ; on aurait cru observer des animaux en cage ou des créatures sous-marines, d'étranges êtres blêmes qui ne voyaient jamais le jour. Et ce qui lui paraissait le plus frappant, ainsi vu de haut, était la misère de tout cela : le sol de ciment, la peinture terne aux murs, les uniformes gris, informes, avec une tache rouge, les toiles cirées couleur de vomi qui recouvraient les tables... Seul Fraser, lui semblait-il encore, faisait comme une unique tache de lumière : ses cheveux ras étaient blonds, alors que ceux de la plupart étaient bruns ou châtain foncé ; il remuait, s'agitait, quand les autres se tenaient avachis ; et quand il riait — comme en cet instant, une fois de plus —, c'était d'un grand rire éclatant, qui montait jusqu'à lui.

Il discutait toujours avec Watling ; écoutait intensément quelque chose que Watling disait, en hochant la tête de temps à autre. Duncan savait qu'il ne l'aimait pas beaucoup ; mais il aurait parlé à n'importe qui, pendant des heures, pour le simple plaisir de parler : le fait de vous regarder, de vous parler avec animation, l'air captivé, ne signifiait rien, tout le captivait...

« Ce Fraser n'a rien à faire ici, lui avait un jour dit Mr Mundy, en privé. Venir d'une famille comme la sienne, avec tous les avantages qu'il a eus ! » Il considérait la présence de Fraser comme une sorte d'insulte faite aux autres détenus. Comme s'il jouait à être en prison. Il n'aimait pas non plus que Duncan soit obligé de partager une cellule avec lui ; il disait qu'il finirait par lui donner des idées tordues. Que s'il avait pu, il aurait obtenu que Duncan ait sa propre cellule, seul.

Peut-être Mr Mundy avait-il raison, se dit Duncan, observant de nouveau le crâne blond, soyeux de Fraser. Peut-être Fraser jouait-il à être en prison — comme un prince déguisé en pauvre hère. Mais dans un pareil endroit, quelle était la différence entre jouer à quelque chose et le vivre vraiment ? C'était comme de jouer à être torturé, ou jouer à être tué ! C'était comme de s'engager dans l'armée, et dire que c'était pour rire : les soldats en face, qui vous tiraient dessus, ne pouvaient pas savoir que ce n'était qu'un jeu...

Fraser se renversa de nouveau sur sa chaise, s'étira, bras levés, tendant ses longues jambes. Mais Duncan ne le voyait que de dos ; il se surprit soudain à souhaiter qu'il se retourne, qu'il lève les yeux. Il se mit à fixer la nuque de Fraser, essayant de l'obliger à se retourner par la force de sa volonté. Il concentrait toute son énergie mentale sur sa cible, lui envoyait les mots comme des rayons de lumière invisible. *Retourne-toi, Fraser ! Retourne-toi, Robert Fraser !* Il alla jusqu'à utiliser le numéro de matricule de Fraser : *Retourne-toi, Fraser, numéro 1755 ! Regarde-moi ! 1755, Fraser, regarde-moi !*

Mais Fraser ne se retournait pas. Il continuait de bavarder avec Watling, de rire ; Duncan finit par laisser tomber. Il cligna des paupières, se frotta les yeux. Et, baissant de nouveau le regard sur le réfectoire, c'est celui de Mr Mundy qu'il croisa : celui-ci avait dû le repérer là-haut, et l'avait observé. Il adressa un signe de tête à Duncan, puis reprit lentement sa ronde entre les tables. Duncan se détourna, entra dans sa cellule et s'allongea, épuisé.

« Tu es en retard, dit Betty, l'amie de Viv, comme celle-ci descendait en courant l'escalier, se dirigeant vers les vestiaires de Portman Court.

— Je sais, dit Viv, hors d'haleine. Gibson a remarqué ?

— Elle est dans le bureau de Mr Archer. Ils m'ont envoyée au sous-sol pour chercher ça. » Betty brandissait des dossiers. « Si tu te dépêches, ça ira. Mais où étais-tu, d'ailleurs ? »

Viv secoua la tête en souriant. « Nulle part. »

Elle poursuivit son chemin, ôtant ses gants et son chapeau ; arrivée à son casier, elle ouvrit brutalement la porte et y fourra son manteau en boule. Miss Gibson les autorisait à garder leur sac à main au bureau, donc elle ne le rangea pas, mais y jeta un coup d'œil pour s'assurer qu'elle avait bien, pour le cas où — ses règles approchaient, elle avait mal aux seins et au ventre —, une serviette hygiénique et un tube d'aspirine. Elle aurait aimé passer aux toilettes maintenant, pour fixer déjà la serviette, mais elle n'avait pas le temps. Elle prit d'office une aspirine tout en remontant l'escalier, la croqua et l'avala ainsi, sans eau, avec une grimace tant le goût en était amer, la consistance crayeuse.

Pendant sa coupure de déjeuner, elle était allée jusqu'au foyer John Allen House, et retour, pour prendre le courrier. Elle savait qu'il y aurait une carte pour elle, de Reggie : il lui envoyait toujours un mot, après leurs rendez-vous du samedi ; c'était la seule manière qu'il avait de lui faire savoir que tout allait bien. Cette fois, c'était une carte postale niaise montrant un soldat et une jeune fille en plein black-out, le soldat faisant un clin d'œil, avec la légende : *N'allumez pas !* À côté, Reggie avait écrit : *Les chanceux !!!* Et au dos : V.V. : Viv, ma Vedette. *J'ai bien cherché une brune, mais je ne suis tombé que sur des blondes. J'aimerais être avec toi, à leur place ! XXX.* La carte était à présent rangée dans son sac, à côté du tube d'aspirine.

Il était deux heures et quart, et son bureau se trouvait au septième étage. Elle aurait pu prendre l'ascenseur — mais l'ascenseur était lent, et il lui était déjà arrivé d'être en retard à force de l'attendre ; elle s'en tenait à l'escalier. Elle montait rapidement, régulièrement, comme un coureur de fond, les bras serrés contre son torse, sous les seins ; ne posant que le bout des pieds, car les marches étaient en

291

marbre, et ses talons résonnaient terriblement. Elle croisa un homme qui se mit à rire. « Eh bien ! Quelle énergie ! Il y a le feu quelque part ? », ce qui lui fit ralentir l'allure jusqu'à ce qu'il soit passé, sur quoi elle accéléra de nouveau. Elle ne s'arrêta qu'à la dernière volée de marches, pour reprendre haleine, se tamponner le visage avec un mouchoir et arranger ses cheveux.

Les échos du vacarme infernal commençaient de parvenir jusqu'à elle, ce tac-tac-tac démentiel — comme des milliers d'obus minuscules. Elle emprunta vivement un couloir, ouvrit une porte, et le bruit se fit presque assourdissant : la salle était remplie de bureaux, chacun occupé par une fille qui tapait sur sa machine à écrire comme une forcenée. Certaines portaient un casque d'écoute. La plupart retranscrivaient des documents en sténo. Elles s'acharnaient sur les touches, car le rouleau de la machine ne contenait pas une unique feuille, mais deux ou trois, parfois même quatre, avec des papiers carbone entre chaque. La salle était grande, mais l'atmosphère étouffante. Les fenêtres avaient été calfeutrées des années auparavant, et les vitres étaient barrées de bandes de papier collant, contre le souffle des déflagrations.

L'odeur aussi était assez redoutable : un mélange de talc, de produit à permanente, d'encre, de fumée de cigarette et de fragrances corporelles. Aux murs étaient punaisées des affiches de propagande émanant de divers ministères : Potato Pete et autres tubercules souriants qui vous imploraient de les faire bouillir et de les manger ; des slogans évoquant d'anciens préceptes religieux :

PLANTEZ MAINTENANT !
Le PRINTEMPS et L'ÉTÉ reviendront — malgré la GUERRE.

À une extrémité de la salle, était installé un bureau à l'écart des autres, inoccupé pour le moment. Mais à peine Viv s'était-elle assise au sien, ôtant la housse de sa machine pour se mettre immédiatement au travail, que la porte du bureau de Mr Archer s'ouvrait et que miss Gibson passait la tête. Elle parcourut la salle des yeux et, voyant que toutes les filles tapaient d'arrache-pied, disparut de nouveau.

À l'instant où la porte se refermait, Viv sentit quelque chose heurter légèrement son épaule avant de rebondir au sol. C'était Betty, qui lui avait jeté un trombone, à dix bureaux de là.

« On se la coule douce, Pearce », articula-t-elle silencieusement, comme Viv levait les yeux vers elle.

Viv lui tira la langue et se remit à taper.

Elle recopiait un tableau de produits alimentaires et des calories correspondantes, travail minutieux, car il fallait d'abord taper les colonnes, en laissant suffisamment d'espace entre chaque, puis ôter la liasse de papiers et la réintroduire dans la machine horizontalement pour taper les lignes qui les reliaient. Et tout cela, bien entendu, sans que les feuillets ne glissent ni ne se décalent, sinon le premier avait bonne allure, mais les copies au-dessous ne voulaient plus rien dire...

Entre la concentration nécessaire à cela, le bruit et l'atmosphère confinée, Viv se disait qu'elle aurait aussi bien pu travailler dans une usine, à fabriquer des instruments de précision pour les avions. Et l'on devait gagner davantage. Pourtant, les gens trouvaient ça prestigieux, quand vous disiez que vous étiez dactylo dans un ministère ; et pas mal des filles venaient d'un milieu privilégié. Elles s'appelaient Nancy, Minty, Felicity, Daphne, Betty — laquelle mâchait du chewing-gum et adorait parler comme les serveuses new-yorkaises qu'on voyait dans les films américains ; même Betty avait fréquenté une école d'arts d'agrément et avait de l'argent plein les poches.

Viv, en revanche, avait obtenu son poste après avoir suivi un cours de dactylographie dans une école de Balham ; elle avait là un prof sympathique, qui l'avait incitée à postuler. « Aujourd'hui, il n'y a vraiment aucune raison, avait-elle dit, pour qu'une jeune fille de votre milieu ne s'en sorte pas aussi bien qu'une jeune fille d'un milieu plus élevé. » Elle avait simplement conseillé à Viv de prendre des cours pour améliorer son élocution ; et c'est ainsi que, pendant une demi-heure par semaine, trois mois durant, Viv s'était retrouvée devant une vieille comédienne, dans un appartement en sous-sol de Kennington, à réciter de la poésie en rougissant. Elle se souvenait encore de passages entiers de Walter de la Mare :

> *Il y a quelqu'un ici ? fit le voyageur,*
> *frappant sur la porte éclairée par la lune ;*
> *et dans le silence son cheval broutait l'herbe*
> *sur le sol de la forêt pleine de fougères*

Le jour de l'entretien, les jeunes femmes très chic qui attendaient avec elle, leur maintien, leur accent, l'avaient littéralement effrayée. L'une d'elles avait déclaré négligemment : « Oh, c'est une pure formalité, mes enfants ! Ils vont juste vérifier qu'on ne se décolore pas les cheveux, et que l'on n'utilise pas des mots comme papa, ou cabinets, ou des horreurs de ce genre. »

En fait, l'entretien s'était fort bien passé. Mais aujourd'hui encore, Viv ne pouvait pas entendre le mot de « cabinets » sans se remémorer cet instant, cette fille.

Lorsque les ennuis avaient commencé avec Duncan, elle avait tout gardé pour elle. Personne, pas même Betty, ne savait qu'elle avait un frère. Plus tôt pendant la guerre, au foyer John Allen, des filles lui avaient demandé, de la manière abrupte, sans façon, dont on posait ce genre de question : « Et toi, Viv, tu n'as pas de frère ? Veinarde ! C'est horrible, les frères, moi je ne peux pas supporter le mien. » Mais à présent, personne ne posait plus de questions sur un éventuel frère, petit ami, ou époux — on ne savait jamais.

Elle finit de taper son tableau, et en commença un autre. La collègue assise devant elle — elle s'appelait Millicent — s'adossa à sa chaise et secoua la tête. Un cheveu vint atterrir sur la feuille de Viv : long, brun, desséché de trop de brillantine, mais avec au bout un petit bulbe de graisse, comme une tête d'épingle, qui l'avait relié au crâne de Millicent. Viv souffla dessus pour le chasser. Elle s'était rendu compte qu'en examinant le sol de près, à cette heure de la journée, on s'apercevait qu'il était jonché de cheveux. Elle pensait parfois à la quantité effarante de cheveux emmêlés qui devait s'amasser dans les balais des femmes de ménage, quand elles en avaient fini avec l'immeuble... Cette idée — ajoutée aux odeurs et à l'atmosphère confinée — la déprimait. Elle s'en rendit brusquement compte : elle en avait assez, plus qu'assez, de vivre avec des femmes ! Elle n'en pouvait plus, de cette promiscuité permanente avec tant de filles ! De la poudre ! Du parfum ! Des traces de rouge au bord des tasses et au bout des crayons ! Des aisselles rasées, des jambes rasées ! Des flacons de somnifères et des tubes d'aspirine !

Ce qui lui fit repenser à l'aspirine qu'elle avait dans son

sac ; et de là, à la carte de Reggie, à côté. Elle visualisa Reggie en train de l'écrire, de la poster. Elle voyait son visage, entendait sa voix, sentait sa main sur elle — et il se mit à lui manquer, à lui manquer affreusement. Elle entreprit de compter tous les hôtels miteux où ils avaient fait l'amour. Pensa à toutes les fois où il avait dû l'abandonner là, pour aller chez sa belle-mère, chez sa femme. « J'aimerais tellement rentrer, et te retrouver, toi », disait-il toujours... Il était sincère, elle n'en doutait pas. Dieu seul savait ce que sa femme pensait de tout ça. Viv ne voulait pas se poser la question. Elle n'avait jamais été du genre à le questionner sur sa famille, à essayer de faire pression, de forer son trou. Elle avait vu une photo de son épouse et de son petit garçon, mais il y avait des années de cela. Depuis, elle avait pu les croiser cent fois dans la rue ! Elle aurait pu tomber sur eux dans un bus, un métro, engager la conversation. « Vous avez des enfants magnifiques. — Vraiment, vous trouvez ? C'est leur père tout craché ! Tenez, j'ai une photo de lui, là... »

Féculents, tapioca, riz, couilles, venait-elle de taper. Elle leva vivement les yeux, gênée ; dut ôter les feuillets et tout recommencer... Que faisait Reggie en cet instant, se demandait-elle en tournant le rouleau. Elle tenta de le rejoindre par la pensée. *Mon chéri*, l'appelait-elle mentalement. Jamais elle ne l'avait appelé ainsi en réalité. *Mon chéri, mon chéri...* Elle abaissa le garde-page et se remit à taper ; mais c'était une excellente dactylo, et un des avantages — ou inconvénients — de savoir si bien taper à la machine était que, tandis que les doigts couraient sur le clavier, les pensées pouvaient s'envoler et tourbillonner. Et si quelque chose de précis vous occupait l'esprit, elles prenaient le rythme même de la machine, et filaient à la vitesse d'un train express... en l'occurrence, c'était Reggie qu'elle avait en tête. Elle se remémorait la sensation de l'avoir dans ses bras. Elle se remémorait les trajets de sa main sur ses cuisses. Le souvenir montait jusque dans ses doigts, dans sa poitrine, sa bouche, entre ses jambes... C'était terrible de ressentir des choses de manière si présente, vivace, au milieu de toutes ces filles de la haute, dans le *tac-tac-tac* aride de toutes ces machines à écrire. Elle parcourut la salle des yeux. Aucune de ces filles n'était-elle amoureuse, aussi ? Vraiment amoureuse, comme elle l'était de Reggie ? Même miss Gibson avait dû savoir ce qu'était un baiser. Un homme avait dû avoir envie d'elle un jour ; un homme l'avait peut-être allongée sur le sol d'une chambre à coucher, avait ôté sa culotte, était venu sur elle, entré en elle, encore, encore...

La porte du bureau de Mr Archer s'ouvrit brusquement, et miss Gibson elle-même apparut. Viv rougit et baissa la tête. *Porc, bacon, volaille*, tapa-t-elle. *Hareng, sardine, saumon, crevette...*

Mais miss Gibson avait surpris son regard, et la héla.

« Miss Pearce », dit-elle. Elle tenait un feuillet ronéotypé à la main. « Il semblerait que vous ayez du temps à perdre. Voulez-vous descendre ça à l'imprimerie, et leur en demander deux cents copies ? Le plus vite possible, je vous prie.

— Oui, miss Gibson », dit Viv, rougissant toujours. Elle prit la feuille et sortit.

L'imprimerie se trouvait deux étages plus bas, au fond d'un autre couloir de marbre. Viv s'adressa à la fille qui gérait la fabrication — visage quelconque, lunettes, guère appréciée des autres. Elle s'employait à tourner la manivelle d'une des machines ; elle baissa les yeux sur le feuillet de miss Gibson et déclara, non sans un immense mépris : « Deux cents ? Là, j'en ai mille à faire, pour Mr Brightman.

Le problème avec vous toutes, c'est que vous semblez croire que les copies se font toutes seules, comme par magie. Vous allez devoir vous en occuper vous-même, j'en ai bien peur. Vous savez vous servir de ce genre de machine ? La dernière a fait un tel massacre que le rouleau a été inutilisable pendant plusieurs jours. »

On avait expliqué à Viv comment installer un stencil, mais il y avait des mois de cela. Elle tripotait maladroitement le cadre et l'autre, toujours occupée à tourner sa manivelle, leva les yeux vers elle et lui cria d'une voix cassante : « Pas comme *ça* ! Comme ça, voilà, *voilà !* »

Finalement, document, papier vierge et encre furent correctement mis en place, et Viv n'eut plus qu'à rester là, à tourner la manivelle, deux cents fois... Le mouvement était douloureux à ses seins sensibles. Elle sentait la sueur envahir son corps. Pour empirer les choses, un homme d'un autre service entra et se planta devant elle pour l'observer en souriant.

« J'ai toujours aimé voir une fille faire ça, dit-il quand elle en eut terminé. Vous ressemblez à des filles de ferme en train de battre le beurre. »

Lui n'avait que quelques copies de son document à réaliser. Le temps qu'elle compte ses propres feuillets et les laisse sécher, il en avait terminé, et lui tint la porte quand elle sortit. Le geste était quelque peu maladroit, car il marchait avec une canne : elle savait que c'était un ancien pilote, mutilé dans un crash, dès le début de la guerre. Il était jeune et blond : le genre d'homme dont les filles disaient « Il a de beaux yeux », ou « Il a de beaux cheveux », non parce que ses yeux ou ses cheveux étaient particulièrement remarquables, mais parce que le reste de son visage n'était pas beau du tout, et qu'en même temps, il donnait envie de trouver quelque chose de séduisant en lui... Ils empruntèrent le couloir de concert, et elle se sentit contrainte de marcher à son rythme.

« Vous travaillez au-dessus, avec miss Gibson, n'est-ce pas ? C'est bien ce que je pensais. Je vous ai déjà remarquée. »

Ils arrivèrent à l'escalier. Elle avait mal au bras d'avoir tourné encore et encore la manivelle. Et l'impression déplaisante d'être vaguement humide entre les jambes. La sueur sans doute, se dit-elle, mais ce pouvait aussi être quelque chose de plus ennuyeux. Sans la présence de cet homme, elle aurait filé au sous-sol ; mais elle n'avait pas envie qu'il la voie courir aux toilettes. Il gravit l'escalier marche après marche, en s'accrochant à la rampe pour garder son équilibre ; peut-être d'ailleurs en faisait-il un peu trop, afin de s'accorder quelques minutes de plus en sa compagnie...

« Ce doit être votre salle, là-bas, dit-il comme ils arrivaient à l'étage. J'entends d'ici le bruit des machines. » Il changea sa canne de main, la prenant de la gauche pour pouvoir la saluer. « Eh bien au revoir, miss... ?

— Miss Pearce, dit Viv.

— Au revoir, miss Pearce. Je vous reverrai peut-être un jour battre le petit-lait, qui sait ? Sinon... mon Dieu, si vous avez envie de boire quelque chose d'un peu plus raide... ? »

Elle répondit qu'elle réfléchirait à sa proposition ; elle ne voulait pas qu'il pense qu'elle la déclinait d'office, à cause de sa jambe. Elle pouvait même accepter un rendez-vous. Elle pouvait même se laisser embrasser. Où était le mal ? Cela n'aurait aucune importance. Cela se faisait. Cela n'avait aucun rapport avec Reggie et elle.

Elle donna les papiers à miss Gibson ; mais en revenant vers son bureau, elle hésita un instant, pensant toujours à se rendre aux toilettes. Elle se souvenait d'une fille, quelques semaines auparavant, que l'on avait vue se balader partout dans le bâtiment avec du sang sur sa jupe... Elle prit son sac, retourna voir miss Gibson, lui demanda la permission de sortir un moment.

Miss Gibson jeta un coup d'œil sur la pendule et fronça les sourcils. « Bon, allez-y. Mais n'oubliez pas que vous avez votre coupure de déjeuner pour cela, n'est-ce pas. »

Cette fois, pour éviter les cahots en descendant l'escalier, Viv prit l'ascenseur. Mais c'est presque en courant qu'elle entra dans les vestiaires, elle pénétra dans une cabine des toilettes, releva sa jupe, baissa sa culotte puis tira du distributeur deux feuilles de papier hygiénique, qu'elle pressa entre ses cuisses.

En l'ôtant, toutefois, elle constata qu'il était absolument intact. Uriner ferait peut-être venir le sang, se dit-elle. Ce qu'elle fit, sans plus de résultat.

« Quelle plaie, alors », dit-elle à voix haute. Avoir ses règles était une chose assez pénible comme ça ; devoir les attendre était presque pire. Elle tira la serviette hygiénique et pour plus de sûreté se pencha pour l'épingler à sa culotte ; regardant dans son sac, elle aperçut la carte de Reggie, et fut tentée de la lire de nouveau...

Mais à côté de la carte, il y avait son petit journal intime : un petit carnet bleu du ministère, avec un crayon glissé dans son dos. Le voyant, elle choisit de vérifier. De vérifier les dates. De quand dataient ses dernières règles ? Cela lui apparaissait très vieux, soudain.

Elle tira le carnet du sac, l'ouvrit. Les pages étaient couvertes d'inscriptions cabalistiques, comme les rapports codés d'un espion, car elle utilisait toutes sortes de symboles : tel signe pour les jours où elle allait voir Duncan, tel autre pour les samedis où elle voyait Reggie ; et un astérisque discret tous les vingt-huit ou vingt-neuf jours. Elle se mit à compter les jours depuis la dernière : arriva à vingt-neuf, et dut continuer — trente, trente et un, trente-deux, trente-trois.

Elle demeurait incrédule. Elle retourna en arrière, recommença. Jamais elle n'avait eu un tel retard. En fait, elle n'avait jamais le moindre retard ; elle en plaisantait toujours avec les autres filles, en disant qu'elle était réglée comme une horloge, un vrai calendrier vivant. *C'est à cause des bombardements*, se dit-elle. Ce devait être ça. Les raids aériens perturbaient tout le monde. C'était l'évidence même. Elle était fatiguée. Son cycle était sans doute ralenti.

Elle tira encore du papier du distributeur, le pressa de nouveau entre ses cuisses ; le papier se révélant de nouveau intact, sans une trace, elle alla jusqu'à se lever et sauter un peu sur place, pour faire descendre le sang. Mais cela ne faisait que lui faire mal aux seins : ils étaient si douloureux qu'ils la brûlaient presque. Et quand elle y porta les mains, elle les sentit tout gonflés, denses, comme distendus...

Elle reprit son carnet, recompta les jours. Peut-être s'était-elle trompée dans les dates, la dernière fois.

Mais elle ne s'était pas trompée, et elle le savait. *Ce n'est pas vrai, ce n'est pas vrai !* Mais si c'était vrai, pourtant... Ses pensées s'affolaient. Si c'était vrai, cela avait dû se produire non pas la dernière fois avec Reggie, mais la fois précédente ; et il y avait déjà un mois de cela...

Non, se dit-elle. Elle ne voulait pas le croire. *Tout va bien.* Elle rajusta ses vêtements. Ses mains tremblaient. *Ça arrive à toutes les filles, ce genre d'angoisse. Mais non, ce n'est pas vrai, pas toi. Reggie fait trop attention. Tout va bien. Ce n'est pas possible. Pas toi !*

« Ah, la voilà ! » fit Binkie, comme Kay prenait pied sur le bateau de Mickey et ouvrait la porte de la cabine. « Kay ! On pensait que tu n'arriverais jamais. »

Le bateau roulait d'un bord sur l'autre.

« Bonjour, Bink. Bonjour, Mickey. Je suis désolée.

— Ne t'inquiète pas, tu arrives à temps pour prendre un verre. On fait des gimlets.

— Des gimlets ! » fit Kay, posant son sac. Elle regarda sa montre. Il n'était que cinq heures et quart.

Binkie vit son expression. « Oh, on s'en fout, hein ! Le tien, je ne sais pas, mais moi, mon foie se croit toujours en temps de paix. »

Kay ôta son casque. Comme Mickey et Binkie, elle était en uniforme, prête à aller travailler. Mais entre le fourneau et la lampe qui chuintait, il faisait très chaud dans la cabine ; elle s'assit en face de Binkie, ouvrit sa veste et desserra son nœud de cravate.

Mickey s'affairait, apportant des verres, des cuillers et un siphon d'eau de Seltz. Elle les posa sur une caisse retournée entre Binkie et Kay, puis alla chercher le gin et ouvrit la bouteille de jus de citron vert. Le gin était bon marché, sans marque, et au lieu de tonique médicamenteux, elle avait du vrai jus de citron dans un flacon de médicament, avec un bouchon à vis blanc ; c'est Binkie qui se l'était procuré à la pharmacie, comme supplément alimentaire, avait-elle dit.

Mickey mélangea les ingrédients et leur tendit les verres, en gardant un pour elle. Elles portèrent un toast silencieux, goûtèrent la mixture, et firent la grimace.

« C'est de l'acide de batterie ! dit Kay.

— Pas grave, ma petite fille, dit Binkie. Pense à toute cette vitamine C. »

Elle offrit des cigarettes à la ronde. Elle avait un faible

302

pour certaine marque turque, difficile à trouver. Elle les rangeait dans un ravissant étui doré, mais les avait toutes coupées en deux, pour faire durer le paquet ; elle utilisait un fume-cigarette d'ivoire patiné. Mickey et Kay prirent chacune une demi-cigarette et furent obligées de la tenir entre le pouce et l'index et de se pencher tout près de la flamme du briquet.

« Je me fais l'impression d'être mon père », dit Mickey. Elle souffla la fumée en gonflant les joues et se rejetant en arrière. Son père était bookmaker.

« Tu as l'air d'un gangster, dit Kay. Au fait », elle sentit une petite pointe de joie au cœur, « vous n'avez pas envie de savoir pourquoi je suis en retard ? »

Mickey posa son mégot. « Oh, j'avais complètement oublié. Tu es allée voir les amis de Cole, ces voyous ! Tu ne t'es quand même pas fait arrêter, dis-moi ?

— Oh non ! Pas ces sales types du marché noir ? fit Binkie, ôtant le fume-cigarette de ses lèvres. Mais comment peux-tu, Kay ?

— Je sais, dit Kay, levant les mains. Je sais, je *sais*. C'est absolument immonde. Mais cela fait des mois que je leur prends du whisky.

— Le whisky, c'est autre chose. C'est quasiment un remède indispensable, dans notre boulot. Mais pour tout le reste...

— Mais Bink, c'est pour Helen. C'est son anniversaire à la fin du mois. Tu as jeté un coup d'œil dans les boutiques, récemment ? C'est pire que jamais. Je voulais lui trouver... je ne sais pas, quelque chose de mignon. D'un peu luxueux. Cette saloperie de guerre est dure pour des filles comme elle, complètement privées de tout ça. Pour nous, ça va, on peut crapahuter dans la boue et la crasse, et même y prendre du plaisir, en plus...

303

— Mais enfin, c'est du trafic, Kay ! Ce sont des produits volés !

— Cole dit que les assurances remboursent tout. Et de toute façon, ce sont des trucs qui datent d'avant-guerre — des invendus, qui restaient là, pour rien. Pas vraiment volés en fait. Dieu du ciel, jamais je ne toucherais à des choses provenant d'un pillage !

— Je préfère entendre ça ! Mais tu ne peux pas me demander d'approuver. Et si le Quartier général avait vent de la chose...

— Mais moi non plus je n'approuve pas, dit Kay. Tu sais bien que non. Mais simplement, je... » Elle hésita, comme gênée. « Eh bien, je n'en peux plus de voir Helen avec un petit visage de plus en plus fatigué, des traits de plus en plus tirés. Si j'étais son mari, je serais au loin, en train de me battre, et je ne pourrais rien, rien faire. Mais voilà, je suis moi, et je suis là... »

Binkie leva une main. « Garde les violons pour ton procès, coupa-t-elle. Et ce sera aussi le mien, si l'on apprend que j'ai participé à quelque chose de ce genre.

— Tu n'as encore participé à rien du tout ! fit Mickey, agacée. Qu'est-ce que tu lui as pris, Kay ? Et ça s'est passé comment ? »

Kay leur décrivit l'endroit — une pièce au sous-sol d'une boutique dévastée, à Bethnal Green.

« Ils ont été extrêmement polis, dit-elle, une fois qu'ils ont su que j'étais une amie de Cole, et pas une femme flic. Et mon Dieu, si vous voyiez ce qu'ils ont là-dedans ! Des cartouches et des cartouches de cigarettes ! Du savon ! Des lames de rasoir ! Du *café* !

— Du café !

— Et des bas. Ça me tentait bien, les bas, je dois dire. Mais vous voyez, c'est une chemise de nuit que j'avais en

304

tête. Celle d'Helen tombe littéralement en loques, ça me tue de la voir comme ça. Ils ont fouillé dans leurs réserves — il y avait des liseuses en coton, des pyjamas en flanelle... et puis j'ai vu ça. »

Elle prit son sac et l'ouvrit, en tira une boîte plate, rectangulaire, rose, et ceinte en biais d'un ruban de soie, avec un nœud. « Regardez-moi ça, dit-elle, tandis que Binkie et Mickey tendaient le cou pour voir. C'est tout à fait le genre de chose qu'un gars apporte à la danseuse, en coulisses, dans un film américain. »

Elle posa la boîte sur ses genoux, fit une pause pour ménager son effet, puis souleva doucement le couvercle. Des feuilles de papier argenté apparurent. Elle les écarta, révélant un pyjama de satin, d'un nacre de perle.

« Pffffoouuu ! lâcha Mickey.

— N'est-ce pas ? » dit Kay. Elle éleva la veste, la secoua pour la déplier. Elle était lourde entre ses mains, comme la chevelure d'une fille ; et bien qu'elle fût froide d'avoir été transportée dans le carton, elle la sentit se réchauffer sous ses doigts. Quelque chose dans le vêtement — la douceur, le lustre — lui évoquait Helen. Elle pensa de nouveau à elle, tandis qu'elle secouait encore la veste, observant les vaguelettes que faisait le satin.

« Regardez comme elle brille ! dit-elle. Regardez les boutons ! » — car les boutons étaient en os, fins comme des pastilles, et incroyablement doux au regard et au toucher.

Binkie fit passer son fume-cigarette dans l'autre main, et souleva le poignet de la veste, caressa le tissu du pouce. « Je dois dire que c'est de la qualité extra, dit-elle.

— Vous avez vu l'étiquette ? Regardez, c'est français.

— Français ? dit Mickey. Eh bien, c'est parfait. Helen fera sa BA pour la Résistance rien qu'en le portant.

305

— Ma chère, dit Binkie, avec ça sur le dos, elle ne pourra opposer aucune résistance. »

Elles rirent. Kay tourna et retourna la veste pour s'émerveiller encore ; elle se leva, la tint devant elle, puis le pantalon. « Évidemment, sur moi, ça n'a aucun sens, mais ça vous donne une idée...

— Il est ravissant, dit Mickey, se calant bien en arrière. Mais ça a dû te coûter une fortune, non ? Allez, dis-nous la vérité : combien l'as-tu payé ? »

Kay avait commencé de replier le pyjama ; elle sentit le rouge lui monter aux joues. « Oh, fit-elle, sans lever la tête. Tu sais bien.

— Non, dit Mickey sans la quitter des yeux. Non, je ne sais pas.

— On ne peut pas espérer trouver un truc de cette qualité pour pas cher. Surtout en temps de guerre...

— Combien ? Tu rougis, Kay !

— C'est parce qu'il fait trop chaud. C'est ton sacré fourneau, là.

— Cinq livres ? Six ?

— Écoute, il faut bien que je gaspille la fameuse fortune des Langrish, hein ! Et comment peut-on dépenser son argent, aujourd'hui ? Il n'y a plus d'alcool au pub, plus de tabac chez le buraliste...

— Sept livres ? huit ? » Kay la fixait. « Kay, pas plus, quand même ?

— Non, à peu près huit », dit Kay vivement, mais d'un ton plutôt vague.

En fait, elle avait déboursé dix livres pour le pyjama, plus cinq pour un paquet de café en grains et deux bouteilles de whisky. Mais elle était trop gênée pour l'avouer.

« Huit livres ! s'exclama Mickey. Mais tu es dingue ou quoi ?

— Mais tu te rends compte comme Helen va être heureuse !

— Sûrement pas aussi heureuse que les voyous que tu as engraissés.

— Oh, et alors ! fit Kay d'un ton agressif, ressentant soudain les effets de l'alcool. À l'amour comme à la guerre, non ? Surtout dans cette guerre-ci, et surtout », elle baissa la voix, « surtout avec un amour comme celui-ci. Enfin, je fais ce que j'ai à faire, dans la mesure de mes moyens. Parce que si je me fais tuer un jour, Helen n'aura pas droit à une pension, que je sache...

— Ton problème, intervint Binkie, c'est un complexe de galanterie.

— Et alors ? Pourquoi pas ? Il faut que l'on soit galantes, nous. Personne ne va être galante à notre place.

— D'accord, mais ne pousse pas les choses trop loin. L'amour, ce n'est pas seulement des gestes princiers.

— Oh, je t'en prie », dit Kay.

Elle avait replié le pyjama, et jeta un coup d'œil sur sa montre — craignant soudain qu'Helen, qui devait les rejoindre pour prendre un verre après son travail, n'arrive un peu en avance et que la surprise ne soit gâchée. Elle tendit la boîte à Mickey. « Tu veux bien mettre ça quelque part ? Jusqu'au début du mois prochain ? Si je le garde à la maison, Helen risque de tomber dessus. »

Mickey prit le carton et alla le glisser sous son lit, à l'autre extrémité de la cabine.

En revenant, elle s'employa à préparer de nouveaux cocktails. Binkie demanda un verre plein, mais resta immobile, le regard baissé sur son gin qu'elle faisait tourner machinalement, l'air sombre tout à coup. « Toutes ces histoires de cadeaux m'ont un peu déprimée, les filles, dit-elle enfin, au bout d'une minute.

— Oh, Bink ! fit Mickey. Ne dis pas ça.

— Mais c'est pourtant vrai, hélas. C'est très facile pour toi, Kay, de te poser en championne de la galanterie — la Conseillère des Amours Scandaleuses —, avec ta chère petite Helen et tes pyjamas de soie et tout ça. Mais c'est extraordinairement rare, une histoire comme la tienne. La plupart d'entre nous, enfin, prends Mickey et moi, par exemple : qu'est-ce que nous avons ?

— Parle pour toi ! fit Mickey en toussant.

— Tu as le gin triste, dit Kay. Je savais que ce n'était pas une bonne idée, des cocktails avant six heures.

— Ça n'a aucun rapport avec le gin. Je suis tout à fait sérieuse. Dis-moi franchement : ça ne te déprime jamais, cette vie qui est la nôtre ? C'est très joli quand on est jeune. C'est absolument merveilleux, quand on a vingt ans ! Le côté secret, interdit, l'intensité de tout ça — quand on se sent comme un instrument de musique que l'on accorde. Je trouvais que les filles étaient des animaux fabuleux, autrefois : toutes ces crises de colère pour des bêtises, ces menaces de suicide dans la salle de bains au cours des soirées, toutes ces choses-là. En comparaison, les hommes étaient des ombres, des pantins, des petits garçons ! Mais tu arrives à un certain âge, et la vérité apparaît. Tu arrives à un certain âge, et tu es épuisée de tout ça. Et tu sais que la partie est finie pour toi... Et là, les hommes paraissent presque attirants, tout d'un coup. Quelquefois, je songe sérieusement à me trouver un type, un garçon sympathique, et à faire une fin — un petit parlementaire libéral, tranquille, quelque chose comme ça. Ce serait un tel repos. »

De fait, Kay avait déjà connu un sentiment comparable. Mais c'était avant la guerre, et avant d'avoir rencontré Helen. « La grande, grande paix du lit conjugal, après le tourbillon effréné du divan saphique, dit-elle d'une voix dure.

— Exactement.

— Quelle idiotie.

— Moi, j'y crois ! dit Binkie. Attends d'avoir mon âge » (elle avait quarante-six ans) « et réveille-toi tous les matins en regardant l'immensité lisse et blanche des draps intacts, à côté de toi. Et essaie d'être galante avec eux... Et n'oublie pas que nous n'aurons même pas d'enfant pour prendre soin de nous, quand nous serons vieilles.

— Oh ! la la ! fit Mickey. Bon, si on se tailladait tout de suite la gorge, histoire d'en finir ?

— J'y songerais sérieusement, si j'avais assez de cran pour ça, repartit Binkie. C'est les ambulances, la station, qui me tiennent debout. Merci mon Dieu pour cette guerre, voilà ce que je dis ! Et je peux bien vous avouer qu'à l'idée que la paix revienne, je crève d'angoisse.

— Eh bien, dit Kay, tu ferais pourtant bien de t'y habituer. Parce qu'on n'est plus qu'à vingt kilomètres de Rome — ou je ne sais plus quoi — et donc ce n'est plus qu'une question de temps, maintenant... »

Elles discutèrent un moment de l'avancée des Alliés en Italie, puis passèrent — comme tout le monde ces derniers temps — à la question des armes secrètes de Hitler.

« Vous savez qu'il a fait installer des canons absolument gigantesques en France ? dit Binkie. Le gouvernement essaie d'étouffer la chose, mais Collins, de Berkeley Square, connaît un type dans un ministère. Il dit que les obus pourraient aller jusqu'au nord de Londres. Et raser des rues entières, paraît-il.

— Moi, j'ai entendu dire que les Allemands sont en train de mettre au point un truc avec des rayons... »

Le bateau s'inclina, comme quelqu'un prenait pied sur la

passerelle. Kay — qui avait tendu l'oreille aux bruits de pas — se pencha et posa son verre. « Ce doit être Helen, chuchota-t-elle. Rappelez-vous, hein : pas un mot à propos de pyjama, ou d'anniversaire, ou quoi que ce soit de ce genre. »

On entendit frapper, la porte s'ouvrit, et Helen apparut. Kay se leva pour lui prendre la main et l'aider à descendre les deux marches qui menaient à la cabine, puis l'embrassa sur la joue.

« Bonjour ma chérie.

— Bonjour Kay », fit Helen en souriant. Sa joue était froide, ronde, douce et lisse comme celle d'un enfant ; ses lèvres desséchées sous le rouge, un peu abîmées par le vent. Elle se retourna, vit le nuage de fumée. « Dieu du ciel ! C'est pire qu'un harem turc, ici. Encore que je n'aie jamais mis les pieds dans un harem turc...

— Ma chère petite, je peux vous dire que c'est totalement surestimé », laissa tomber Binkie.

Helen rit. « Bonsoir, Binkie. Bonsoir, Mickey. Comment allez-vous, toutes les deux ?

— Ça va.

— La grande forme, mon petit. Et vous ? »

Helen désigna d'un mouvement de tête les verres posés sur la caisse. « Ça ira merveilleusement une fois que j'aurai une de ces choses dans le corps.

— On est aux gimlets, ça vous va ?

— Franchement, je boirais du verre pilé, s'il y avait une goutte d'alcool pour le diluer. »

Elle ôta son manteau et son chapeau, jeta un regard autour d'elle, cherchant un miroir.

« Je dois être horrible, non ? dit-elle, n'en trouvant pas, et essayant d'arranger ses cheveux à l'aveuglette.

— Tu es superbe, dit Kay. Viens, assieds-toi. »

310

Elle passa un bras autour de la taille d'Helen, et elles s'assirent ensemble. Binkie et Mickey se penchèrent pour préparer une nouvelle tournée de cocktails. Elles discutaient toujours des armes secrètes. « Moi, je n'y crois pas une seconde, disait Binkie. Des rayons invisibles... ?

— Ça va bien, ma chérie ? murmura Kay, effleurant encore la joue d'Helen. Tu as eu une sale journée, non ?

— Non, pas vraiment, dit Helen. Et toi ? Qu'est-ce que tu as fait ?

— Rien. J'ai pensé à toi. »

Helen sourit. « Tu dis toujours ça.

— Parce que c'est la vérité. Je pense toujours à toi. Même maintenant.

— Vraiment ? Et qu'est-ce que tu penses ?

— Ah, ça... », fit Kay.

Elle pensait, bien sûr, au pyjama de satin. Elle se voyait boutonnant la veste sur les seins nus d'Helen. Elle visualisait les fesses, les cuisses d'Helen sous la soie nacrée, imaginait leur douceur... Elle posa une main sur la hanche d'Helen et se mit à la caresser lentement, soudain enchantée de la sentir si ronde, si élastique sous sa main ; se souvenant des paroles de Binkie et consciente de cette chance extraordinaire qui était la sienne ; émerveillée de la simple présence d'Helen — là, avec elle, dans ce drôle de petit bateau en forme de sabot, Helen tout entière, rose et ronde et chaude et vivante, au creux de son bras. Helen tourna la tête et croisa son regard.

« Mais tu es à moitié saoule.

— Un peu, oui. Tu n'as qu'à te saouler aussi. C'est une idée.

— Pour passer trois quarts d'heure avec toi ? Et ensuite rentrer et dormir toute seule ?

— Accompagne-nous à la station quand on partira »,

311

dit Kay. Elle haussa puis abaissa les sourcils. « Je te ferai visiter mon ambulance...

— Idiote ! fit Helen en riant. Mais qu'est-ce que tu as, ce soir ?

— Je suis amoureuse, voilà tout.

— Dites donc, vous deux, intervint Binkie d'une voix sonore, en leur tendant les verres. Si j'avais su que ça allait tourner à la séance de flirt poussé, je ne serais sans doute pas venue. Mickey et moi n'allons pas tenir la chandelle, quand même.

— Nous sommes juste un peu affectueuses, dit Kay. Qui sait, je peux très bien me faire décapiter tout à l'heure. Il faut que je profite de mes lèvres tant que j'en ai.

— Alors moi aussi, il faut que je profite des miennes, dit Binkie, levant son verre. Et hop. »

À six heures, leur parvint le son de la radio que l'on allumait sur la péniche voisine ; elles ouvrirent la porte pour écouter les nouvelles. Puis leur succéda un programme de musique de danse ; il faisait trop froid pour garder les portes ouvertes, mais Mickey fit coulisser une fenêtre, de manière à ce qu'elles puissent jouir un peu de la musique, mêlée aux vrombissements et crachotements des embarcations qui passaient, et au cognement sourd des bateaux amarrés. C'était une ballade. Kay avait gardé son bras passé autour de la taille d'Helen, qu'elle caressait doucement comme pour la lisser, tandis que Mickey et Binkie bavardaient. La chaleur du fourneau, plus le gin, l'ensommeillaient quelque peu.

Puis Helen se dégagea, se pencha pour prendre son verre et, en se radossant, se tourna et croisa le regard de Kay.

« Tu sais qui j'ai vu, aujourd'hui ? demanda-t-elle, l'air vaguement contraint.

— Non, je ne sais pas. Qui ?

— Une amie à toi. Julia. »

Kay la regarda fixement. « Julia ? Julia Standing ?

— Oui.

— Tu l'as croisée dans la rue, c'est ça ?

— Non, dit Helen. Enfin, si. Mais on a pris une tasse de thé ensemble, à une cantine tout près de mon bureau. Elle travaillait dans une maison, dans le quartier — tu sais ce qu'elle fait, avec son père ?

— Oui, bien sûr », fit Kay, lentement.

Elle tentait d'écarter ces sentiments mêlés que le simple nom de Julia suscitait toujours en elle. *Ne sois pas sotte*, se dit-elle, comme à chaque fois. *Ça n'existe plus. C'était il y a longtemps.* Mais si, cela existait, et elle le savait... Elle tenta de visualiser Helen et Julia, ensemble : vit Helen, avec son visage rond, son visage d'enfant, ses cheveux en désordre et ses lèvres un peu gercées ; et Julia, lisse et suprêmement maîtresse d'elle-même, semblable à une pierre précieuse sombre et froide... « C'était sympathique ? » demanda-t-elle.

Helen eut un rire gêné. « Mais oui. Pourquoi ?

— Je ne sais pas. »

Mais Binkie avait entendu. Elle connaissait aussi Julia, mais à peine. « C'est de Julia Standing que vous parlez ?

— Oui, dit Kay, réticente. Helen l'a croisée aujourd'hui.

— C'est vrai, Helen ? Comment va-t-elle ? Toujours impeccable, comme si elle avait passé toute la guerre à se nourrir de *steak tartare* et de lait frais ? »

Helen cligna des paupières. « On peut dire ça, j'imagine.

— Elle est effroyablement séduisante, hein ? Mais, oh, je ne sais pas. Je l'ai toujours trouvée un peu glaciale, glaçante, c'est difficile à expliquer. Et toi, Mickey ?

— Elle est très bien », dit Mickey d'une voix brève, avec un regard à Kay ; elle était plus avisée que Binkie.

313

Mais celle-ci continuait. « Elle fait toujours la même chose, Helen, visiter les maisons bombardées, c'est cela ?

— Oui. »

Mickey prit son verre, ses yeux se rétrécirent. « Elle ferait mieux d'essayer de tirer des gens de sous une maison bombardée, ne fût-ce qu'une fois, murmura-t-elle. Ça la changerait. »

Kay se mit à rire. Helen porta de nouveau son verre à ses lèvres, comme pour éviter de devoir répondre à cela. « Ma petite, dit Binkie, s'adressant à Mickey, à propos de gens à sortir des maisons, as-tu entendu ce qui est arrivé aux filles de la station 89 ? Les Schleus ont touché un cimetière. La moitié des cercueils étaient éventrés... »

Kay attira de nouveau Helen à elle. « Je ne vois pas pourquoi les amies d'une personne devraient s'apprécier, tout simplement parce qu'elles sont amies avec la *même* personne ; et en même temps, tout le monde trouve ça normal. »

Helen ne leva pas les yeux. « Il me semble que Julia est le genre de personne pleine de vie, d'énergie, que l'on aime beaucoup, ou que l'on ne supporte pas, dit-elle. Et Mickey se montre loyale envers toi, naturellement.

— Oui, sans doute.

— Nous avons pris un thé, c'est tout. Julia a été absolument charmante.

— Eh bien c'est parfait, dit Kay en souriant.

— Et je ne pense pas que cela se reproduira. »

Kay l'embrassa sur la joue. « J'espère bien que si », dit-elle.

Helen la regarda. « Vraiment ?

— Mais bien sûr », dit Kay, pensant en fait qu'elle ne le souhaitait pas du tout, puisque cette situation absurde mettait visiblement Helen très mal à l'aise...

Mais cette dernière se mit à rire, et lui rendit son baiser — plus du tout mal à l'aise, soudain.

« Tu es un amour », dit-elle.

3

« Miss Giniver, dit miss Chisholm, passant la tête dans le bureau d'Helen, une dame vous demande. »

C'était environ une semaine plus tard. Helen, occupée à attacher des documents avec un trombone, ne leva pas les yeux. « A-t-elle rendez-vous ?

— Elle vous a demandée en particulier.

— Vraiment ? La barbe. » Voilà ce qui arrivait quand on donnait trop facilement son nom. « Où est-elle ?

— Elle a dit qu'elle préférait ne pas entrer, à cause de sa tenue.

— Mon Dieu, plus elle sera lamentable, plus elle aura de raisons d'entrer. Dites-lui que nous ne sommes pas regardantes. Mais que, cela dit, elle doit prendre rendez-vous. »

Miss Chisholm pénétra plus avant dans le bureau, et lui tendit un papier plié. « Elle m'a demandé de vous donner ceci, dit-elle avec un soupçon de désapprobation dans la voix. Je lui ai dit que nous n'avions pas pour habitude d'accepter les messages personnels. »

Helen prit le mot. Il était adressé à *Miss Helen Giniver*, et elle ne reconnaissait pas l'écriture. Il portait l'empreinte d'un pouce sale. Elle déplia la feuille. *Êtes-vous libre pour déjeuner ? J'ai du thé et des sandwiches au lapin ! Qu'en dites-*

vous ? Si c'est impossible, ne vous inquiétez pas. Sinon, je vous attends dehors, je reste là encore dix minutes.

Le mot était signé : *Julia*.

Helen vit la signature en premier, et son cœur fit un bond stupéfiant dans sa poitrine, comme un poisson hors de l'eau. Elle avait horriblement conscience du regard de miss Chisholm sur elle. Elle replia vivement le papier.

« Merci, miss Chisholm, dit-elle, en faisant glisser son pouce sur la pliure. C'est une amie à moi. Je vais... je vais la rejoindre, dès que j'en aurai terminé. »

Elle glissa le billet sous une liasse d'autres papiers et prit son crayon, faisant mine de s'apprêter à écrire. Mais dès qu'elle entendit miss Chilshom se rasseoir dans le bureau adjacent, elle le reposa. Elle déverrouilla le tiroir de son bureau et en tira son sac à main pour se recoiffer, se repoudrer, se remettre du rouge.

Puis elle s'examina dans le petit miroir de son poudrier. Une femme remarquait toujours un maquillage tout frais, se dit-elle ; elle ne voulait pas que miss Chisholm s'en aperçoive — et encore moins que Julia pense qu'elle s'était faite belle pour elle. Elle tira son mouchoir et essaya d'ôter un maximum de poudre. Pinça les lèvres et mordit le tissu, plusieurs fois, pour effacer le rouge. Se décoiffa légèrement. *Bien joué, conclut-elle, maintenant, on dirait que je sors d'une bagarre...*

Mais franchement ! Quelle importance ? Ce n'était que Julia. Elle rangea sa trousse à maquillage, prit son manteau, son chapeau, son écharpe ; elle passa discrètement devant le bureau de miss Chisholm et s'éloigna dans les couloirs de la mairie, traversa l'entrée, se retrouva dans la rue.

Julia l'attendait debout devant un des lions de pierre grise. Elle avait toujours sa salopette et sa veste de blue-jean, mais cette fois ses cheveux étaient emprisonnés sous un foulard, et non dans un turban. Ses mains s'accrochaient à la longue bride d'une sacoche accrochée à son épaule, et elle passait légèrement d'un pied sur l'autre, les yeux dans le vague. Mais en entendant le grincement assourdi des lourdes portes, elle se retourna et sourit. Le cœur d'Helen réagit de nouveau, absurdement — une sorte de tressaillement, de brève convulsion presque douloureuse.

Mais sa voix était calme. « Bonjour, Julia. Quelle charmante surprise.

— Vraiment ? fit Julia. Puisque je sais où vous travaillez, maintenant, je me suis dit que... » Elle leva les yeux vers le ciel, gris et nuageux. « J'espérais du soleil, comme la dernière fois. Il fait frisquet, n'est-ce pas ? J'ai pensé que... mais dites-moi si ça vous semble une idée ridicule. Je passe tellement de temps seule au milieu des ruines que j'en ai perdu tout sens de ce qui se fait ou pas. Mais je me suis dit que vous aimeriez peut-être jeter un coup d'œil à la maison où j'ai installé mon nid, comme un coucou, à Bryanston Square — pour voir ce que je complote. Cela fait des mois qu'elle est abandonnée. Je suis sûre que personne ne dira rien.

— Mais j'adorerais, dit Helen.

— Vraiment ?

— Mais oui !

— Très bien, dit Julia, souriant de nouveau. Je ne vous prends pas le bras, je suis crasseuse ; mais passons par là, le trajet est plus agréable. »

Elle guida Helen dans Marylebone Road, et bifurqua bientôt vers des rues plus tranquilles. « Était-ce la fameuse miss Chisholm qui a pris mon mot ? demanda-t-elle. J'ai vu ce que vous vouliez dire, quand vous parliez

318

de ses lèvres pincées. Elle m'a regardée comme si j'avais l'air prête à cambrioler le coffre-fort de la mairie !

— Elle me regarde de la même manière, vous savez. »

Julia se mit à rire. « Si elle avait vu ça ! » Elle ouvrit sa sacoche et en tira un énorme trousseau de clefs, chacune accrochée à une étiquette de carton à moitié déchirée. Elle le brandit et le secoua, comme un garde-chiourme. « Qu'en dites-vous ? C'est le chef d'îlot qui me les a données. Je suis entrée dans la moitié des maisons du quartier. Marylebone n'a plus aucun secret pour moi. On pourrait croire que les gens ont pris l'habitude de me voir m'introduire partout — mais non, pas du tout. Il y a deux ou trois jours, quelqu'un m'a vue en train de me battre avec une serrure, et a appelé la police. En disant qu'une inconnue, "de toute évidence une étrangère", essayait de forcer la porte d'une maison. Je ne sais pas si elle m'a prise pour une nazie, ou pour une réfugiée en train de marauder. Les flics ont été assez corrects. Vous trouvez que j'ai l'air d'une étrangère ? »

Elle s'employait à trier les clefs, mais releva brusquement la tête sur cette dernière question. Helen la regarda une seconde bien en face, puis détourna les yeux.

« Ce doit être à cause de vos cheveux sombres.

— Oui, j'imagine. Mais bon, avec vous, je suis en sûreté. Vous avez tout de la parfaite rose anglaise, n'est-ce pas. Personne ne pourrait jamais voir en vous autre chose qu'une Alliée... Voilà, nous y sommes. C'est juste ici. »

Elle précéda Helen jusqu'à la porte d'une grande maison austère, introduisit une des clefs dans la serrure. Comme elle poussait la porte, un ruisselet de poussière tomba du chambranle, et Helen entra avec méfiance. Une âcre odeur d'humidité l'assaillit, une odeur de vieille serpillière.

« C'est à cause de la pluie, dit Julia en refermant la

porte, luttant un peu avec la clenche. Le toit a été touché, et la plupart des vitres soufflées. Il fait très sombre, je suis désolée. Il n'y a plus d'électricité, naturellement. Tenez, avancez par là, il y a plus de lumière. »

Helen traversa l'entrée et se retrouva à la porte d'un salon, qu'une fenêtre à demi condamnée plongeait dans une pénombre crépusculaire. Pendant un instant, le temps que ses yeux s'habituent, l'endroit lui parut en relativement bon état ; puis, comme elle commençait d'y voir un peu plus clair, elle fit quelques pas dans la pièce. « Mon Dieu ! Quel dommage, de si beaux meubles ! » s'exclama-t-elle alors. Il y avait un tapis au sol, un élégant divan et des fauteuils assortis, une sellette, une table — tout cela couvert de poussière et tailladé par les éclats de verre et de plâtre, ou bien ravagé par l'humidité dessinant des ronds sur le bois qui commençait de gonfler. « Et ce lustre ! fit-elle dans un cri étouffé, levant les yeux.

— Oui, faites attention où vous posez le pied, dit Julia. La moitié des lustres sont tombés, il y a du verre partout.

— D'après ce que vous m'aviez dit, je pensais que la maison serait quasiment vide. Pourquoi donc les gens ne reviennent-ils pas pour réparer, ou récupérer tout cela ?

— Ils doivent se dire que ce n'est pas la peine, répondit Julia, puisque l'endroit est à moitié détruit. La femme est probablement réfugiée à la campagne, chez des cousins. Le mari est probablement au front ; peut-être même mort.

— Mais toutes ces jolies choses ! » fit de nouveau Helen. Elle pensait aux hommes et aux femmes qui venaient la trouver, au bureau. « Quelqu'un d'autre pourrait vivre ici, n'est-ce pas ? Je vois tellement de gens qui n'ont absolument plus rien ! »

Julia donna un petit coup contre le mur, les phalanges repliées. « La maison n'est pas sûre. Encore une déflagration, pas trop loin, et elle risque de s'effondrer. Ce sera d'ailleurs sans doute le cas. C'est pour cela que mon père et moi sommes ici. En fait, nous répertorions des fantômes, vous voyez... »

Helen traversa lentement la pièce, consternée, son regard passant d'un bel objet mutilé à un autre. Elle arriva devant une haute porte à deux battants, qu'elle poussa avec précaution. La pièce suivante était dans le même état — fenêtres soufflées, tentures de velours ruinées par la pluie, fientes d'oiseaux sur le sol, cendre et suie vomies par la cheminée. Elle fit encore un pas, et quelque chose se brisa sous sa semelle, un morceau de charbon de bois calciné, qui en s'écrasant souilla de noir le tapis. Elle se retourna vers Julia. « J'ai peur de continuer. J'ai l'impression d'être en faute.

— On s'y habitue, ne vous inquiétez pas. Cela fait des semaines que je cavale dans l'escalier sans le moindre état d'âme.

— Vous êtes absolument certaine qu'il n'y a personne ? Comme la vieille dame dont vous m'avez parlé l'autre jour ? Et que personne ne risque de revenir ?

— Personne, dit Julia. Mon père passera peut-être en coup de vent, plus tard, mais c'est tout. J'ai laissé la porte ouverte pour lui. » Elle tendit la main, faisant signe à Helen de la suivre. « Venez, on va descendre. Vous verrez ce que nous avons fait, lui et moi. »

Elle retourna dans l'entrée, et Helen la suivit dans un escalier non éclairé jusqu'à une pièce du sous-sol ; elle y avait installé, sur une table à tréteaux, à la lumière d'une fenêtre en soupirail cassée mais munie de barreaux, divers plans et élévations des maisons de la place. Elle expliqua à Helen comment elle notait les dégâts — les symboles qu'elle utilisait, le système de mesures, ce genre de choses.

321

« Tout cela a l'air très technique, dit Helen, impressionnée.

— Ce n'est sans doute pas plus technique que ce que vous faites au bureau — avec vos livres de comptes, vos budgets à équilibrer, vos formulaires à remplir, que sais-je encore. Moi, je suis absolument nulle, pour tout ça. Et je détesterais devoir répondre à des gens qui entrent et sortent sans arrêt, qui demandent sans cesse quelque chose ; je ne sais pas comment vous faites pour le supporter. Non, ce travail me convient, il est solitaire, silencieux.

— Vous ne le trouvez pas trop solitaire ?

— Quelquefois. Mais j'ai l'habitude. C'est mon tempérament d'écrivain et tout ça, enfin vous voyez... » Elle s'étira. « On mange ? Passons à côté. Il y fait froid, mais c'est moins humide qu'en haut. »

Elle prit sa sacoche et précéda Helen dans le couloir, jusqu'à la cuisine. Une vieille table en sapin était posée au milieu de la pièce, couverte de plâtras, qu'elle se mit aussitôt à dégager.

« Au fait, j'ai réellement des sandwiches au lapin, dit-elle tandis que le plâtre tombait au sol. Un de mes voisins a un jardinier qui pose des pièges. Apparemment, il y en a partout dans Londres, maintenant. Il m'a dit qu'il avait attrapé celui-ci dans Leicester Square ! Je ne suis pas trop sûre de le croire.

— Une de mes amies, qui est chef d'îlot, m'a dit qu'une nuit, elle avait aperçu un lapin sur un quai de Victoria Station ; donc c'est peut-être vrai.

— Un lapin, à Victoria ? Il attendait son train ?

— Oui. Il n'arrêtait pas de consulter sa montre de gilet, et paraissait affreusement contrarié. »

Julia se mit à rire. Ce rire-là était différent de ceux qu'Helen lui avait connus jusqu'alors. Il était naturel, aucu-

322

nement forcé — comme l'eau qui jaillit brièvement d'une source ; et de l'avoir suscité, Helen se sentit heureuse comme une enfant. *Nom d'un chien !* se dit-elle. *Tu es comme une élève de cinquième toute rougissante devant un pion !* Elle fut obligée de bouger pour dissimuler son trouble, parcourant du regard les pots et moules à gâteau poussiéreux sur les étagères, tandis que Julia posait sa sacoche sur la table et fouillait à l'intérieur.

C'était une vieille cuisine victorienne, avec de longs placards en bois et un évier de pierre ébréché par endroits. Les fenêtres étaient, là aussi, munies de barreaux entre lesquels du lierre s'enroulait. La lumière était verte et très douce. « On imagine très bien la cuisinière et les bonnes et les filles de cuisine s'affairer dans tous les sens, dit Helen, parcourant lentement la pièce.

— N'est-ce pas ?

— Et le policier du quartier qui descend rapidement pendant sa ronde pour prendre une tasse de thé.

— Et le laitier qui trousse les jupons, dit Julia en souriant. Venez vous asseoir, Helen. »

Elle avait tiré de la sacoche un paquet de papier sulfurisé contenant les sandwiches, et une gourde métallique remplie de thé, et tiré deux chaises, mais son regard passait maintenant, perplexe, des sièges poussiéreux au manteau plutôt chic d'Helen. « Je peux poser du papier dessus, si vous voulez, dit-elle.

— Non, ça ira, dit Helen. Vraiment.

— Sûre ? Je vous prends au mot, vous savez. Je ne suis pas comme Kay, moi.

— Comme Kay ?

— Oui, à étendre ma cape sur le sol, tout ça, à la Walter Raleigh. »

C'était la première fois qu'elles prononçaient le nom de

Kay, et Helen s'assit sans répondre. Car en effet, Kay aurait fait toute une histoire pour la poussière, elle le savait ; et savait aussi, d'instinct, à quel point ce genre de chose devait agacer Julia. Ce qui lui fit plus que jamais prendre conscience de l'étrange situation dans laquelle elle se trouvait : avoir accepté un amour, toute une somme d'attentions que Julia elle-même avait eu la possibilité d'avoir avant elle, et avait rejetés...

Julia déballa les sandwiches, ôta le bouchon de liège de la gourde de thé brûlant ; elle dit qu'elle l'avait enveloppée dans un pull-over pour la garder au chaud. Elle versa un peu de thé dans deux tasses délicates qu'elle avait prises dans un placard ; puis le fit tourner pour réchauffer la porcelaine, jeta ce fond de liquide et les servit généreusement.

Le thé était sucré, et très crémeux. Toute la ration de lait de Julia avait dû y passer. Helen le but à petites gorgées, les yeux fermés, se sentant coupable. « Je devrais vous donner quelque chose, je ne sais pas, pour tout ça, dit-elle, comme Julia lui tendait un sandwich.

— Absolument, dit Julia.

— Je peux vous donner un ticket de...

— Mais enfin ! C'est la guerre qui nous rend comme ça ? Bon, je vous autorise à me payer un verre à l'occasion, si vous vous sentez à ce point redevable ! »

Elles commencèrent à manger. Le pain était coriace, mais la viande délicieusement tendre, avec une saveur très marquée, particulière, et au bout d'un moment, Helen se rendit compte que ce devait être de l'ail. Elle en avait déjà goûté au restaurant, mais n'en avait jamais elle-même utilisé dans la cuisine ; Julia lui dit qu'elle en avait acheté dans une boutique de Frith Street, à Soho. Elle avait également réussi à se procurer des macaroni, de l'huile d'olive et du parme-

324

san. Elle avait aussi un parent en Amérique, qui lui faisait parvenir des colis de nourriture. « À Chicago, dit-elle, on trouve plus de produits italiens qu'en Italie. Joyce m'envoie des olives, du vinaigre balsamique.

— Quelle chance vous avez ! dit Helen.

— Oui, sans doute. Vous n'avez personne à l'étranger, qui peut vous envoyer des choses comme ça ?

— Oh, non. Toute ma famille est à Worthing, là où j'ai grandi. »

Julia parut surprise. « Vous êtes de Worthing ? Tiens, je l'ignorais. Mais bon, en y réfléchissant, on est tous de quelque part, n'est-ce pas... Nous avons une maison non loin d'Arundel, et on allait quelquefois se baigner à Worthing. Une fois, je me suis gavée de buccins ou de coques — ou de pommes d'amour, enfin je ne sais plus — et j'ai été épouvantablement malade sur la jetée. Comment était-ce, là-bas ?

— Oh, sans histoire, dit Helen. Je suis d'une famille très ordinaire. Vous ne saviez pas cela ? Ce n'est pas comme... comme Kay. » *Ce n'est pas comme vous*, voilà ce qu'elle voulait dire, en réalité. « Mon père est opticien. Mon frère fabrique des optiques pour la RAF. Et la maison de mes parents... » Elle regarda autour d'elle. « Enfin, ce n'est pas comme ici, cela n'a rien à voir. »

Peut-être Julia s'aperçut-elle de son embarras. « Mon Dieu, tout cela n'a plus d'importance, n'est-ce pas ? dit-elle doucement. Plus maintenant. Nous sommes tous habillés comme des épouvantails, et nous parlons comme des Américains — ou alors comme des bonniches. "Et hop, voilà la graille", m'a fait une fille dans un café, l'autre jour ; je parie qu'elle sortait de Roedean, en plus. »

Helen sourit. « Je suppose que ça réconforte les gens, de parler comme ça. C'est une espèce d'uniforme, aussi. »

325

Julia fit la grimace. « Je déteste cette fascination de l'uniforme. Je déteste les uniformes, les brassards, les écussons. Et je pensais que la passion de la chose militaire, puisqu'elle a grandi en Allemagne, était justement ce contre quoi nous nous battions ! » Elle prit une gorgée de thé, puis bâilla presque. « Mais je prends peut-être tout cela trop au sérieux... » Elle observa Helen par-dessus le rebord de sa tasse. « Je devrais être comme vous. Équilibrée, adaptée à mon époque, tout ça. »

Helen la regarda, les yeux fixes, stupéfaite de voir que Julia s'était simplement fait une certaine opinion d'elle, plus encore que de cette opinion elle-même. « C'est l'image que je donne ? demanda-t-elle. Ce n'est pas ainsi que je me sens. *Équilibrée.* Je ne suis même pas sûre de savoir ce que ça veut dire.

— Eh bien, répondit Julia, vous donnez toujours l'impression d'être réfléchie, mesurée. Voilà ce que je veux dire. Vous ne parlez pas beaucoup ; mais ce que vous dites semble toujours valable et intéressant. Chose assez rare, n'est-ce pas ?

— Oh, mais ça, c'est un truc, dit Helen d'un ton léger. Quand vous ne dites rien, les gens s'imaginent toujours que vous êtes d'une grande profondeur. En fait, vous pensez à — je ne sais pas — à votre soutien-gorge qui est trop serré ; ou vous vous demandez si vous avez vraiment besoin d'aller tout de suite aux toilettes.

— Mais justement ! s'écria Julia. C'est précisément ce que j'appelle être équilibré ! Penser à soi-même, plus qu'à l'effet que l'on produit sur les autres. Et puis il y a toute cette histoire... » Elle hésita. « Enfin, le côté "L" de la chose. Vous me comprenez... Et vous avez l'air de gérer même *ça* avec une aisance incroyable. »

Helen baissa les yeux sur sa tasse, sans répondre. « C'est vraiment un commentaire déplacé. Je suis désolée, Helen.

— Non, il n'y a pas de problème, dit vivement Helen, la regardant de nouveau. Simplement, je n'ai pas trop l'habitude d'en parler. Et vous savez, pour moi, ça n'a jamais vraiment été une histoire. Les choses ont tourné ainsi, c'est tout... Pour vous dire la vérité, je n'y pensais absolument pas, quand j'étais plus jeune. Ou alors, je m'en faisais l'idée la plus courante : les institutrices vieilles filles, les intellectuelles...

— Il n'y a eu personne, à Worthing ?

— Mon Dieu, il y a eu des hommes. » Elle se mit à rire. « On croirait entendre une femme de mauvaise vie, n'est-ce pas ? Non, il y a eu un garçon, c'est tout. Je suis venue à Londres pour être près de lui ; mais ça n'a pas marché... et puis j'ai rencontré Kay.

— Ah oui, bien sûr, dit Julia, prenant une nouvelle gorgée de thé. Et puis vous avez rencontré Kay. Et dans des circonstances si merveilleusement romanesques. »

Helen la regarda, essayant de jauger son ton, son expression. « C'était extrêmement romanesque, dit-elle enfin, timidement. Kay est très séduisante, non ? Du moins, je la trouvais séduisante. Je n'avais encore jamais rencontré quelqu'un comme elle. Cela faisait six mois que j'étais à Londres. Elle m'accordait une importance incroyable. Et semblait absolument certaine de ce qu'elle voulait. C'était terriblement excitant, d'une certaine manière. En tout cas, difficile d'y résister. Jamais je n'ai eu l'impression de faire quelque chose de bizarre, alors que j'aurais dû, peut-être... mais tellement de choses incroyables devenaient ordinaires, à cette époque-là. » Avec un léger frisson, elle repensa à la nuit où elle avait rencontré Kay. « Et au milieu de toutes

327

ces choses incroyables, le fait d'être avec Kay, avec une femme, paraissait relativement anecdotique, je suppose... »

Elle se rendit compte qu'elle parlait presque d'un ton d'excuse ; elle avait encore conscience d'une certaine maladresse dans son propos — toutes ces choses qu'elle décrivait comme séduisantes chez Kay, Julia elle-même avait dû facilement y résister... Une partie d'elle avait envie de défendre Kay ; une autre était simplement embarrassée. Mais une autre encore aurait voulu faire confiance à Julia, presque comme on se parle entre épouses. Elle n'avait jamais dit cela, à personne. En emménageant avec Kay, elle avait abandonné ses anciennes amies ; ou bien elle leur taisait cette relation. Et les amies de Kay étaient toutes comme Mickey — comme Kay, en d'autres termes... Elle avait soudain envie de demander à Julia comment cela s'était passé pour elle. Elle voulait savoir si la jeune femme avait ressenti ce qu'elle-même ressentait parfois, non sans culpabilité : que les attentions excessives, permanentes de Kay, au départ si attirantes, si excitantes, pouvaient aussi être lourdes à supporter ; que Kay faisait de vous une sorte d'héroïne, de manière absurde ; que la passion de Kay était si immense qu'elle en avait quelque chose d'irréel, que l'on ne pourrait jamais être à sa hauteur...

Mais elle ne posa aucune de ces questions. Elle baissa de nouveau les yeux sur sa tasse, et resta silencieuse. « Et quand la guerre sera terminée ? demanda Julia. Quand tout redeviendra normal ? »

Elle secoua la tête, trouvant refuge dans une certaine brutalité.

« Inutile de penser à tout ça, n'est-ce pas ? » C'était la réponse toute faite de beaucoup de gens, à toute sorte de questions. « On peut être réduite en cendres du jour au lendemain. En attendant... mon Dieu, je n'ai aucune intention de rendre la chose publique. Par exemple, je ne m'imagine pas du tout en parler à ma mère ! Mais pourquoi devrais-je ? Cela ne concerne que Kay et moi. Et nous sommes deux femmes adultes. Et nous ne faisons de mal à personne. »

Julia l'observa un moment, puis leur versa encore du thé. « Vous êtes *décidément* très équilibrée », commenta-t-elle, avec peut-être une once de sarcasme.

De sorte qu'Helen se sentit de nouveau gênée. *J'ai trop parlé, je l'ai agacée*, se dit-elle. *Elle me préférait avant, quand je me taisais, et qu'elle me croyait profonde...*

Elles demeurèrent un moment silencieuses, puis Julia frissonna soudain et se frotta les bras. « Franchement, dit-elle, ce ne doit pas être bien drôle pour vous, n'est-ce pas ? De vous retrouver avec moi en train de vous soumettre à un interrogatoire au sous-sol d'une maison en ruine ! Autant déjeuner avec la Gestapo ! »

Helen se mit à rire, sa gêne s'évanouit. « Non. C'est sympathique.

— Vous en êtes bien sûre ? Je peux, enfin, je peux vous faire faire le tour du propriétaire, si vous voulez.

— Oui, j'aimerais bien. »

Elles finirent les sandwiches et le thé, et Julia débarrassa le papier et la gourde, puis rinça les tasses. Elles remontèrent, passèrent devant la porte du salon et de la pièce adjacente, commencèrent de gravir l'escalier plongé dans la pénombre.

Elles marchaient doucement, échangeant de temps en temps un commentaire chuchoté sur tel détail, tel dégât, mais avançaient surtout en silence. Les pièces de l'étage étaient encore plus sinistres, si possible, que celles du rez-de-chaussée. Les lits étaient toujours en place dans les chambres et, dans les penderies humides à cause des

329

fenêtres éventrées, les vêtements toujours accrochés étaient mangés par les mites ou moisis. Des morceaux entiers de plafond étaient tombés. Livres et bibelots jonchaient le sol, perdus. Et dans la salle de bains, un miroir accroché au mur offrait son étrange absence de reflet, un visage atone : brisé, pulvérisé, il remplissait le lavabo au-dessous d'une centaine d'éclats argentés.

Comme elles montaient au dernier étage, sous les combles, un froissement, un bruit de fuite précipitée se firent entendre. Julia se retourna. « Des pigeons, ou des souris, dit-elle doucement. Cela ne vous fait pas peur ?

— Il n'y a pas de rats ? demanda Helen, pleine d'appréhension.

— Oh, non. Enfin je ne crois pas. »

Elle continua, ouvrit une porte. Le léger bruit de fuite se fit soudain semblable à un claquement de mains qui applaudissent. Par-dessus l'épaule de Julia, Helen vit un oiseau s'envoler puis disparaître comme par magie. Il y avait un trou dans le plafond mansardé, là où était tombée une cartouche incendiaire. Elle avait atterri sur un matelas de plumes, dans lequel elle avait formé un cratère en brûlant : on aurait dit une jambe ulcérée. On percevait encore l'odeur âcre des plumes calcinées puis mouillées.

C'était la chambre d'une bonne ou d'une femme de ménage. Sur la table de chevet, était encore posée la photo encadrée d'une petite fille. Et au sol, traînait un unique gant de cuir fin, vilainement rongé par les souris.

Helen ramassa le gant et tenta de son mieux de le lisser. Elle le reposa soigneusement près de la photo. Demeura une seconde les yeux levés vers le ciel plombé, visible par le trou du toit. Puis elle rejoignit Julia à la fenêtre donnant sur le jardin de derrière.

Celui-ci était massacré, comme tout le reste : ses dalles

brisées, ses plantes redevenues sauvages, la colonne d'un cadran solaire arrachée de son socle, en miettes.

« Quelle tristesse, dit Julia d'une voix basse. Regardez le figuier.

— Oui. Tous ces fruits ! » Car l'arbre laissait pendre ses branches cassées, et le sol était jonché d'une épaisse couche de figues pourrissantes, jamais ramassées au cours de l'été précédent.

Helen sortit un paquet de cigarettes, et Julia s'approcha pour en prendre une. Elles fumèrent silencieusement, leurs épaules s'effleurant, la manche du blouson de Julia accrochant légèrement le manteau d'Helen à chaque fois qu'elle portait la cigarette à ses lèvres. Cette dernière remarqua que ses phalanges portaient toujours la trace des écorchures de la semaine passée ; elle repensa à la manière dont elle les avait touchées du bout des doigts. Julia et elle étaient alors ainsi, immobiles l'une à côté de l'autre — comme maintenant. Rien ne s'était produit qui ait pu modifier quoi que ce soit. Mais à présent, elle ne s'imaginait plus pouvoir toucher Julia, aucune partie du corps de Julia, de manière aussi insouciante.

Cette pensée était exaltante, et effrayante aussi. Elles bavardèrent encore un peu, à propos des maisons dont l'arrière donnait sur Bryanston Square ; Julia lui désigna celles qu'elle avait visitées, et ce qu'elle y avait trouvé. Mais sa manche ne cessait de s'accrocher à celle d'Helen, et c'était ce frôlement, ce contact des tissus qui accaparait l'attention d'Helen, bien plus que leurs paroles ; elle finit par sentir la chair de poule gagner son bras — comme si Julia, par sa simple présence, l'attirait de manière électrique, l'aimantait...

Elle frissonna, s'écarta un peu, prenant pour prétexte

d'avoir presque terminé sa cigarette. Elle chercha des yeux quelque chose pour l'éteindre.

Julia la vit faire. « Écrasez-la par terre, dit-elle.

— Je n'aime pas ça, dit Helen.

— Ça peut difficilement salir davantage.

— Je sais bien, mais... »

Elle se dirigea vers la cheminée pour l'écraser ; puis fit de même avec celle de Julia, quand elle eut fini la sienne. Mais elle ne voulait pas laisser les deux mégots dans le foyer vide : elle les secoua pour les refroidir, puis les remit dans son paquet, avec les autres.

« Imaginez que les gens reviennent ? fit-elle, comme Julia la regardait avec de grands yeux, incrédule. Ils n'aimeront pas savoir que des inconnus sont venus là, ont regardé toutes leurs affaires.

— Vous ne pensez pas qu'ils seront légèrement plus concernés par la pluie qui a tout détrempé, les fenêtres béantes, le lit brûlé ?

— La pluie, les fenêtres, les bombes, ce ne sont que des choses, dit Helen. Impersonnelles. Ce n'est pas comme des gens... Vous me trouvez idiote. »

Julia la fixait du regard ; elle secoua la tête. « Tout au contraire », dit-elle doucement. Elle souriait, mais semblait presque triste. « Je pensais que... enfin, que vous êtes incroyablement gentille. »

Elles se regardèrent un moment, puis Helen baissa les yeux. Elle rangea ses cigarettes, puis traversa de nouveau la chambre jusqu'au matelas calciné. La pièce lui paraissait petite, soudain : elle avait une conscience aiguë de leur présence à toutes deux, Julia et elle, au dernier étage de cette maison glacée et silencieuse — de leur chaleur animale, de leur force, au milieu de cette désolation. De nouveau, elle sentit la chair de poule envahir ses bras. Elle ressentit les battements de son propre cœur, dans sa gorge, dans ses seins, au bout de ses doigts...

« Il va falloir que j'y aille », dit-elle, sans se retourner.

Julia se mit à rire. « Vous êtes plus gentille que jamais », dit-elle. Mais il y avait toujours une sorte de tristesse dans sa voix. « Allons-y, redescendons. »

Elles sortirent sur le palier, descendirent une volée de marches, si doucement que le bruit d'une porte qui claquait en bas les fit s'arrêter net. Il sembla à Helen que son cœur, au lieu de s'emballer, manquait soudain s'arrêter. « Qu'est-ce que c'est ? » demanda-t-elle, s'accrochant à la rampe, angoissée.

Julia fronçait les sourcils. « Je ne sais pas. »

Puis une voix d'homme résonna dans l'escalier : « Julia ? Tu es là ? » Son visage s'éclaircit.

« C'est mon père », dit-elle. Elle se pencha sur la rampe et lança joyeusement : « Là-haut, papa ! Tout en haut !... Venez, je vais vous le présenter », ajouta-t-elle. Elle se retourna, prit la main d'Helen, lui serra les doigts.

Puis elle descendit vivement, Helen la suivant plus lentement. Quand elle atteignit l'entrée, Julia brossait de la main la poussière dans les cheveux et sur les épaules de son père. « Mais tu es immonde ! lui disait-elle en riant.

— Vraiment ?

— Mais oui ! Helen, regardez dans quel état est mon père. Il a crapahuté dans des caves à charbon... Papa, je te présente une amie, miss Helen Giniver. Non, ne lui serre pas la main ! En fait, elle pense déjà que nous sommes une famille de romanichels. »

Mr Standing sourit. Il portait un bleu de chauffe très sale, avec des rubans de médaille sur la poitrine et, ayant ôté sa casquette informe, lissait ses cheveux ébouriffés par Julia. « Bonjour, miss Giniver. Je crains que Julia n'ait rai-

333

son, pour la poignée de main. Vous avez un peu visité les lieux ?

— Oui.

— Drôle de travail, n'est-ce pas ? De la poussière, que de la poussière. Ce n'est pas comme lors de la précédente : là, ce n'était que de la boue. À se demander ce que ce sera à la prochaine. Que des cendres, j'imagine... Bien sûr, ce que j'aimerais, c'est construire des bâtiments neufs, plutôt que de farfouiller dans ces ruines. Mais bon, ça m'occupe. Et ça permet aussi à Julia de s'en sortir. » Il cligna de l'œil. Il avait comme sa fille des yeux sombres, aux paupières un peu lourdes. Ses cheveux gris étaient plus foncés à cause de la suie qui les souillait ; son front et ses tempes aussi étaient sales — à moins que ce ne soient des taches de rousseur, difficile à dire. Tout en parlant, il laissait errer sur Helen un regard machinal, presque professionnel. « En tout cas, je suis content de voir que ça vous intéresse. Cela vous dirait, de rester pour nous aider ?

— Ne sois pas sot, papa ! intervint Julia. Helen a déjà un emploi qui la prend énormément. Elle travaille à l'Aide aux sinistrés.

— L'Aide aux sinistrés ? Vraiment ? » Il regarda Helen plus attentivement. « Avec lord Stanley ?

— Oh, non, juste à l'antenne locale, désolée.

— Ah ! Dommage. Stanley est un vieil ami à moi... »

Il resta encore un moment à bavarder avec elles. « Bon, ce n'est pas tout, dit-il enfin, il faut que je descende pour jeter un coup d'œil aux plans. Si vous voulez bien m'excuser, miss... ? »

Il les contourna et prit l'escalier du sous-sol. Comme il passait dans une zone mieux éclairée, Helen vit que ce qu'elle avait pris pour de la poussière ou des taches de rousseur était en fait d'anciennes cicatrices de cloques, dues au feu, ou aux gaz.

« C'est un amour, n'est-ce pas ? fit Julia quand il se fut éloigné. En fait, c'est un vieux filou, absolument diabolique. » Elle ouvrit la porte, et elles s'arrêtèrent côte à côte sur le seuil. Elle frissonna de nouveau. « On dirait qu'il va pleuvoir. Vous allez devoir faire vite ! Vous retrouverez votre chemin ? Je vous aurais bien accompagnée, mais — oh, attendez. »

Elle avait brusquement posé la main sur l'épaule d'Helen pour la retenir avant qu'elle ne prenne pied sur le trottoir, et celle-ci se retourna vers elle, saisie d'une angoisse — pensant presque que Julia allait l'embrasser, l'enlacer, quelque chose comme cela. Mais elle ne faisait que brosser un peu de poussière sur sa manche...

« Voilà, dit-elle avec un sourire. Tournez-vous maintenant, que je vous voie par-derrière. Oui, ici aussi... De l'autre côté maintenant. Parfait. Quelle docilité ! Mais on ne va quand même pas donner à miss Chisholm l'occasion de vous faire une remarque. » Elle leva un sourcil. « Ni à Kay, du reste... Voilà. Superbe. »

Elles se dirent au revoir. « N'hésitez pas à revenir déjeuner bientôt ! lança Julia. Je suis là pour encore quinze jours. On pourrait aller au pub. Vous m'offrirez ce fameux verre ! »

Helen promit, sans faute.

Elle s'éloigna. Une fois la porte refermée, elle regarda sa montre, et se mit à courir. Arriva au bureau à deux heures une. « Votre premier rendez-vous vous attend, miss Giniver », lui dit miss Chisholm, avec un coup d'œil vers la pendule ; de sorte qu'elle n'eut même pas le temps de passer aux toilettes ou de se recoiffer...

Elle travailla sans s'arrêter pendant une heure et demie.

Sa tâche était assez épuisante, compte tenu des circonstances. Les gens qu'elle rencontrait depuis quelques semaines étaient semblables à ceux qu'elle avait vus au temps du Blitz, trois ans auparavant. Certains arrivaient tout droit de leur maison fraîchement détruite, les mains sales, avec des coupures, des bandages. Une femme disait avoir été trois fois bombardée ; assise devant le bureau d'Helen, elle pleurait.

« Ce n'est pas tant la maison en elle-même, dit-elle. C'est tout ce chamboulement. Je suis à bout, mademoiselle. Je n'ai pas fermé l'œil depuis que c'est arrivé. Mon petit garçon est fragile. Mon mari est en Birmanie, je suis toute seule, toute seule.

— Oui, je sais, c'est très dur », dit Helen. Elle donna un formulaire à la femme, lui montra patiemment comment le remplir. Celle-ci regardait la feuille sans comprendre.

« Tout ça ?

— Hélas oui, il le faut.

— Mais je ne pourrais pas avoir, je ne sais pas, une livre ou deux...

— Je ne peux malheureusement pas vous donner d'argent comme ça. C'est une procédure assez longue. Nous devons faire constater les dommages avant de vous consentir une avance. Nous devons envoyer un expert, qui évaluera les dégâts et nous fera son rapport. Je vais faire tout ce que je peux pour qu'ils passent chez vous au plus vite, mais avec tous ces raids, depuis quelque temps... »

La femme regardait toujours d'un œil absent les formulaires qu'elle tenait à la main. « Je suis à bout, répétat-elle, en se massant les paupières, complètement à bout. »

Helen l'observa une seconde puis reprit le formulaire. Elle remplit elle-même les lignes, antidatant le tout du mois précédent ; dans la case indiquant la date et la conclusion du rapport d'expert, elle griffonna quelques chiffres plausibles mais à peine lisibles. Puis elle déposa le formulaire dans un panier indiquant *Approuvé*, prêt à rejoindre le bureau de miss Steadman, au premier étage, et y ajouta avec un trombone un mot précisant qu'il s'agissait d'une urgence.

Mais elle ne fit pas de même pour la personne suivante, ni pour celle qui vint après. Elle avait été frappée par les mots simples qu'employait cette femme : à bout, voilà tout. Cela voulait tout dire. Lors du Blitz de 41, elle avait tenté d'aider tout le monde ; avait même parfois donné de l'argent de sa propre bourse. Mais la guerre vous rendait indifférente. On commençait, pensait-elle tristement, par se voir comme une sorte d'héroïne, et l'on finissait par ne plus penser qu'à soi.

La pensée de Julia demeura au fond de son esprit, tout au long de l'après-midi. Alors même qu'elle tentait de réconforter la femme en larmes, elle pensait à Julia — même quand elle disait : « Oui, je sais, c'est très dur. » Elle pensait au contact du bras de Julia contre le sien ; à la proximité de Julia dans cette petite chambre mansardée.

Puis, à quatre heures moins le quart, le téléphone se mit à sonner.

« Miss Giniver ? fit la standardiste. Vous avez un appel de l'extérieur. Une miss Hepburn. Je vous la passe ? »

Miss Hepburn ? se demanda Helen, machinalement... puis elle comprit, et ressentit une brève contraction d'angoisse et de culpabilité. « Une seconde, dit-elle. Pouvez-vous lui demander de patienter ? » Elle posa le combiné et se dirigea vers la porte du bureau : « Miss Chisholm ? Je ne prends personne pendant une minute, s'il vous plaît ! Je suis au téléphone avec le bureau de Camden Town. » Elle revint à son bureau, se força à rester calme. « Bonjour, miss Hepburn, fit-elle quand la communication fut établie.

— Salut, toi. » C'était Kay. Elles avaient comme ça un jeu à elles, avec les noms. « Je t'appelle juste pour t'embêter, tu sais. » Sa voix était grave et comme ensommeillée. Elle fumait une cigarette : elle écarta l'appareil pour souffler la fumée... « Alors, pas trop sinistre, l'Aide aux sinistrés ?

— Non, mais plutôt bousculée, en fait, dit Helen, jetant un regard vers la porte. Je ne peux pas te parler longtemps.

— C'est vrai ? Je n'aurais pas dû t'appeler, c'est ça ?

— Pas vraiment, en effet.

— Je ne savais pas quoi faire de ma peau, toute seule à la maison. Je... excuse-moi. »

Il y eut un petit bruit de souffle, suivi d'un silence profond : Kay avait recouvert le combiné de la main, et s'était mise à tousser. Cela ne s'arrêtait pas. Helen l'imaginait comme elle l'avait si souvent vue : pliée en deux, les yeux pleins de larmes, le visage écarlate, les poumons remplis de fumée et de poussière de brique. « Kay ? fit-elle. Kay, ça va ?

— Je suis toujours là, dit Kay, reprenant l'appareil. Rien de grave.

— Tu ne devrais pas fumer.

— Ça me fait du bien... D'entendre ta voix aussi, ça me fait du bien. »

Helen ne répondit pas. Elle pensait à la standardiste. Une amie de Mickey avait perdu son emploi parce que la fille avait écouté une conversation privée de ce genre.

« J'aimerais que tu sois là, reprit Kay. Ils ne peuvent pas se passer de toi ?

— Tu sais bien que non.

338

— Tu es obligée de rester, c'est cela ?

— Oui, absolument. »

Kay souriait, Helen l'entendait à sa voix. « Bon... Rien de particulier, sinon ? Personne n'est venu faire du scandale au bureau ? Mr Holmes te fait toujours de l'œil ?

— Non », dit Helen, souriant à son tour. Puis elle ressentit de nouveau une légère contraction à l'estomac, et retint son souffle. « En fait, j'ai...

— Attends », coupa Kay. Elle écarta le combiné et se remit à tousser. Helen l'entendit s'essuyer la bouche. « Il vaut mieux que je te laisse, dit-elle enfin.

— Oui, dit Helen d'une voix atone.

— À tout à l'heure. Tu rentres directement à la maison ? Tu fais vite, hein ?

— Mais oui, bien sûr.

— Tu es un amour... Eh bien au revoir, miss Giniver.

— Au revoir, Kay. »

Helen raccrocha, et resta immobile, raidie. Elle voyait très clairement Kay se lever, finir sa cigarette, aller et venir sans but dans l'appartement, tousser encore, peut-être. Peut-être debout à la fenêtre, les mains dans les poches. Sifflotant ou chantonnant de vieux airs de comédies musicales, « Daisy Daisy », des choses comme ça. Dépliant peut-être du papier journal sur la table du salon pour cirer ses chaussures. Prenant son drôle de petit nécessaire à couture de marin pour se mettre à repriser ses socquettes... Sans savoir qu'Helen, quelques heures auparavant, était elle aussi debout à une fenêtre, et sentait sa chair s'épanouir comme des pétales de fleur au soleil, parce que Julia la frôlait. Sans savoir qu'Helen, dans une chambre mansardée, avait été obligée de détourner le regard, si effrayants devenaient les battements de son sang...

Helen décrocha vivement et demanda un numéro à la

339

standardiste. Il y eut deux sonneries, puis la voix de Kay, surprise que ce soit de nouveau Helen : « Tu as oublié quelque chose ?

— Non, rien. Je... J'avais juste encore envie de t'entendre. Qu'est-ce que tu faisais ?

— J'étais dans la salle de bains, dit Kay. Je commençais juste à me couper les cheveux. J'en ai mis partout. Et tu vas me détester, comme ça.

— Non. Kay, je voulais te dire... enfin, tu sais bien quoi. »

Cela signifiait *je t'aime*. Kay resta une seconde silencieuse. « Oui, je *sais* quoi, dit-elle enfin. Sa voix était un peu pâteuse. Moi aussi, je voulais te le dire... »

Mais quelle idiote, quelle idiote ! se dit Helen en raccrochant. Elle avait à présent l'impression que son cœur avait enflé dans sa poitrine, qu'il occupait tout l'espace, gonflait comme de la pâte à pain, jusqu'à sa gorge. Elle tremblait presque. Elle ouvrit son sac, chercha ses cigarettes. Trouva le paquet, l'ouvrit.

Dans le paquet, il y avait deux mégots. Elle les avait rangés là, et oubliés. Ils étaient marqués de rouge à lèvres. Celui de Julia, et le sien.

Elle les posa dans le cendrier, sur son bureau. Puis s'aperçut que son regard revenait sans cesse, malgré elle, vers le cendrier. Elle finit par le prendre et par sortir pour aller le vider dans une des corbeilles métalliques, dans le bureau de miss Chisholm.

Il était six heures et demie, Viv se trouvait dans les vestiaires de Portman Court. Dans une cabine des toilettes, elle vomissait, penchée au-dessus de la cuvette. Elle vomit trois fois, puis se redressa et ferma les yeux et, l'espace d'une minute, se sentit merveilleusement apaisée et sereine.

Mais en les ouvrant de nouveau, et en voyant la mixture infâme qu'elle avait rendue — mélange de thé et de biscuits Garibaldi à demi digérés —, elle eut un nouveau haut-le-cœur. La porte du vestiaire s'ouvrit comme elle sortait de la cabine pour se rincer la bouche. C'était une collègue de son propre bureau, une fille appelée Caroline Graham.

« Eh bien, fit-elle, ça va ? Gibson m'a envoyée à votre recherche. Qu'est-ce qui se passe ? Vous avez l'air dans un sale état. »

Viv s'essuya le visage avec précaution à la serviette accrochée au rouleau. « Ça va aller.

— Franchement, on ne dirait pas. Voulez-vous que je vous accompagne à l'infirmerie ?

— Ce n'est rien, dit Viv. C'est... j'ai la gueule de bois, c'est tout. »

En entendant cela, Caroline changea d'attitude. Elle se cala confortablement, la hanche appuyée contre un des lavabos, et tira un chewing-gum. « Oh, fit-elle, pliant le bâtonnet pour le mettre dans sa bouche, alors ça, je connais. Et dites donc, ça a dû être quelque chose, si vous êtes encore malade à cette heure-ci ! J'espère que le gars en valait la peine. Je dis toujours que ce n'est pas si terrible, quand on s'est bien amusée. Le pire, c'est quand le mec ne vaut pas tripette, et que l'on picole pour réussir à le trouver mignon... Vous devriez manger un œuf cru, quelque chose. »

Viv sentit son estomac de soulever de nouveau. Elle s'écarta pour ne plus voir le chewing-gum grisâtre qui tournait et tournait dans la bouche de Caroline. « Je ne m'en sens pas capable », dit-elle. Elle jeta un coup d'œil au miroir. « Oh ! la la, quelle tête ! Vous n'auriez pas un poudrier sur vous ?

— Tenez », dit Caroline. Elle sortit un poudrier de son sac et le lui tendit ; Viv se repoudra, le lui rendit, et elle l'utilisa à son tour. Puis elle se posta devant le miroir pour vérifier ses boucles, les enroulant autour de son index — le chewing-gum immobile l'espace d'un instant ; un bout de langue apparaissait entre ses lèvres peintes, son visage lisse et rond reflétait la santé, la jeunesse, l'absence de soucis. Viv la regardait, et se sentait minable : *Que la vie est donc moche et dure et injuste ! J'aimerais tellement être toi.*

Caroline surprit son regard. « Oui, vous avez l'air dans un sale état, dit-elle, recommençant de ruminer. Vous n'avez qu'à rester ici. Moi, ça n'est pas mes oignons. De toute façon, il reste à peine une demi-heure. Je peux dire à Gibson que je vous ai cherchée et que je ne vous ai pas trouvée. Vous pourrez toujours prétendre que vous vous êtes fait coincer par Mr Brightman, un truc comme ça. Il envoie toujours les filles lui chercher des pastilles de bicarbonate.

— Merci, dit Viv, mais ça va aller.

— Vous en êtes sûre ?

— Mais oui. »

Elle avait baissé la tête pour rajuster la ceinture de sa jupe ; et comme elle la relevait trop brusquement, elle sentit la nausée la reprendre. Elle s'appuya d'une main à un lavabo, ferma les yeux — déglutissant, encore, encore, sentant son estomac prêt à se soulever de nouveau, et luttant pour l'empêcher de se convulser... En vain. Elle se précipita dans la cabine et se mit à hoqueter, sans rien rendre. Dans l'espace étroit, cela se répercutait avec un bruit abominable. Elle tira la chasse d'eau pour essayer de le couvrir. Lorsqu'elle sortit pour se diriger vers les lavabos, elle vit Caroline embarrassée.

« Je pense que vous devriez me laisser vous emmener à l'infirmerie, Viv.

— Je ne vais pas aller trouver l'infirmière à cause d'une gueule de bois.

— Il ne faut pas rester comme ça. Vous avez une mine à faire peur.

— Mais ça va aller. Dans une minute, ce sera fini. »

Puis elle pensa à la petite expédition qu'elle allait devoir affronter pour remonter jusqu'au bureau : les marches raides, les couloirs. Elle s'imagina vomissant sur le sol de marbre ciré. Se représenta la salle elle-même : toutes ces tables et ces chaises les unes à côté des autres, les rideaux du black-out, l'atmosphère étouffante, les odeurs d'encre et de permanente et de maquillage, pires que jamais...

« J'ai simplement envie de rentrer à la maison, dit-elle d'une pauvre voix.

— Eh bien allez-y. Il ne reste plus que vingt minutes.

— Vous croyez ? Et Gibson ?

— Je lui dirai que vous n'êtes pas bien du tout. C'est la vérité, non ? Mais en même temps, est-ce une bonne idée de rentrer ? Si vous vous trouvez mal dans la rue, ou quelque chose ?

— Non, je ne pense pas m'évanouir », dit Viv. Mais les femmes ne s'évanouissaient-elles pas quand elles étaient... ? *Mon Dieu !* Elle se détourna. Elle craignait soudain que Caroline, à force de la regarder, ne finisse par deviner la vérité... Elle consulta sa montre. « Voulez-vous me rendre un service ? demanda-t-elle, s'efforçant de prendre un ton serein, voire enjoué. Je vais attendre Betty Lawrence, et rentrer avec elle. Pouvez-vous la prévenir, après avoir vu Gibson ? Pouvez-vous lui dire que je l'attends ici ?

— Bien sûr, dit Caroline, se redressant pour partir. Et n'oubliez pas, pour l'œuf cru. Je sais que ça semble un terrible gaspillage, vu le rationnement, mais une fois, j'ai eu une gueule de bois épouvantable, avec des cocktails imbuvables qu'un type avait préparés pour moi dans une soirée ; et le coup de l'œuf a été d'une efficacité incroyable. Il me semble que Minty Brewster a réussi à avoir deux œufs ; demandez-lui-en un.

— Je n'y manquerai pas, dit Viv, tentant de sourire. Merci, Caroline — oh, et si Gibson veut des détails, ne lui dites pas que j'ai été malade, d'accord ? Elle est capable de deviner... que j'ai trop bu, je veux dire. »

Caroline se mit à rire. Elle souffla une bulle de chewing-gum, qui explosa dans un petit claquement sec. « Ne vous en faites pas. Je vais faire de gros sous-entendus, du genre "on est entre femmes". Elle pensera que ce sont vos mauvais jours. Ça ira ? »

Viv hocha la tête en riant elle aussi.

À la seconde où Caroline sortit, le rire mourut sur ses lèvres. Elle sentit son visage s'affaisser, devenir lourd. Des tuyaux d'eau chaude traversaient le vestiaire, et l'air était sec ; il y régnait une sorte de pression étouffante, comme dans un sous-marin. Viv aurait plus que tout voulu pouvoir ouvrir une fenêtre, se rafraîchir à la brise. Mais la lumière était allumée, le rideau déjà tiré : elle ne put que le soulever un peu sur le côté, et passer la tête sous le tissu rêche et poussiéreux, s'en entourant comme d'une capuche, pour profiter d'un vague filet de l'air du soir filtrant par les fentes de l'encadrement.

La fenêtre donnait sur une cour. Des étages au-dessus, lui parvenaient les échos des machines à écrire et des sonneries de téléphone. Mais en tendant l'oreille, elle pouvait aussi percevoir, au-delà, les bruits ordinaires de Wigmore Street et de Portman Square : autos, taxis, hommes et femmes faisant leurs courses, sortant du travail. C'était là le genre de

344

bruits, se dit Viv, que l'on avait entendus des milliers de fois sans jamais s'y arrêter — tout comme, quand on était en bonne santé, on n'y pensait jamais ; il fallait cesser d'être malade pour, l'espace d'une minute, se rendre compte de ce que c'était. Et être malade faisait de vous un autre, un étranger dans son propre pays. Tout ce qui paraissait simple et ordinaire à tout un chacun devenait hostile. Votre propre corps devenait votre ennemi, avec ses calculs et ses complots, ses pièges tendus...

Elle resta à la fenêtre, réfléchissant à tout cela, jusqu'à ce que le bruit des machines cesse, juste avant à sept heures, remplacé dans tout le bâtiment par celui des pieds de chaise raclant le sol nu. Une minute après, la première fille apparut : elles déboulèrent dans les vestiaires, filant aux toilettes, prenant leurs affaires. Viv se dirigea vers son casier et, très lentement, en tira son manteau son chapeau, ses gants. Elle évoluait comme une sorte de fantôme au milieu d'elles, regardant les plus quelconques, les plus insignifiantes, les grosses, les bigleuses, avec une sorte d'envie prédatrice ; se sentait isolée, séparée d'elles par des distances incalculables. Elle écoutait leurs voix claires, confiantes, en se disant : *Voilà ce qui arrive aux gens comme moi. Je suis comme Duncan, finalement. On essaie de faire quelque chose de notre vie, et la vie nous en empêche, nous fait des croche-pieds.*

Betty apparut. Elle entra sourcils froncés, regardant autour d'elle. Apercevant Viv, elle vint droit à elle.

« Qu'est-ce qui se passe ? Caroline Graham a dit que tu ne pouvais pas remonter. Elle en a fait des tonnes, pour Gibson — en racontant que tu t'étais fait prendre de court. Maintenant, tout le monde sait que tu as tes... Hé, mais dis donc, en effet, ça n'a pas l'air d'aller. »

Viv tenta d'échapper au regard scrutateur de Betty,

comme elle l'avait fait avec Caroline. « Je me suis sentie un peu mal.

— Ma pauvre chérie. Il faut te retaper. Et j'ai ce qu'il te faut. Jean, du Courrier, a lancé l'idée d'une soirée avec les gars du ministère de l'Information. L'un d'eux vient de recevoir ses papiers de divorce, et ils ont besoin de filles, disent-ils. Cela fait des semaines qu'ils attendent ça, qu'ils ont fait des provisions, donc ça devrait être une sacrée nouba. On a juste le temps de passer nous changer. »

Viv la regarda, effarée. « Tu plaisantes, dit-elle. Je ne pourrai jamais. Et tu as vu la tête que j'ai ?

— Oh, un petit coup de Max Factor, dit Betty, enfilant son manteau d'un coup d'épaules, et les gars du ministère n'y verront que du feu. »

Elle prit Viv par le bras, et toutes deux sortirent et commencèrent de gravir l'escalier qui menait au grand hall. Viv s'aperçut que monter l'escalier était aussi horrible qu'être en bateau par grosse mer ; mais elle trouvait un certain réconfort à sentir le bras de Betty sous le sien — à être aidée, guidée. Elles passèrent au bureau pour pointer. Dehors, il ne faisait pas sombre au point de devoir allumer leurs lampes de poche. Mais il faisait froid. Betty fit halte pour prendre ses gants.

Apercevant une collègue, elle leva un gant et lui fit signe.

« Jean ! Jean, par ici ! Tu veux bien parler à Viv de la soirée ? Il faut la convaincre de venir. »

La dénommée Jean vint vers elle. « Ça promet d'être sensationnel, Viv, dit-elle. Ils m'ont dit d'amener autant de copines que possible. »

Viv secoua la tête. « Je suis navrée, Jean. Je ne peux pas. Pas ce soir.

— Oh, mais enfin, Viv ! »

— Ne l'écoute pas, Jean, dit Betty. Elle est pas elle-même.

— Je vois bien qu'elle n'est pas elle-même ! Viv, cela fait des *semaines* qu'ils mettent des trucs de côté, pour faire la fête.

— C'est ce que je lui ai dit.

— Je ne peux pas, répéta Viv. Franchement. Je ne m'en sens pas capable.

— Mais capable de quoi ? Tous ces garçons ne demandent qu'une chose : des jolies filles en pull moulant !

— Non. Réellement.

— Ce n'est pas tous les jours qu'un gars divorce, quand même.

— Non, vraiment, dit Viv, sa voix commençant de se fissurer. Je ne peux pas ! Je ne peux pas ! Je... »

Elle s'arrêta, se couvrit les yeux d'une main ; et là, au beau milieu de Wigmore Street, se mit à pleurer.

Il y eut un silence. « Hum, fit enfin Betty. Désolée, Jean. La soirée va devoir se faire sans nous, finalement.

— C'est dur pour ces pauvres gars. Ils vont être affreusement déçus.

— Regarde le bon côté des choses : il y en aura plus pour toi.

— C'est une façon de voir, en effet », dit Jean. Elle posa une main sur le bras de Viv. « Remets-toi, Viv. Tu sais, ce doit être un vrai salaud, pour réussir à te mettre dans un pareil état... Bon, je file au foyer. Les filles ! Si vous changez d'idée, vous savez où me trouver ! » Elle s'éloigna, courant presque.

Viv tira son mouchoir de son sac et se moucha. Levant la tête, elle vit que les passants l'observaient, vaguement intrigués.

« Je me sens complètement idiote.

347

— Allons, ne sois pas sotte, dit Betty, doucement. Ça nous arrive à toutes, de pleurer. Viens, ma chérie. » Elle reprit le bras de Viv, lui pressa la main. « Je te ramène à la maison. Ce qu'il te faut, c'est une bouillotte bien chaude et un gin avec deux aspirines... Et d'ailleurs, en y réfléchissant, ça ne me fera pas de mal non plus. »

Elles se remirent en marche, plus lentement. Viv avait l'impression que tous ses membres picotaient, vibraient presque de fatigue. L'idée de rentrer à John Allen — à cette heure-ci, quand l'endroit était dans un chaos total, avec le vacarme des chaises traînées sur le sol du réfectoire, les lumières aveuglantes, la TSF braillant de la musique de danse, les filles cavalant dans les escaliers en sous-vêtements, échangeant leurs bigoudis, s'interpellant à pleine voix —, cette simple pensée achevait de l'épuiser.

Elle tira Betty par le bras. « Je ne peux pas rentrer maintenant. Allons quelque part ailleurs. Dans un endroit calme. Tu veux bien ?

— Mon Dieu, dit Betty, un peu décontenancée, on peut aller dans un café, quelque chose comme ça...

— Un café, je n'en ai pas non plus la force, dit Viv. On ne peut pas simplement s'asseoir quelque part ? Cinq minutes ? » Sa voix montait dans l'aigu, prête à se briser de nouveau.

« D'accord », dit Betty, lui reprenant le bras.

Au bout de quelques dizaines de mètres, elles débouchèrent sur une des places tranquilles, résidentielles du quartier, et entrèrent dans le square. C'était ce genre de jardin privé, fermé avant la guerre, mais dont les grilles, bien sûr, avaient à présent disparu, et elles y pénétrèrent directement. Elles trouvèrent un banc à l'écart des plus gros buissons, dans la partie la plus calme du jardin. Il ne faisait pas encore vraiment sombre, mais la lumière baissait à chaque seconde. « Eh bien, soit nous allons nous faire violer, soit on va nous prendre pour deux belles de nuit, et nous proposer de l'argent, dit Betty, regardant autour d'elle. Toi, je ne sais pas, mais si l'on m'offrait une belle somme, je serais presque tentée d'accepter... » Elle avait gardé le bras de Viv sous le sien. « Alors ma grande, dit-elle, tandis qu'elles s'asseyaient, refermant bien leur manteau autour d'elles. Dis-moi ce qui ne va pas. Et je te préviens : j'ai renoncé à me faire peloter par un divorcé tout frais, alors ça a intérêt à valoir le coup. »

Viv sourit. Mais presque immédiatement, son sourire se fit presque douloureux. Elle sentait les larmes monter à sa gorge, comme tout à l'heure la nausée. « Oh, Betty... », la voix lui manqua. Elle posa une main sur sa bouche, secoua la tête. « Je vais me mettre à pleurer, si je le dis.

— Oui, fit Betty, eh bien c'est moi qui vais pleurer, si tu ne le dis pas ! » Puis, plus doucement : « Bon, je ne suis pas idiote. Je devine assez bien de quoi il s'agit. Ou plutôt de qui... Qu'est-ce qu'il a fait, cette fois ? De toute façon, il y a une limite à ce qu'un homme peut inventer pour faire pleurer une fille. Ils manquent d'imagination. Il peut la mettre sur un piédestal, la jeter en bas, l'adorer, la trahir, la plaquer... », elle eut un petit rire sarcastique, « lui faire un enfant dans le dos... »

Elle plaisantait, elle disait cela sans réfléchir. Puis elle croisa le regard de Viv dans la pénombre, et le rire mourut sur ses lèvres.

« Oh, Viv..., murmura-t-elle.

— Je sais.

— Oh, Viv ! Tu t'en es aperçue quand ?

— Il y a une quinzaine de jours.

— Une quinzaine de jours ? Ce n'est pas énorme. Tu es

sûre que ce n'est pas seulement... enfin, que tu n'as pas un peu de retard ? Avec tous ces bombardements...

— Oui », dit Viv. Elle s'essuya le visage. « C'est ce que j'ai d'abord pensé. Mais non, ce n'est pas ça. Je le sais. J'en suis certaine. Regarde dans quel état je suis... je vomis tout le temps.

— Tu vomis ? fit Betty, alarmée. Le matin ?

— Pas le matin. L'après-midi, le soir... C'était pareil pour ma sœur. Toutes ses amies étaient malades au réveil, mais elle, elle a vomi presque tous les soirs, pendant trois mois.

— Trois mois ! »

Viv jeta un regard furtif autour d'elles. « Chhhhut, s'il te plaît.

— Désolée... Mais bon sang, qu'est-ce que tu vas faire, ma chérie ?

— Je n'en sais rien.

— Tu en as parlé à Reggie ? »

Viv détourna les yeux. « Non.

— Mais pourquoi pas ? C'est sa faute, quand même ?

— Ce n'est pas sa faute, dit Viv, relevant les yeux. C'est ma faute autant que la sienne.

— La tienne ? Comment, la tienne ? Pour l'avoir autorisé à... », elle baissa encore d'un ton, « à monter à bord ? Écoute, moi je veux bien, mais il aurait pu... enfin, mettre sa capuche, tu vois. »

Viv secoua la tête. « Il n'y a jamais eu de problème jusqu'à maintenant. On n'en utilise jamais. Il ne supporte pas ça... »

Elles demeurèrent un moment silencieuses. « Je pense que tu devrais le lui dire, dit enfin Betty.

— Non, répondit Viv d'une voix ferme. Je n'en parle à personne, à part toi. Et ne le répète pas, hein ! Surtout

350

pas ! » L'idée la terrifiait. « Imagine que Gibson l'apprenne. Tu te souviens de Felicity Withers ? »

Felicity Withers était une fille du ministère des Travaux publics, qui avait eu une histoire avec un aviateur de la France libre, l'année précédente, et s'était retrouvée enceinte. Elle s'était jetée au bas des escaliers, au foyer John Allen ; cela avait fait un scandale terrible. Le ministère l'avait forcée à démissionner, et renvoyée chez ses parents — un pasteur et son épouse — à Birmingham.

« Tout le monde l'a traitée d'idiote, et moi la première, dit Viv. Dieu du ciel, j'aimerais bien qu'elle soit là, maintenant ! Elle avait... » Elle regarda autour d'elle, parla dans un murmure. « Elle avait pu avoir des pilules, non ? Par un pharmacien ?

— Je ne sais pas, dit Betty.

— Si. Je suis sûre qu'elle en avait...

— Tu peux essayer les sels d'Epsom.

— Déjà fait. Ça n'a pas marché.

— Tu peux prendre un bain brûlant, et te saouler au gin ? »

Viv failli se mettre à rire. « À John Allen ? Jamais je n'arriverai à avoir de l'eau assez chaude. Et puis imagine que quelqu'un voie le gin, ou le sente... Et je ne peux pas non plus le faire chez mon père. » Elle frissonna à la simple idée. « Il n'y a pas d'autres moyens ? Il doit y avoir encore des trucs. »

Betty réfléchissait. « Tu peux te faire un lavement avec de l'eau savonneuse. Il paraît que ça marche. Mais il faut viser juste... Ou bien tu peux prendre une... enfin, tu sais bien, une aiguille à tricoter.

— Oh mon Dieu ! fit Viv, sentant la nausée revenir. Je ne supporterais pas de faire ça. Tu pourrais, à ma place ?

351

— Je ne sais pas. Possible, si j'étais trop paniquée... Et si tu... si tu soulevais des poids ?

— Quels poids ? fit Viv.

— Des sacs de sable, quelque chose comme ça. Ou bien tu peux sauter sur place ? »

Viv pensa à tous les trajets pénibles qu'elle avait effectués au cours des quinze derniers jours : les trains et bus cahotants, les volées de marches gravies quatre à quatre au bureau... « Ça ne marchera pas. Il ne veut pas se décrocher comme ça, je le sais très bien.

— Tu peux faire macérer des pièces de monnaie en cuivre dans un verre d'eau.

— C'est une recette de grand-mère, non ?

— Oui, mais les recettes de grand-mère, souvent... c'est pour ça que ce sont des grands-mères, après tout...

— Et pas des filles mères, c'est ça ?

— Ce n'est pas du tout ce que je veux dire. »

Viv détourna les yeux. Il faisait vraiment sombre à présent. Des trottoirs qui entouraient le square leur parvenait de temps à autre la lueur sourde d'une lampe de poche occultée, son rayon qui allait s'élargissant, rétrécissant, puis filait dans la nuit. Mais les hautes maisons aux façades plates qui bordaient la place demeuraient parfaitement silencieuses... Elle sentit Betty réprimer un frisson, et frissonna aussi. Mais elles ne se levaient pas. Betty remonta son col et croisa les bras. « Tu pourrais en parler à Reggie, dit-elle de nouveau.

— Non. Je ne lui dirai rien.

— Mais pourquoi ? Il est bien de lui, non ?

— Évidemment !

— Enfin, je te pose juste la question.

— Quelle idée !

— Mais alors, tu devrais le lui dire. Je ne plaisante pas

Viv, mais en tant que... enfin, qu'homme marié, il devrait avoir une idée sur la question.

— Il n'en aura aucune, dit Viv. Sa femme est absolument dingue des enfants. Des enfants, c'est tout ce qu'elle lui demande. Avec moi, il trouve autre chose, c'est différent.

— Ça, je n'en doute pas.

— Mais c'est vrai !

— Oui, eh bien dans neuf mois, ce ne le sera plus. Huit, je veux dire.

— C'est pour ça que je dois me débrouiller toute seule, dit Viv. Tu ne comprends pas ? Si finalement, je deviens comme elle...

— Et tu veux vraiment t'en débarrasser ? Tu ne pourrais pas... le garder, t'en occuper, ou...

— Tu plaisantes ? Pense à mon père. Ça le tuerait ! »

Ça ne le tuerait pas, ça l'achèverait, pensa-t-elle, *après Duncan, ça l'achèverait*... Mais elle ne pouvait pas dire cela à Betty ; et soudain, le poids de tant de secrets, de tant de précautions à prendre, de tant d'obscurités dans son existence, lui sembla insupportable. « Oh, fit-elle, oh mais c'est tellement, tellement injuste ! Pourquoi faut-il que ça arrive, Betty ? Comme si la vie n'était pas déjà assez dure ! Ça, maintenant, pour la rendre encore pire. Et c'est une si petite chose...

— Ce n'est pas agréable à dire, ma chérie, dit Betty, mais il ne restera pas petit bien longtemps. »

Viv la regarda au travers de la pénombre. Croisa ses bras sur son ventre. « C'est ça que je ne peux pas supporter, dit-elle à voix basse, cette idée qu'il est en moi, qu'il grandit en moi. » Tout à coup, il lui semblait le sentir, en train de la vampiriser, comme une sangsue. « À quoi il ressemble ? À une sorte de petit ver tout grassouillet, c'est cela ?

— À un petit ver tout grassouillet, avec la tête de Reggie.

353

— Ne dis pas ça ! Si je commence à y penser de cette manière, cela ne fera que rendre les choses pires... Il faut que j'essaie les pilules qu'avait prises Felicity Withers.

— Mais ça n'a pas marché. C'est pour ça qu'elle s'est jetée dans l'escalier ! Et est-ce qu'elles ne la rendaient pas malade, en plus ?

— Mon Dieu, je suis déjà malade, de toute façon ! Qu'est-ce que ça peut changer ? »

Toutefois, elle ne se sentait plus vraiment malade, pour le moment. Mais agitée, presque fébrile. Elle avait soudain l'impression d'avoir vécu dans une sorte d'hypnose. Elle n'arrivait pas à y croire. Pensait à tous ces jours qu'elle avait laissés filer sans rien faire. Elle se redressa, regarda autour d'elle.

« Il faut que je trouve une pharmacie, dit-elle. Où vais-je en trouver une qui vend ça ? Viens, Betty.

— Doucement, s'il te plaît », fit Betty. Elle ouvrit son sac. « Tu ne peux tout de même pas raconter ce genre de truc à quelqu'un, comme ça, d'un seul coup, et attendre qu'il... Laisse-moi le temps de fumer une cigarette.

— Une cigarette, répéta Viv. Comment peux-tu penser à fumer une cigarette ?

— Calme-toi », dit Betty.

Viv la poussa. « Je ne peux pas me calmer ! Tu crois que tu te calmerais, toi, à ma place ? »

Mais soudain, elle se sentit épuisée. Elle se laissa de nouveau aller contre le banc, ferma les yeux. Puis les rouvrit, et croisa le regard de Betty posé sur elle. Son expression était difficile à déchiffrer, dans l'ombre. Peut-être son visage exprimait-il la pitié, ou la fascination ; ou même un soupçon de mépris.

« Que penses-tu ? demanda Viv, doucement. Tu penses

que je suis faible, n'est-ce pas ? C'est ce qu'on disait de Felicity Withers, aussi. »

Betty haussa les épaules. « N'importe quelle fille peut se faire piéger.

— Ça ne t'est jamais arrivé, à toi.

— Oh ! » Betty ôta un gant et martela le banc de petits coups précipités. « Touchons du bois, hein ! Ce n'est qu'une question de chance, après tout... ou de malchance. » Elle fouilla de nouveau dans son sac, cherchant son briquet. « Mais moi, j'en parlerais à Reggie, je persiste. Quel intérêt de sortir avec un homme marié, si on ne peut pas lui dire ce genre de chose ?

— Non », dit Viv, d'une voix presque inaudible. Elles s'étaient toutes deux remises à parler dans un murmure. « Je vais d'abord essayer ces pilules ; et si ça ne marche pas, alors, je le lui dirai. Et si ça marche, il n'en saura jamais rien.

— Bien pratique pour lui.

— Tu me trouves lâche, n'est-ce pas ?

— Je dis simplement que s'il avait mis sa capuche...

— Mais il n'aime pas ça !

— Eh bien, c'est vraiment trop dommage. Viv, un type dans la situation de Reggie ne peut pas se permettre de faire n'importe quoi. S'il était célibataire, ce serait différent, vous pourriez prendre le risque ; au pire, ce serait un mariage un peu précipité.

— Mais à t'entendre, dit Viv d'une voix éplorée, c'est quelque chose que l'on prévoit, que l'on décide — comme d'acheter un tailleur ou un complet ! Tu sais bien ce que nous ressentons l'un pour l'autre. C'est exactement ce que tu viens de dire, en touchant du bois. S'il est déjà marié, c'est purement de la malchance ; c'était trop tôt, une erreur.

355

Il y a des choses auxquelles on ne peut rien : elles sont ainsi, et c'est tout.

— Et elles continueront à être ainsi, c'est tout, pendant des années et des années. Et pour lui, elles seront parfaites ainsi, merveilleuses, aucun souci ; et pour toi ? Elles seront comment, pour toi ?

— Tu ne peux pas raisonner comme ça, dit Viv. Personne n'a le droit de raisonner comme ça ! On peut tous mourir demain. Il faut prendre ce que l'on peut, non ? Ce dont on a vraiment envie ? Tu ne sais pas ce que c'est. Il n'y a que Reggie qui compte pour moi, rien d'autre. Sans lui, je... » Sa voix s'enroua. Elle tira son mouchoir, se moucha. « Il me rend heureuse, dit-elle au bout d'un moment. Tu le sais bien. Il me fait rire. »

Betty avait enfin trouvé son briquet. « Eh bien, dit-elle l'allumant, tu n'as pas trop l'air de rire, là. »

Viv observa la flamme qui jaillissait, cligna des paupières comme tout replongeait dans l'obscurité, sans répondre. Betty et elle demeurèrent là sans parler ou presque, jusqu'à ce qu'il fasse trop froid ; puis elles se reprirent le bras, d'un geste las, et se levèrent.

Elles avaient à peine fini de traverser le square que les sirènes se mettaient à mugir. « Tiens, fit Betty, voilà qui résoudrait tous tes problèmes : une bonne grosse bombe. »

Viv leva les yeux vers le ciel. « Ça, c'est sûr. Et personne ne saurait jamais rien, à part toi. »

Elle n'avait encore jamais pensé à tout cela — à tous les secrets que la guerre avait dû enterrer pour toujours, dans les gravats, l'obscurité, le silence. Elle avait toujours vu les bombardements comme faits pour déchirer, mettre au jour, rendre tout plus dur, plus douloureux... Tout en se dirigeant vers le foyer John Allen avec Betty, elle continuait de regarder en l'air, se disant qu'elle avait envie de voir les projecteurs s'allumer et balayer le ciel, les avions arriver, les tirs de DCA éclater, l'enfer se déchaîner...

Mais à la première rafale qui se déclenchait, quelque part au nord de la ville, elle se raidit, forçant Betty à accélérer le pas — effrayée par les bombes, même dans son désespoir ; elle avait peur d'être blessée ; elle ne voulait pas mourir, finalement.

« Hé, Fritz », braillait Giggs par sa fenêtre, deux heures plus tard. « Hé, le Fritz ! Par ici ! Par ici, bordel ! »

« Ta gueule, Giggs, tête de nœud », lança quelqu'un.

« Par ici, Fritz ! Ici ! »

Giggs avait entendu dire qu'une prison avait été bombardée, et les détenus ayant moins de six mois de peine à purger libérés en avance ; lui n'en avait plus que quatre et demi, et à chaque fois qu'un raid se déclenchait, il traînait sa table jusque sous la fenêtre de la cellule, montait dessus et gueulait après les pilotes allemands par la fenêtre. Duncan s'était aperçu que quand le bombardement était vraiment méchant, ses cris pouvaient finir par agir sur vos nerfs : on se mettait à voir Giggs comme une espèce d'énorme aimant attirant les avions, les bombes et les obus... Ce soir, toutefois, il semblait distant, et personne ne se souciait trop de lui. Les impacts et les éclairs étaient espacés, assourdis ; simplement, l'obscurité s'approfondissait puis s'éclaircissait légèrement comme les projecteurs parcouraient le ciel. D'autres détenus étaient également montés sur leur table, et s'apostrophaient au travers des cris de Giggs.

« Woolly ! Tu me dois un dollar, tête de nœud ! »

« Mick ! Hé, Mick ! Qu'est-ce que tu fous ? »

Il n'y avait pas un gardien pour les faire taire. Tous les

gardiens filaient droit à leur abri dès le début du bombardement.

« Tu me les dois, hein ! »

« Mick ! Hé, Mick ! »

Les hommes se cassaient la voix pour se faire entendre ; ils pouvaient, d'une fenêtre à l'extrémité du bâtiment, dialoguer avec un copain à cinquante cellules de là. Allongé sur la couchette, à les entendre brailler, on avait l'impression de chercher une station sur la TSF dans le noir. Duncan aimait presque cela ; il s'était aperçu qu'il pouvait au moins réussir à occulter les voix quand elles commençaient à trop l'agacer. Fraser, en revanche, en devenait fou de rage, à chaque fois. En cet instant, par exemple, il tournait d'un côté sur l'autre, sans cesse, grommelant et jurant. Il se redressait, écrasait à coups de poing les bosses de crin de son matelas. Tirait dans un sens, puis dans l'autre, sur les morceaux d'uniforme qu'il avait disposés par-dessus sa couverture, pour avoir un peu plus chaud. Duncan ne le voyait pas, il faisait trop sombre dans la cellule ; mais ses mouvements se répercutaient dans les montants des couchettes superposées. Comme il se rallongeait brusquement, l'échafaudage tangua légèrement en grinçant, comme des bannettes dans un bateau. *On croirait être des marins*, se dit Duncan.

« Tu me dois un dollar, connard ! »

« Oh, ce n'est pas possible ! » s'exclama Fraser, se redressant à nouveau et bourrant encore son matelas de coups de poing, plus violents. Mais ils ne peuvent pas la fermer ? « Vos gueules ! braille-t-il, frappant le mur.

— Ça ne sert à rien, dit Duncan en bâillant. Ils ne t'entendront pas... Tiens, ils en ont après Stella maintenant, écoute. »

En effet, quelqu'un venait d'appeler : « Ste-lla ! Ste-lla ! »

358

Duncan pensait que c'était Pacey, un détenu du bâtiment deux. « Ste-lla ! J'ai un truc à te dire... J'ai vu ta chatte, à la douche ! J'ai vu ta chatte ! Elle est noire comme un four ! »

Un autre se mit à siffler et à rire. « Putain, ça c'est de la poésie, Pacey ! »

« On aurait dit un rat d'égout tout noir avec la gorge tranchée ! On aurait dit la barbe de ton vieux avec la bouche de ta vieille collée au milieu ! Ste-lla ! Allez, réponds ! »

« Elle peut pas répondre, fit une autre voix, elle a la bouche pleine, avec Mr Chase ! »

« Elle s'occupe de Chase par-devant, ajouta quelqu'un d'autre, pendant que Browning s'occupe d'elle par-derrière. Elle a tous les trous occupés, les gars ! »

« Taisez-vous, bande de saligauds ! » fit une voix différente. C'était Monica, depuis le bâtiment trois.

Sur quoi Parcey entonna : « Mo-ni-ca ! Mo-ni-ca ! »

« Mais fermez-la un peu, bande de dégueulasses ! Une jolie fille doit dormir pour rester belle ! C'est dingue, ça ! »

Cela suivi du *groummm !* d'une explosion au loin. « Hé, l'ami Fritz ! » appela de nouveau Giggs. « Fritz ! Adolf ! On est là ! »

Fraser gémit et retourna son oreiller. « Putain ! fit-il, il ne manquait plus que ça ! »

Pour couronner le tout, quelqu'un s'était mis à chanter.

« Petite fille en bleu, j'ai rêvé de toi... Petite fille en bleu... »

C'était un type appelé Miller. Il était là pour avoir plus ou moins racketté une boîte de nuit. Il chantait tout le temps, avec un cœur, une sincérité horribles — comme s'il se tenait face au micro, devant l'orchestre. Au son de sa voix, certains commencèrent à râler, d'un bout à l'autre du bâtiment.

« Coupe le son ! »

« Boucle-la, Miller ! »

Le voisin de cellule de Duncan, Quigley, se mit à frapper sur le sol de sa cellule avec quelque chose — son pot à sel, probablement. « Silence, bande d'enfoirés ! Miller, ta gueule, connard ! »

« J'ai toujours rêvé de toi... »

Miller continuait de chanter, au travers des récriminations et des injures, du vacarme lointain du bombardement ; pis encore, la chanson était prenante, mélodieuse. Un à un, les hommes se turent, comme s'ils écoutaient. Même Quigley, au bout d'un moment, cessa de cogner et de râler.

> *J'entends ta voix, je tends la main vers toi,*
> *Tes bras, tes lèvres sont à moi.*
> *Puis tu disparais soudain comme je m'éveille,*
> *Car ce n'était qu'un rê-ê-ve...*

Fraser aussi s'était tu. Il avait soulevé la tête pour mieux entendre. « La vache, Pearce, dit-il soudain, il me semble avoir dansé sur ce truc, un jour. Oui, j'en suis sûr. » Il se laissa retomber. « Et j'ai dû trouver ça d'une niaiserie pas possible. Mais maintenant — maintenant, ça veut dire quelque chose, n'est-ce pas ? Dieu du ciel ! Tu prends Miller et une rengaine à deux sous, et voilà, tu sais ce que signifie le manque. »

Duncan ne répondit pas. La chanson continuait.

> *Même loin de toi, je ne peux t'oublier.*
> *Je bénis notre premier baiser...*

Brusquement, une autre voix s'interposa, rugueuse, discordante, égrillarde.

> *Donnez-moi une gamine en bleu,*
> *Qui aime en prendre jusqu'aux yeux !*

Quelqu'un acclama. « Mais c'est qui, maintenant ? » fit Fraser d'une voix incrédule.

Duncan pencha la tête, tendit l'oreille. « Je ne sais pas. Atkin, peut-être ? »

Atkin, comme Giggs, était un déserteur. Ses paroles étaient d'une chanson de corps de garde.

> *Donnez-moi une gamine en noir,*
> *Qui aime en prendre plein la poire !*
>
> *Car je te reverrai...*

Miller continuait. L'espace d'une minute, les deux chansons se mêlèrent étrangement ; puis Miller laissa tomber. Sa voix hésita, s'étrangla. « Espèce de branleur ! » cria-t-il. De nouvelles acclamations éclatèrent. Atkin — lui ou un autre — redoubla d'ardeur et salacité. Il devait mettre ses mains en porte-voix, et braillait comme un âne.

> *Donnez-moi une gamine en bleu,*
> *Qui aime en prendre jusqu'aux ch'veux !*
> *Donnez-moi une gamine en violet,*
> *qui aime en prendre plein la raie !*
> *Donnez-moi une...*

Mais la sirène de fin d'alerte retentit soudain. Atkin s'arrêta brusquement en un couac. Les détenus, à tous les étages, se joignirent à lui, martelant les murs, les encadrements de fenêtre, les couchettes. Seul Giggs était déçu.

« Revenez, bande de cons ! » appelait-il d'une voix rauque. « Revenez, connards de Boches ! Vous avez oublié le bâtiment D ! Vous avez oublié le bâtiment D ! »

« Descendez de ces fenêtres ! » rugit une voix dans la cour, et l'on entendit le crissement rapide des bottes sur la cendrée, tandis que les gardiens émergeaient de leur abri et se dirigeaient vers le bâtiment. Alors résonnèrent coups sourds et raclements des tables : tous les hommes sautaient de la fenêtre pour se ruer sur leur couchette... Une minute plus tard, la lumière s'allumait. Mr Browning et Mr Chase gravissaient les escaliers quatre à quatre et se mettaient à parcourir les coursives, cognant contre les portes et soulevant la fermeture des judas. « Pacey ! Wright ! Malone, petit connard — si j'en vois un seul hors de son lit, je vous boucle tous jusqu'à Noël, c'est compris ? »

Fraser enfouit son visage dans l'oreiller, gémissant et pestant contre la lumière. Duncan remonta sa couverture sur ses yeux. Un coup résonna contre leur porte, mais les pas continuèrent. Duncan sentait Mr Browning et Mr Chase aller et venir, les babines retroussées, furieux, frustrés, tels des molosses au bout d'une chaîne... « Bande de sacs à merde ! s'écria l'un d'eux, pour la frime, je vous préviens, hein... ! »

Ils arpentèrent ainsi les coursives pendant encore une ou deux minutes ; finirent cependant par redescendre, leurs pas résonnant lourdement sur les marches. Quelques secondes plus tard, dans un *ffft*, la lumière s'éteignait dans les cellules.

Duncan rejeta aussitôt sa couverture, décala sa tête au bord de l'oreiller. Il aimait bien cet instant où l'on coupait le courant. Il aimait bien voir l'ampoule au plafond, dans le noir. Car la lumière s'éteignait progressivement et, en la scrutant bien, on pouvait pendant trois ou quatre secondes distinguer le filament à l'intérieur de l'ampoule, le fil métallique recourbé qui passait du blanc à l'orangé du métal en fusion, puis au rouge ardent de la braise, puis au rose délicat ; et une fois la cellule plongée dans l'obscurité, on en voyait encore la trace floue, jaune, inscrite sur la rétine.

Un homme siffla, doucement. Un autre héla Atkin, pour qu'il se remette à chanter. Il voulait savoir ce qu'aimait la gamine en jaune — qu'est-ce qu'elle aimait, elle ? Hein, qu'est-ce qu'elle aimait ? Il appela deux, trois fois, mais Atkin ne répondit pas. L'excitation d'écoliers, l'envie de chahut général qui les avaient saisis quelques minutes avant s'étaient calmées. Le silence s'approfondissait, s'imposait, et essayer de le rompre, à présent, ne l'aurait rendu que plus oppressant... Car finalement, se dit Duncan, on pouvait bien siffler ou gueuler autant qu'on voulait ; ce n'était jamais qu'une manière de repousser ce moment — ce moment qui finissait toujours par arriver — où la solitude de la prison nocturne vous submergeait peu à peu, comme l'eau un bateau en train de sombrer.

Cependant, l'écho des chansons résonnait encore dans sa tête — tout comme il voyait encore le filament incandescent de l'ampoule dans le noir, derrière ses paupières. *Donnez-moi une gamine. Donnez-moi une gamine,* et puis *je te reverrai,* en alternance, sans cesse.

Peut-être Fraser les entendait-il aussi. Il changea de position, roula sur le dos, agité. À présent, dans le silence total, il n'avait qu'à passer la main sur son menton mal rasé — ou même se frotter les yeux d'un doigt —, et Duncan l'entendait... Il souffla dans ses joues.

« Bon Dieu, dit-il, très bas. J'aimerais bien avoir une gamine, Pearce. Une fille, là, maintenant. Une fille quelconque. Pas le genre de fille que je fréquentais, hein —

363

pleine d'esprit et tout. » Il rit, et le cadre des lits superposés fut légèrement secoué. « Il y a vraiment de quoi vous glacer le sang, non ? Une fille pleine d'esprit. "Vous allez adorer mon amie, elle est tellement pleine d'esprit...", fit-il d'une voix contrefaite. Comme si c'était ça qu'on lui demande... » Il rit de nouveau — une sorte de hennissement bref, intérieur, cette fois, trop faible pour ébranler les lits. « Oui, reprit-il, une fille quelconque, ordinaire, c'est ça que je voudrais, maintenant. Même pas jolie, pas la peine. Quelquefois, les plus jolies sont les moins intéressantes — tu vois ce que je veux dire ? Elles pensent trop à elles ; elles ont peur de se décoiffer, de se mettre du rouge partout. Non, j'aimerais une fille quelconque, moche, idiote. Une fille, quelconque, idiote, gentille, contente d'être là... Tu sais ce que je ferais avec elle, Pearce ? »

Il ne s'adressait pas vraiment à Duncan ; il parlait à l'obscurité, à lui-même. Il aurait aussi bien pu murmurer dans son sommeil... Mais l'effet produit était, curieusement, une intimité plus grande que s'il avait chuchoté à l'oreille de Duncan. Celui-ci ouvrit les yeux sur le noir velouté de la cellule, si profond qu'il en devenait effrayant, déstabilisant, et que Duncan leva une main pour vérifier les distances entre sa couchette et celle de Fraser : il avait soudain l'impression que ce dernier était plus proche qu'il n'aurait dû ; que son propre corps était une copie, l'écho de celui qui le dominait... Ses doigts rencontrèrent le treillis métallique du sommier, sous le matelas de Fraser, et il les garda posés là. « Ne pense pas à ça, dit-il. Dors.

— Non, sérieusement, reprit Fraser, tu sais ce que je ferais ? Je la prendrais tout habillée. Je ne lui ôterais rien, pas ça. Simplement, je déferais un ou deux boutons dans le dos de sa robe, je dégraferais son soutien-gorge au passage, et ensuite je ferais glisser sa robe et son soutien-gorge jus-

364

qu'à ses coudes, et je lui toucherais les seins. Je la pincerais un peu. Je lui ferais un tout petit peu mal, et elle ne pourrait rien faire pour se défendre, à cause de la robe, tu comprends — tu vois ? —, elle aurait les bras coincés par la robe... Et quand j'en aurais fini avec ses seins, je relèverais sa jupe. D'un seul coup, jusqu'à la taille. Je lui laisserais sa culotte, mais ce serait le genre de culotte toute fine, toute soyeuse, que tu peux écarter, dans laquelle tu peux rentrer... », sa voix s'étrangla. Lorsqu'il reprit la parole, elle avait changé, elle était lisse, atone, comme nue. « J'ai eu une fille comme ça, un jour. Je ne l'ai jamais oubliée. Ce n'était pas une beauté. »

Il se tut. « Bon Dieu, fit-il de nouveau, très bas. Bon Dieu de bon Dieu. » Il s'agita, de sorte que le treillis métallique du sommier s'incurva, se tendit, et Duncan ôta vivement ses doigts. Il semblait s'être couché de côté ; mais bien qu'il demeurât parfaitement immobile, Duncan sentait une tension chez lui — quelque chose d'électrique et de suspendu, comme s'il retenait son souffle, à l'affût. Et quand il bougea de nouveau, pour remonter sa couverture, le mouvement lui parut artificiel, voulu : comme s'il le faisait très consciemment pour en dissimuler un autre, secret...

Il avait posé sa main sur son sexe, Duncan le savait ; et au bout d'un moment, il se mit à se caresser, un va-et-vient imperceptible et régulier.

Tous les hommes le faisaient, en prison. Cela devenait une plaisanterie, un sport, un concours ; à certains moments, Duncan avait partagé sa cellule avec un jeune type qui ne le faisait pas seulement la nuit, sous une couverture, mais en pleine journée, de manière obscène. Il avait appris à détourner le regard — tout comme il avait appris à ignorer la vue, le bruit, les odeurs de rots, de pets, de pisse,

365

de merde dans les seaux hygiéniques... Mais là, dans cette obscurité totale, dans cette atmosphère étrange qu'avaient suscitée les chansons de Atkin et de Miller, il se surprenait à être affreusement attentif au mouvement furtif, honteux, désespéré, compulsif de la main de Fraser. Pendant quelques instants, il demeura parfaitement immobile, pour ne pas lui indiquer qu'il était bien éveillé. Puis il s'aperçut que son immobilité ne faisait que le rendre plus sensible à ce qui se passait là : il entendait la respiration de plus en plus lourde de Fraser ; il percevait l'odeur de sa sueur ; il lui semblait même distinguer le bruit régulier, léger, mouillé — un peu comme le tic-tac d'une montre — du gland rythmiquement couvert et découvert... Il n'y pouvait rien : il sentit un élancement dans son propre sexe, qui se mit à durcir. Il resta encore une minute parfaitement immobile, mis à part ce gonflement, cette expansion de chair entre ses cuisses ; puis il fit quelques mouvements brefs, faux, comme ceux de Fraser : il remonta la couverture sur lui, glissa une main dans son pyjama, saisit son sexe à sa base.

Mais il leva l'autre main. Ses doigts rencontrèrent de nouveau le sommier sous le matelas de Fraser, et il l'effleura des phalanges, tout doucement d'abord. Puis il ressentit sa tension, les petits à-coups et sursauts que lui imprimait le mouvement de la main de Fraser... Il le caressa d'un doigt, s'accrochant presque aux mailles du bout de ce doigt, s'y cramponnant presque, tandis que son autre main allait et venait sur son sexe.

Au bout d'une minute, il perçut le frisson qui secouait Fraser, et le sommier cessa de bouger au-dessus de lui ; mais il ne pouvait plus, lui, s'arrêter, rien n'aurait pu arrêter sa main, et bientôt il sentit son propre sperme monter, le sentit surgir en lui, et déborder, brûlant comme une lave.

366

Il lui sembla avoir émis un son en jouissant, mais peut-être n'était-ce que le rugissement du sang à ses oreilles... Le rugissement calmé, le silence retomba ; il n'y eut plus que le silence horrible, écrasant de la prison nocturne. Il avait l'impression de sortir d'une sorte de crise, d'un accès de folie ; il repensait à ce qu'il venait de faire, se voyait s'acharner, le souffle court, sur le matelas de Fraser, comme pour le dépecer, s'y accrocher comme un animal.

Une minute passa avant que Fraser ne bouge. Il y eut un froissement de tissu, et Duncan se dit qu'il s'essuyait avec son drap. Mais le froissement continuait, les mouvements se faisaient brutaux, presque violents, et finalement, Fraser frappa son oreiller du poing.

« Putain de prison, dit-il, qui fait de nous des gamins au pensionnat ! Tu m'entends, Pearce ? Ça a dû te plaire, hein. Tu as aimé ça, Pearce ? Hein ?

— Non », répondit enfin Duncan — mais il avait la bouche sèche, sa langue collait au palais, et son « non » ne fut qu'un chuchotement.

Il sursauta. Les montants des couchettes étaient soudain ébranlés, et quelque chose de léger, de chaud venait de le toucher en plein visage. Il porta la main à sa joue, et ses doigts rencontrèrent une trace humide et collante. Fraser avait dû se pencher au bord de son lit et, d'une pichenette, envoyer une goutte de sperme sur lui.

« Si, tu as aimé ça », fit-il d'une voix dure, d'une voix toute proche. Puis il recula, se recroquevilla sous sa couverture. « Tu as aimé ça, à tous les coups, sale pédé. »

4

« Grand Dieu ! fit Helen en ouvrant les yeux. Qu'est-ce que c'est ?

— Bon anniversaire, ma chérie », dit Kay, déposant un plateau sur le bord du lit, et se penchant pour l'embrasser.

Le visage d'Helen était et chaud et lisse, velouté, très beau ; ses cheveux avaient légèrement frisotté dans son sommeil d'enfant. Elle demeura un moment immobile, clignant des yeux, puis se redressa dans le lit, remonta l'oreiller sous ses reins. Ses gestes étaient maladroits, encore endormis ; elle bâilla, porta les mains à son visage, et délogea d'un doigt les traces de sommeil au coin de ses paupières un peu gonflées.

« Tu ne m'en veux pas de t'avoir réveillée ? » demanda Kay. C'était le samedi matin, il était encore tôt ; elle avait travaillé la nuit précédente mais elle était levée depuis une heure déjà. Elle était vêtue d'un pantalon de costume et d'un pull. « Je n'en pouvais plus d'attendre. Tiens, voilà. »

Elle déposa le plateau sur les genoux d'Helen. Il supportait un vase contenant des fleurs en papier déployées, les tasses et pots de porcelaine, un bol retourné sur une assiette ; et puis la boîte rose avec le nœud de soie, renfermant le pyjama de satin.

Helen observa chaque objet, poliment, quelque peu

368

gênée. « Quelles jolies fleurs. Et quelle belle boîte ! » On aurait dit qu'elle se forçait à s'éveiller, à être ravie, enthousiaste... *J'aurais dû la laisser dormir*, se dit Kay.

Puis elle souleva les couvercles des pots de porcelaine. « De la confiture, dit-elle. Et du *café* ! » C'était déjà mieux. « Oh, Kay !

— Du vrai café, précisa Kay. Et tiens, regarde ça. »

Elle donna un petit coup sur le bol renversé, et Helen le souleva. Au-dessous, sur une serviette en papier, était posée une orange. Kay avait passé une heure à graver BON ANNIVERSAIRE dans l'écorce, de la pointe d'un couteau.

Helen sourit comme il se devait, ses lèvres sèches s'étirant sur ses petites dents bien blanches. « Oh, c'est magnifique, dit-elle.

— Le R est un peu raté

— Mais non, pas du tout. » Elle prit l'orange, la porta à ses narines. « Où l'as-tu eue ?

— Oh, fit Kay négligemment, j'ai assommé un gamin pour la lui piquer, pendant le black-out. » Elle versa le café. « Tu n'ouvres pas ton paquet ?

— Attends une minute, dit Helen. Il faut d'abord que j'aille aux toilettes. Tu veux bien tenir le plateau ? »

Elle écarta les couvertures d'un coup de pied et courut à la salle d'eau. Kay les remonta, pour que le lit reste bien tiède. Dans ce mouvement, une chaleur en monta jusqu'à son visage — une chaleur palpable, comme une buée, une vapeur. Elle s'assit, le plateau posé sur les genoux, et réarrangea les fleurs, admira l'orange — légèrement agacée par ce R raté...

« Quelle tête j'ai ! » Helen, réapparut en riant. « On dirait Pierre l'Ébouriffé. » Elle s'était lavé le visage et brossé les dents, et avait tenté de domestiquer un peu ses cheveux qui lui faisaient un halo.

« Ne sois pas sotte, dit Kay. Viens là. » Elle tendit la main ; Helen la prit, et se laissa attirer pour un baiser. Ses lèvres étaient fraîches, à cause de l'eau froide.

Elle se remit au lit, et Kay s'assit à son chevet. Elles burent le café, attaquèrent les toasts et la confiture.

« Mange ton orange », dit Kay.

Helen la fit rouler dans ses mains. « Tu crois ? C'est dommage, non ? Je devrais la garder.

— Pour quoi faire ? Non, vas-y. »

Helen obtempéra, perça l'écorce d'un ongle et pela l'orange, puis la divisa en quartiers. Kay en prit un, mais déclara qu'elle devrait manger tout le reste. Le fruit était acide et légèrement desséché — la pulpe se détachait par fibres, facilement. Mais la sensation du jus giclant sur la langue était divine.

« Ouvre ton cadeau, maintenant », dit Kay, impatiente, une fois l'orange avalée.

Helen se mordit la lèvre. « J'ose à peine. Une si belle boîte ! » Elle la prit, mal à l'aise de nouveau. La porta à son oreille et la secoua en souriant. Comme elle commençait à soulever le couvercle, avec mille précautions, Kay se mit à rire.

« Mais vas-y, enlève-le !

— Je ne veux pas l'abîmer.

— Aucune importance.

— Si, dit Helen. C'est trop joli... Oh ! » Elle était effarée. Elle avait enfin ôté le couvercle et, la boîte inclinée sur ses genoux relevés, le papier qui la garnissait s'était ouvert et le pyjama en était brusquement tombé en cascade, comme un éclat fluide de vif-argent. Elle le contempla un moment sans rien dire, sans bouger ; puis, comme à contre-cœur, elle saisit la veste, la leva devant elle. « Oh, Kay... » Elle rougissait.

370

« Il te plaît ?

— Il est magnifique. Il est beaucoup trop beau ! Tu as dû le payer une fortune ! Mais où as-tu trouvé ça ? »

Kay sourit, sans répondre. Elle saisit une manche de la veste, la souleva. « Tu as vu les boutons ? Regarde.

— Oui.

— C'est de l'os. Et puis sur les manches aussi, tu vois ? »

Helen porta le tissu à son visage, ferma les yeux.

« La couleur te va bien », dit Kay. Puis, comme Helen ne répondait pas : « Il te plaît vraiment, dis-moi ?

— Mais bien sûr, ma chérie. Mais... je ne mérite pas tout ça.

— Tu ne mérites pas tout ça ? Qu'est-ce que tu veux dire ? »

Helen secoua la tête et se mit à rire, ouvrant soudain les yeux. « Rien. Je suis idiote, c'est tout. »

Kay écarta le plateau, avec les tasses, les assiettes et le papier. « Mets-le, pour voir, dit-elle.

— Je ne devrais pas. Pas avant d'avoir pris un bain.

— Oh, on s'en fiche. Allez ! mets-le. J'ai envie de te voir dedans ! »

Helen sortit donc du lit, lentement, ôta sa chemise de nuit râpée, enfila le pantalon de pyjama, puis la veste qu'elle boutonna jusqu'en haut. Un cordon de lin fermait le pantalon. La veste se serrait à la taille : on aurait plutôt dit un corsage, mais le lourd tissu de satin révélait nettement la courbure des seins et la pointe des tétons. Les manches étaient trop longues : elle boutonna les poignets et les retourna, mais le revers glissa et se défit aussitôt, et elles retombèrent presque jusqu'au bout de ses doigts. Elle demeura immobile, presque timide, sous le regard de Kay.

Celle-ci émit un sifflement. « Quelle créature de rêve ! On dirait Greta Garbo dans *Grand Hôtel.* »

En réalité, elle n'avait rien d'une créature de rêve ; elle paraissait toute jeune, toute petite, un peu empruntée. La chambre était froide, le satin aussi ; elle souffla sur ses doigts. Puis s'employa de nouveau à rouler les manches, presque avec anxiété — jetant un coup d'œil à son reflet dans le miroir, et se détournant aussitôt.

Kay l'observait, avec une pointe au cœur. Dans les moments comme celui-ci, elle s'émerveillait de cet amour — il lui semblait miraculeux qu'Helen, si ravissante, si intacte, si fraîche, soit simplement là, à portée de main, à portée de regard... Mais en même temps, elle ne pouvait l'imaginer ailleurs, avec qui que ce fût d'autre. Aucune amante, Kay en était certaine, ne pourrait ressentir pour Helen ce qu'elle-même ressentait. Peut-être était-elle née, avait-elle été enfant, avait-elle grandi — fait tout ce qu'elle avait fait, les choses graves et les choses futiles —, uniquement pour aboutir ici, maintenant ; pour pouvoir être là debout en pyjama de satin, sous les yeux de Kay.

Mais elle s'éloigna du miroir.

« Ne pars pas, dit Kay.

— Je vais me faire couler un bain.

— Non, dit Kay. Pas tout de suite. »

Elle se leva du lit, traversa la chambre et prit Helen dans ses bras. Passa les doigts sur son visage, embrassa ses lèvres. Glissa la main sous la veste de satin pour caresser sa chair chaude et lisse, son dos, sa taille. Puis elle passa derrière elle et prit doucement ses seins au creux de ses paumes, les soupesant. Elle sentait contre elle les fesses d'Helen, la fluidité de ses cuisses fuselées sous le satin. Elle posa la bouche contre ses lèvres.

« Tu es belle.

372

— Non », dit Helen.

Kay la fit se tourner face au miroir. « Tu ne te vois pas ? Tu es superbe. Je l'ai compris à l'instant même où je t'ai vue. J'ai pris ton visage dans mes mains. Tu étais lisse comme une perle. »

Helen ferma les yeux. « Je sais », dit-elle.

Elles s'embrassèrent encore. Le baiser se prolongeait. Puis Helen se dégagea. « Il faut que je retourne aux toilettes, dit-elle. Je suis navrée, Kay. Et puis il faut vraiment que je prenne un bain. »

Le pyjama de satin la rendait glissante sous les mains : elle échappa à l'étreinte de Kay, tourna la tête et rit — amusée, mais déterminée, telle une nymphe se refusant au satyre. Elle se dirigea vers la salle de bains, referma la porte sur elle. Il y eut le bruit de cataracte des robinets ouverts, le souffle brusque du gaz dans le chauffe-eau ; puis, une minute plus tard, le frottement de ses talons contre l'émail de la baignoire.

Kay emporta la cafetière dans le salon, la posa près de la cheminée. Elle revint dans la chambre, ôta le plateau, fit le lit, plia le papier d'emballage déchiré. Elle alla poser les fleurs en tissu sur la table du salon, à côté des cartes de vœux qu'Helen avait reçues la veille de sa famille, de Worthing. En déplaçant une chaise, elle vit des miettes au-dessous. Elle alla chercher une balayette et une pelle à poussière dans la cuisine.

Cela faisait presque sept ans que Kay vivait dans cet appartement. Elle l'avait repris après une ancienne amante à elle, qui travaillait ici, se prostituait plus ou moins — chose que Kay n'avait jamais dite à Helen. Kay menait une vie quelque peu chaotique, à cette époque ; elle buvait trop ; elle passait d'une histoire d'amour ratée à une histoire d'amour malheureuse... La femme avait fini par s'installer avec un homme d'affaires et avait quitté l'endroit pour Mayfair ; elle avait cédé l'appartement à Kay, comme cadeau d'adieu.

Kay l'aimait plus que tous les autres lieux où elle avait vécu. C'était un appartement en L, ce qu'elle appréciait. Elle aimait aussi la drôle de petite cour, peut-être une ancienne écurie, sur laquelle il donnait. L'entrepôt contigu fournissait les magasins de meubles de Tottenham Court Road ; avant la guerre, Kay voyait de sa fenêtre les jeunes ouvriers et ouvrières dans l'atelier, en train de peindre des guirlandes de roses et des cupidons sur de ravissantes tables et chaises de style. Mais l'activité avait cessé, à présent, et l'entrepôt servait de réserve et d'atelier pour le mobilier administratif du ministère du Commerce. La présence de tant de bois, mais aussi de vernis, de peinture, rendait ce voisinage terriblement dangereux. Mais quand elle songeait à un déménagement, Kay sentait le cœur lui manquer. Elle considérait l'appartement un peu comme Helen : quelque chose de secret, de précieux, de tout à elle.

Elle vérifia que le café était encore chaud. Une boîte de cigarettes était posée sur le manteau de la cheminée, ce qui lui fit penser à l'étui dans sa poche. Elle le sortit et s'employa à le remplir. Elle entendait Helen qui, tout juste sortie de la salle de bains, commençait de s'habiller. Elle l'appela dans le couloir. « Qu'est-ce qu'on fait aujourd'hui, Helen ? De quoi as-tu envie ?

— Je ne sais pas, répondit Helen.

— Je peux t'inviter à déjeuner dans un restaurant chic. Ça te dirait ?

— Tu as déjà dépensé bien assez d'argent pour moi !

— Oh, rien à foutre, comme dirait Binkie. Tu n'as pas envie d'un déjeuner un peu raffiné ? »

Pas de réponse. Kay referma l'étui à cigarettes, le remit

374

dans sa poche. Elle remplit de café la tasse d'Helen et l'emporta jusqu'à la chambre. Helen était en soutien-gorge, bas et jupon. Elle se coiffait avec application, essayant de transformer ses boucles rebelles en ondulations. Le pyjama était soigneusement plié sur le lit.

Kay posa la tasse sur la coiffeuse. « Helen...

— Oui, ma chérie ?

— J'ai l'impression que tu as la tête complètement ailleurs. Il n'y a pas un endroit où tu aimerais aller ? Au château de Windsor, je ne sais pas ? Au zoo ?

— Au zoo ? fit Helen en riant, mais avec une grimace. Dieu du ciel, mais j'ai l'impression d'être une gamine que sa tante emmène en promenade le jeudi.

— Eh bien, c'est toujours l'impression que l'on a, pour son anniversaire. Et c'est toi-même qui as suggéré le château de Windsor — et le zoo, d'ailleurs —, quand on en a parlé, la semaine dernière.

— Je sais. Je suis désolée, Kay. Mais Windsor — oh, mais on va mettre combien de temps pour aller là-bas ? Et puis le train, et tout. » Elle s'était dirigée vers la penderie, choisissait une robe. « Et puis tu dois être rentrée à sept heures, pour aller travailler.

— On a tout le temps, d'ici sept heures », dit Kay. Puis elle vit quelle robe Kay décrochait de son cintre. « Celle-ci ? demanda-t-elle.

— Elle ne te plaît pas ?

— C'est ton anniversaire. Mets plutôt celle de Cedric Allen. Je la préfère. »

Helen parut perplexe. « Elle est trop habillée. » Toutefois, elle rangea la précédente et en prit une autre — bleu sombre à revers beiges. Elle avait coûté deux livres et onze shillings, deux ans auparavant ; c'était Kay qui l'avait payée, bien sûr. Kay achetait la plupart des affaires d'Helen, surtout à l'époque. L'ourlet peluchait légèrement là où, trop usé, elle avait dû le raccommoder ; mais cela mis à part, elle semblait presque neuve. Helen la secoua et l'enfila.

Kay tendit les bras vers elle. « Viens, dit-elle, je vais te l'agrafer. »

Helen s'approcha donc, lui tourna le dos, souleva ses cheveux. Kay ajusta la robe, la lissa sur ses épaules, rapprocha les deux pans et se mit à accrocher les agrafes, en commençant par le bas, lentement. Elle avait toujours aimé la vue, le contact d'un dos de femme. Par exemple, elle adorait les robes de soirée dégageant les épaules — cette tension du tissu, la façon dont il bâillait quand les omoplates se rapprochaient, dévoilant à peine la lingerie et la chair pressée au-dessous... Le dos d'Helen était ferme — pas musclé, mais élastique, sa peau tonique. Sa nuque aussi était belle, avec son duvet doré. En fermant la dernière agrafe, Kay se pencha pour y déposer un baiser. Puis elle entoura de ses bras la taille d'Helen, posa les mains à plat contre son ventre, l'attira contre elle.

La joue d'Helen effleura la mâchoire de Kay. « Je croyais que tu voulais sortir.

— Mais tu es si jolie, dans cette robe.

— Je ferais peut-être mieux de l'ôter, si c'est comme ça.

— Je pourrais aussi te l'ôter moi-même. »

Helen se dégagea. « Sois raisonnable, Kay. »

Kay rit, la lâcha. « Très bien... Bon, le zoo, alors ? »

Helen, de retour à la coiffeuse, vissait des boucles d'oreilles à ses lobes. « Le zoo..., fit-elle, fronçant de nouveau les sourcils. Oui, pourquoi pas. Mais ça ne va pas sembler bizarre, deux femmes de notre âge ?

— Quelle importance ?

— Aucune, dit Helen après un silence. Aucune, je suppose. »

Elle s'assit pour enfiler ses chaussures et ses cheveux tombèrent en cascade devant son visage baissé. « Tu n'as pas envie de demander à quelqu'un de nous accompagner ? fit-elle d'un ton léger, comme Kay s'apprêtait à quitter la pièce.

— Quelqu'un ? demanda Kay en se retournant, surprise. Tu veux dire Mickey, par exemple ?

— Oui, dit Helen. Enfin, non, c'était une idée, comme ça.

— Tu veux que l'on s'arrête prendre Mickey, en route ?

— Non, non, c'est très bien. Vraiment. » Elle se redressa, se moquant d'elle-même — le visage tout rosé de s'être penchée pour atteindre ses lacets.

Elles n'allèrent pas au zoo, finalement. Helen déclara qu'en fait, elle n'avait pas envie de regarder toutes ces pauvres bêtes dans leurs cages et leurs enclos. Elles commencèrent de se promener et, avisant soudain un autobus indiquant « Hampstead », coururent pour le prendre. Elles descendirent à la station de High Street, déjeunèrent de sardines et de frites dans un petit café ; firent halte dans deux ou trois librairies d'occasion, puis se dirigèrent vers le Heath, par les rues vagabondes bordées d'élégantes demeures. Elles marchaient bras dessus bras dessous — Helen ne se souciant plus d'être ainsi vue avec une autre femme à présent, car, dit-elle, rien n'était plus normal que deux femmes à Hampstead Heath un samedi après-midi ; c'était un endroit fait pour les femmes actives, sportives, célibataires, et les chiens.

Il y avait d'ailleurs pas mal d'autres couples dans le parc. Une ou deux filles en pantalon, comme Kay ; la plupart portaient leur uniforme, ou les tenues austères, si peu attrayantes, qui étaient à présent celles du dimanche. Les garçons étaient en battledress, de toutes les nuances possibles de kaki ou de bleu marine — uniformes polonais, norvégiens, canadiens, australiens, français.

Il faisait froid. Le ciel était si blanc qu'il en faisait mal aux yeux. Kay et Helen n'étaient pas revenues au Heath depuis l'été de l'année précédente, lorsqu'elles étaient allées se baigner dans le plan d'eau réservé aux dames. Elles en gardaient un souvenir de verdure, de luxuriance, de beauté. Mais maintenant, les arbres étaient absolument nus, et révélaient ici et là les laides protections de barbelés entourant les batteries antiaériennes et le matériel militaire. Les feuilles tombées depuis des mois s'étaient transformées en boue végétale décomposée, frangée de givre : quelque chose de malsain, comme des fruits pourris. Le sol était abondamment marqué d'éclats d'obus et d'ornières créées par les pneus de camions ; à l'ouest du parc, béaient d'énormes tranchées, là où on avait creusé pour remplir des sacs de sable.

Elles tentaient de rester à l'écart des dommages — avançant plus ou moins sans but, mais suivant les sentiers les plus isolés. Au croisement de deux grandes allées, elles prirent vers le nord ; le chemin montait, puis descendait pour traverser un bosquet ; enfin elles débouchèrent sur un lac. La surface de l'eau était gelée. Une douzaine de canards se tenaient regroupés, tels des réfugiés, sur un îlot d'herbes aquatiques desséchées.

« Les pauvres, dit Helen, serrant le bras de Kay. On aurait dû apporter du pain. »

Elles approchèrent du bord. La couche de glace était fine, mais sans doute solide, car parsemée de branches et de cailloux que des gens avaient lancés dans l'espoir de la briser. Kay ôta ses gants — elle s'était habillée en prévision du froid, gants et manteau ceinturé, écharpe et béret — et prit

378

elle-même une pierre, la lança, pour le simple plaisir de la voir rebondir et glisser. Puis elle descendit jusqu'à l'eau et appuya sur la glace du bout de son soulier. Deux enfants approchèrent pour la regarder faire. Elle leur montra les poches d'air argentées qui se formaient sous la couche de glace, puis s'accroupit et saisit celle-ci à pleines mains et remonta de grands panneaux aux bords découpés, qu'elle cassa en petits morceaux pour que les enfants puissent les lancer, ou les écraser sous leurs talons. La glace brisée faisait une poudre blanche — exactement comme les vitres d'une maison bombardée.

Helen demeurait là où Kay l'avait laissée, observant. Elle avait gardé ses mains gantées enfoncées dans ses poches, remonté le col de son manteau, et portait un béret de laine évoquant celui des joueurs de cornemuse, enfoncé jusqu'aux sourcils. Elle avait sur le visage une expression étrange : un sourire tout à la fois doux et crispé. Kay repêcha le dernier morceau de glace pour les enfants, puis vint la rejoindre.

« Que se passe-t-il ? » demanda-t-elle.

Helen secoua la tête, sourit franchement. « Rien. Je te regardais. On dirait un petit garçon. »

Kay se frappait les mains l'une contre l'autre, pour les réchauffer et en chasser la boue. « Quand il gèle, tout le monde devient petit garçon, non ? Quand j'étais enfant, chez moi, le lac gelait quelquefois. Un lac beaucoup plus grand que celui-ci. Ou bien c'est moi qui le voyais plus grand, peut-être. Je le traversais, avec Tommy et Gerald. Ma pauvre mère ! Elle était morte d'angoisse, elle était persuadée qu'on allait tous se noyer. Je ne comprenais pas. Tous les jeunes gens qu'elle connaissait se faisaient tuer les uns après les autres. Tu as froid ? »

Helen venait de frissonner. Elle hocha la tête. « Un peu. »

379

Kay regarda autour d'elle. « Il y a une buvette, quelque part pas loin. On peut prendre un thé. Ça te dit ?

— Oui, peut-être.

— Et puis tu devrais au moins avoir droit à un gâteau, une pâtisserie, pour ton anniversaire. Tu ne crois pas ? »

Helen fronça le nez. « Non, je ne suis pas sûre d'en avoir envie. De toute façon, ce sera infect, quoi qu'on nous propose.

— Oh, mais si, il faut. »

Elle pensait se rappeler où était la buvette. Elle glissa son bras sous celui d'Helen, l'attira plus près, et la conduisit vers une autre allée ; toutefois, elles marchèrent ainsi encore une vingtaine de minutes sans rien trouver. Elles revinrent donc au lac gelé, prirent une autre allée. « Voilà, c'est ici ! » fit enfin Kay.

Mais en s'approchant, elles constatèrent que le bâtiment était à moitié incendié, les fenêtres brisées, les rideaux en charpie, la brique noircie. Sur la porte, une affichette indiquait *Bombardé samedi dernier*. Au-dessous, quelqu'un avait punaisé un Union Jack désolant, semblable à ceux que l'on plantait, avant la guerre, au sommet des châteaux de sable.

« Quelle barbe, fit Kay.

— Ce n'est pas grave. Je n'avais vraiment envie de rien.

— Il y a sûrement un autre endroit.

— Si je bois du thé, j'aurai encore besoin d'aller aux toilettes. »

Kay se mit à rire. « Mais ma chérie, quoi que tu fasses, tu auras besoin d'aller aux toilettes... Et puis c'est ton anniversaire. Il faut que tu aies ton gâteau.

— Mais je suis trop vieille pour ça ! » s'exclama Helen, avec un soupçon d'agacement. Elle tira son mouchoir, se moucha. « Dieu qu'il fait froid. Marchons, on ne peut pas rester immobiles. »

Elle souriait de nouveau, mais Kay la sentait distante, comme ailleurs. Peut-être était-ce le temps. Par un froid pareil, bien sûr, il était difficile d'être enjoué et de bonne humeur...

Kay leur alluma une cigarette chacune. Elles revinrent vers le lac, traversèrent à nouveau le bosquet, marchant d'un pas plus rapide pour se réchauffer.

Le chemin, sous cet angle, commençait de rappeler quelque chose à Kay. Elle se souvint brusquement d'un après-midi passé ici, autrefois... « Tu sais, je crois être déjà passée par là un jour, avec Julia, dit-elle, sans réfléchir.

— Avec Julia ? Quand cela ? »

Elle avait posé la question d'un ton léger, mais empreint d'un certain malaise, aussi. *Eh merde*, se dit Kay. « Oh, il y a des années, je ne sais plus. Je me souviens d'un pont, quelque chose comme ça.

— Quel genre de pont ?

— Un pont. Un drôle de petit pont, complètement rococo, au-dessus d'un étang.

— Où était-ce ?

— Je pensais que c'était par ici, mais je ne suis plus trop sûre. Ce doit être quelque chose comme le Shangri-La, un truc que l'on ne trouve que quand on ne le cherche pas vraiment. »

Elle regrettait d'avoir parlé. Se disait qu'Helen feignait de s'intéresser au pont, de manière légèrement excessive, afin de cacher cet embarras que le nom de Julia avait suscité. Elles continuèrent. Kay essaya une allée, sans trop y croire, puis une autre ; elle allait laisser tomber quand le sentier s'ouvrit soudain devant elles : elles étaient exactement à l'endroit recherché.

Le pont n'était pas du tout aussi charmant que dans son souvenir ; un pont quelconque, absolument pas rococo.

381

Mais Helen se dirigea aussitôt vers la rambarde et baissa les yeux sur l'étang au-dessous, comme émerveillée.

« J'imagine Julia ici, dit-elle en souriant, comme Kay la rejoignait.

— C'est vrai ? »

Elle n'avait pas particulièrement envie de penser à Julia. Elle resta là une seconde, regardant aussi l'étang ; celui-ci aussi était couvert de glace et jonché de débris, et possédait sa petite troupe de canards réfugiés. Puis elle releva les yeux vers Helen, contempla son profil, sa joue, sa gorge — avivés par ce qui semblait être enfin un intérêt réel, presque une excitation ; elle entr'aperçut le revers crème derrière le col remonté et, au-dessous encore, la peau lisse, immaculée. Elle se revit dans la chambre, en train de fermer la robe élégante ; se souvint du glissement du pyjama de soie, sentit dans ses paumes le poids des seins chauds et fermes d'Helen.

Le désir l'envahit de nouveau, la parcourut toute. Elle saisit le bras d'Helen, l'attira à elle. Se tournant, celle-ci vit l'expression de son visage, et regarda autour d'elle, angoissée.

« Quelqu'un va venir. Non, Kay !

— Non quoi ? Je te regarde, c'est tout.

— C'est la manière dont tu me regardes. »

Kay haussa les épaules. « Je pourrais très bien — tiens... » Elle porta la main à une oreille d'Helen, se mit à dévisser la boucle d'oreille. « Je pourrais très bien être en train d'arranger une de tes boucles d'oreilles, dit-elle, plus bas. Imagine qu'une de tes boucles soit coincée ? Je serais obligée de la défaire, comme ça, n'est-ce pas ? N'importe qui ferait ça. Je serais obligée de relever tes cheveux, c'est un geste tout naturel. Je serais obligée de m'approcher, tout près de toi... »

Tout en parlant, elle ôtait le bijou de l'oreille d'Helen et caressait le lobe nu et froid du bout des doigts.

Helen rougit. « Quelqu'un va nous voir, répéta-t-elle.

— Pas si on fait vite.

— Ne sois pas sotte, Kay. »

Mais Kay l'embrassa malgré tout et la sentit s'écarter aussitôt, presque brutalement. Car de fait, quelqu'un était apparu — une jolie femme qui promenait son chien. Elle avait surgi à l'autre bout du pont, venant de nulle part, sans un bruit.

Kay, la boucle d'oreille à la main, reprit sa voix normale. « Non, je n'y arrive pas. Vous allez devoir le faire vous-même. » Helen lui tourna le dos et resta immobile, raidie, comme fascinée par quelque chose en bas, sur l'étang.

La femme passa, et Kay croisa son regard, sourit. La femme lui rendit son sourire — un sourire incertain, pensa Kay. Elle avait dû entrevoir la fin de leur étreinte, et demeurait perplexe, surprise et embarrassée. Le chien arriva et se mit à flairer les talons d'Helen. Il n'en finissait pas.

« Smuts ! » appelait la femme, rougissant. « Smuts ! Viens ici, vilain ! »

« Oh, franchement ! » fit Helen quand ils se furent éloignés. Elle pencha la tête sur le côté pour remettre sa boucle d'oreille, les mains collées à la mâchoire, les doigts s'agitant fébrilement sur la petite vis.

Kay, elle, riait. « Oh, et alors ? On n'est plus au XIXe siècle, quand même. »

Mais Helen ne souriait pas. Ses lèvres demeuraient scellées, presque maussades, tandis qu'elle triturait la boucle d'oreille. Et quand Kay fit mine de l'aider, elle s'écarta vivement. Kay n'insista pas. *Que d'histoires pour rien du tout...*, se disait-elle. Elle reprit ses cigarettes, tendit l'étui à

383

Helen. Helen secoua la tête. Elles reprirent leur marche en silence, sans plus se donner le bras.

Elles rejoignirent le chemin par lequel elles étaient venues et, sans échanger un mot, en empruntèrent un autre, vers le sud. Au bout d'un moment, elles s'aperçurent qu'il menait au sommet de Parliament Hill. La pente s'amorçait doucement, mais se faisait vite raide, et en regardant Helen du coin de l'œil, Kay la vit avancer avec des gestes brusques, respirant fort ; on aurait cru qu'elle laissait une colère monter en elle, et cherchait un prétexte pour lui donner libre cours, une raison de s'en prendre à Kay... Mais comme elles arrivaient au sommet, la vue se révéla. Et son expression changea, son visage s'éclaira, redevint lisse et souriant.

Car de là-haut, on voyait toute la ville, tous les monuments de Londres ; et à cette distance — au travers aussi de la fumée de ces milliers de cheminées, suspendue dans l'air froid et immobile comme un filet immergé — même les décombres et les bâtiments évidés, privés de toit, acquéraient un charme un peu brouillé. Trois ou quatre ballons de protection dérivaient dans le ciel, paraissant se gonfler et rétrécir en changeant de direction. Ils ajoutaient une note de gaieté, de familiarité à la ville.

Quelques personnes prenaient des photos. « Là-bas, c'est la cathédrale St Paul, expliquait une fille à son ami, un soldat américain. Et là, c'est le Parlement. Là, c'est...

— Vous allez vous taire, oui ? fit un homme. Il peut y avoir des espions, ici. »

La jeune fille se tut.

Helen et Kay contemplèrent le panorama, comme tout le monde, se protégeant les yeux du blanc aveuglant du ciel. Puis un banc se libéra, un peu plus loin dans l'allée, et Kay fonça pour le prendre la première. Helen la rejoignit, plus

lentement. Elle s'assit, coudes aux genoux, sourcils froncés
— le regard toujours fixé sur le ciel.

« C'est superbe, n'est-ce pas ? » fit Kay.

Helen hocha la tête. « Tout à fait. Mais j'aimerais bien
qu'il fasse un peu plus clair.

— Oui, mais ça n'aurait pas autant de charme. C'est
plus romantique, comme ça. »

Helen ne détournait pas le regard. Elle désigna quelque
chose. « C'est bien la gare de St Pancras, non ? » demanda-
t-elle à mi-voix, essayant du coin de l'œil de repérer le
citoyen trop zélé.

Kay regarda. « Oui, sans doute.

— Et là, c'est la faculté.

— Oui. Qu'est-ce que tu cherches ? Rathbone Place ? Je
serais surprise qu'on arrive à la voir d'ici.

— Là, c'est le Foundling Estate, continua Helen,
comme si elle n'avait pas entendu.

— Elle se trouve plus à l'ouest que Coram's Fields, et
plus au sud. » Kay tendit l'index à son tour. « Tiens, voilà,
je crois que c'est Portland Place. Plus près de nous.

— Oui, dit Helen d'un ton vague.

— Tu vois ? Tu ne regardes pas dans la bonne direction.

— Oui. »

Kay posa la main sur le poignet d'Helen. « Ma chérie, tu
n'es pas...

— Oh ! » fit Helen, retirant brusquement son bras.
« Tu es obligée de m'appeler comme ça ? »

Sa voix n'était qu'un chuchotement sifflant ; elle regarda
autour d'elle, comme auparavant. Elle avait le visage blême
de froid et d'agacement contenu. Le rouge dardait, éclatant
sur ses lèvres.

Kay détourna la tête, soudain submergée par une vague
de déception ; pas de colère, mais de déception : du temps

qu'il faisait, d'Helen, de la journée en soi — de tout ça.
« Mais qu'est-ce que tu as ? » fit-elle. Elle alluma une nouvelle cigarette, sans en offrir à Helen. La fumée était amère, comme son humeur.

« Je suis désolée, Kay », dit doucement Helen, après un silence. Elle avait joint les mains sur ses genoux, et les fixait, tête basse.

« Mais qu'est-ce qui t'arrive, enfin ?

— J'ai un peu le cafard, c'est tout.

— Oui, eh bien ne fais pas cette tête-là, parce que sinon... », Kay jeta sa cigarette, baissa d'un ton, « parce que sinon je vais être obligée de te serrer contre moi ; imagine quelle horreur ce sera pour toi... »

Son humeur avait de nouveau changé. La déception s'était évaporée aussi vite qu'elle était venue ; trop lourde à supporter, finalement. Une tendresse l'avait remplacée. Comme une douleur sourde, au niveau du cœur. « Je suis désolée, moi aussi, dit-elle doucement. Un anniversaire, ce n'est sans doute jamais aussi drôle pour la personne concernée que pour les gens qui l'organisent. »

Helen leva les yeux et sourit, un peu tristement. « Je ne dois pas aimer avoir vingt-neuf ans. C'est un âge bizarre, non ? Autant avoir tout de suite trente ans, et en finir.

— C'est l'âge idéal, et tu le portes parfaitement, dit Kay, dans un réflexe de galanterie retrouvée. N'importe quel âge t'irait à la perfection. »

Mais déjà Helen avait réagi. « Arrête, Kay. Ne sois pas si... si gentille avec moi.

— Ne pas être gentille avec toi !

— Tu ne... » Helen secoua la tête. « Je ne le mérite pas.

— Tu l'as déjà dit ce matin.

— Mais c'est vrai, c'est pour ça. Je... »

Elle reporta son regard sur la ville, toujours dans la

même direction ; elle se taisait. Kay l'observa, perplexe, puis lui frotta doucement le bras, de ses doigts repliés.

« Allons, dit-elle d'une voix apaisante, ça n'a aucune importance. Je voulais juste qu'on ait une belle journée, une journée spéciale. Mais peut-être qu'on ne peut pas espérer vivre une belle journée en temps de guerre. L'année prochaine — qui sait ? Peut-être tout cela sera-t-il fini. On fêtera les choses dignement. Je t'emmènerai quelque part ! En France ! Ça te plairait ? »

Helen ne répondit pas. Elle s'était tournée vers Kay et soutenait son regard ; ses yeux s'étaient faits graves. « Tu ne vas pas te lasser de moi, Kay, demanda-t-elle enfin, dans un murmure, à présent que je suis une vieille fille aigrie et acariâtre ? »

L'espace d'une seconde, Kay ne put rien répondre. Puis elle parla, de la même voix basse : « Tu es mon amour, non ? Je ne pourrais jamais me lasser de toi, tu le sais bien.

— Si, tu pourrais.

— Jamais. Tu es à moi, pour toujours.

— J'aimerais que ce soit vrai, dit Helen. J'aimerais... j'aimerais que le monde soit différent. Pourquoi n'est-il pas différent ? J'ai horreur de devoir me cacher et... » Elle attendit, comme un couple passait en silence, bras dessus bras dessous. « J'ai horreur de ces précautions, de cette dissimulation, tout le temps, c'est trop moche. Si seulement on pouvait se marier, je ne sais pas... »

Kay cligna des paupières et détourna les yeux. C'était un des drames de sa vie, de ne pas pouvoir être comme un homme, pour Helen — en faire son épouse, lui donner des enfants... Elles demeurèrent encore là un moment, silencieuses, le regard toujours perdu sur le panorama de la ville, mais sans plus le voir. « Je te ramène à la maison », dit Kay, doucement.

Helen tripotait un bouton de son manteau. « Nous n'avons qu'une heure ou deux devant nous, et puis tu dois ressortir. »

Kay se força à sourire. « Eh bien, je connais un bon moyen de passer une heure ou deux.

— Tu sais très bien ce que je veux dire », dit Helen. Elle leva de nouveau les yeux, et Kay vit qu'elle était au bord des larmes. « Tu ne peux pas rester avec moi, ce soir, Kay ?

— Helen, fit Kay, soudain effrayée. Mais que se passe-t-il ?

— Je... je ne sais pas. J'aimerais que tu puisses rester, c'est tout.

— Je ne peux pas. Je ne peux pas. Il faut que j'aille travailler. Tu le sais.

— Tu es toujours là-bas.

— Mais je ne peux pas, Helen... Oh, mais ne me regarde pas comme ça ! Si en plus je dois penser à toi, toute seule à la maison, malheureuse, je vais... »

Elles s'étaient rapprochées l'une de l'autre. Mais une fois de plus, un homme et une jeune fille arrivaient tranquillement dans l'allée, passant devant leur banc, et Helen s'écarta. Elle tira son mouchoir, s'essuya les yeux. Kay observait le couple — qui avait fait halte pour contempler la vue, comme tout le monde — avec l'envie de les tuer. Le besoin de prendre Helen dans ses bras, et l'impossibilité de le faire, la secouait intérieurement, la rendait presque malade.

Le couple parti, elle se tourna de nouveau vers Helen. « Dis-moi que tu ne seras pas trop triste, ce soir.

— Je serai aux anges, ce soir, répondit Helen d'une voix morne.

— Dis-moi que tu ne vas pas te sentir trop seule. Dis-

388

moi... dis-moi que tu vas aller au pub et te saouler, et ramasser un gars, un soldat...

— Tu aimerais ?

— J'adorerais, dit Kay. Ça me rendrait folle, tu le sais très bien. Je me jetterais à l'eau. Tu es la seule chose qui me permette de supporter cette saloperie de guerre.

— Kay...

— Dis-moi que tu m'aimes, fit Kay, dans un chuchotement.

— Mais oui, je t'aime », dit Helen. Elle ferma les yeux, comme pour mieux ressentir les paroles, ou les affirmer ; sa voix se fit grave de nouveau. « Bien sûr que je t'aime, Kay. »

« Alors, fiston, fit le père de Duncan en s'asseyant avec Viv. Comment ça va ? On te traite correctement, n'est-ce pas ?

— Oui, répondit Duncan. Je pense qu'on peut dire ça.

— Pardon ? »

Duncan s'éclaircit la gorge. « Oui, ça va bien. »

Son père hocha la tête avec une affreuse grimace, essayant de suivre ce qu'il disait. Duncan savait que les conditions étaient déplorables pour lui. Il y avait six tables dans la salle, et ils étaient installés à la dernière ; mais chaque table accueillait deux prisonniers à une extrémité, et leurs visiteurs à l'autre ; tout le monde criait. À côté de Duncan, était assis un type appelé Leddy, un employé des Postes qui s'était fait pincer pour de faux virements. Et à côté de Viv, l'épouse de Leddy. Duncan l'avait déjà vue. À chaque fois, elle faisait une scène à son mari. « Si tu crois que ça me fait plaisir d'avoir une femme comme ça chez moi... », disait-elle en cet instant. À la table suivante, se trouvait une jeune fille avec un bébé. Elle le faisait sauter sur ses genoux,

389

essayant de le faire sourire à son père. Mais le bébé pleurait : il braillait comme une sirène, la bouche grande ouverte, puis reprenait son souffle dans un grand frisson, et hurlait de plus belle... Le parloir était une petite salle de prison, avec des fenêtres de prison, fermées. L'odeur qui y régnait était une odeur de prison — pieds mal lavés, serpillière moisie, nourriture médiocre, haleines fétides. Mais au-dessus de ces relents habituels, en planaient d'autres, plus dérangeants : parfum, maquillage, permanente, odeurs d'enfants ; odeurs de circulation, de chiens, de trottoirs, de plein air.

Viv ôta son manteau. Elle portait un corsage lavande fermé par de petits boutons en forme de perles, qui attirèrent le regard de Duncan. Il avait oublié qu'il existait des boutons de ce genre. Avait oublié la sensation sous les doigts. Il aurait voulu pouvoir tendre la main et en saisir un, juste une seconde, entre le pouce et l'index.

Elle suivit son regard et bougea un peu, mal à l'aise. Plia son manteau et le posa sur ses genoux. « Comment vas-tu, réellement ? demanda-t-elle. Ça va bien ?

— Oui, ça va.

— Tu es affreusement pâle.

— C'est vrai ? C'est déjà ce que tu m'as dit la dernière fois.

— J'oublie tout le temps.

— Alors, fiston, tu as vu, depuis un mois ? fit son père d'une voix sonore. Ça a drôlement bardé, hein ? Comme je disais à Mrs Christie, les Fritz nous ont pris par surprise, on n'a pas eu le temps de dire ouf. Ç'a été infernal, il y a deux ou trois nuits de ça ! Ça m'a carrément réveillé ! C'est pour te dire à quel point ça pétait.

— Oui, dit Duncan, essayant de sourire.

— La maison de Mr Wilson n'a plus de toit.

390

— De Mr Wilson ?

— Tu sais bien.

— Là où on allait tout le temps, quand on était petits, intervint Viv, lui venant en aide. Le monsieur avec sa sœur, qui nous donnait des bonbons. Tu ne te souviens pas ? Ils avaient un petit oiseau en cage. Tu demandais toujours si tu pouvais le nourrir. »

« Une espèce de grande, grosse fille, disait la femme de Leddy, avec des sales manies comme ça ! J'en avais l'estomac retourné... »

« Je ne me souviens pas », dit Duncan.

Son père secoua la tête — à retardement, à cause de son ouïe défaillante. « Non, dit-il, on en croit à peine ses yeux, quand ça se calme. On a l'impression que tout doit être réduit en poussière, vu le bruit. C'est incroyable de voir tant de maisons encore debout. On se croirait revenu en plein Blitz. D'ailleurs ils appellent ça "le petit Blitz", hein ? » Il s'était adressé à Viv puis se tourna vers Duncan. « Vous ne devez pas le sentir si fort, ici ? »

Duncan repensa à l'obscurité, aux appels de Giggs, aux gardiens descendant à l'abri. Il s'agita sur sa chaise. « Ça dépend de ce que tu entends par "sentir". »

Mais il avait dû marmonner. Son père pencha la tête, fit de nouveau la grimace. « Quoi ? qu'est-ce que tu dis ? »

— Ça dépend de ce que tu... Oh ! Non, on ne le ressent pas trop.

— Non, répondit son père d'une voix incertaine. C'est bien ce que je pensais... »

Mr Daniels faisait les cent pas derrière les prisonniers, en traînant les pieds. Le bébé braillait toujours : le père de Duncan se mit à essayer de capter son regard, à esquisser des mimiques. Fraser était assis à quelques tables de là ; ses parents étaient venus le voir. Duncan les apercevait à peine.

391

Sa mère était vêtue de noir, et portait un chapeau garni d'un voile, comme pour un enterrement. Son père avait le visage rouge brique. Duncan n'entendait pas ce qu'ils disaient ; mais il voyait les mains de Fraser posées sur la table, ses doigts couverts d'ampoules qui remuaient sans cesse, comme impatients.

« Papa a été muté dans un autre atelier, chez Warner, Duncan », dit Viv.

Il se tourna vers elle, cligna des paupières, et elle posa la main sur le bras de son père, lui parla à l'oreille. « Je disais à Duncan que tu as été muté dans un autre atelier. »

Le père de Duncan hocha la tête. « C'est vrai.

— Ah bon ? dit Duncan. Et ça se passe bien ?

— Pas trop mal. Je travaille avec Bernie Lawson, à présent.

— Bernie Lawson ?

— Et June, la fille de Mrs Gifford », ajouta son père en souriant. Sur quoi il se mit à lui raconter une anecdote dont Duncan perdit presque aussitôt le fil. Son père ne s'en apercevait pas. Il parlait de toutes les petites histoires, les petites intrigues de l'usine, comme si Duncan était encore à la maison. « Stanley Hibbert, continuait-il, Muriel et Phil. Tu aurais dû voir leurs binettes ! J'ai dit à miss Ogilvy que... » Duncan reconnaissait certains noms, mais tous ces gens étaient autant de fantômes pour lui. Il observait les paroles naître sur les lèvres de son père et, selon l'expression de son visage, devinait quand approuver, quand sourire, comme s'il était lui-même sourd.

« En tout cas, ils t'envoient leur meilleur souvenir, conclut son père. Ils demandent toujours de tes nouvelles. Et Pamela aussi t'embrasse, bien sûr. Elle m'a dit de te dire qu'elle est désolée de ne pas pouvoir venir te voir plus souvent. »

Duncan hocha de nouveau la tête — sans plus savoir, l'espace d'une seconde, qui était Pamela. Puis, avec un tressaillement, il se souvint que c'était son autre sœur... Elle lui avait rendu visite quelque chose comme trois fois, depuis trois ans qu'il était là. Cela lui était un peu égal : Viv et son père, toutefois, en semblaient toujours gênés.

« C'est difficile, avec les bébés, dit Viv.

— Oh oui, renchérit son père, saisissant la perche, ça ne facilite pas la vie. Parce qu'on n'a pas envie de traîner des enfants ici. À moins que ce ne soit pour rendre visite à leur père ; là, c'est autre chose, naturellement. Encore que... » Il lança un coup d'œil vers la jeune femme avec le bébé, et tenta, en vain, de baisser d'un ton. « ... Moi, je n'aurais pas voulu que mes gamins me voient dans un endroit pareil, à sa place. Ce n'est pas bien. Ça laisse de mauvais souvenirs, après. Déjà, je n'aimais pas trop vous emmener voir votre mère à l'hôpital, à l'époque.

— Mais ça fait plaisir aux papas, dit Viv. Et je pense que ça faisait plaisir à maman.

— Oui, vu comme ça, bien sûr... »

Une fois encore, Duncan jeta un bref regard vers les parents de Fraser. À présent, il voyait Fraser, aussi : il regardait au loin, comme lui. Il croisa les yeux de Duncan, et abaissa légèrement les commissures de ses lèvres. Puis s'attarda sur le père de Duncan et sur Viv, l'air intrigué. Duncan sentit l'embarras le gagner en pensant au pardessus élimé que portait son père. Il baissa la tête et se mit à gratter des pellicules de vernis écaillé sur la table.

Il avait les mains propres, car il avait pris soin de les laver au réveil, et de se limer les ongles. Son pantalon montrait un pli bien net, après avoir passé la nuit sous son matelas. Il avait bien lissé ses cheveux, enduits en guise de brillantine d'un mélange de cire et de margarine... À chaque fois, il imaginait son entrée au parloir : il voulait que son père et Viv soient impressionnés en le voyant arriver, qu'ils se disent : *Il nous fait honneur !* Mais comme à chaque fois aussi, à ce moment de leur visite, son humeur commençait de sombrer. Il se rappelait que son père et lui n'avaient jamais rien, et n'avaient jamais rien eu, à se dire. Et la déception — envers son père, lui-même, Viv même — montait peu à peu en lui, le prenait à la gorge. Il commençait à se dire, avec une certaine perversité, qu'il aurait dû apparaître hirsute, avec les ongles en deuil. Se rendait compte qu'il aurait souhaité, en fait, que son père et Viv voient dans quelle crasse il vivait, qu'ils lui disent qu'il était un héros de supporter ça sans se plaindre, sans devenir un animal. Le fait qu'ils lui parlent, à chaque fois, de petites choses ordinaires — comme s'ils lui rendaient visite à la clinique ou au pensionnat, plutôt qu'en prison — le faisait passer de la déception à la rage. Parfois, il arrivait à peine à regarder son père sans avoir envie de se précipiter à l'autre bout de la table pour le frapper au visage.

Il commençait de trembler, il le sentait. Ses mains, posées sur la table devant lui, eurent un soubresaut. Il les ôta, les croisa sur ses cuisses. Jeta un coup d'œil à la pendule du parloir. Encore onze minutes...

Son père avait recommencé de faire des grimaces à l'intention du bébé, qui s'était calmé. Viv et lui parcouraient machinalement la salle des yeux. *Ils s'ennuient avec moi*, pensa Duncan. Il les voyait semblables à deux personnes qui, dînant au restaurant et n'ayant plus rien à se dire, ont atteint ce stade de vacuité où l'on peut décemment commencer à observer les autres convives, remarquer leurs petites singularités et maladresses... Il leva de nouveau les yeux vers la pendule. Dix minutes. Mais ses mains tremblaient toujours. Il commençait de transpirer, aussi. Le

394

besoin montait soudain en lui, presque irrépressible, de tout gâcher, de faire de son pire ; de faire en sorte que Viv et son père le haïssent. Son père se tourna vers lui, souriant. « C'est qui, ce gars, tout au bout, là-bas ? » Ce à quoi il répondit d'une voix méprisante, comme si la question était d'une inanité sans nom : « Patrick Grayson.

— Il a l'air sympathique, non ? Il vient d'arriver ?

— Non, il ne vient pas d'arriver. Tu l'as déjà vu la dernière fois. Tu as dit qu'il avait l'air sympathique. Il a presque fini sa peine.

— Ah bon ? Il doit être content, alors. Et puis sa femme aussi, sûrement. »

Duncan retroussa la lèvre supérieure, comme un chien qui gronde. « Tu crois ? Il va filer au combat, à peine sorti. Il serait aussi bien ici. Ici, au moins, il peut la voir une fois par mois ; et il a moins de chances de se prendre un obus en pleine tête. »

Son père tentait de suivre ses paroles. « Mon Dieu, dit-il d'un ton incertain, il sera sans doute heureux de pouvoir faire son devoir. » Il se tourna de nouveau. « Oui, il a l'air d'un bon garçon, tout à fait. »

Duncan explosa. « Pourquoi ne vas-tu pas t'asseoir avec lui, s'il te plaît tellement ?

— Pardon, qu'est-ce que tu dis ? fit son père, revenant sur lui.

— Duncan... », intervint Viv.

Mais Duncan était lancé. « Tu préférerais sûrement que je sois comme lui. Tu préférerais sûrement que je sorte d'ici pour aller me battre, et me faire arracher la tête. Tu préférerais que l'armée fasse de moi un assassin...

— Duncan, répéta Viv, l'air choqué, mais las, aussi. Ne sois pas idiot. »

Son père toutefois commençait aussi de perdre patience.

395

« Arrête de dire n'importe quoi. Te battre et te faire arracher la tête ? Mais qu'est-ce que tu sais de tout ça ? Si tu étais allé te battre quand tu devais le faire...

— Papa », dit Viv.

Il l'ignora, ou ne l'entendit pas, peut-être. « Un petit séjour au front, continua-t-il, s'agitant sur sa chaise, voilà ce dont il a besoin. Oser dire des choses comme ça. Quelle honte ! Évidemment que j'ai honte ! »

Elle posa la main sur son bras. « Ce n'est pas ce que Duncan voulait dire, papa. N'est-ce pas, Duncan ? »

Duncan ne répondit pas. Son père le foudroya du regard. « Tu ne sais pas ce que veut dire la honte, ici ! ajouta-t-il. Mais tu le comprendras quand tu sortiras. La première fois que tu croiseras cette femme et son époux dans la rue... »

Il parlait des parents d'Alec. Mais jamais il ne pouvait prononcer son nom. Il mordait dans les mots, les ravalait avec difficulté. Le sang lui était monté au visage. « Évidemment que j'ai honte ! » répéta-t-il. Il regarda Duncan bien en face. « Qu'est-ce que je peux te dire d'autre, mon petit gars ? »

Duncan haussa les épaules. Soudain, il se sentait lui-même honteux ; mais étrangement soulagé aussi, d'avoir créé cet incident. Il se remit à gratter des fragments de vernis sur la table. « Si c'est ce que tu ressens, alors ne viens pas », dit-il d'une voix tranquille, claire.

Ce qui relança aussitôt son père. « Ne viens pas ? Mais qu'est-ce que tu veux dire, ne viens pas ? Tu es mon fils, non ?

— Et alors ? »

Mr Pearce détourna les yeux, dégoûté.

« Duncan, fit Viv.

— Quoi ? Il n'est pas obligé de venir.

— Duncan, pour l'amour de Dieu ! »

396

Mais soudain, un sourire se dessina sur ses lèvres. Ce n'était pas un sourire de plaisir. Son esprit, ses sensations plongeaient, remontaient, replongeaient comme ceux d'un psychotique. Comme un cerf-volant pris dans une tempête : il ne pouvait qu'essayer de ne pas se laisser entraîner, en tirant sur la corde... Il posa une main sur sa bouche. « Je suis désolé. »

Son père leva les yeux, et son visage s'empourpra encore. « Qu'est-ce qu'il a à sourire comme ça ?

— Il ne sourit pas, dit Viv.

— Si sa mère était là... ! Pas étonnant que tu ne sois pas dans ton assiette.

— Arrête, papa.

— Vivien ne va pas bien, dit Mr Pearce d'un ton agressif, s'adressant à Duncan. Elle a été obligée de s'arrêter un moment, en venant. Et tes imbécillités, c'est bien la dernière chose dont elle ait besoin. Tu devrais lui être reconnaissant d'être simplement venue ! Toutes les sœurs ne se donneraient pas cette peine, je te prie de le croire.

— Ils ne se rendent pas compte », intervint la femme de Leddy d'une voix flûtée. Elle avait tout entendu, bien sûr. « Ils sont là bien tranquilles. On leur apporte leur dîner. Ils ne pensent même pas à ce que c'est pour nous, à l'extérieur. »

Viv esquissa un geste vague, sans répondre. Elle avait le visage sinistre. L'observant, Duncan remarqua pour la première fois sa pâleur sous le maquillage, les yeux cernés, les paupières rougies... Il comprit soudain que son père avait raison. Se sentit dégoûté de lui-même, de la manière dont il gâchait tout. *C'est la sœur la plus adorable, la plus merveilleuse que l'on puisse avoir !* se dit-il, presque avec frénésie, le regard toujours fixé sur Viv. Il avait brusquement envie

397

d'appeler les autres hommes, d'attirer leur attention sur elle, de crier : *Regardez, regardez ma sœur, comme elle est jolie !*

Il dut faire appel à toute sa volonté pour rester simplement là, silencieux, le moral en berne. Il jeta un coup d'œil vers Mr Daniels, espérant qu'il allait bientôt annoncer la fin des visites ; avec un soulagement immense, il le vit enfin consulter sa montre, vérifier sur la pendule murale, puis déverrouiller un placard et en tirer une cloche. Il la secoua deux fois, sans conviction, et le brouhaha des voix mêlées se fit aussitôt plus sonore. On repoussait des chaises. On se levait en hâte — comme si, à l'image de Duncan, tout le monde était soulagé. Le bébé tressaillit dans les bras de sa mère et se remit instantanément à hurler.

Le père de Duncan se leva, l'air morose, et mit son chapeau. Viv jeta à son frère un regard qui signifiait : *Bien joué.*

« Je suis désolé, répéta-t-il.

— Tu peux. » Ils parlaient trop bas pour que leur père puisse les entendre. « Tu n'es pas le seul à souffrir, tu sais. Tu devrais essayer de réfléchir un peu à ça.

— Je sais. C'est ce que je fais. Mais... » Il n'arrivait pas à s'expliquer. « C'est vrai, tu n'es pas bien ? »

Elle détourna les yeux. « Ça va. Je suis juste un peu fatiguée.

— À cause des bombardements ?

— Oui, sûrement. »

Il l'observa qui se levait et enfilait son manteau d'un coup d'épaules. Le corsage lavande, avec ses petits boutons de perle, disparut. Ses cheveux cascadèrent comme elle se penchait, et elle les rejeta en arrière, coinçant les mèches derrière ses oreilles. De nouveau, il vit combien elle était pâle sous la poudre.

Ils n'avaient pas le droit de s'embrasser ni de s'étreindre, mais avant de partir, elle tendit le bras par-dessus la table et posa la main contre celle de Duncan.

« Prends soin de toi, d'accord ? fit-elle sans sourire, avant de retirer sa main.

— Promis. Toi aussi, prends bien soin de toi.

— J'essaierai. »

Il adressa un signe de tête à son père, cherchant à croiser son regard, mais le craignant aussi. « Au revoir, papa, dit-il. Je suis désolé de toutes les bêtises que j'ai pu dire. »

Peut-être n'avait-il pas articulé assez distinctement : son père se détourna pendant qu'il parlait, tête basse, cherchant le bras de Viv.

Dix minutes plus tôt, Duncan avait presque envie de le frapper au visage ; à présent, il se tenait là, les cuisses pressées contre le bord de la table, observant Viv et son père qui s'introduisaient dans la file des visiteurs sur le départ ; il ne voulait pas sortir de la salle avant que son père ait disparu, pour le cas où il se retournerait.

Mais c'est Viv qui se retourna — une seule fois, très brièvement. Et une seconde plus tard, Mr Daniels arrivait vers Duncan, et le poussait.

« Allez, en rang, Pearce. Et Leddy, aussi... Allez, les gars, on y va. »

Il les fit sortir du parloir et, arrivé au croisement du couloir qui menait aux ateliers, les confia à Mr Chase. Celui-ci consulta sa montre d'un air las. Cinq heures moins vingt. Les détenus affectés aux paniers pouvaient y aller tout seuls, déclara-t-il. L'un d'eux était un brassard rouge, un prisonnier de confiance. Quant aux autres, pas question de se faire chier à les emmener jusqu'aux ateliers des sacs postaux, pour vingt minutes ; il les ramena dans le hall central de leur bâtiment. Ils marchaient en silence, soumis, défaits ; tous, comme Duncan, avec les cheveux soigneusement peignés, les mains propres, un pantalon au pli bien net. Le réfectoire désert semblait immense. Ils étaient si peu nombreux — huit en tout — que quand ils gravirent l'escalier, les coursives émirent cette réverbération froide, métallique, que Duncan guettait souvent, la nuit.

Chaque homme réintégra directement sa cellule, comme avec plaisir. Duncan s'assit sur sa couchette, le visage dans les mains.

Il demeura trois ou quatre minutes ainsi. Puis un pas ferme mais léger s'arrêta devant sa porte, et il tenta de sécher ses yeux en hâte. Il n'en eut pas le temps.

« Allons, que se passe-t-il ? » s'enquit Mr Mundy d'une voix douce.

Sur quoi Duncan fondit réellement en larmes. Il se cacha de nouveau le visage et se mit à sangloter, ses épaules toutes secouées, faisant vibrer les montants des couchettes. Mr Mundy ne tenta pas de le calmer ; ne vint pas vers lui, ne posa pas une main sur son épaule, rien de tout cela. Il demeura simplement là, attendant que le plus fort de la crise soit passé. « Bien, dit-il enfin. Tu as reçu une visite de ton père, n'est-ce pas ? J'ai vu la liste. Ça t'a un peu secoué, c'est cela ? »

Duncan hocha la tête, s'essuyant le visage avec un mouchoir rêche de la prison. « Un peu.

— Ça fait toujours un coup, de voir des visages de l'extérieur, de la famille. Et c'est toujours difficile de se montrer naturel. Vas-y, pleure encore, si tu en as besoin. Ça ne me dérange pas. J'en ai vu sangloter, et des plus durs que toi, tu peux me croire. »

Duncan secoua la tête. Il sentait son visage brûlant, comme contusionné, déformé par les sanglots. « Ça va aller, dit-il d'une voix incertaine.

— Bien sûr que ça va aller.

— Simplement, je... il faut que je gâche tout, Mr Mundy. Il faut que je gâche tout, à chaque fois. »

Sa voix montait dans l'aigu. Il se mordit les lèvres, ramena les bras contre ses flancs, les poings serrés, se forçant à ne pas craquer de nouveau. Puis, l'instant passé, il se détendit. Il était épuisé. Il gémit, se frotta le visage.

Mr Mundy resta encore un moment là, à l'observer ; puis il prit la chaise, la déplaça et s'y assit, un peu maladroitement, avec un léger soupir de gêne. « Tu sais quoi ? fit-il. Tu vas fumer une petite cigarette. Regarde ce que j'ai là. »

Il tira de sa poche un paquet de Player's. L'ouvrit, le tendit à Duncan. « Vas-y », dit-il, secouant doucement le paquet.

Duncan prit une cigarette. Elle paraissait aussi épaisse qu'un petit cigare, en comparaison des mégots roulés à la main de la prison. Le tabac était compact, bien tassé dans la feuille fraîche et lisse — si douce qu'à la faire tourner entre ses doigts, il commençait de se sentir mieux.

« C'est agréable, n'est-ce pas ? fit Mr Mundy, sans cesser de l'observer.

— C'est délicieux, dit Duncan.

— Tu ne la fumes pas ?

— Je ne sais pas. Je ferais mieux de la garder, d'enlever le tabac. Je peux m'en rouler quatre ou cinq, avec ça. »

Mr Mundy sourit. Se mit à fredonner, d'une voix mélodieuse et grave d'homme âgé : « *Cinq petits mégots dans un joli paquet tout blanc...** ». Puis il fronça le nez. « Fume-la maintenant.

— Vraiment ?

— Vas-y. J'en fume une avec toi. On en grille une, comme deux potes. »

Duncan se mit à rire. Mais le rire arrivait trop vite après

---

* Chanson de l'époque victorienne. (*N.d.T.*)

les larmes : il resta coincé dans sa poitrine. Il fut saisi d'un tremblement. Mr Mundy fit mine de ne rien voir. Il prit aussi une cigarette, tira une boîte d'allumettes. Tendit la flamme à Duncan, avant d'allumer la sienne. Ils fumèrent ainsi en silence, pendant trente secondes. Puis Duncan écarta la cigarette, la tint à bout de bras. « Ça me pique les yeux. Ça me tourne la tête ! Je vais tomber dans les pommes !

— Oh, arrête ta comédie, hein ! fit Mr Mundy, étouffant un rire.

— Mais c'est vrai ! » dit Duncan. Il se laissa aller en arrière, faisant mine de s'évanouir. Il aimait bien faire le gamin, quelquefois, avec Mr Mundy... Puis il redevint sérieux. « Dieu du ciel, dit-il. En être là ! À moitié assommé, pour une simple cigarette ! »

Gardant les pieds posés sur le sol, il se renversa franchement sur la couchette, appuyé sur les coudes. Il se demandait où étaient Viv et son père, à présent. Tenta d'imaginer le trajet qu'effectuait ce dernier pour rentrer à Streatham, en vain. Puis essaya de visualiser les pièces de son appartement. Et eut soudain devant les yeux, nettement, violemment, l'image de la cuisine de son père telle qu'il l'avait vue pour la dernière fois, avec les murs, le sol maculés de rouge noircissant déjà...

Il se redressa brusquement. La cendre de sa cigarette tomba. Il l'épousseta d'un revers de main, puis se frotta le visage, toujours douloureux. « Croyez-vous que je vais réussir à m'en sortir, en partant d'ici, Mr Mundy ? » demanda-t-il enfin d'une voix basse, calme, sans lever les yeux.

Mr Mundy prit une nouvelle bouffée. « Bien sûr que oui, dit-il sereinement. Simplement, il te faudra du temps pour... enfin, pour reprendre pied sur la terre ferme.

— Reprendre pied ? » Duncan fronça les sourcils.

« Comme un marin, vous voulez dire ? » Il se vit tituber comme sur les pavés inégaux d'un quai.

« Comme un marin ! » s'exclama Mr Mundy en riant ; l'idée l'enchantait.

« Mais comment vais-je gagner ma vie, par exemple ?

— Tu trouveras.

— Mais de quelle manière ?

— Il y a toujours du travail pour un jeune homme brillant comme toi. Crois-moi. »

C'était le genre de chose que disait son père, et qui lui donnait envie de le tuer. Mais là, il se mordit l'ongle du pouce et leva les yeux vers Mr Mundy, derrière ses doigts repliés. « Vous croyez vraiment ? »

Mr Mundy hocha la tête. « J'ai vu défiler toutes sortes de jeunes gars, ici. Tous ont eu la même appréhension que toi, à un moment ou à un autre. Et ils s'en sont tous sortis.

— Oui, mais ceux dont vous parlez, là, insista Duncan, ils n'avaient pas tous une femme, des enfants, quelque chose comme ça, des gens qui les attendaient ? Aucun n'avait... peur ?

— Peur ?

— Oui, peur de ce qui allait leur arriver, de ce qu'ils allaient devenir... ?

— Allons bon, fit Mr Mundy, d'une voix plus grave soudain. Cela ressemble à quoi, ce genre de discours ? Tu le sais, n'est-ce pas ? »

Duncan détourna les yeux. « Oui, dit-il après un silence. C'est laisser pénétrer l'Erreur en soi.

— Exactement. Et c'est la pire chose que puisse faire un garçon dans ta situation. Commencer à raisonner comme ça.

— Oui, je sais, dit Duncan. C'est juste que... enfin, on ne voit que des murs, ici. J'essaie bien d'imaginer l'avenir, mais il ressemble à un mur, lui aussi, et je n'arrive pas à l'escalader. J'essaie de penser à ce que je ferai, à l'endroit où je vivrai. Il y a bien la maison de mon père », il revit la cuisine éclaboussée de rouge, « mais il habite à deux rues de... », il baissa la voix, « de chez Alec. Alec, mon ami, vous savez... Mon père prenait toujours sa rue pour aller au travail. Maintenant, il fait un détour de huit cents mètres, à chaque fois, c'est ma sœur qui me l'a dit. Alors, si je retourne là-bas ? J'y pense sans arrêt, Mr Mundy. Je me dis, si je tombe sur quelqu'un qui connaissait Alec...

— Ce garçon, déclara Mr Mundy d'une voix ferme, était en pleine errance, d'après tout ce que tu m'as dit. Si jamais quelqu'un a vécu dans l'Erreur, c'est bien lui. Il est libéré de tout cela, à présent. »

Duncan s'agita, mal à l'aise. « Vous m'avez déjà dit tout ça. Mais je n'arrive pas à le ressentir. Si vous aviez été là...

— Personne n'était là. Que toi. Et c'est ce que tu peux considérer comme ton Fardeau. Mais je parierais à cent contre un qu'Alec te regarde, en cet instant même, avec le désir de t'alléger de ce Fardeau — il te dit *Pose ça, mon camarade !* et il aimerait tellement que tu l'entendes. Je te parie qu'il rit, et qu'il pleure aussi : il est joyeux parce qu'il est dans le grand soleil ; et il pleure parce que toi, tu es encore dans l'obscurité... »

Duncan hocha la tête, réconforté par la voix douce de Mr Mundy, par le côté désuet de ses paroles : *alléger du Fardeau, Erreur, mon camarade* ; mais sans rien en croire, tout au fond de lui. Il aurait aimé penser qu'Alec était bien là où Mr Mundy le disait ; tentait de l'imaginer baigné de soleil, parmi les fleurs, souriant aux anges... Mais Alec n'avait jamais été ainsi, il trouvait vulgaire de s'asseoir dans un parc ou un jardin, d'aller se baigner ; il ne souriait quasiment jamais, jamais vraiment, parce qu'il avait honte de montrer ses dents mal plantées.

Duncan leva les yeux, regarda Mr Mundy bien en face. « C'est dur, Mr Mundy », dit-il simplement.

Ce dernier demeura un moment sans rien dire. Mais il se leva lentement, s'approcha de la couchette et s'assit à côté de Duncan ; il posa sa main gauche — celle qui tenait la cigarette — sur son épaule. « Pense à moi, quand ça ne va pas, dit-il doucement, comme en confidence. Et moi, je penserai à toi. D'accord ? Nous sommes dans la même situation, après tout : moi aussi je sors l'année prochaine, comme toi. Ce sera la retraite, tu vois ; et c'est aussi étrange pour moi que pour toi — et peut-être même plus, car tu sais ce qu'on dit : que quand un prisonnier fait deux ans de taule, son gardien, lui, en fait un... Donc oui, pense à moi quand ça ne va pas. Et je penserai à toi. Je penserai à toi — mon Dieu, je ne dirai pas comme un père, parce que je sais que tu en as pour cela, mais disons comme un oncle pense à son neveu... Qu'en dis-tu ? »

Il soutint le regard de Duncan, lui tapota l'épaule. Comme un peu de cendre tombait sur le genou du jeune homme, il la balaya doucement de son autre main ; sa main resta posée là.

« C'est d'accord ? » demanda-t-il.

Duncan baissa les yeux. « Oui », fit-il d'une voix presque inaudible.

Mr Mundy lui tapota de nouveau l'épaule. « C'est bien, mon garçon. Parce que tu es un garçon spécial — tu le sais n'est-ce pas ? Très spécial. Et les choses s'arrangent toujours pour bien tourner, pour les garçons comme toi. Tu verras. »

Il garda encore un moment la main posée sur le genou de Duncan, puis lui imprima une petite pression et se releva. Les grilles s'étaient ouvertes à l'autre extrémité de la salle :

les détenus rentraient des ateliers. On entendait leurs pas nombreux, le vacarme métallique des escaliers et des passerelles. La voix tonitruante de Mr Chase : « Allez, on avance, on avance ! Tout le monde dans sa cellule ! Giggs, Hammond, on ne traîne pas ! »

Mr Mundy pinça sa cigarette et la remit dans le paquet ; puis, sous le regard de Duncan, en prit deux autres, souleva le coin de l'oreiller et les glissa au-dessous. Sur quoi il lui fit un clin d'œil et donna un petit coup sur l'oreiller pour le lisser ; il se redressa à l'instant où les premiers détenus passaient devant la porte. Crawley, Waterman, Giggs, Quigley... Puis Fraser apparut. Il avait les mains au fond des poches, et heurtait ses godillots l'un contre l'autre à chaque pas. Toutefois, il parut se dérider en voyant Mr Mundy.

« Bonsoir, fit-il, quel honneur, vraiment ! Et n'est-ce pas une odeur de vrai tabac que je sens là ? Salut, Pearce. Comment s'est passée la visite ? Vu ta tête, aussi bien que la mienne. Et puis Mr Chase a fait très fort, en nous renvoyant aux Paniers et en libérant les Sacs. »

Duncan ne répondit rien. De toute façon, Fraser n'écoutait pas. Il regardait Mr Mundy, qui passait devant lui pour sortir. « Vous ne nous quittez pas, monsieur ?

— J'ai du travail, répondit Mr Mundy, raidi. Mes journées ne finissent pas à cinq heures, comme les vôtres.

— Oh, mais donnez-nous vraiment quelque chose à faire, fit Fraser, de son ton artificiel, théâtral. Apprenez-nous un vrai métier. Payez-nous un vrai salaire, au lieu de l'aumône à laquelle on a droit. Je suis sûr qu'on travaillerait d'arrache-pied ! Vous pourriez même réussir à faire de nous de vrais hommes ! Vous imaginez ça, une prison qui crée des hommes ! »

Mr Mundy hocha la tête brièvement, sèchement. « Tu es un malin, mon garçon, dit-il en sortant.

— C'est toujours ce que m'a dit mon père, Mr Mundy, repartit Fraser. Si malin que je me jouerais des tours à moi-même. Pas vrai ? »

Il se mit à rire et regarda Duncan comme s'il allait se joindre à lui.

Mais Duncan évita son regard. Il s'allongea sur sa couchette, face au mur. « Qu'est-ce qui se passe, Pearce ? Pearce ? Mais qu'est-ce que tu as, bon Dieu ? s'enquit Fraser.

— Tais-toi, tu veux bien », répondit-il. Il lança son bras en arrière, comme pour le repousser. « Ferme-la, c'est tout ce que je te demande. »

« Je vais continuer mon livre, avait dit Helen comme Kay se préparait à partir. Je vais écouter la TSF... Je vais passer mon superbe pyjama tout neuf et me mettre au lit. » Et elle le pensait. Pendant presque une heure après le départ de Kay, elle était restée allongée sur le divan, à lire *L'aventure vient de la mer*. À sept heures et demie, elle s'interrompit pour se refaire des toasts ; elle alluma la radio, une pièce de théâtre commençait juste... assez ennuyeuse. Elle écouta encore dix minutes, un quart d'heure, puis changea de station. Finalement, elle coupa la radio. Sur quoi l'appartement lui parut bien silencieux : il l'était particulièrement le soir et durant les week-ends, avec l'entrepôt de meubles fermé, obscur. Et ce silence, cette tranquillité agissaient parfois sur les nerfs d'Helen.

Elle s'installa de nouveau avec son livre, mais s'aperçut qu'elle ne parvenait pas à se concentrer. Elle essaya de prendre un magazine à la place ; son regard glissait sur les mots imprimés, sans se fixer sur rien... L'idée commença de sourdre en elle qu'elle perdait son temps. C'était son anniversaire — un anniversaire en temps de guerre. Peut-être le dernier ! « Peut-être qu'on ne peut pas espérer vivre une belle journée en temps de guerre », avait dit Kay plus tôt dans l'après-midi ; et pourquoi pas ? Combien de temps allait-on encore laisser cette guerre tout gâcher ? On avait été tellement patient. À vivre dans l'obscurité. À vivre sans sel, sans parfum. À ne se nourrir que de petites rognures de joie, comme des croûtes de fromage... Soudain, elle avait conscience de chaque minute qui passait : elle les ressentait brusquement pour ce qu'elles étaient, des fragments de sa vie, de sa jeunesse, qui s'écoulaient sans retour, comme autant de gouttes qui tombent.

Je veux voir Julia, se dit-elle. C'était comme si quelqu'un l'avait saisie aux épaules et secouée en lui chuchotant d'une voix précipitée : *Mais qu'est-ce que tu attends ? Mais vas-y !* Elle jeta son magazine, bondit sur ses pieds, courut aux toilettes, à la salle de bains, se peigna rapidement, se remaquilla ; elle passa son manteau, son écharpe, coiffa le béret de laine qu'elle portait l'après-midi, et sortit.

La ruelle des anciennes écuries était bien sûr plongée dans l'obscurité, les pavés glissants de givre ; mais elle la traversa sans l'aide de sa torche. Elle percevait, émanant des divers pubs de Rathbone Place, les tintements des verres entrechoqués, le brouhaha des voix gorgées de bière, l'écho aigrelet, comme gris lui aussi, d'un piano mécanique. Tous ces sons la rassuraient. Des gens étaient là, dehors, qui s'amusaient. Pourquoi pas elle ? Elle n'avait même pas trente ans... Elle prit Percy Street, passant devant les vitrines occultées des cafés et des restaurants. Traversa Tottenham Court Road, pénétra dans les rues mesquines de Bloomsbury.

Le quartier était tranquille, et elle marchait d'un pas vif ;

puis son pied heurta un trottoir brisé, et elle trébucha, faillit tomber, après quoi elle se força à adopter une allure plus raisonnable, et à utiliser sa torche, avec précaution.

Mais son cœur battait la chamade, comme si elle courait. *C'est de la folie, Helen !* se répétait-elle. Qu'allait penser Julia ? Elle ne serait probablement même pas chez elle. Pourquoi serait-elle chez elle ? Ou bien en train d'écrire, alors. Ou bien peut-être avait-elle de la visite. Quelqu'un, un ami, une amie...

Cette idée lui fit ralentir le pas. Il ne lui était pas venu à l'esprit que Julia pouvait avoir une amante. Elle n'avait jamais fait allusion à quiconque dans sa vie ; mais cela devait lui ressembler, se dit Helen, de garder ce genre de chose pour elle. Pourquoi aurait-elle dû en parler à Helen, de toute façon ? Qu'existait-il entre elles deux ? Elles avaient bu un thé, une fois, dehors, devant le métro de Marylebone. Ensuite elles avaient fait le tour de cette maison de Bryanston Square, quasiment en silence. Puis elles s'étaient revues, avaient bu quelques verres dans un pub ; et pendant la coupure du déjeuner, quelques jours auparavant, étaient allées s'asseoir au bord de l'étang de Regent's Park, parce qu'il faisait du soleil...

Voilà tout ; et pourtant, il semblait à Helen que ces brèves rencontres avaient imperceptiblement transformé le monde. Elle se sentait reliée à Julia, à présent, comme par un fil très fin, vibrant. Elle aurait pu fermer les paupières et, du bout du doigt, toucher le point exact de sa poitrine où ce fil pénétrait en elle, délicatement, pour s'attacher à son cœur.

Elle était arrivée à la station de métro de Russell Square, et les rues se faisaient plus animées. Elle aperçut au passage un petit groupe de passagers qui venaient de sortir des couloirs et, l'air un peu hagard, attendaient que leurs yeux se fassent à l'obscurité.

Cette vision, tout comme les sons provenant des pubs de Rathbone Place, raviva sa confiance en elle. Elle continua, passa devant les jardins du Foundling Estate ; hésita une seconde à peine, à l'entrée de Mecklenburgh Square, puis y pénétra résolument.

La place paraissait hostile dans la pénombre, bordée de façades géorgiennes lisses et blanches, aussi neutres que des visages ennuyés mais bien éduqués — et puis elle avança encore, et aperçut le ciel derrière les fenêtres : beaucoup de maisons avaient été évidées, curées par les déflagrations et les incendies. Il lui semblait se souvenir laquelle était celle de Julia, bien qu'elle n'y fût allée qu'une seule fois. Elle était certaine qu'elle se trouvait à l'extrémité d'une rangée. Elle se souvenait d'une marche cassée, qui avait branlé sous son pied.

Elle gravit le perron de la maison qui lui semblait correspondre à ses souvenirs. Les marches étaient ébréchées, mais ne bougeaient pas. Peut-être l'avait-on réparée...

Soudain, elle n'était plus sûre d'être au bon endroit. Elle chercha la sonnette de Julia : il y en avait quatre, anonymes. Laquelle était la bonne ? Elle n'en avait aucune idée et appuya au hasard. Elle perçut la sonnerie quelque part aux tréfonds de l'immeuble, faisant écho comme dans une pièce vide ; rien qu'au son, elle sut que ce n'était pas celle-ci et, sans attendre, en choisit une autre. La sonnerie était moins claire, elle ne pouvait discerner d'où elle provenait. Il lui sembla percevoir un mouvement au rez-de-chaussée ou au premier étage ; déjà, elle se disait *Ce n'est pas ça, ce doit être la suivante*. Jamais deux sans trois, jamais, dans les histoires, dans les sortilèges, dans la vie... Mais le mouvement se fit de nouveau entendre. Il y eut un bruit de pas discrets, comme des pieds nus, dans un escalier. La porte s'ouvrit, Julia apparut.

Il lui fallut un moment pour identifier Helen dans la demi-obscurité, éclairée seulement par la lueur d'une torche à demi voilée. Puis elle reconnut la femme qui se tenait là, s'agrippa au rebord de la porte. « Qu'est-ce qu'il y a ? C'est Kay ? » demanda-t-elle.

Kay est au courant. Voilà ce qu'Helen crut entendre ; son cœur se contracta. Puis elle comprit, avec angoisse, que Julia pensait qu'elle venait lui apprendre une mauvaise nouvelle. « Non, dit-elle aussitôt, le souffle court. Non, je... je voulais simplement vous voir, Julia. J'avais envie de vous voir, c'est tout. »

Julia ne répondit pas. La torche éclairait son visage comme elle avait dû éclairer celui d'Helen, en faisant un masque étrange. Son expression était indéchiffrable. Mais au bout d'un moment, elle ouvrit plus grand la porte, s'effaça.

« Entrez », dit-elle.

Elle la précéda dans un escalier obscur, jusqu'au premier étage. La fit entrer dans un minuscule vestibule, puis écarta un rideau pour pénétrer dans un salon. La lumière pourtant tamisée paraissait vive, après le noir du dehors. Helen se sentit vulnérable, mal à l'aise.

Julia se pencha pour ramasser une paire de chaussures jetées là, une serviette à thé, une veste tombée au sol. Elle semblait préoccupée, comme absente ; ne manifestait aucune surprise, aucune joie qu'Helen soit venue. Ses cheveux étaient très noirs, et curieusement plaqués sur son crâne ; comme elle s'avançait sous la lumière, Helen s'aperçut avec consternation qu'ils étaient humides, qu'elle venait sans doute de les laver. Elle avait le visage très blanc, sans aucun maquillage. Elle portait un pantalon de flanelle

411

froissé, une chemise à col ouvert et un gilet sans manches. Aux pieds, ce qui semblait être des chaussettes de laine et une paire de babouches marocaines, rouges.

« Attendez, je vais dégager tout ça », dit-elle en passant de nouveau derrière le rideau, emportant la veste et les chaussures.

Helen demeurait immobile, nerveuse, regardant autour d'elle.

C'était une grande pièce chaude et en désordre, très différente de l'appartement bien rangé de célibataire de Kay, mais pas non plus tout à fait ce qu'Helen s'était attendue à trouver. Les murs étaient nus, simplement badigeonnés d'un rouge irrégulier, plus clair, plus sombre ici et là ; au sol, un mélange de kilims turcs et de faux tapis d'Orient, se chevauchant les uns les autres. Le mobilier était très quelconque. Il y avait un grand divan couvert de coussins désassortis et un fauteuil de velours d'un rose sale, sous l'assise duquel apparaissaient des ressorts et des lambeaux de jute. La cheminée était de marbre peint. Sur le manteau, un cendrier débordant de mégots. L'un d'eux fumait encore : Julia réapparut, le prit et l'écrasa.

« Cela ne vous ennuie pas que je sois passée, n'est-ce pas ?

— Bien sûr que non.

— Je me promenais. Et puis j'ai vu où j'étais. Je me suis souvenue de votre maison.

— Vraiment ?

— Oui. Je suis déjà venue ici, il y a des siècles de cela. Avec Kay. Vous ne vous rappelez pas ? Elle vous apportait quelque chose — un carnet de tickets, ou un livre, quelque chose comme ça. Nous ne sommes pas montées, vous avez dit que l'endroit était trop en désordre. Nous sommes restées dans le hall, en bas... Et vous vous en *souvenez*, non ? »

412

Julia fronça les sourcils. « Oui, dit-elle enfin, d'une voix lente. Oui, il me semble. »

Leurs regards se croisèrent, puis se séparèrent aussitôt, comme perplexes ou gênés, car Helen s'apercevait qu'il était à présent impossible d'imaginer que passer ainsi chez Kay, en compagnie de Julia, ait pu à un moment être la chose la plus ordinaire, la plus anodine qui soit ; impossible de s'imaginer aux côtés de Kay, sur le seuil, bavardant poliment avec Julia, en trouvant simplement la situation légèrement embarrassante entre elles deux. De nouveau, elle s'interrogea : que s'était-il passé depuis ? Il ne s'était rien passé, en fait.

Mais s'il ne s'est rien passé, se demanda-t-elle alors, *pourquoi ai-je dissimulé ce rien à Kay ?*

Elle savait ce qu'elle faisait là, pourquoi elle était venue. Elle commençait d'avoir peur.

« Je ferais peut-être mieux d'y aller, finalement, dit-elle.

— Mais vous arrivez à peine !

— Vous venez juste de vous laver les cheveux. »

Julia fronça de nouveau les sourcils, comme agacée. « Vous avez déjà vu des cheveux mouillés dans votre vie, non ? Ne soyez pas sotte. Asseyez-vous, je vous prépare un verre. J'ai une bouteille de vin ! Cela fait des semaines qu'il est là, et je n'ai pas eu l'occasion de l'ouvrir. C'est du vin d'Algérie, mais c'est déjà ça. »

Elle se pencha pour ouvrir un placard, et se mit à déplacer des objets à l'intérieur. Helen l'observa une seconde, puis fit un pas et regarda de nouveau autour d'elle, toujours nerveuse. Elle se dirigea vers une étagère couverte de livres, les parcourut du regard. C'étaient essentiellement des romans noirs, au dos orné de lettres criardes. Parmi eux, se trouvaient les deux titres que Julia avait déjà publiés : *Mort progressive* et *Vingt meurtres mortels*.

413

Elle passa des livres aux tableaux accrochés aux murs, aux bibelots sur la cheminée. Si mal à l'aise et anxieuse fût-elle, elle tenait à ne manquer aucun détail, car chacun pouvait lui en dire un peu plus sur Julia.

« C'est charmant, chez vous, dit-elle de manière convenue.

— Vous trouvez ? » Julia ferma le placard, se redressa. Elle tenait à la main une bouteille, un tire-bouchon, deux verres. « Ce sont surtout les affaires de ma cousine Olga, pas les miennes.

— Votre cousine Olga ?

— C'est l'appartement de ma tante. Je m'y suis installée pour éviter qu'il ne soit réquisitionné. Une de ces magouilles très convenables qui sont une spécialité bourgeoise. Il n'y a que cette pièce, et la cuisine ; la cuisine fait aussi office de salle de bains. Les toilettes sont sur le palier... Non, il est vraiment dans un état épouvantable. Il ne reste plus une seule vitre : elles étaient si souvent soufflées qu'Olga a fini par laisser tomber. L'été dernier, j'ai fait poser de la gaze à la place de carreaux : c'était très plaisant, on avait l'impression de vivre sous la tente. Maintenant il fait trop froid, et j'ai mis des plaques de mica. La nuit, rideaux tirés, c'est parfait. Mais dans la journée, ça a légèrement tendance à me déprimer. J'ai l'impression d'être une prostituée, quelque chose comme ça. »

Tout en parlant, elle enfonça le tire-bouchon, puis déboucha la bouteille, non sans forcer un peu. Elle versa le vin, jeta un regard à Helen, sourit. « Vous n'ôtez pas votre manteau ? »

Avec quelque réticence, Helen déroula son écharpe, ôta son chapeau et commença de déboutonner son manteau. Elle portait toujours la robe qu'elle avait mise le matin — la robe Cedric Allen, avec les revers crème, que Kay trouvait si belle. Elle se rendit soudain compte qu'elle l'avait gardée dans l'espoir d'impressionner Julia. Mais de voir Julia, avec ses cheveux encore humides, son pantalon tout froissé, ses chaussettes, ses babouches, la bouche pâle sans le fard — et, pis encore, l'élégance, la sensualité naturelles avec lesquelles elle arborait tout cela — la déstabilisait complètement. Elle tira maladroitement les bras de ses manches, comme si de sa vie elle n'avait jamais ôté un manteau. Julia lui jeta un nouveau regard. « Oh ! la la, mais quelle créature ! Qu'est-ce qu'on fête ? »

Helen hésita. « Mon anniversaire. »

Julia se mit à rire, pensant qu'elle plaisantait. Puis elle vit qu'elle parlait sérieusement, et son visage changea, attendri soudain. « Helen ! Mais pourquoi ne me l'avez-vous pas dit ? Si j'avais su...

— Aucune importance, dit Helen. Vraiment aucune. C'est idiot, ces anniversaires, on se sent toujours comme une gamine. Et tout le monde s'y met pour... Kay m'a offert une orange, conclut-elle tristement. Avec *Bon anniversaire* gravé dans l'écorce. »

Julia lui tendit un verre de vin rouge. « Elle a bien fait, dit-elle. Et c'est très bien, que vous vous sentiez comme une gamine.

— Je ne sais pas si elle a bien fait, dit Helen. J'ai été impossible avec elle, aujourd'hui. Pire qu'une gamine, justement. J'ai été... » Elle ne parvint pas à finir. Esquissa un geste vague, comme pour chasser le souvenir de son comportement.

« Ne vous inquiétez pas », dit Julia, doucement. Elle leva son verre. « Tchin-tchin, santé, à la vôtre — et toutes ces choses idiotes que tout le monde dit, et qui me donnent toujours l'impression que je vais mourir demain. Trinquons, à la chance. » Elles entrechoquèrent leurs verres, deux fois, le ballon, et le pied ; elles burent une gorgée. Le vin râpeux les fit grimacer.

Elles se séparèrent. Helen avait dégagé quelques coussins sur le divan, pour s'asseoir. Julia s'installa sur le bras du fauteuil de velours rose, les jambes tendues. Ses jambes semblaient incroyablement longues et minces dans le pantalon de flanelle ; ses hanches étroites avaient quelque chose de fragile, de vulnérable — comme si, se dit Helen, on pouvait les prendre entre ses mains et les briser d'un coup. Julia avait pris le cendrier, et tendait la main vers la cheminée pour saisir les cigarettes et les allumettes. Dans ce geste, son pull-over se releva. Le bas de la chemise était déboutonné au-dessous ; les pans s'écartèrent, révélant son ventre ferme et plat, son nombril bien dessiné. Helen regarda, puis, presque aussitôt, détourna les yeux.

Un des coussins tomba. Helen se pencha pour le ramasser et se rendit compte que ce n'était pas un coussin, mais un oreiller. Le divan devait faire office de lit, dans ce studio ; chaque nuit, Julia devait y étendre draps et couvertures, s'y déshabiller... L'image n'était pas à proprement parler érotique, car on voyait n'importe où des lits improvisés, des oreillers, des vêtements de nuit, et tout cela avait depuis longtemps perdu son caractère intime, sexuel. Mais elle trouvait l'idée émouvante, et vaguement dérangeante aussi. Elle observa de nouveau la silhouette élégante et fragile de Julia. *Mais qu'y a-t-il, chez elle, en fait ?* se demanda-t-elle. *Pourquoi est-elle toujours si seule ?*

Elles restaient là en silence. Helen s'apercevait qu'elle n'avait rien à dire. Elle prit encore une gorgée de vin, puis entendit soudain des bruits provenant de l'étage supérieur : pas irréguliers, craquements de plancher. Elle renversa la tête, leva les yeux vers le plafond.

Julia l'imita. « C'est mon voisin, un Polonais, murmura-t-elle. Il est arrivé à Londres par un coup de chance. Il va et vient comme ça pendant des heures. Il dit que les rares nouvelles qu'il a de Varsovie sont de pire en pire...

— Mon Dieu, dit Helen. Cette saleté de guerre. Vous pensez sincèrement que c'est vrai, ce que tout le monde dit ? Que ce sera bientôt fini ?

— Comment savoir ? Si le deuxième front se décide à y aller, c'est possible. Mais moi, je dirais qu'on en a encore pour un an, au moins.

— Encore un an... J'aurai trente ans.

— Et moi trente-deux.

— Le plus mauvais âge, vous ne pensez pas ? À vingt ans, on pourrait passer outre, on serait encore jeunes. À quarante, on serait assez âgées pour ne pas se soucier d'être encore un peu plus vieilles. Mais trente ans... Je serai passée de la jeunesse à l'entre-deux-âges. Que pourrai-je attendre ? Le retour d'âge ? Il paraît que c'est encore pire pour les femmes sans enfants... Ne riez pas ! Vous au moins, Julia, vous aurez fait quelque chose de votre vie. Je veux parler de vos livres. »

Julia baissa la tête, souriant toujours. « Oh, ça ! C'est comme des grilles de mots-croisés, pour moi. Vous savez, le premier, je l'ai écrit vraiment comme ça, presque pour rire. Et puis je me suis aperçue que j'étais douée. Je ne sais pas du tout ce que ça peut révéler sur moi. Kay a toujours trouvé que c'était assez bizarre d'écrire des histoires de meurtres, surtout maintenant, alors que des milliers de gens se font tuer autour de nous. »

C'était la deuxième ou troisième fois que le nom de Kay était prononcé ; mais il parut soudain résonner différemment, les frapper toutes deux. Elles replongèrent dans le silence. Julia faisait tourner le vin dans son verre, en le regardant fixement, comme une diseuse de bonne aventure.

417

« Je ne vous l'ai jamais demandé, dit-elle enfin, sans lever les yeux, d'une voix changée, mais qu'a-t-elle pensé du fait qu'on se soit rencontrées, comme ça, l'autre jour ?

— Elle en est heureuse, dit Helen après un temps.

— Et cela ne la dérange pas que nous nous revoyions ? Que vous veniez ici ce soir ? »

Helen reprit une gorgée de vin, sans répondre. Julia leva les yeux et croisa son regard. Elle devait être empourprée, paraître coupable. Julia fronça les sourcils. « Vous ne lui en avez pas parlé, c'est cela ? »

Helen secoua la tête.

« Pourquoi ?

— Je ne sais pas.

— Vous vous êtes dit que ça n'en valait pas la peine ? Oui, c'est sans doute assez juste.

— Non, Julia, ce n'est pas ça. Ne soyez pas sotte. »

Julia se mit à rire. « Mais quoi, alors ? Ma question vous ennuie ? Je suis curieuse de nature. Mais je me tais, si vous préférez. Si c'est quelque chose de... enfin, entre vous et Kay, je...

— Mais non, rien du tout, dit Helen vivement. Non, je vous l'ai dit, Kay a été ravie d'apprendre que nous nous étions rencontrées. Elle serait tout aussi ravie de savoir que nous continuons de nous voir.

— En êtes-vous sûre ?

— Tout à fait, bien sûr ! Elle a beaucoup d'affection pour vous ; et donc, elle tient aussi à ce que je vous apprécie. Ç'a toujours été le cas.

— Quelle générosité. Et est-ce que vous m'appréciez, Helen ?

— Mon Dieu, mais naturellement.

— Il n'y a rien de naturel à cela.

— Artificiellement alors, fit Helen avec une grimace.

— Mais vous n'en parlez pas à Kay ? »

Helen remua, mal à l'aise. « J'aurais dû, je sais, dit-elle. Je regrette de ne pas l'avoir fait. Mais avec Kay, quelquefois, c'est... » Elle s'interrompit. « Cela peut sembler puéril, et pas très aimable, mais Kay me... enfin, me couve tellement. Cela me donne envie, quelquefois, de ne pas tout lui dire, de garder des choses pour moi, même des choses anodines, des bêtises. Des choses, pour moi toute seule... »

Elle sentait son cœur s'accélérer tandis qu'elle parlait : elle craignait que Julia ne perçoive le trouble dans sa voix. Car tout en disant cela, et en le pensant, par ailleurs, elle savait que la vérité n'était pas vraiment là. Qu'elle déplaçait le propos. Qu'elle bottait en touche, avec des mots comme *anodines* et *puéril*. Qu'elle feignait d'ignorer l'existence de ce fil invisible, très fin, vibrant, qui la reliait à Julia, à chaque mouvement, chaque respiration de celle-ci...

Peut-être cela avait-il marché. Julia continua de fumer en silence, l'air pensif ; puis elle écrasa sa cigarette et se leva. « Kay veut une épouse », dit-elle. Elle sourit. « On dirait une comptine, non, un jeu ? Kay veut une épouse, Kay veut se marier. Avec Kay, il faut être l'épouse, la moitié, sinon rien... »

Elle bâilla, comme si l'idée l'ennuyait, puis se dirigea vers la fenêtre et écarta le rideau. Helen vit des petits éclats dans le gris du mica. Julia approcha un œil et regarda audehors. « C'est détestable, ces soirées, n'est-ce pas ? Toujours à se demander si on va avoir une alerte, etc. Comme si on attendait une exécution, sans savoir si elle aura lieu.

— Préférez-vous que je m'en aille ? demanda Helen.

— Oh, mais non ! Je suis ravie que vous soyez là. C'est bien pire quand on est seule, vous ne trouvez pas ?

— Oui, bien pire. Mais ce n'est pas beaucoup mieux

dans les abris. Kay veut toujours que je descende dans celui de Rathbone Place ; mais je ne supporte pas, j'ai l'impression d'être prise au piège. Tant qu'à être pétrifiée de terreur, je préfère que ce soit seule, plutôt que de me montrer à des inconnus.

— Oui, moi aussi, dit Julia. Quelquefois, je sors, vous savez. Je me sens plus à l'aise au-dehors.

— Vous allez vous promener, en plein black-out ? Ce n'est pas dangereux ? »

Julia haussa les épaules. « Si, probablement. Mais tout est dangereux, ces temps-ci. » Elle laissa retomber le rideau et revint dans la pièce, reprit son verre.

Helen sentit de nouveau son cœur s'affoler. Il lui apparut qu'elle aimerait mille fois mieux se trouver avec Julia dans la rue, dans l'obscurité, qu'ici, dans cette lumière douce, intime, risquée. « Et si nous sortions, Julia ? demanda-t-elle. Maintenant ? »

Julia la regarda. « Maintenant ? Faire un tour, vous voulez dire ? Cela vous tente ?

— Oui », dit Helen. Le vin faisait son effet ; elle se mit à rire.

Julia l'imita. Ses yeux sombres brillaient d'une excitation, d'une joie malicieuses. Elle s'agita soudain, plus vivement, renversa la tête pour finir d'un trait son verre qu'elle reposa un peu trop brusquement sur la cheminée, le faisant tinter contre le marbre peint. Elle regarda le feu, s'accroupit et se mit à recouvrir le charbon de cendres. Elle gardait sa cigarette pincée au coin des lèvres, avec sur le visage une expression de concentration et de dégoût intenses, les paupières plissées et la tête penchée selon un angle inconfortable pour échapper au nuage gris qui montait — une pose de débutante, se dit Helen, de jeune fille riche, un soir où la bonne a quartier libre... Puis elle se leva et épousseta ses

420

genoux ; elle repassa derrière le rideau pour chercher son manteau et ses chaussures. Réapparut bientôt vêtue d'une veste croisée noire, aux boutons de cuivre poli, une sorte de caban de marin. Elle fit halte devant le miroir, se mit du rouge, de la poudre, remonta le col. Elle passa une main perplexe sur sa chevelure encore humide, puis tira une casquette molle de velours noir de sous un enchevêtrement de gants et d'écharpes, la coiffa, fourra ses cheveux à l'intérieur.

« Je m'en mordrai les doigts, quand je verrai comment mes cheveux ont séché », dit-elle. Elle croisa le regard d'Helen. « Je ne ressemble quand même pas à Mickey, si ? »

Helen eut un rire coupable. « Pas du tout.

— Ni à une fille travestie en marin dans un cabaret ?

— Non. Plus à une espionne, dans un film. »

Julia inclina sa casquette. « Mon Dieu, tant que je ne nous fais pas arrêter pour espionnage... Je vais vous dire quoi : on emporte la bouteille. » Elle était encore à moitié pleine. « Je n'en aurai pas envie demain, et on l'a à peine entamée.

— Là, on risque vraiment de se faire arrêter.

— Ne vous inquiétez pas, j'ai tout prévu. »

Elle retourna au placard, fouilla à l'intérieur et en tira la gourde de soldat dans laquelle elles avaient déjà bu du thé, à Bryanston Square. Elle ôta le bouchon de liège, renifla puis y versa le vin, avec précaution. Il y en avait juste assez pour la remplir. Elle la reboucha et la fourra dans la poche de sa veste. Dans l'autre, elle glissa une torche.

« À présent, vous avez l'air d'un cambrioleur, déclara Helen en boutonnant son manteau.

— Mais vous oubliez que c'est ce que je suis : un cambrioleur. J'entre par effraction dans les maisons, mais de jour. Ah, une dernière chose. » Elle ouvrit un tiroir et en sortit une liasse de feuillets, de ce même papier très fin, le papier « pelure », que l'on donnait à Helen au bureau. Ils étaient entièrement couverts d'une écriture manuscrite serrée, à l'encre noire...

« Ce n'est pas votre manuscrit ? » demanda Helen, impressionnée.

Julia hocha la tête. « C'est pénible, mais j'ai peur pour lui, à cause des bombes. » Elle sourit. « J'imagine que finalement, cela compte un peu plus pour moi que des mots-croisés. Je l'emporte toujours, où que j'aille. » Elle roula les feuillets, les fourra dans la poche intérieure de son manteau. Tapota l'épaisseur au travers du tissu. « Là, je suis tranquille.

— Et si vous êtes touchée ?

— Alors je m'en ficherai, de toute façon. » Elle enfila ses gants. « Prête ? »

Elle la précéda dans l'escalier. « Je déteste ce moment-là, dit-elle. Bon, on ferme les yeux et on compte, comme ils disent de le faire. » Elles restèrent immobiles sur le seuil, serrant les paupières. « *Un, deux, trois...* »

« Jusqu'à combien ? demanda Helen.

— *... douze, treize, quatorze, quinze* — c'est bon ! »

Elles ouvrirent de nouveau les yeux, clignèrent des paupières.

« Vous voyez une différence ?

— Non. Il fait toujours aussi noir qu'au fond d'un puits. »

Elles allumèrent leur torche et descendirent les marches du perron. Le visage de Julia s'encadrait, pâle, étrange, dans l'angle bizarre que faisaient le col relevé et la casquette. « Par où allons-nous ? demanda-t-elle.

— Je ne sais pas. C'est vous qui avez l'habitude de ce genre de chose. Choisissez.

— Très bien », dit Julia, se décidant soudain. Elle prit le bras d'Helen. « Par là. »

Elles prirent à gauche, par Doughty Street ; puis à gauche de nouveau, empruntant Gray's Inn Road ; puis à droite, vers Holborn. Durant le court laps de temps où Helen était chez Julia, les rues s'étaient presque entièrement vidées. On ne croisait qu'un taxi ou un camion de temps en temps — évoquant, dans l'obscurité, autant d'insectes noirs, rampants, à la carapace luisante et cassante, aux yeux à demi masqués, diaboliques. Les trottoirs aussi étaient presque déserts, et Julia marchait d'un bon pas dans le froid. Helen sentait contre elle — comme avec une acuité nouvelle, un sixième sens né de l'obscurité — le poids, la pression de son bras, la proximité de son visage, et sa hanche, sa cuisse, qui ondulaient au rythme de ses pas.

Arrivées à ce qui devait être le croisement de Clerkenwell Road, elles prirent à gauche. Au bout d'un petit moment, Julia les fit tourner de nouveau — à droite, cette fois. Helen regarda autour d'elle, soudain perplexe.

« Où sommes-nous ?

— À Hatten Garden, je pense. Oui, ce doit être ça. »

Elles parlaient bas dans la rue déserte.

« Vous en êtes sûre ? On ne va pas se perdre ?

— Comment pourrions-nous nous perdre, puisque nous ne savons pas où nous allons... ? Et de toute façon, on ne peut pas se perdre dans Londres, même en plein black-out, et même avec tous les panneaux arrachés. Sinon, on ne mérite pas d'y habiter. Ce devrait être un examen obligatoire, pour vivre ici.

— Et si on le rate, on se fait chasser à coups de pied ?

— Absolument, dit Julia en riant. Et on est obligé d'aller s'installer à Brighton. » Elles reprirent à gauche, descendirent une petite pente. « Tenez, ce doit être Farrington Road. »

Là, il y avait de nouveau des taxis, des piétons, il régnait un sentiment d'espace — mais aussi une atmosphère sinistre, car la moitié des maisons bordant la rue, endommagées, avaient leurs ouvertures condamnées par des planches. Julia guida Helen vers le sud, vers le fleuve. Comme elles arrivaient à un poste d'îlotier, sous une arche du viaduc de Holborn, un homme entendit leurs voix et donna un coup de sifflet, puis les interpella :

« Mesdames, là ! Il faut mettre une écharpe blanche ou tenir un papier à la main !

— D'accord ! » répondit Helen, obéissante.

« Et si nous préférons être invisibles ? » murmura Julia.

Elles traversèrent Ludgate Circus et se dirigèrent vers l'entrée du pont. Firent halte pour observer les gens qui descendaient dans la station de métro avec des sacs, des couvertures, des oreillers.

« C'est bizarre, n'est-ce pas, demanda Helen à mi-voix, de voir encore des gens faire ça, après tout ce temps ? J'ai entendu dire qu'ils font la queue dès quatre ou cinq heures de l'après-midi, à certaines stations. Je ne supporterais pas. Et vous ?

— Non, moi non plus, je ne pourrais pas, dit Julia.

— Mais ils n'ont aucun autre endroit où se réfugier. Et regardez, il n'y a que des vieilles personnes, et des enfants.

— C'est horrible. Tous ces gens obligés de vivre comme des taupes. On se croirait revenu au Moyen Âge. Non, pire encore. À l'âge des cavernes. »

Il y avait, de fait, quelque chose de préhistorique dans ces silhouettes chargées qui se dirigeaient d'un pas incertain vers la bouche béante, à peine éclairée, du métro. C'eût pu être des mendiants, des chemineaux ; des réfugiés d'une autre guerre très ancienne, des temps médiévaux — ou d'une guerre future née sous la plume de H.G. Wells ou de quelque autre auteur de fiction... Helen saisit des bribes de conversations : « Cul par-dessus tête ! On a ri, mais on a ri... ! » ; « Une livre d'oignons et une bonne selle de porc » ; « Alors il a dit » ; « Il a de drôles de dents, votre peigne ; à ce prix-là, il devrait avoir de meilleures dents que moi... ».

« Venez, dit-elle, entraînant Julia par le bras.

— Où ?

— Vers le fleuve. »

Elles marchèrent jusqu'au milieu du pont, puis éteignirent leur torche et observèrent la ville, vers l'est. La Tamise coulait sans reflet sous le ciel sans étoile, comme un fleuve de mélasse ou de goudron, ou même comme tout autre chose qu'un fleuve, un chenal, une entaille dans la terre, impossible à identifier... La sensation d'être suspendu au-dessus, porté par ce pont presque invisible, était très déstabilisante. Helen et Julia se donnaient le bras en se penchant sur la rambarde, pour regarder en bas ; elles s'étaient rapprochées l'une de l'autre.

Mais en sentant contre son épaule la pression de celle de Julia, Helen se revit soudain, avec une précision terrible, sur ce petit pont de Hampstead Heath, avec Kay, quelques heures auparavant. « C'est pas possible, murmura-t-elle.

— Que se passe-t-il ? » demanda Julia. Mais tout doucement aussi, comme si elle savait ce dont il s'agissait. « Vous voulez rentrer ?

— Non, dit Helen après une hésitation. Et vous ?

— Non. »

Elles demeurèrent ainsi un moment, puis se remirent à marcher ; revinrent tout d'abord sur leurs pas, jusqu'au pied de Ludgate Hill. Mais là, sans même se consulter, elles obliquèrent et se dirigèrent vers la cathédrale St Paul.

Les rues se faisaient de nouveau plus calmes et, une fois passé sous le pont de chemin de fer, l'atmosphère de toute la ville leur parut se métamorphoser. Il régnait là le sentiment — car on ressentait cela, plus qu'on ne le voyait — d'un espace étrangement dénudé, vulnérable, de la cité. Les trottoirs étaient bordés de clôtures et de palissades, mais les pensées d'Helen, malgré elle, s'infiltraient entre les planches minces, s'étendaient sur les terrains vagues et les décombres au-delà, tous ces objets brûlés, brisés, ces poutres mises à nu et ces caves éventrées, ces briques pulvérisées... Julia et elle avançaient en silence, saisies par cette atmosphère surnaturelle. Elles firent halte devant les escaliers du parvis, et Helen leva les yeux, tentant de discerner la silhouette immense, irrégulière, de la cathédrale contre le noir du ciel.

« Dire que, cet après-midi, je la voyais depuis Parliament Hill », dit-elle. Elle n'ajouta pas qu'elle avait aussi cherché Mecklenburgh Square du regard, fébrilement ; elle-même l'avait oublié, en cet instant. « On aurait dit qu'elle menaçait tout Londres ! Comme un énorme crapaud prêt à l'avaler.

— Oui, dit Julia. Je ne suis pas trop sûre d'aimer cet endroit, jamais. Tout le monde bénit le ciel que St Paul n'ait pas été touchée, mais... je ne sais pas, ça m'apparaît toujours bizarre. »

Helen la regarda. « Vous ne regrettez quand même pas qu'elle n'ait pas été bombardée ?

— Je préférerais certainement que ce soit elle, plutôt qu'une famille de Croydon ou de Bethnal Green. Mais voilà, elle est là, posée là comme... je ne dirais pas un crapaud, mais comme une espèce d'immense Union Jack, oui, comme Churchill, tenez : "L'Angleterre tiendra", tout ça comme pour justifier que la guerre continue...

— Mais *c'est* une justification, en fait, vous ne trouvez pas ? demanda Helen, à mi-voix. Je veux dire que tant que nous avons St Paul — et là, je ne parle pas de Churchill ou de drapeaux —, tant que nous avons St Paul et tout ce qu'elle représente, l'élégance, la raison et... et la beauté, la très grande beauté, tout cela vaut la peine qu'on se batte pour le défendre, n'est-ce pas ?

— Vous croyez que c'est pour cela qu'on se bat ?

— Pourquoi, selon vous ?

— Par goût de la sauvagerie, bien plus que par amour de la beauté. Selon moi, l'esprit dans lequel a été bâtie St Paul se révèle très, très fragile : c'est une feuille d'or, qui pèle de tous côtés. S'il n'a pas pu nous épargner la dernière guerre, ni maintenant celle-ci — ni Hitler et le nazisme, ni la haine des Juifs, ni les bombes qui pleuvent sur les femmes et les enfants, dans nos villes, dans nos campagnes —, à quoi sert-il ? Si nous devons nous battre à ce point pour le protéger, si nous devons mettre des vieillards à patrouiller au sommet des églises pour en chasser les cartouches incendiaires avec de petits balais, quelle valeur peut-il avoir ? Est-il vraiment présent au cœur de l'être humain ? »

Helen frissonna soudain, saisie par la tristesse affreuse des paroles de Julia, et entr'apercevant aussi comme un éclat noir en elle — une obscurité confondante, effrayante. Elle posa la main sur son bras.

« Si je pensais cela, Julia, dit-elle dans un souffle, je voudrais mourir. »

Julia demeura un instant immobile, figée, puis fit un pas, donna un coup de pied dans le gravier. « Oui, dit-elle d'un ton moins grave, je ne dois pas le penser, pas vraiment ; sinon je voudrais mourir, moi aussi. Parce que ce sont des choses que l'on ne *peut* pas penser, n'est-ce pas ? On préfère s'attarder », sans doute pensait-elle aux gens qu'elles avaient vus descendre dans le métro avec leurs oreillers, « sur le prix d'un peigne ; sur le porc et les oignons. Sur la rareté des cigarettes. Oh, vous en voulez une, au fait ? »

Elles se mirent à rire, et l'ombre passa. Helen retira sa main. Julia tira un paquet de sa poche, un peu difficilement à cause de ses gants. Elle craqua une allumette, et son visage jaillit brusquement dans la lumière, jaune et noir. Helen se pencha vers la flamme, puis se redressa et fit mine de repartir. L'éclat de la lumière l'aveuglait de nouveau. Julia la prit par le bras, et elle se laissa guider.

Puis elle vit dans quelle direction Julia l'emmenait : vers l'est, vers les terrains vagues derrière St Paul. « Par là ? demanda-t-elle, surprise.

— Pourquoi pas ? répondit Julia. Il y a un endroit que j'aimerais vous montrer. Je pense que c'est faisable, en suivant la rue. »

Ainsi, elles laissèrent la cathédrale derrière elles pour suivre la piste de décombres et de chaussée défoncée qui était autrefois Cannon Street, mais évoquait plus à présent un fantôme de route traversant une campagne sans relief. En l'espace d'une minute ou deux, le ciel semblait s'être immensément agrandi au-dessus de leur tête, donnant une illusion de lumière ; toutefois, elles ne pouvaient guère que ressentir bien plus que voir le paysage de désolation qui les entourait : quand elles essayaient de distinguer le sol obscur sous leurs pas, leurs regards y glissaient, sans repère. Deux ou trois fois, Helen porta la main à ses yeux, comme pour en chasser un voile ou une toile d'araignée imaginaire. Elles auraient aussi bien pu traverser des marécages, si étrange, si

428

dense était la matière de la nuit, si chargée de violence et de deuil.

Elles gardaient le rayon des torches très bas, suivant la ligne blanchâtre du trottoir. À chaque voiture ou camion qui passait, elles ralentissaient le pas et se serraient contre les fragiles palissades dressées pour séparer la rue des décombres, et sentaient la terre et les ronces et les pierres brisées crisser sous leurs semelles. Elles ne parlaient que par murmures.

« Je me souviens avoir fait ce trajet, le jour de l'an 1941, dit Julia. On pouvait à peine passer dans la rue, même à pied. J'étais venue regarder les églises endommagées. Je pense qu'il y en a encore plus de détruites aujourd'hui. Là-bas, dit-elle, elle désignant quelque chose de la tête, par-dessus son épaule, ce doit être les ruines de St Augustine. Elle était déjà dans un sale état quand je l'ai vue ; il me semble qu'elle a été à nouveau bombardée, non, tout à la fin du premier Blitz ?

— Je ne sais pas, dit Helen.

— Oui, je crois. Et devant nous, là, vous voyez ? » Elle fit un geste vague. « On la distingue à peine — ce doit être tout ce qui reste de St Mildred, dans Bread Street. Quelle tristesse... »

Tout en marchant, elle désignait d'autres églises détruites, les appelant par leur nom : St Mary-le-Bow, St Mary Aldermary, St James, St Michael ; elle semblait parvenir à identifier clairement les tours criblées, les clochés amputés qu'Helen avait peine à simplement distinguer. De temps à autre, elle balayait rapidement le terrain vague du faisceau de sa lampe, pour qu'Helen puisse se repérer ; le rayon cueillait au passage des éclats de verre brisé, des flaques de givre, faisait naître les couleurs : les verts, bruns et argent des orties, des fougères, des chardons. Il éclaira brièvement les yeux d'un animal.

« Regardez !

— Un chat ?

— Un renard ! Vous voyez sa queue rousse ? »

Elles l'observèrent qui filait, aussi vif et fluide que l'eau ; tentèrent de le suivre du rayon de leurs lampes. Puis elles les éteignirent et tendirent l'oreille aux froissements de feuilles, aux bruits de terre remuée. Elles imaginaient des rats, des vipères, des clochards. Elles reprirent leur marche, plus vite — quittant les terrains découverts pour trouver refuge dans les rues derrière la station de métro de Cannon Street.

Là s'élevaient des immeubles de bureaux et de banques, certains complètement soufflés en 1940 et laissés en l'état, d'autres toujours en activité. Mais à cette heure, un samedi soir, il était impossible de les distinguer les uns des autres, tous avaient ce même aspect fantomatique — plus étrange, à sa manière, que ce sentiment d'une lande déserte que donnaient les lieux ravagés, là où les bâtiments avaient totalement disparu.

Si les rues du côté de Ludgate étaient peu fréquentées, ici, elles paraissaient absolument vides. De temps en temps, de sous la terre, loin au-dessous de la chaussée brisée, leur parvenait le grondement du métro, comme si des hordes de créatures souffrantes se précipitaient dans les égouts de la ville — ce qui en fait était un peu le cas, se disait Helen.

Elle serra plus fort le bras de Julia. Quitter des lieux familiers, en plein black-out, était toujours une expérience déstabilisante. On se sentait envahi d'un singulier mélange d'angoisse et de panique, comme si l'on traversait un peloton d'exécution, avec une cible accrochée dans le dos.

« Julia, il faut qu'on soit folles pour être là ! chuchota-t-elle.

— C'est votre idée.

— Je sais bien, mais...

— Vous avez peur ?

— Oui ! N'importe qui pourrait nous attaquer, dans le noir.

— Mais si on ne peut voir personne, personne ne peut nous voir. Et puis, on nous prendrait sans doute pour un couple, un homme et une femme. La semaine dernière, je suis sortie avec ce manteau et cette casquette, et une fille installée dans une entrée d'immeuble m'a prise pour un type, et m'a montré un sein — rapidement, dans la lumière de sa torche. C'était à Piccadilly.

— Dieu du ciel.

— Oui. Et je peux vous dire que c'est une vision très bizarre, un unique sein, comme ça, éclairé dans le noir. » Elle ralentit le pas, leva le faisceau de sa lampe. « Voici St Clement, l'église de la comptine. Je suppose qu'autrefois, on débarquait des oranges et des citrons au bord de la Tamise, juste en bas. »

Helen pensa à l'orange que Kay lui avait offerte le matin même... Mais ici et maintenant, Kay, le matin, lui apparaissaient comme quelque chose de très lointain. Ils étaient restés au-delà de ce paysage de démence.

Elles traversèrent une rue. « Où sommes-nous ?

— Ce doit être Eastcheap. On est presque arrivées.

— Arrivées où ?

— À une autre église, rien de plus. Vous n'êtes pas trop déçue ?

— Je pense simplement au trajet de retour. Nous allons nous faire égorger.

— Mais comme vous êtes angoissée ! » fit Julia. Elle

431

entraîna Helen un peu plus vite, la conduisant vers un étroit passage entre deux bâtiments. « C'est Idol Lane », murmura-t-elle — à moins qu'elle n'ait dit « Idle Lane ». « C'est juste là. »

Helen résista. « Il fait trop noir !

— Mais on y est presque », dit Julia.

Sa main glissa du coude d'Helen jusqu'à sa main. Elle lui prit les doigts, la précéda dans une allée en pente et, au bout de quelques mètres, la fit s'arrêter. De nouveau, elle leva le rayon de sa torche, et Helen eut le temps de distinguer, dans l'arc bref de lumière, la silhouette d'une tour : une tour haute, élégante, un mince clocher supporté par des arcs — ou peut-être transpercé par le souffle des bombes, car l'église d'où il s'élevait semblait privée de toit, évidée, ravagée.

« St Dustan-in-the-East, dit Julia à mi-voix. Elle a été reconstruite par Wren, comme presque toutes, après le Grand Incendie de 1666. Mais on dit que sa fille Jane l'a aidé à la dessiner. On dit que c'est elle qui est montée au sommet pour poser les dernières pierres, quand le maçon n'a plus osé. Et que quand ils ont retiré l'échafaudage, elle est restée là et s'est allongée pour montrer sa certitude que le clocher ne s'effondrerait pas... J'aime bien venir ici. J'aime bien l'imaginer en train de gravir, toute seule, l'escalier du clocher, avec des briques et une truelle. Ce n'était sans doute pas une frêle jeune fille, mais les portraits d'elle la montrent très fine et très pâle. On reste un instant ici ? Vous n'avez pas trop froid ?

— Non ça va. Mais on n'entre pas, n'est-ce pas ?

— Non, on reste là. Si on reste dans l'ombre, tous les bandits de grand chemin et tous les étrangleurs du monde pourront passer sans deviner notre présence. »

Elles contournèrent la tour avec précaution, main dans la main, guidées par une rampe de fer brisée, tâtant du pied le sol inégal. Quatre ou cinq marches basses menaient à chaque porte de la tour ; elles montèrent et s'assirent. La pierre était froide comme de la glace. Portes et murs obscurs ne reflétaient aucune lueur : Helen apercevait à peine Julia, avec sa casquette et son manteau noirs.

Mais elle sentit le mouvement de son bras, comme elle plongeait la main dans la poche et en tirait la gourde. Elle perçut le petit « plop » mouillé du bouchon de liège. Julia la lui tendit, et Helen la porta à sa bouche. Le vin sombre, âpre, toucha ses lèvres et se répandit sur sa langue comme une flamme. Elle avala, et presque aussitôt se sentit mieux.

« Nous sommes peut-être les seuls êtres vivants dans toute la City, chuchota-t-elle en rendant la gourde à Julia. Croyez-vous qu'il y ait des fantômes, par ici ? »

Julia buvait à son tour. Elle s'essuya la bouche. « Peut-être celui de Samuel Pepys, dit-elle. Il venait toujours dans cette église. Une fois, il s'est fait attaquer par deux voleurs, ici même.

— Il faut que je sois un peu pompette, pour entendre ça sans réagir, dit Helen.

— Vous êtes vite grise.

— Je l'étais déjà, mais je ne voulais pas le dire... De toute façon, c'est mon anniversaire, j'ai bien le droit de me saouler un peu.

— Alors moi aussi. Aucun intérêt d'être saoule toute seule. »

Sur quoi elles burent encore, puis restèrent assises là, en silence. Finalement, Helen se mit à fredonner, tout doucement.

Des oranges et des citrons, disent les cloches de St Clement.
Des crêpes et des beignets, disent les cloches de St Peter.

433

« C'est complètement insensé, ces paroles, n'est-ce pas ? fit-elle, s'interrompant soudain. Je ne savais même pas que je m'en souvenais. »

Des cibles et des fléchettes, disent les cloches de St Margaret.
Des tisonniers et des pincettes, disent les cloches de St John.

« Vous avez une jolie voix, dit Julia. Je suppose qu'il n'y a pas de St Helen, dans la chanson ?

— Non, je ne crois pas. Que diraient les cloches ?

— Je ne sais pas. Des fraises et des melons ?

— Des bourreaux et des félons... Et celles de St Julia ?

— Je crois qu'il n'a jamais existé de sainte Julia. Et de toute façon, rien ne rime avec *Julia*. À part *camélia*.

— Camélia, cela vous irait très bien. Une belle fleur, délicate. »

Elles avaient appuyé leur tête contre la porte noire de la tour, leurs visages tournés l'un vers l'autre, pour pouvoir se parler à voix basse. Comme Julia se mettait à rire, Helen sentit son haleine balayer sa propre bouche : chaude, parfumée de vin, légèrement âcre de tabac.

« Vous trouvez cela délicat, de vous amener voir une église en ruine, en pleine nuit, en plein couvre-feu ?

— Je trouve ça merveilleux, répondit simplement Helen.

— Reprenez du vin », dit Julia, riant toujours.

Helen secoua la tête. Son cœur battait dans sa gorge. Trop haut, trop noué pour qu'elle puisse le ravaler, le forcer à redescendre. « Je n'en veux plus, dit-elle doucement. En fait, Julia, j'ai peur d'être saoule avec vous. »

Il lui semblait qu'on ne pouvait se méprendre sur le sens de ses paroles, qu'elles avaient traversé quelque membrane fine mais résistante, créé une déchirure par laquelle devait à présent s'engouffrer un torrent de passion incontrôlable... Mais Julia rit de nouveau, et sans doute avait-elle détourné la tête, car Helen ne sentait plus son haleine chaude sur sa bouche ; et lorsqu'elle parla de nouveau, c'était d'une voix légère, un peu distante. « C'est étrange, n'est-ce pas, dit-elle, que nous nous connaissions si peu ? Il y a trois semaines, quand nous avons pris une tasse de thé devant le métro de Marylebone, vous vous souvenez... ? Jamais je n'aurais pensé que nous nous retrouverions ici, comme ça...

— Pourquoi m'avez-vous appelée, ce jour-là, Julia ? demanda Helen après un silence. Pourquoi m'avez-vous proposé de prendre un thé avec vous ?

— Pourquoi ? Vous voulez le savoir ? J'ai presque peur de vous le dire. Vous risquez de me détester. C'était... eh bien, par curiosité. Je pense qu'on peut appeler ça ainsi.

— Par curiosité ?

— Je voulais... voir qui vous étiez, me faire une idée, quelque chose comme ça. » Elle eut un petit rire gêné. « Je pensais que vous l'auriez deviné. »

Helen ne répondit pas. Elle se souvenait du regard étrange, un peu calculateur de Julia, quand elles avaient évoqué Kay ; se souvenait de ce sentiment qu'elle avait eu que Julia la testait, la jaugeait... « Si, je crois que je l'avais deviné, dit-elle enfin, lentement. Vous vouliez essayer de voir ce que Kay me trouvait, c'est cela ? »

Julia remua, comme embarrassée. « C'était minable de ma part. Je regrette, à présent.

— C'est sans importance, dit Helen. Vraiment. Après tout... » L'émotion, un instant vacillante, montait de nouveau en elle — alimentée par l'alcool et par l'obscurité. « Après tout, nous sommes dans une situation bizarre, toutes les deux.

— Oui ?

— Je veux dire, à cause de ce qu'il y a eu entre Kay et vous... »

Aussitôt, même dans le noir, elle sut qu'elle avait commis un impair. Julia se raidit. « C'est Kay qui vous a dit ça ? demanda-t-elle d'une voix dure.

— Oui, dit Helen, prudente soudain, pesant ses mots. Ou du moins je l'ai compris.

— Et vous en avez parlé avec Kay ?

— Oui.

— Et qu'a-t-elle dit ?

— Simplement que c'était...

— Que c'était quoi ? »

Helen hésita. « Une maldonne, dit-elle enfin.

— Une maldonne ? » Julia se mit à rire. « Dieu du ciel ! » De nouveau, elle se détourna.

Helen voulut lui prendre la main. Ses doigts ne rencontrèrent que la manche de son manteau. « Qu'y a-t-il ? demanda-t-elle. Que se passe-t-il ? Ça n'a aucune importance, n'est-ce pas ? Pour moi, ça n'en a jamais eu. C'est ce que vous pensez ? Ou bien vous dites-vous que cela ne me regarde pas ? Mais cela me regarde, d'une certaine manière... Et puisque Kay a été tellement honnête, tellement franche avec moi... », elle oubliait, dans son inquiétude, que Kay n'avait en fait pas été honnête avec elle, pas du tout, « ... puisque Kay a été si honnête avec moi, est-ce qu'on ne pourrait pas l'être aussi, toutes les deux ? Tout cela n'a jamais eu d'importance pour moi, pourquoi voulez-vous que cela importe maintenant ?

— C'est vous qui êtes délicate », dit Julia.

Sa voix était si froide qu'Helen en fut effrayée. « Ce n'est pas une question de délicatesse. Enfin, j'espère que non. Tout ce que j'essaie de vous dire, c'est que je ne voudrais à

436

aucun prix que cette histoire jette un... une ombre, un froid entre nous. Kay n'a jamais voulu cela.

— Oh, Kay..., fit Julia. Kay est une grande sentimentale. Vous ne trouvez pas ? Elle fait semblant d'être une dure à cuire, mais... Je me souviens de l'avoir un jour emmenée voir une comédie musicale, avec Fred Astaire et Ginger Rogers. Elle n'a pas cessé de pleurer tout au long du film. "Mais qu'est-ce qui t'a fait pleurer ?" lui ai-je demandé après. Elle m'a répondu : "La danse"... »

Son attitude avait changé du tout au tout. Son ton était presque amer à présent. « Je n'ai pas été surprise quand Kay vous a rencontrée. Je n'ai pas été surprise de la *façon* dont elle vous a rencontrée. C'était comme au cinéma, comme dans un film, n'est-ce pas ?

— Je ne sais pas, dit Helen, désorientée. Oui, peut-être. Même si, sur le moment, je n'y aurais pas pensé.

— Vraiment ? Kay m'a tout raconté : la manière dont elle vous a trouvée, etc. Parce que c'est ainsi qu'elle le voit, n'est-ce pas : elle vous a trouvée... Elle m'a dit qu'elle était terrifiée en repensant à la situation, au danger que vous couriez. Elle m'a dit comment elle vous a touché le visage...

— Je m'en souviens à peine, dit Helen d'une pauvre voix. C'est ça le plus idiot.

— Kay s'en souvient très bien, elle. Mais comme je le disais, c'est une grande sentimentale. Elle revoit tout ça comme s'il y avait une fatalité inscrite, comme si c'était le destin.

— Mais *c'est* le destin ! fit Helen. Vous ne voyez pas à quel point tout cela est mêlé, imbriqué ? Si je n'avais jamais rencontré Kay, je ne *vous* aurais jamais rencontrée, Julia. Et en même temps, Kay ne m'aurait jamais aimée si vous l'aviez laissée *vous* aimer...

— Quoi ?

437

— J'étais reconnaissante envers vous, continua Helen, sa voix s'élevant dans l'aigu, prête à se briser. Il me semblait qu'en refusant l'amour de Kay, vous me l'aviez donnée, en quelque sorte. Et maintenant, il m'arrive ce qui lui est arrivé.

— *Quoi ?* fit Julia de nouveau.

— Vous n'avez pas deviné ? Mais je suis amoureuse de vous, Julia, à mon tour ! »

Jusqu'à cette seconde, elle ne savait pas qu'elle allait dire ces mots ; mais aussitôt prononcés, ils se révélaient vrais.

Julia ne répondit pas. Elle avait de nouveau tourné son visage vers celui d'Helen, et son haleine caressait par instants, chaude, un peu amère, ses lèvres froides et humides. Elle demeura parfaitement immobile, puis tendit une main, prit les doigts d'Helen, les serra fort dans les siens, avec une violence presque alarmante — comme on s'accrocherait à une autre main, à une bride de cuir, aveuglément, dans un instant d'angoisse ou de douleur. « Kay..., commença-t-elle.

— Je sais ! Je sais, mais c'est plus fort que moi, Julia ! Je me hais pour ça ; mais c'est plus fort que moi ! Si vous m'aviez vue, aujourd'hui... Elle a été si gentille. Et moi, je ne pensais qu'à une chose : vous. J'aurais voulu que ce soit vous ! J'aurais voulu... » Elle s'interrompit. « Oh, mon Dieu ! »

Car elle ressentait, très nettement, cette étrange vibration de l'air qui précédait toujours le déclenchement d'une alerte ; et avant même que les paroles ne meurent sur ses lèvres, les sirènes se firent entendre. Leurs voix s'élevaient peu à peu, superposées, précipitées, gravissant pêle-mêle toute la gamme, avant de replonger, de se taire, de recommencer ; et il était impossible, même après toutes ces années, de rester tranquillement assis là, indifférent, de ne

438

pas ressentir l'urgence absolue de leur appel, les petites griffes frénétiques de la panique dans sa poitrine.

Dans l'obscurité, l'effet était encore amplifié. Helen posa les mains à plat sur ses oreilles. « Oh non, ce n'est pas possible ! Je ne peux pas supporter ça ! On dirait des cris de douleur ! C'est... c'est comme les cloches de Londres ! Ce sont des voix ! *À l'abri !* Voilà ce qu'elles nous disent ! *Fuyez, cachez-vous ! l'ogre arrive avec sa hache, pour vous couper la tête !*

— Arrêtez », dit Julia, posant une main sur son bras ; quelques instants plus tard, l'alerte cessa. Le silence, alors, parut presque plus intolérable encore. Elles demeuraient figées, raidies, tendant l'oreille à l'écho des bombardiers ; finalement, elles commencèrent de distinguer le vague vrombissement des moteurs. Fou, c'était fou, d'imaginer ces garçons, dans leurs drôles de cylindres métalliques, prêts à vous faire tant de mal ; de penser à eux deux heures auparavant, en train d'aller et venir — de manger du pain, de boire du café, de fumer une cigarette, d'enfiler leur blouson d'un coup d'épaules, en tapant des pieds pour se réchauffer... Puis on entendit les premiers *thump-thump-thump* de la défense antiaérienne, à quatre ou cinq kilomètres, peut-être.

Helen renversa la tête, observa le ciel. Les projecteurs étaient allumés, la qualité de l'obscurité avait changé ; au lieu du ciel, elle vit le haut mur de la tour contre laquelle elle était assise. Sentit la dureté de la porte contre son crâne, sous ses cheveux ; imagina des pierres tombant de la tour, de gros blocs, des moellons, du mortier, impitoyables. Il lui semblait la sentir trembler et vaciller dans son dos, alors même qu'elle l'observait.

Qu'est-ce que je fais là ? se demanda-t-elle soudain. Puis : *Où est Kay ?*

Elle se leva brusquement, frénétiquement.

« Qu'y a-t-il ? demanda Julia.

— J'ai peur. Je ne veux pas rester ici. Je suis désolée, Julia... »

Julia replia les jambes. « D'accord. Moi aussi, j'ai peur. Aidez-moi à me relever. »

Elle saisit la main d'Helen, s'arc-bouta, se mit sur pied. Elles allumèrent leurs torches et se mirent en route. Elles remontèrent rapidement Idol Lane — ou Idle Lane — jusqu'à Eastcheap. Mais arrivées là, elles firent halte, ne sachant pas quelle direction était la plus sûre. Comme Julia prenait à droite, Helen la retint.

« Attendez », dit-elle, un peu haletante. Là-bas, le faisceau mouvant des projecteurs rayait le ciel. « Vous allez vers l'est, n'est-ce pas ? Donc vers les docks, c'est ça ? Alors non, pas par là. Revenons sur nos pas.

— Par la City ? On peut se réfugier dans le métro à Monument Station.

— Oui, là où ailleurs ! Mais je ne peux pas rester en place, à attendre que ça nous tombe dessus.

— Prenez ma main, dit de nouveau Julia. Voilà. » Sa voix était assurée, sa poigne ferme — pas fébrile, comme précédemment. « C'est idiot de ma part de vous avoir entraînée ici, Helen. J'aurais dû réfléchir...

— Tout va bien. Tout va bien. »

Elles se remirent en marche, d'un pas rapide. « On doit passer devant St Clement, dit Julia. St Clement doit être juste là. » Elle leva sa torche, balaya rapidement les alentours, hésita ; arrêta Helen, une seconde, puis se remit en marche. Elles continuèrent ainsi, trébuchant parfois sur des pavés brisés, cherchant parfois du pied un trottoir qui n'existait plus ; dans le mouvement incessant des projecteurs dans le ciel, l'apparition et la disparition incessantes des ombres étaient déstabilisantes. Elles repérèrent enfin les marches blanches d'une église.

Toutefois, ce n'était pas St Clement. *St Edmund, King and Martyr*, était-il inscrit sur le panneau de bois.

Julia s'immobilisa, totalement désorientée. « On a dû prendre Lombard Street, à un moment. » Elle souleva sa casquette, y fourra de nouveau ses cheveux. « Mais comment avons-nous fait ?

— Par où est le métro ? s'enquit Helen.

— Je ne sais pas trop. »

Toutes deux sursautèrent, en même temps. Une voiture apparaissait à un tournant, roulant trop vite et faisant des embardées ; elle les dépassa en trombe, disparut dans l'obscurité. Elles continuèrent et, un moment plus tard, perçurent des voix : des voix d'hommes, comme des voix fantômes du Blitz qui flottaient dans l'air, avec d'étranges échos. C'étaient deux guetteurs de feu, installés sur les toits, qui se hélaient au travers de la rue. L'un d'eux commentait ce qu'il voyait — des bombes incendiaires, pensait-il, sur Woolwich and Bow. « En voilà encore un paquet qui descend ! » entendirent-elles.

Elles étaient là, immobiles, tendant l'oreille, se tenant la main, quand un îlotier surgi de nulle part accourut, manquant les renverser.

« Mais nom de Dieu ! fit-il haletant, d'où sortez-vous ? Éteignez ces lampes, et filez vous mettre à l'abri ! »

À l'instant où il apparaissait, Julia lâcha la main d'Helen et fit un pas en arrière. « Et que faisons-nous, à votre avis ? répliqua-t-elle, irritée. Si vous nous disiez plutôt où se trouve l'abri le plus proche ? »

L'homme, à son ton — ou plutôt, se dit Helen, à son accent, sa manière de s'exprimer — changea légèrement de registre. « La station de Bank, miss, dit-il. À cinquante

441

mètres, par là. » Il indiqua la direction du pouce, par-dessus son épaule, et repartit en courant.

Peut-être était-ce le côté très ordinaire de ce petit échange ; peut-être le fait de voir quelqu'un encore plus paniqué qu'elle-même ; mais l'angoisse que ressentait Helen parut soudain s'apaiser, se dissoudre, comme par magie — comme un abcès percé d'un coup d'aiguille. Elle prit le bras de Julia, et elles se dirigèrent, d'un pas tranquille à présent, vers ce qu'elles identifiaient comme une voûte de tôle ondulée protégée par des sacs de sable : l'entrée du métro. Un homme et une jeune fille y pénétrèrent en hâte à l'instant où elles arrivaient ; une femme corpulente, aux jambes douloureuses, ou bien raides, descendait les marches une à une, aussi vite qu'elle le pouvait. Un jeune garçon sautillait sur place, tout excité, en observant le ciel.

Julia ralentit le pas. « Bon, nous y voilà », laissa-t-elle tomber, sans enthousiasme.

Nous voilà rejoignant les humains, pensa Helen, *les bavardages, la bousculade, la vulgarité, la lumière...* Elle serra le bras de Julia. « Attendez », dit-elle. Que faisaient-elles là ? *Je suis amoureuse de vous !* avait-elle proféré, dans l'obscurité, un quart d'heure auparavant. Elle sentait encore le souffle de Julia contre ses lèvres. Elle sentait encore la main de Julia, éperdument accrochée à la sienne. « Je ne veux pas descendre, dit-elle doucement. Je ne... Je ne veux pas vous partager avec d'autres gens, Julia. Je ne veux pas vous perdre. »

Peut-être Julia ouvrait-elle déjà la bouche pour répondre, Helen ne le sut pas, car à la seconde suivante, un éclair les frappait : comme un éclair d'orage, mais très bref, étrangement blême, de sorte qu'une multitude de détails infimes — les coutures du col de Julia, les ancres sur les boutons de

442

son manteau — parurent bondir hors d'elle pour sauter aux yeux d'Helen et l'aveugler. Et deux secondes plus tard, c'était l'explosion : un vacarme extraordinaire, mais pas trop proche, peut-être vers Liverpool Street ou Moorgate, assez proche cependant pour qu'elles en perçoivent le souffle, la gifle sauvage d'un coup de vent sans air. Le gamin qui cabriolait devant l'entrée de métro poussa une exclamation de pur plaisir ; un adulte se précipita pour le récupérer et l'entraîner à l'abri. Helen tendit le bras, Julia s'y accrocha. Elles se mirent à courir — non pas vers le métro, mais dans l'autre direction, revenant vers Lombard Street. Elles riaient, comme des idiotes. Quand l'explosion suivante survint — plus lointaine, cette fois —, elles redoublèrent de rire et accélèrent encore l'allure.

« Là-dedans ! » s'écria soudain Julia, tirant Helen par la main. Dans le deuxième éclair, elle avait aperçu une sorte de mur de protection renforcé par des sacs de sable, érigé devant l'entrée d'un immeuble de bureaux ou d'une banque. Il créait une sorte de couloir profond, étroit, absolument obscur, empreint de l'odeur de la toile de jute. Elle y pénétra comme derrière un rideau d'encre, et Helen la suivit.

Elles demeurèrent là, reprenant souffle ; dans cet espace confiné, leur respiration était plus sonore que tous les échos du carnage au-dehors. Entendant des pas, elles passèrent la tête à l'extérieur : elles reconnurent l'îlotier qui les avait interpellées — il courait toujours, mais dans l'autre direc-tion. Il passa devant elles sans les voir.

« Voilà, nous sommes redevenues invisibles », chuchota Julia.

Elles s'étaient rapprochées pour regarder au-dehors. Helen sentait de nouveau contre son oreille et sa joue l'ha-leine de Julia, à chaque respiration ; elle n'avait qu'à tour-ner la tête — pencher la tête, à peine, rien de plus — pour

443

que ses lèvres rencontrent celles de Julia, dans l'obscurité...
Mais elle restait immobile, figée, incapable d'agir ; et c'est
Julia qui, finalement prit l'initiative du baiser. Elle éleva
les mains, toucha doucement le visage d'Helen, et guida
l'une vers l'autre leurs deux bouches aveugles ; et tandis
que le baiser naissait, prenait comme un feu qu'on allume,
elle glissa sa main derrière la tête d'Helen, et l'écrasa plus
fort encore contre elle.

Au bout d'un moment toutefois, elle s'écarta. Défit le
nœud qui fermait l'écharpe d'Helen, commença lentement
de déboutonner son manteau, à tâtons. Ceci fait, elle
dégrafa sa propre veste : les pans s'écartèrent, et elle s'approcha de nouveau d'Helen, les pans des deux manteaux se
chevauchant et formant une sorte de deuxième mur de protection, encore plus obscur que le premier. À l'intérieur,
leurs deux corps s'étaient faits durs, serrés l'un contre
l'autre, d'une chaleur inouïe. Elles s'embrassèrent encore, se
collant l'une à l'autre, s'emboîtant — la cuisse de Julia
glissant entre celles d'Helen, celle d'Helen entre celles de
Julia ; elles demeurèrent ainsi, presque immobiles, seules
leurs hanches allant et venant, se pressant.

Finalement, Helen détourna le visage « C'est cela que
voulait Kay, n'est-ce pas ? chuchota-t-elle. Je sais pourquoi,
Julia ! Mon Dieu ! Je me sens... J'ai l'impression d'être
elle ! Je veux te toucher, Julia, je veux te toucher comme
elle le ferait... »

Julia s'écarta. Elle prit la main d'Helen, ôta le gant, le
laissa tomber au sol. Puis elle dirigea la main vers les boutons de son pantalon, les ouvrit et, d'un geste presque bru-
tal, la glissa à l'intérieur.

« Alors vas-y », dit-elle.

Lorsque la sirène se déclenchait au foyer John Allen, l'une des occupantes parcourait les paliers à chaque étage, frappant à toutes les portes. « Debout, ça va tomber ! Ça va tomber, les filles ! » Sur quoi chaque occupante était censée descendre à la cave, calmement, sans panique. Mais la cave ressemblait à tous les abris : le froid, le manque d'air, le manque de lumière ; et parfois, les filles les plus sûres d'elles — celles avec qui Viv avait le moins de choses en commun, et pour qui cet endroit n'était guère plus qu'un pensionnat comme un autre — se mettaient à improviser des jeux, ou à chanter à tour de rôle. En outre, les odeurs commençaient d'incommoder Viv, qui craignait à chaque fois de vomir.

Depuis quelques semaines, donc, elle restait là-haut quand la sirène se déclenchait, avec Betty et leur troisième compagne de chambre, Anne. Rien ne parvenait à troubler le sommeil de Betty et Anne — Anne sous Veramon, Betty avec un masque sur les yeux et des boules de cire rose dans les oreilles. Seule Viv tressaillait, se crispant à chaque explosion, grimaçant quand éclatait le martèlement de la DCA ; elle pensait à Reggie, à Duncan, à son père, à sa sœur ; pressait ses mains sur son ventre, en se demandant, éperdue, ce qu'elle allait pouvoir faire de cette chose qui était là, qui grandissait, qui devait disparaître.

Elle avait essayé les fameux comprimés de Felicity Withers : ils lui avaient causé des crampes d'estomac et une diarrhée affreuse pendant presque une semaine, mais rien de plus. Depuis lors, elle passait ses journées dans une sorte de stupeur d'angoisse — multipliant les erreurs à Portman's Court ; incapable de fumer, de manger ; incapable de se concentrer sur quoi que ce fût, à part devoir ravaler cette nausée qui montait en elle comme une marée noire et amère, pendant des heures d'affilée. Ce matin, en outre, en mettant sa jupe, elle s'était aperçue qu'elle ne par-

445

venait plus à la fermer ; elle avait dû utiliser une épingle de sûreté.

. « Mais qu'est-ce que je peux faire ? » avait-elle demandé à Betty. « Écris à Reggie, lui avait répondu Betty, comme toujours. Pour l'amour de Dieu, vas-y, Viv, sinon je te jure que je lui écris moi-même ! »

Mais Viv ne voulait pas lui écrire, à cause de la censure du courrier. Et il restait encore quinze jours avant sa prochaine permission. Elle ne pouvait pas attendre si longtemps, ainsi, chaque jour plus grosse, plus malade, plus angoissée. Mais elle devait le prévenir, elle le savait. Le seul moyen était de téléphoner et de demander à lui parler. En cet instant, elle se tenait raidie entre ses draps, essayant de rassembler assez de courage pour descendre et le faire, maintenant.

Elle espérait que le bombardement prendrait fin ; mais il ne faisait qu'empirer. Quelques minutes plus tard, entendant Anne marmonner dans son sommeil, elle repoussa les couvertures. Si les explosions s'intensifiaient, elle risquait de se réveiller, ce qui lui rendrait les choses encore plus difficiles. C'était maintenant ou jamais...

Elle se leva, passa sa robe de chambre et ses chaussons, prit sa torche.

Elle sortit sur le palier, descendit une volée de marches — avec précaution, à tâtons, car une unique ampoule éclairait pauvrement l'escalier. Elle avait dû ne faire aucun bruit, car au coin du palier, une fille remontant avec une assiette à la main faillit faire un bond de trois mètres en tombant sur elle. « Viv ! chuchota-t-elle, effarée. Oh mon Dieu ! J'ai cru que c'était le fantôme de la Dactylo errante !

— Je suis désolée, Millie.

— Mais où vas-tu ? À la cave ? Bon courage. Tu vas arriver juste à temps pour la deuxième tournée de "Des

446

noms de fleurs qui commencent par L...". Oh, à moins que tu n'aies repéré ces petits biscuits à la crème qui traînaient bêtement dans la salle de repos ? Dommage. Je viens de les rafler tous, tu vois, pour Jacqueline Knight et Caroline Graham, et moi bien sûr. »

Viv secoua la tête. « Non, garde-les. Je vais juste me prendre un verre d'eau.

— Gaffe aux souris, alors, dit Millie, recommençant de gravir les marches. Et n'oublie pas : si quelqu'un te demande qui a pris les biscuits à la crème, tu n'en as jamais vu. À charge de revanche... »

Sa voix s'évanouit. Viv attendit qu'elle ait traversé le palier, puis continua de descendre. À chaque étage, l'escalier allait s'élargissant ; c'était un bâtiment ancien, assez vaste et imposant. Les plafonds étaient ornés de grandes moulures en forme de rosace, et des crochets demeuraient là où étaient jadis accrochés des lustres. La rambarde de l'escalier montrait des courbes gracieuses et des pilastres élégants. Mais les beaux tapis rouges des couloirs étaient entièrement recouverts d'une bâche, bien endommagée par le martèlement des talons hauts. Les murs étaient badigeonnés de laque aux couleurs déprimantes, vert, crème, gris : dans la faible lumière bleutée de l'ampoule, ils paraissaient plus tristes que jamais.

Le hall n'était qu'un fouillis de manteaux et de parapluies. Une table débordait de journaux et de courrier non récupéré. L'imposte, bien sûr, était condamnée par des planches, mais le verre blindé de la porte du sous-sol laissait filtrer une vague lueur glauque. D'en bas, monta la voix d'une fille, puis d'autres : « ... *pensée... primevère... pois de senteur...* ».

Viv alluma sa torche. Le téléphone se trouvait un peu plus loin, dans une alcôve ouverte sur le grand salon —

affreusement peu intime, mais au cours des années, les filles avaient peu à peu ôté les agrafes qui retenaient le fil au mur, et quand on voulait avoir une communication privée, on pouvait emporter l'appareil et s'enfermer avec dans un placard du couloir, assise dans le noir sur le compteur à gaz, au milieu des balais, des seaux et des serpillières. Ce que fit Viv, refermant la porte sur elle et appuyant la lampe contre une étagère ; elle jeta un regard un peu inquiet autour d'elle, dans les coins et les fentes, craignant les araignées et les souris. *Réfléchissez avant de parler* disait une étiquette collée sur le téléphone.

Elle avait le numéro de l'unité de Reggie, sur un vieux bout de papier, dans la poche de sa robe de chambre ; il le lui avait donné bien longtemps avant, en cas d'urgence, disait-il, et elle ne l'avait jamais utilisé. Mais cela n'était-il pas ce que l'on pouvait appeler une urgence ? Elle sortit le papier de sa poche, décrocha et composa le 0 pour avoir le Central — laissant le cadran revenir lentement à sa place et tentant d'assourdir son cliquètement, autant que possible, avec un mouchoir.

La voix de la standardiste était claire et coupante comme du verre. Elle dit qu'il faudrait plusieurs minutes pour obtenir le numéro... « Merci », répondit Viv. Elle resta immobile, le téléphone posé sur les genoux, se préparant à la sonnerie. Soudain, la lumière de sa torche commença de vaciller ; songeant à la pile, elle l'éteignit. Elle avait laissé la porte entrouverte, et la faible lueur bleue du couloir filtrait par l'entrebâillement. Sinon, le placard était plongé dans un noir absolu. Elle percevait vaguement les éclats de rire et les gloussements des filles, en provenance de la cave. Des coups sourds et des vibrations résonnaient dans les murs à chaque bombe qui tombait, faisant s'écouler des filets de poussière de plâtre.

Lorsque le téléphone sonna enfin, le bruit et le petit soubresaut sur ses genoux la prirent par surprise, dans un sursaut d'angoisse. Elle décrocha d'une main tremblante,
faillit laisser tomber le combiné. « Un instant s'il vous
plaît », fit l'opératrice à la voix de cristal ; elle attendit
quelques secondes encore, et s'ensuivit toute une série de
cliquètements, tandis qu'elle établissait la communication...

Puis ce fut une voix d'homme : le standardiste de la base
militaire. Viv lui donna le nom de Reggie.

« Vous ne connaissez pas son numéro de baraquement ? » s'enquit-il. Elle ne le connaissait pas. Il essaya un
numéro central. Le téléphone sonnait encore et encore, dans
le vide... « Il n'y a pas de réponse, madame.

— Je vous en prie, dit Viv, essayez encore un moment.
C'est extrêmement urgent...

— Allô ? fit enfin une autre voix. C'est Southampton ?
Allô ?

— Non, c'est un appel interne, désolé, fit le standardiste d'une voix aimable.

— Eh merde !

— Mais je vous en prie. »

Sur quoi quelqu'un d'autre prit la communication ; cet
interlocuteur, au moins, put lui donner le numéro du baraquement de Reggie... Il n'y eut que deux sonneries, et soudain un vacarme assourdissant de cris, de rires et de
musique provenant d'une radio ou d'un tourne-disque.

« Allô ? hurla un type dans l'appareil.

— Allô ? fit Viv, doucement.

— Allô ? Qui est-ce ? »

Elle dit qu'elle voulait parler à Reggie.

« Reggie ? Quoi ? cria l'homme.

— C'est qui ? fit une autre voix.

449

— Une fille, elle dit qu'elle s'appelle Reggie.

— Mais non, elle ne s'appelle pas Reggie, pauvre con, elle dit qu'elle veut parler à Reggie. » Une autre main saisit l'appareil. « Je vous présente toutes mes excuses, mademoiselle — ou bien madame, peut-être ?

— S'il vous plaît », dit Viv. Elle jeta un coup d'œil angoissé dans le corridor par l'interstice de la porte. Posa la main en coquille autour de l'appareil pour assourdir sa voix. « Est-ce que Reggie est là ?

— S'il est là ? Ah, le connaissant, ça va dépendre de qui veut lui parler. Il vous doit de l'argent ?

— Elle est bien sûre que c'est à Reggie qu'elle veut parler, hein ? fit la première voix.

— Mon ami, dit l'autre, voudrait savoir si vous êtes sûre que c'est bien à Reg que vous voulez parler, et pas à lui. Là, il fait des gestes, pour décrire avec les mains vos yeux d'une si jolie couleur, et puis vos boucles superbes, et puis les rondeurs de votre... voix.

— Je vous en prie, coupa Viv. Je n'ai pas beaucoup de temps.

— D'après ce que j'ai entendu dire de lui, ça ne devrait pas trop le gêner.

— Reggie est-il là, ou pas ?

— Qui dois-je annoncer ?

— Dites-lui... dites-lui que c'est sa femme.

— Madame son épouse ? Oh, dans ce cas, je ne voudrais certainement pas... » La voix se fit marmonnement inintelligible, puis elle entendit un appel déformé par la distance. Ensuite, des hourras, et des espèces de froissements ou frottements, tandis que le téléphone passait de main en main... Enfin, elle reconnut la voix de Reggie. Il semblait essoufflé.

« Marilyn ?

— Non, non, c'est moi, dit Viv d'une voix précipitée.

450

Ne prononce pas mon nom, pour le cas où le standardiste écouterait.

— Viv ? fit-il quand même, effaré. Mais les gars m'ont dit que...

— Je sais. Ils n'arrêtaient pas de faire l'andouille, et je ne savais pas quoi inventer d'autre.

— Dieu du ciel. » Elle l'entendit passer sa main sur son menton et ses joues mal rasés. « Où es-tu ? Comment as-tu réussi à me joindre ? » Il détourna le visage. « Woods, encore une connerie comme ça, et je te jure que...

— J'ai appelé le central téléphonique, dit-elle.

— Quoi ?

— J'ai appelé le Central.

— Ça va ?

— Oui. Non.

— Attends, je ne t'entends pas. Attends une seconde. » Il posa le combiné ; elle perçut encore des rires et des hour-ras ; lorsqu'il reprit l'appareil, il était de nouveau essoufflé. « Quelle bande d'abrutis », fit-il. Il s'était déplacé, ou avait fermé une porte sur lui. « Où es-tu ? À t'entendre, on te croirait installée dans le seau au fond d'un puits.

— Je suis dans un placard, chuchota-t-elle. Chez moi. Je veux dire au foyer John Allen.

— Dans un placard ?

— C'est de là que les filles passent les coups de fil. Peu importe. Mais... il est arrivé quelque chose, Reggie.

— Quoi ? Ce n'est pas encore ton crétin de frère ?

— Ne le traite pas de crétin. Non, ce n'est pas ça. Aucun rapport.

— C'est quoi, alors ?

— Je... voilà, je... » Elle tenta de jeter un nouveau coup d'œil dans le couloir puis détourna la tête, et baissa encore d'un ton. « Mes affaires ne sont pas arrivées, dit-elle.

451

— Tes quoi ? Tes affaires ? » Il ne comprenait pas.
« Quelles affaires ?

— Mes *affaires*. »

Il y eut un silence. « La vache, fit-il enfin, doucement.
Oh, non, Viv !

— Ne dis pas mon nom !

— Non, non. Et tu les attends depuis combien... depuis
longtemps ?

— Quelque chose comme huit semaines.

— Huit semaines ? » Il réfléchissait. « Ça veut dire que
la dernière fois que je t'ai vue, tu étais... enfin... ?

— Oui, certainement. Mais je n'en savais rien.

— Et tu en es absolument sûre ? C'est peut-être juste
un... enfin, un retard de la poste ?

— Je ne pense pas. Ça n'est jamais arrivé.

— Mais on a bien fait attention, n'est-ce pas ? Attends,
mais à chaque fois, j'ai fait attention. Bordel, mais à quoi ça
sert de faire attention, si c'est pour ça ?

— Je ne sais pas. C'est un coup de malchance.

— De malchance ? Tu parles. »

Il avait l'air écœuré. Il déplaça de nouveau le téléphone ;
elle le voyait tirailler ses cheveux. « Ne sois pas comme ça,
dit-elle. Ç'a été horrible pour moi. Je suis morte d'inquiétude. J'ai essayé tout ce que je pouvais. J'ai... j'ai pris des
trucs. »

Il avait du mal à l'entendre. « Quoi ? »

Elle couvrit de nouveau sa bouche, essayant de parler
plus distinctement. « J'ai pris quelque chose. Tu vois...
mais ça n'a pas marché, ça m'a juste rendue malade.

— Tu es sûre que c'était le bon produit ?

— Je ne sais pas. Il y en a plusieurs ? C'est un pharmacien qui me l'a donné. Il a dit que ça marcherait, mais ça
n'a pas marché. Ç'a été horrible.

452

— Tu ne peux pas essayer encore ?

— Non, Reggie, je ne veux pas.

— Mais ça vaut peut-être la peine d'essayer encore, une fois.

— Ça m'a mise dans un état épouvantable.

— Mais tu ne crois pas que tu...

— Ça ne fera que me rendre malade, c'est tout. Oh, Reggie, je n'ai plus la force ! Je ne sais pas quoi faire ! »

Sa voix n'avait cessé de trembler. À présent, sa gorge se contractait, et d'un seul coup elle montait dans l'aigu. Elle commençait de paniquer, sentait les larmes affluer.

« Bon, fit Reggie. D'accord. Écoute-moi. Tout va bien aller, ma chérie, écoute-moi. Ça fait juste un sacré choc, c'est tout. Il faut que j'y réfléchisse un peu. Il y a un gars, ici, il me semble que sa petite amie... laisse moi juste un peu de temps. »

Elle écarta le combiné, se moucha. « Je ne voulais pas te le dire, fit-elle d'une voix brisée. Je voulais me débrouiller toute seule. J'étais... je me sentais tellement mal. Si mon père apprenait ça...

— C'est bon, ma chérie.

— Cela lui briserait le cœur. Je préférerais... »

Bip bip bip... Puis une voix : « *Plus qu'une minute de communication.* »

C'était l'opératrice du Central, qui s'était occupée de Viv au début ; ou bien une autre, mais avec la même voix claire et coupante... Viv et Reggie se turent.

« Tu crois qu'elle a entendu ? chuchota enfin Reggie.

— Je ne sais pas.

— Elles n'écoutent pas vraiment, en fait, si ?

— Je ne sais pas.

— Elles ne peuvent pas, avec autant d'appels ?

— Non. Je pense que non. »

Le silence retomba... « Eh merde, lâcha finalement Reggie, d'un ton accablé. Quelle tuile. Quelle saloperie de saleté de tuile. Et dire que j'ai fait tellement attention, à chaque fois !

— Je sais, dit Viv.

— Je vais demander à ce gars, pour son amie. Ce qu'elle a fait. D'accord ? »

Viv hocha la tête, sans rien dire.

« D'accord ?

— Oui.

— Il ne faut plus t'inquiéter.

— Non.

— C'est promis ?

— Oui, c'est promis.

— On va s'en sortir. D'accord ? Je t'adore. »

Ils restèrent en ligne sans plus parler, jusqu'à ce que l'opératrice intervienne de nouveau pour leur demander s'ils voulaient une prolongation d'appel. Viv répondit que non, et la communication fut coupée.

« Bonjour », fit Kay, très doucement, une heure ou deux plus tard. Elle caressait les cheveux d'Helen.

« Bonjour, fit Helen, ouvrant les yeux.

— Je t'ai réveillée ?

— Je ne sais pas... Quelle heure est-il ? »

Kay se glissa dans le lit. « Ton anniversaire est passé. Il est deux heures.

— Ça va bien ?

— Pas une égratignure. Nous ne sommes pas sorties. C'est Bethnal Green et Shoreditch qui ont tout pris. »

Helen lui prit la main, serra ses doigts. « Tant mieux », dit-elle.

Kay bâilla. « Moi, j'aurais préféré sortir. J'ai passé la soirée à faire des puzzles avec Mickey et Hughes. » Elle embrassa Helen sur la joue, puis se cala confortablement contre elle. « Tu sens le savon. »

Helen se raidit. « Ah bon ?

— Oui. Comme un bébé. Tu as pris un autre bain ? Tu dois être d'une propreté invraisemblable... Tu te sentais seule ?

— Non, pas vraiment.

— J'ai songé à revenir en douce.

— C'est vrai ? »

Kay sourit. « Enfin, pas sérieusement. Mais c'était tellement absurde, de rester là à ne rien faire, alors que tu étais à la maison.

— Oui », dit Helen. Elle tenait toujours la main de Kay ; soudain elle tira son bras autour d'elle, s'enveloppa dans son bras — comme par besoin de réconfort, de chaleur. Ses jambes étaient nues contre celles de Kay ; sa chemise de nuit de coton avait remonté presque jusqu'à ses fesses. Elle sentait ses seins tendres et chauds sous le bras de Kay.

Celle-ci l'embrassa sur le front, lissa ses cheveux en arrière. « Tu as terriblement sommeil, n'est-ce pas, ma chérie ?

— Un peu, oui.

— Trop pour un baiser ? »

Helen ne répondait pas. Kay libéra sa main. Saisit le col de la chemise de nuit d'Helen et, très doucement, le fit glisser. Elle posa ses lèvres à la naissance de son cou, caressant la chair lisse et chaude. Mais ce faisant, elle se rendit soudain compte qu'elle avait un pauvre tissu usé sous les doigts. Elle releva la tête de l'oreiller. « Tu n'as pas mis ton beau pyjama ? demanda-t-elle, surprise.

— Mmm ? fit Helen.

— Ton pyjama, répéta Kay, plus bas.

— Oh », fit Helen, prenant de nouveau la main de Kay, puis s'entourant de son bras pour la serrer contre elle. « J'ai oublié. »

5

La pleine lune était si brillante cette nuit-là qu'ils n'avaient pas besoin d'allumer leur torche. Toutes les surfaces pâles s'éclairaient, créant un monde en noir et blanc. Tout paraissait sans épaisseur, les façades plates semblables à un décor de théâtre, les arbres comme du papier mâché, avec ici et là une touche de peinture argentée... Personne n'aimait cela. On se sentait vulnérable, exposé. Les gens sortant du métro relevaient leur col, baissaient la tête et se hâtaient de retrouver des lieux plus sombres. À une centaine de mètres de la station de Cricklewood, les rues étaient silencieuses. Seuls Reggie et Viv, hésitant sur le chemin à prendre, marchaient lentement. Comme Reggie tirait de sa poche un morceau de papier, pour vérifier le trajet, Viv jeta un regard craintif vers le ciel : le papier blanc semblait lumineux dans sa main.

La maison, lorsqu'ils l'eurent trouvée, se révéla être des plus ordinaires ; mais une plaque de cuivre était vissée sur le chambranle de la porte, sous la sonnette. Une plaque épaisse, sérieuse, professionnelle — rassurante, mais un peu effrayante en même temps. Viv tenait le bras de Reggie, et recula légèrement. Il lui prit la main, serra ses doigts. Les trouva un peu bizarres sous les siens, car il lui avait acheté un anneau doré légèrement trop large, qui ne cessait de glisser.

« Ça va ? » demanda-t-il. Son ton manquait d'assurance. Il détestait les médecins, les hôpitaux, toutes ces choses-là. Elle savait qu'il aurait préféré qu'elle se fasse accompagner par n'importe qui, par Betty, par sa sœur — mais pas par lui.

C'est elle qui appuya sur la sonnette. L'homme — Mr Imrie — vint presque aussitôt ouvrir.

« Ah, oui, fit-il d'une voix sonore, regardant dans la rue derrière eux. Entrez, entrez. » Ils demeurèrent serrés l'un contre l'autre dans l'obscurité, ne connaissant pas les lieux, tandis qu'il refermait la porte et redisposait les rideaux de la défense passive devant les vitres de verre dépoli ; puis il les conduisit à la salle d'attente, où la vive lumière les fit cligner des yeux. Une odeur sucrée y régnait, mélange de cire, de caoutchouc, de gaz. Aux murs, des planches montraient des dents, des gencives roses ; une châsse renfermait une unique énorme molaire coupée, dont la tranche dévoilait l'émail, la pulpe et le nerf rouge. Les couleurs étaient délavées sous la lumière trop crue. Le regard passant d'un objet à l'autre, Viv commençait d'avoir mal aux dents.

Mr Imrie était dentiste ; mais il avait une autre activité, à côté.

« Asseyez-vous, je vous en prie », dit-il.

Il prit une feuille de papier, l'installa sur une planchette à pinces. Il portait des lunettes à épaisse monture et, pour voir la page devant lui, dut les remonter sur son front où elles restèrent accrochées comme des lunettes de soudeur, tenues par un élastique. Il demanda son nom à Viv. Elle avait ôté ses gants pour bien montrer l'alliance et, en rougissant légèrement, donna le nom sur lequel Reggie et elle s'étaient mis d'accord : *Mrs Margaret Harrison*. Il le répéta à voix haute en l'écrivant ; sur quoi, il commença chaque question par un « Et donc, Mrs Harrison », « Eh bien,

Mrs Harrison » — au point que le nom parut totalement artificiel à Viv, et finit par sonner à ses oreilles comme un nom de théâtre, ou celui d'un personnage de film.

Les premières questions étaient assez simples. Lorsqu'elles devinrent plus intimes, Mr Imrie suggéra que peut-être, Reggie préférerait attendre dans le couloir. Viv trouva qu'il se hâtait de sortir, sans se faire prier, comme soulagé. Elle entendait le glissement de ses semelles sur le linoléum, tandis qu'il faisait les cent pas.

Peut-être Mr Imrie les entendit-il aussi, car il baissa d'un ton. « De quand datent vos dernières règles ? »

Viv le lui dit. Il nota la date, parut froncer les sourcils.

« Des enfants ? demanda-t-il ensuite. Des fausses couches ? Vous savez ce qu'est une fausse couche ? Oui, bien sûr... Et avez-vous déjà subi un..., euh, une intervention de ce genre ? »

À tout, elle répondit « non » ; mais, après une vague hésitation, lui parla des pilules qu'elle avait prises, pour le cas où cela aurait une importance quelconque.

Comme elle les lui décrivait, il secoua la tête en signe de dénégation. « Si vous voulez mon avis, ça ne sert jamais à rien. Cela a dû juste vous mettre l'estomac à l'envers, rien de plus ? Oui, c'est bien ce que je disais. » Il abaissa ses lunettes, en gardant au front une paire fantôme dessinée en rouge dans la chair.

Puis il sortit une boîte remplie d'instruments divers, et Viv sentit le cœur lui manquer, l'angoisse l'envahir. Mais il ne voulait que prendre sa tension et écouter son cœur ; enfin, il la fit se lever et dégrafer sa jupe, et lui palpa le ventre — ici et là, appuyant fort avec ses doigts, ses paumes.

Puis il se redressa, s'essuya les mains. « Bien, fit-il d'une voix grave, c'est un peu plus avancé que je ne l'aurais souhaité. » Il calculait, bien sûr, le temps passé depuis ses dernières règles. « Généralement, je préconise cette intervention jusqu'à dix semaines de grossesse, et la vôtre est relativement plus ancienne. »

Apparemment, ces semaines en plus comptaient beaucoup. Il se dirigea vers la porte et appela Reggie, puis leur expliqua à tous deux que, compte tenu du risque que cela comportait, il serait contraint d'augmenter son tarif. « De dix livres, j'en ai bien peur.

— Dix livres ? » répéta Reggie, effondré.

Mr Imrie tendit les paumes. « Vous comprendrez que la loi étant ce qu'elle est... Je cours un risque énorme.

— Mais mon ami avait dit soixante-quinze. Et je n'ai pas plus sur moi.

— Il y a un mois, soixante-quinze auraient suffi. Et je dirai même que soixante-quinze livres suffiraient encore aujourd'hui, auprès d'un autre praticien que moi. Mais je ne suis pas cette sorte d'homme... Je songe à la santé de votre épouse. Et je songe à ma propre épouse aussi... Je suis navré. »

Reggie secoua la tête. « Drôle de manière de traiter les affaires, si je puis me permettre, fit-il d'un ton mordant. Un mois, tel prix, et le mois suivant, un autre. Quelle différence cela fait-il pour vous qu'il soit là », d'un vague mouvement du menton, il désignait le ventre de Viv, « depuis trois ou quatre semaines de plus ? »

Le sourire de Mr Imrie trahissait une immense patience. « Cela fait une différence considérable, hélas.

— Oui, eh bien c'est vous que le dites. Et je suppose que vous diriez la même chose à un gars qui viendrait vous voir avec une... une dent qui pousse à l'intérieur ?

— C'est tout à fait possible.

— Sans blague, vraiment... ? »

460

La discussion s'éternisait. Viv restait là, immobile, horrifiée, détestant Reggie, le regard rivé au sol. Finalement, Mr Imrie accepta de prendre les dix livres supplémentaires sous la forme de tickets de textiles : Reggie se détourna, tira un petit carnet qu'il glissa dans l'enveloppe où étaient déjà rangés les billets de banque, et la lui tendit. Il accompagna son geste d'un reniflement de mépris.

« Merci », dit Mr Imrie, avec une politesse exagérée. L'enveloppe disparut dans une de ses poches. « À présent, installez-vous ici, et détendez-vous, pendant que j'emmène votre épouse à côté. Nous en avons pour une vingtaine de minutes.

— Tu veux bien garder mon manteau et mon chapeau ? » demanda Viv à Reggie, froidement. Il les lui prit des mains, fit mine de lui saisir les doigts au passage.

« Ça va aller, dit-il essayant de croiser son regard. Ça va bien se passer. »

Elle dégagea sa main. Une pendule au mur indiquait huit heures cinq. Mr Imrie la précéda dans le couloir, jusqu'à son cabinet.

Elle pensait qu'ils n'allaient faire que traverser cette pièce pour passer dans une autre. Qu'il avait un autre cabinet pour ces interventions. Mais il referma la porte et se dirigea vers un meuble, l'air affairé. L'espace d'un moment, elle crut, avec consternation, qu'il allait l'installer dans le fauteuil de dentiste pour s'occuper d'elle... Puis elle vit, derrière, une table posée sur des tréteaux, couverte d'un drap de papier paraffiné, et un petit seau de zinc posé à côté. Tout cela lui apparaissait horrible, sous la grande lampe métallique dont la lumière crue faisait étinceler les instruments sur des plateaux, les fraises, les bouteilles de gaz. Elle sentit les larmes monter dans sa poitrine, lui

461

nouer la gorge, suffocantes, et pour la première fois se dit :
Je ne peux pas !

« Bien, Mrs Harrison, dit Mr Imrie, remarquant peut-être son hésitation. Enlevez votre jupe, vos chaussures et vos sous-vêtements, et installez-vous sur la table, nous allons commencer. Ça va ? Vous n'avez pas à vous inquiéter. C'est une intervention très simple. »

Il se détourna, ôta sa veste et se lava les mains ; commença de rouler ses manches. Un chauffage électrique était allumé, devant lequel elle se déshabilla ; elle déposa ses vêtements sur une chaise, puis s'allongea rapidement sur le papier qui bruissa sous elle, avant qu'il ne se soit retourné — car ainsi, à demi nue, elle se sentait étrangement plus gênée, plus exposée que si elle avait été entièrement dévêtue. Cela lui faisait penser à une putain... Mais une fois bien allongée sur la surface dure, une autre sensation s'empara d'elle : elle se sentait comme un poisson, bouche et ouïes béantes, sur l'étal du poissonnier.

« Attendez, je vous donne un oreiller, dit Mr Imrie, s'approchant en prenant soin de ne pas regarder ses hanches nues. Et maintenant, si vous voulez bien vous soulever un peu... » Il glissa une serviette pliée sous ses fesses tout en remontant légèrement le corsage dans son dos. « Autant ne pas le salir, n'est-ce pas ? »

Elle comprit qu'il parlait de sang, et l'angoisse la saisit de nouveau. Car elle ne savait pas du tout *combien* de sang pouvait couler, n'avait, en fait, qu'une très, très vague idée de ce qu'il allait lui faire. Il ne lui avait rien expliqué, et il était trop tard pour les questions, à présent. Elle n'avait pas envie de prononcer le moindre mot, avec tout le bas de son corps ainsi exposé à son regard ; elle était trop mal à l'aise. Elle ferma les yeux.

Quand elle le sentit essayer de soulever et écarter ses

genoux, son malaise redoubla. « Essayez de vous détendre un peu, Mrs Harrison, dit-il. Mrs Harrison ? Un peu moins raide, si vous voulez bien... » Elle écarta les jambes et, une seconde plus tard, sentit quelque chose de chaud et de sec pénétrer entre ses cuisses, et commencer de s'enfoncer en elle. C'était son doigt. Il la pénétrait durement, et de son autre main appuyait de nouveau sur son ventre, plus fort que précédemment. Elle lâcha un petit halètement. Il s'enfonça, appuya, jusqu'à ce qu'elle ne puisse s'empêcher de réagir en reculant les hanches. Il se retira, s'essuya les mains à une serviette.

« Vous devez bien penser, déclara-t-il d'un ton aimable mais très neutre, que cela ne sera pas particulièrement plaisant. C'est hélas inévitable. »

Il se détourna, puis revint vers elle avec à la main une éponge ou une serviette imbibée d'un liquide à l'odeur âcre, avec laquelle il commença de la tamponner. Elle releva la tête pour essayer de voir, mais ne put distinguer que son visage : il avait de nouveau relevé ses lunettes, qui faisaient sur son front comme des lunettes de soudeur ou de maçon... Sur une étagère, à côté de sa tête, était posé un jouet : un nounours, ou un lapin, avec une robe à fleurs et un chapeau. Elle l'imaginait faisant des signes amicaux aux enfants effrayés dans le fauteuil. Une affichette punaisée au mur derrière lui donnait des *Informations relatives aux plombages et aux extractions.*

Le masque qu'il posa ensuite sur sa bouche était si ordinaire — tellement moins déplaisant qu'un masque à gaz, en fait — qu'elle ne s'en alarma pas. Puis, soudain, elle eut la sensation de glisser, et tenta de s'accrocher au bord de la table pour ne pas basculer... Il lui sembla qu'elle tombait quand même mais qu'inexplicablement, elle avait atterri sur ses pieds ; elle était maintenant debout au milieu d'une foule, dans l'obscurité, poussée à hue et à dia. Elle ne savait pas si elle se trouvait dans la rue, dans un lieu public, elle ne savait pas où elle était. Une sirène résonnait, mais une sirène inconnue d'elle, qui n'avait aucun sens. Elle ne connaissait pas les gens qui l'entouraient, mais agrippait un bras. « Qu'y a-t-il ? demanda-t-elle. Ce bruit ? C'est quoi ? » « Mais enfin, répondit la personne, vous ne reconnaissez pas la sirène du taureau ? » « Le taureau ? » « Le taureau allemand », disait la voix. Et d'un seul coup, elle comprit que le Taureau était une nouvelle arme de guerre, absolument terrifiante. Elle se retourna, effrayée. Mais elle se tournait dans la mauvaise direction, elle se tournait mal. « Le voilà ! » hurlait la voix — et de nouveau elle tenta de se tourner, mais reçut un coup en plein ventre, et comprit qu'elle avait été transpercée, dans l'obscurité, par la corne de l'horrible taureau allemand. Elle tendit les mains, et sentit l'objet, lisse, dur et froid ; elle sentait même précisément l'endroit où il pénétrait dans son ventre ; elle savait que si elle tâtait son dos, elle en toucherait l'extrémité, car la corne l'avait traversée de part en part...

Puis elle revint à elle, et à Mr Imrie, mais la corne était toujours là. Elle se disait qu'elle l'avait clouée à la table. Elle entendit sa propre voix dire n'importe quoi, et le petit rire de Mr Imrie.

« Un taureau ? Oh non. À Cricklewood, cela m'étonnerait, ma chère. »

Il approcha une cuvette de son visage, et elle vomit.

Il lui donna un mouchoir pour s'essuyer la bouche, et l'aida à s'asseoir. La serviette avait disparu de sous ses reins. Mr Imrie avait abaissé ses manches de chemise, soigneusement ajusté les boutons de manchette aux poignets ; son front était un peu rouge, luisant d'une fine pellicule de transpiration. Tout dans la pièce — les odeurs, la disposi-

tion des lieux — lui paraissait imperceptiblement changé ;
comme si l'espace-temps avait fait une sorte d'embardée,
pendant qu'elle tournait le dos, comme si elle avait joué à
« un, deux, trois, soleil » avec le temps... Sur le sol, il y
avait une unique tache de sang écarlate, mais sinon, rien de
particulièrement angoissant à voir. Le petit seau de zinc
était posé plus loin, et recouvert.

Elle s'assit de biais sur la table, laissant pendre ses
jambes, et la douleur dans son ventre et son dos se transforma en mal sourd, diffus ; elle commençait aussi de distinguer des douleurs différentes : une brûlure entre ses
jambes, et une sorte de courbature molle dans son ventre,
comme si elle avait reçu des coups de pied. Mr Imrie lui dit
qu'il avait mis un tampon de gaze en elle, pour absorber le
sang ; et sur la table, à côté, il avait déposé une serviette
hygiénique et la ceinture pour l'attacher... Elle se sentit de
nouveau gênée, et voulut trop vite mettre la ceinture et
l'agrafer. Voyant ses gestes maladroits, et pensant qu'elle
était toujours sous l'effet de l'anesthésie, il vint l'aider.

C'est en commençant de se rhabiller qu'elle se rendit
compte à quel point elle était faible : il lui semblait sentir
le sang affluer et coller entre ses fesses. L'idée l'angoissait.
Elle demanda si elle pouvait aller aux toilettes, et il la
guida dans un petit couloir, lui indiqua la porte. Elle s'assit
et chercha des doigts l'extrémité de la compresse de gaze ;
elle craignait qu'elle ne s'enfonce, ne disparaisse en elle.
Uriner la brûla. La douleur dans son ventre était épouvantable. Mais en s'essuyant, elle ne trouva guère qu'une légère
trace de sang sur le papier, et comprit que la sensation
d'humidité collante qu'elle avait ressentie n'était due qu'à
de l'eau : Mr Imrie avait dû la laver, avec une éponge ou
une serviette mouillée. L'idée était déplaisante. Elle avait
toujours, par instants, la sensation d'être tombée, ou d'avoir

eu un passage à vide, hors de l'espace-temps : comme si la réalité avait sauté d'un cran, et qu'elle ne l'avait pas encore complètement rattrapée...

« Bien, dit Mr Imrie comme elle revenait dans le cabinet, vous allez saigner un peu, pendant un jour ou deux. Ne vous inquiétez pas, c'est parfaitement normal. À votre place, je garderais le lit. Faites-vous un peu dorloter par votre mari... » Il lui conseilla de boire de la bière brune ; lui donna encore deux ou trois serviettes hygiéniques, et un tube d'aspirine contre la douleur. Puis il la ramena à Reggie.

« Mon Dieu ! » fit celui-ci en la voyant. Il se leva, écrasa sa cigarette. « Tu as une mine à faire peur. »

Elle fondit en larmes.

« Allons, allons, fit Mr Imrie, s'approchant d'elle parderrière. J'ai prévenu Mrs Harrison qu'elle se sentirait encore faible pendant au moins vingt-quatre heures. Si vous avez la moindre inquiétude, vous pouvez m'appeler. Toutefois, et j'insiste sur ce point, ne laissez aucun message... Et bien sûr, en cas d'évanouissement, ou de saignement important, en cas de vomissements, de crise de tétanie, enfin ce genre de chose, il faudra appeler le médecin. Mais c'est très improbable. Il y a très peu de risques. Et bien entendu, si vous devez faire appel à un médecin, il est inutile de mentionner... » De nouveau, il tendit les mains. « Enfin, je suis sûr que nous nous comprenons. »

Reggie lui jeta un regard mauvais, sans répondre. « Ça va aller ? demanda-t-il à Viv.

— Oui, je crois, dit-elle, pleurant toujours.

— Mon Dieu... C'est normal qu'elle soit dans cet état ? fit-il, s'adressant de nouveau à Mr Imrie.

— Un peu de faiblesse, comme je vous l'ai dit. La grossesse étant plus avancée que prévu, les choses se sont avérées un peu plus délicates, voilà tout. N'oubliez pas, en cas de vomissements, de crise... »

Reggie avala sa salive. Il enfila son manteau, puis aida Viv à passer le sien. Elle s'appuya sur son bras. Il était neuf heures moins dix... Ils sortirent tous trois dans le couloir — Mr Imrie refermant la porte de la salle d'attente, puis allant vivement fermer celle du cabinet. Puis il éteignit la lumière, déverrouilla la porte d'entrée et l'entrebâilla pour jeter un regard au-dehors.

« Ah, fit-il. La lune brille encore bien fort. Je me demande si... » Il se tourna vers Viv. « Cela vous ennuierait-il beaucoup, Mrs Harrison, de mettre votre mouchoir sur votre visage, comme ceci ? » Il posa la main sur sa bouche. « C'est cela. Ainsi, on pensera que vous venez de subir un soin dentaire, en urgence ; cela arrive, n'est-ce pas... Je songe aux voisins. La guerre donne des idées aux gens, les rend soupçonneux. Merci, merci infiniment. »

Il ouvrait grande la porte, et ils sortirent. Viv garda le mouchoir posé sur la bouche pendant une minute ou deux, puis son bras retomba. Le tissu blanc, comme le papier que Reggie avait sorti de sa poche en venant, paraissait lumineux dans le clair de lune ; mais, levant les yeux vers le ciel sans nuage, elle se sentit trop faible, trop endolorie, trop défaite pour avoir peur... Elle commençait, en revanche, d'avoir très froid. Il lui semblait sentir en elle la compresse de gaze glisser et se déplacer. Les bords de la serviette lui irritaient l'intérieur des cuisses. Elle s'appuya plus fort au bras de Reggie. Mais elle n'avait pas envie de parler. « Ça va ? » demandait-il sans cesse. « Ça va aller, ne t'en fais pas. » Puis soudain, au bout d'une centaine de mètres environ, il explosa : « Quel salopard ! Quelle ordure ! Le coup des dix livres ! Profiter de la situation comme ça ! Ah, il

467

savait qu'on avait le couteau sous la gorge, ce fumier...
J'aurais dû ne pas céder. Si seulement...

— Tais-toi ! coupa-t-elle enfin, incapable d'en supporter
davantage.

— Non, mais franchement, Viv. C'est du vol à main
armée. »

Il continua de grommeler. À Cricklewood Broadway, ils
durent attendre dix minutes ou un quart d'heure avant de
trouver un taxi. Ils se rendaient dans un appartement que
l'on prêtait à Reggie, quelque part dans le centre. L'adresse
était inscrite sur un autre morceau de papier. Le chauffeur
connaissait la rue, mais fut contraint de prendre un chemin
détourné car, dit-il, certaines voies étaient condamnées...
Reggie émit un reniflement méprisant. Viv l'entendait
penser : *Et voilà comment on se fait avoir, une fois de plus*. Le
taxi roulait doucement, et durant tout le trajet, Viv
demeura dans un état de tension effrayant. Pendant que le
chauffeur ne regardait pas, elle ouvrit le tube d'aspirine et
en prit trois d'un coup, qu'elle dut mâcher et remâcher
avant de parvenir à les avaler péniblement. De temps à
autre, elle glissait une main sous elle, craignant que le tampon de gaze et la serviette ne remplissent pas leur office.

En arrivant, elle ne regarda même pas la maison ; elle ne
savait pas où ils étaient et ne le saurait jamais — même si,
plus tard, elle se souviendrait avoir traversé Hyde Park et
aurait vaguement l'idée d'une rue de Belgravia. Elle garde-
rait toutefois l'image d'un portique à l'entrée, car Reggie
dut aller chercher la clef auprès d'une vieille dame habitant
en demi-sous-sol et, tandis qu'il descendait, elle s'adossa à
un des piliers, et posa les mains à plat sur son ventre pour
essayer de se réchauffer. Elle ne souhaitait qu'une chose, ses
désirs, ses besoins comme condensés, réduits au minimum :
un endroit tranquille, et avoir chaud. Elle entendait la voix

de Reggie. Il parlait avec la vieille dame, échangeait des plaisanteries forcées. « Ah oui, alors... Je pense bien... Ça, on peut le dire... » *Mais qu'est-ce que tu fais ?* pensa-t-elle. Il réapparut enfin, soufflant et jurant, et ils entrèrent.

L'appartement était situé au dernier étage. Les fenêtres de l'escalier n'étaient pas occultées, et ils durent monter à la lueur de la torche. Elle sentait l'humidité gagner en haut de ses cuisses, elle devait saigner : à chaque marche, il lui semblait sentir un peu plus de sang affluer, doux, chaud. Elle finit par se persuader qu'il coulait le long de ses jambes, imbibait ses bas, ses chaussures... Elle resta parfaitement immobile tandis que Reggie se débattait avec les clefs et les serrures inconnues, et demeura ainsi tandis qu'il entrait et allait d'une fenêtre à l'autre, heurtant des meubles dans le noir, se cognant le tibia, faisant s'entrechoquer de la vaisselle.

« Mais pour l'amour de Dieu, fit-elle enfin, comme il se baissait en jurant pour ramasser un objet qu'il avait fait tomber, arrête, il faut d'abord que j'aille à la salle de bains.

— Je veux bien, moi, dit-il avec humeur, mais je ne sais pas où elle est.

— Tu ne la trouves pas ?

— Non, je ne vois rien. Tu vois quelque chose, toi ?

— Allume, juste une minute.

— C'est ça, pour que la mère Hubbard* sorte de sa cave, et qu'un îlotier vienne cogner à la porte. On a vraiment besoin de ça, hein ? »

Deux ans auparavant, il avait écopé d'une amende d'une livre pour avoir allumé une lampe, et ne l'avait jamais oublié. Le rayon de la torche balaya rapidement la pièce.

* Personnage d'une comptine. *(N.d.T.)*

Elle le vit avancer, puis se cogner la tête, violemment, contre un chambranle de porte.

« La vache !

— Tu t'es fait mal ?

— À ton avis ? Je dérouille, oui, quelque chose de bien ! »

Il se frotta le front et reprit son exploration, plus prudemment à présent. Sa voix parvint de nouveau à Viv, assourdie. « Là, c'est la chambre. La salle d'eau doit être à côté, en principe. Attends... » Elle perçut un coup sourd, comme il se cognait de nouveau la tête. Elle entendit le cliquètement métallique d'anneaux de rideau sur une tringle, puis un déclic, puis un autre. « Eh merde ! » lâcha-t-il. L'électricité était coupée. Il leur fallait des shillings. Il revint vers elle et tria sa petite monnaie, fouilla dans le sac à main de Viv ; puis repartit dans le noir, se heurtant encore ici et là, à la recherche du compteur...

Il finit par y introduire les pièces, et la lumière jaillit. Elle se dirigea vers la salle de bains, toute crispée de douleur. En la voyant se déplacer si difficilement, il voulut venir à son aide, mais elle le repoussa.

« Laisse-moi, dit-elle. Laisse-moi. »

Elle n'avait pas saigné autant qu'elle le craignait, il n'y avait guère qu'une petite tache sur la serviette hygiénique ; mais l'extrémité de la gaze blanche était devenue couleur de rouille. Elle la palpa : elle lui semblait plus lâche qu'auparavant et, de nouveau, elle eut peur qu'elle ne remonte et se perde en elle. Elle se redressa, lava ses doigts souillés au robinet du lavabo, regarda la baignoire, l'imagina remplie d'une eau bien chaude qui soulagerait, apaiserait la douleur de son ventre, de ses hanches. Mais c'était une salle de bains étrangement maniériste et luxueuse, au sol couvert d'un épais tapis blanc cassé, et aux carreaux imitant la nacre. Elle se sentait crasseuse, pensa aux mille ruses qu'elle devrait

470

employer pour ne pas laisser de marque, de tache... Elle frissonna, soudain à bout de forces ; abaissa le couvercle des toilettes et s'y assit, les genoux aux coudes, le visage dans les mains. Elle avait gardé son manteau et son chapeau.

Elle resta si longtemps ainsi que Reggie finit par frapper à la porte, lui demandant si tout allait bien. Elle ouvrit, et il parcourut la salle de bains d'un regard nerveux, clignant rapidement des paupières.

Il l'aida à passer dans la chambre. Elle l'avait traversée sans y jeter un coup d'œil ; à présent, elle constatait qu'elle était décorée dans le même style outrancier que la salle de bains. Il y avait une peau de tigre sur le tapis, et des coussins de satin sur le lit. C'était l'idée que l'on aurait pu se faire d'une chambre de star de cinéma ; ou bien d'une pute de luxe, homme ou femme. Tout l'appartement était à l'avenant. Dans le salon, un faux feu de bûches électriques trônait dans une cheminée garnie de panneaux chromés. Le téléphone était d'un blanc de perle fine. Il y avait un bar garni de bouteilles et de verres, et aux murs des photos de Paris, montrant la tour Eiffel, l'Arc de triomphe, des hommes et des femmes installés à une terrasse de café, joyeux, autour de tasses et de bouteilles de vin.

Mais tout était froid au toucher, et poussiéreux ; ici et là, s'amoncelaient de petits tas de poudre de plâtre et de peinture tombés sous l'effet des vibrations, lors des bombardements. Partout régnait une odeur d'humidité, d'appartement inoccupé. Viv, frissonnant toujours, s'assit dans le fauteuil le plus proche du feu.

« Chez qui sommes-nous ? demanda-t-elle.

— Chez personne, dit Reggie, s'accroupissant à ses côtés pour tripoter les manettes du chauffage. C'est un appartement de démonstration. Tiens, j'ai l'impression qu'il manque un truc, là.

— Quoi ?

— C'est un faux appartement, dit-il. Pour montrer aux clients éventuels à quoi le leur pourra ressembler, s'ils en achètent un. Tout ça date d'avant la guerre. Ça n'intéresse plus personne, maintenant.

— Donc personne ne vit ici ?

— Des gens y passent, c'est tout.

— Mais quels gens ? »

Il fit jouer un bouton, dans un sens, dans l'autre. « Des copains de Mike, je te l'ai dit. Il faisait partie des agents immobiliers, et il a gardé la clef. Il la laisse chez la vieille. Pour les gars qui ont une perm, et nulle part où aller... »

Elle avait compris. « C'est ici que vous amenez des filles. »

Il leva les yeux vers elle, riant. « Ne me regarde pas comme ça ! Je n'en sais rien, moi ! Mais c'est mieux qu'un hôtel, non ?

— Ah oui ? » Elle ne souriait pas. « Tu dois quand même être au courant. J'imagine que tu amènes sans cesse des filles ici. »

Il rit de nouveau. « J'aimerais bien ! Non, je n'ai jamais mis les pieds dans cet endroit, de toute ma vie.

— C'est toi qui le dis.

— Ne sois pas sotte. Tu as bien vu comment je me suis cogné partout. » Il se frotta le crâne.

Elle détourna les yeux, affreusement malheureuse, affligée. « C'est toujours comme ça, dit-elle d'une voix morne. Ça finit mal, toujours, à chaque fois. Même maintenant. »

Il tripotait toujours le bouton. « Qu'est-ce qui finit mal ? Comme quoi ?

— Comme ça. » Sa voix s'éteignit. La vague d'amertume, d'attendrissement sur soi-même, avait eu raison de ses forces. Elle se remit à pleurer. Il abandonna le chauffage, se redressa, s'approcha et s'assit maladroitement à côté

472

d'elle. Il lui ôta son chapeau, lui caressa doucement les cheveux, l'embrassa.

« Non, Viv.

— Je me sens tellement, tellement...

— Je sais.

— Non, tu ne sais pas. Je voudrais être morte.

— Ne dis pas ça. Pense à moi, à ce que je ressentirais, si tu mourais... Tu souffres ?

— Oui. »

Il baissa la voix. « Ç'a vraiment été horrible ? »

Elle hocha la tête. Il tendit le bras, posa une main sur son ventre. Elle tressaillit. Mais la chaleur, le poids de sa paume et de ses doigts lui faisaient du bien ; elle posa ses deux mains sur la sienne, et la maintint ainsi. Elle se souvenait de son rêve, à propos du taureau, et le lui raconta.

« Un taureau ? fit-il.

— Un taureau allemand. Il me transperçait avec sa corne. J'imagine que c'était Mr Imrie... »

Reggie se mit à rire. « À l'instant où on est entrés, j'ai su que c'était un vieux dégoûtant. Mais quel salopard quand même, de faire mal à ma chérie !

— Ce n'est pas sa faute. » Elle tira son mouchoir, se moucha. « C'est la tienne.

— La mienne ! Ben voyons ! » Il l'embrassa de nouveau. « Si tu ne rendais pas les hommes fous, hein... » Il frotta sa joue contre ses cheveux. Le poids de sa main sur son bas-ventre se faisait plus insistant. Il commençait de remuer les doigts. « Oh, Viv... », fit-il.

Elle le repoussa. « Arrête ! fit-elle, riant malgré elle. C'est très simple, pour toi, hein...

— C'est terrible, pour moi.

— Oh, rien que l'idée... » Elle eut un frisson.

Il se mit à rire aussi. « Tu dis ça maintenant. On verra ce que tu en penses dans une semaine ou deux.

— Une semaine ou deux ! Tu es complètement maboul. Un an ou deux, oui.

— Deux ans ? Alors là, oui, je vais devenir maboul. Tu pourrais me laisser un peu d'espoir. Deux ans, c'est plus qu'une peine pour désertion. »

Elle rit, puis retint son souffle et secoua la tête, soudain incapable de prononcer un mot. Ils restèrent une ou deux minutes silencieux. Il la décoiffait doucement, en caressant ses cheveux avec son menton, sa joue, et de temps en temps posait les lèvres sur son front. La pièce commençait peu à peu à se réchauffer. La douleur s'apaisait progressivement dans son ventre, dans ses reins, jusqu'à ressembler à cette courbature sourde mais familière qu'elle ressentait chaque mois, au moment de ses règles. Mais elle se sentait totalement sans forces.

Finalement, Reggie se releva, s'étira. Il jeta un coup d'œil vers le bar et déclara qu'il boirait bien quelque chose. Alla prendre une bouteille. Mais après l'avoir ouverte et reniflée, il fit la grimace. « De l'eau colorée ! » Il en essaya une autre. « Toutes. Et regarde ! » Des cigarettes étaient présentées dans une boîte : elles étaient en papier mâché. « Quelle barbe. Bon, on va devoir s'en passer, alors. »

Il avait sur lui une petite fiasque de cognac. Il en ôta le bouchon, la tendit à Viv.

Elle secoua la tête. « Mr Imrie m'a dit de boire de la bière brune.

— J'irai t'en chercher plus tard, si tu veux. Mais prends déjà une gorgée de ça. »

Elle n'avait rien mangé de la journée, à cause de l'anesthésie ; elle prit une petite gorgée de cognac, et sentit l'alcool la traverser et descendre jusqu'à son estomac vide comme une langue de feu. Reggie en prit un peu aussi, puis alluma une cigarette. C'était un peu trop pour elle ; mais au moins, l'odeur ne la rendait pas malade... *Ça doit aller mieux*, se dit-elle — s'en rendant compte, pour la première fois, au moment même où elle le pensait. *Ça doit aller bien maintenant.* Cette pensée s'épanouit en elle comme la chaleur du cognac. Elle ferma les yeux. Il n'y avait plus que la douleur physique, à présent ; et comparée au reste, ce ne serait pas grand-chose.

Reggie finit sa cigarette et se leva ; elle l'entendit se rendre aux toilettes, puis aller et venir dans la chambre, tirer les rideaux pour regarder dans la rue. Celle-ci était déserte. L'immeuble était silencieux. Il ne devait y avoir, partout, que des appartements inoccupés comme celui-ci.

Lorsqu'il revint, elle s'était presque endormie. Il s'accroupit à côté d'elle, lui toucha le visage.

« Tu as assez chaud, Viv ? Je te trouve glacée.

— C'est vrai ? Ça va, je me sens bien.

— Tu ne veux pas aller t'allonger sur le lit ? Tu veux que je te porte ? »

Elle secoua la tête, incapable de parler. Ouvrit les yeux et les referma aussitôt, comme si ses paupières étaient de plomb. Reggie posa une main sur son front et remonta le col de son manteau, le serrant bien autour de son cou. Il ôta ses chaussures d'un coup de pied et s'assit par terre, la tête posée sur ses genoux. « Dis-moi, si tu as besoin de quelque chose. »

Ils restèrent plus d'une heure ainsi. On aurait dit des vieux mariés. Jamais jusqu'alors ils n'étaient demeurés si longtemps ensemble sans faire l'amour.

Puis, vers dix heures et demie, Viv tressaillit soudain, faisant du même coup sursauter Reggie.

475

« Qu'est-ce qu'il y a ? demanda-t-il, levant les yeux vers elle.

— Quoi ? fit-elle, l'air hagard.

— Tu as mal ?

— Quoi ? »

Il se mit sur pied. « Tu es blanche comme un linge. Tu ne vas pas être malade ? »

Elle se sentait très bizarre. « Je ne sais pas. Je crois qu'il faut que je retourne aux toilettes. » Elle tenta de se lever.

« Attends, je vais t'aider. »

Il l'aida à marcher jusqu'à la salle de bains. Elle se déplaçait encore plus lentement qu'auparavant. Il lui semblait que sa tête s'était séparée de son corps — comme si celui-ci était un objet lourd, épais, gauche, auquel elle n'était reliée que par un mince fil. Mais plus elle avançait, plus la souffrance se faisait aiguë dans son ventre ; cela finit par la ramener à la conscience. Le temps de rejoindre les toilettes, de s'asseoir sur le siège, elle était pliée en deux par des douleurs atroces. Étranges aussi : à mi-chemin entre les douleurs menstruelles et une sorte de colique. Elle se dit qu'elle avait peut-être la diarrhée. Elle poussa, comme pour uriner ; sentit une sorte de glissement entre ses cuisses ; baissa les yeux vers la cuvette : c'était le tampon de gaze, informe, trempé de sang ; et du sang coulait d'elle encore, épais, sombre, en une sorte de corde interminable, irrégulière.

Elle appela Reggie. Il arriva aussitôt, alarmé par son cri.

« Mon Dieu ! » fit-il voyant ce qui se passait. Il recula d'un pas, soudain aussi blanc qu'elle. « C'était comme ça, tout à l'heure ?

— Non. » Elle tentait d'arrêter le flot de sang avec du papier hygiénique. Le sang s'échappait, lui couvrait les mains. Elle commençait de trembler. Son cœur cognait dans sa poitrine.

« Remets le truc », dit-il. Il parlait de la serviette hygiénique.

« Ça n'arrête pas, je ne peux pas l'arrêter. Oh, Reggie, je n'arrive pas à l'arrêter ! »

Plus son angoisse augmentait, plus fort le sang paraissait jaillir. Au début visqueux et parsemé de caillots, il était maintenant normal, plus liquide, et d'un rouge éclatant. Il frappait l'émail blanc de la cuvette avec un bruit d'eau éclaboussant un évier. Il y en avait sur le siège, sur ses jambes, sur ses mains, partout.

« Ça n'est pas normal, hein ? fit Reggie, le souffle court.

— Je ne sais pas.

— Qu'a dit Mr Imrie ? Il t'a dit que ça ferait ça ?

— Il a dit que je risquais de saigner un peu.

— Un peu ? Qu'est-ce qu'il appelle un peu ? Ça, ce n'est pas un peu, c'est énorme.

— Tu trouves ?

— Tu ne trouves pas ?

— Je ne sais pas.

— Comment cela, tu ne sais pas ? Est-ce que ça coule comme ça, en temps normal ?

— Non, pas comme ça. Il y en a partout ! »

Il posa la main sur sa bouche. « Il y a sûrement quelque chose à faire pour arrêter ça. Tu devrais reprendre de l'aspirine.

— Ça n'arrangera rien, tu sais.

— C'est déjà ça. »

C'était tout ce qu'ils avaient. Il fouilla dans la poche du manteau de Viv, en tira le tube. Elle ne pouvait rien toucher, avec ses mains couvertes de sang. Elle reprit trois comprimés, les mâchant avant de les avaler péniblement ; il

477

lui donna une gorgée de cognac, puis vida lui-même le reste de la fiasque. Ils tirèrent la chasse d'eau, observèrent la cataracte dans la cuvette ; l'eau s'apaisa, rose clair en surface, rouge sombre, épaisse au fond — comme un de ces cocktails amusants que préparent les barmen. Le sang continua de couler d'elle, dessinant une arabesque qui allait s'élargissant en un nuage rouge.

« Et tu ne crois pas, dit Reggie, désignant de nouveau de la tête la serviette hygiénique, qu'en remettant ce truc, bien serré... »

Elle secoua la tête, trop paniquée pour prononcer un mot. Elle arrachait des feuilles et des feuilles de papier pour essayer d'arrêter le flot. Elles tinrent une seconde, et elle se calma quelque peu ; puis elles retombèrent, comme le tampon de gaze. Reggie essaya à son tour, avec encore du papier. Il posa la main sur les siennes et appuya, pour le maintenir en place. Mais là encore, il retomba, trempé, tandis que le flot de sang redoublait.

Finalement, ne sachant plus que faire, éperdus, ils décidèrent que Reggie devait appeler Mr Imrie pour avoir son conseil. Il se précipita au salon ; elle entendit tinter la petite clochette, comme il décrochait le téléphone blanc ; puis un cri de colère. Il réapparut, titubant, mettant ses chaussures en hâte tout en marchant. Le téléphone ne fonctionnait pas. Le cordon faisait un mètre, et s'arrêtait là. C'était comme les bouteilles remplies d'eau colorée et les cigarettes de papier mâché ; tout ici était factice.

« Il faut que je trouve une cabine, dit-il. Tu en as repéré une, en venant ? »

L'idée de se retrouver seule était insupportable. « Ne pars pas !

— Ça coule toujours ? » Il jeta un coup d'œil, jura. Posa

478

une main sur son épaule. « Écoute, je descends chez la vieille, en bas. Elle saura où je peux trouver un téléphone.

— Qu'est-ce que tu vas lui dire ?

— Je vais juste lui dire que je dois téléphoner.

— Dis-lui... » Viv s'agrippa à son bras. « Dis-lui que je suis en train de perdre un bébé, Reggie. »

Il réfléchit une seconde. « Tu crois ? Elle va vouloir monter, si je dis ça. Elle voudra appeler un médecin.

— Mais on devrait peut-être faire venir un médecin, tu ne crois pas ? Mr Imrie a dit que...

— Un toubib ? Mais écoute, Viv, je ne m'attendais pas à un truc comme ça, moi... » Il laissa sa main, la porta à sa propre tête, se tiraillant les cheveux. Elle voyait à son visage qu'il pensait à l'argent que cela coûterait, ou au risque de complications. Elle se remit à pleurer. « Ne pleure pas ! » fit-il et, l'espace d'un moment, il parut lui-même sur le point de fondre en larmes. « Un médecin comprendra ce qui se passe, non ? Il n'aura qu'à te regarder pour savoir.

— Je m'en fiche, dit-elle.

— Et il peut appeler la police, Viv. Il nous demandera nos noms. Il voudra tout savoir sur nous. » Sa voix se brisait. Il restait là, hésitant — essayant de réfléchir à une autre solution. Puis un nouvel accès de douleur la saisit, elle eut un hoquet, se plia en deux. « Bon, d'accord, fit-il, d'accord, j'y vais. »

Il se détourna et sortit. La porte claqua, et Viv n'entendit plus rien. La sueur perlait à son front et sur sa lèvre supérieure ; elle s'essuya le visage à sa manche. Elle tira de nouveau la chasse d'eau, puis pivota et tendit le bras vers le lavabo pour se laver les mains, ôtant la bague dorée qui ne cessait de glisser. Le lavabo semblait peint en un rouge écarlate : elle prit encore des feuilles de papier hygiénique et essaya de le nettoyer — de nettoyer, aussi, le siège des toilettes, et le rebord de la cuvette au-dessous. Puis elle vit un peu de sang sur le tapis : elle se pencha, et eut un vertige ; le sol parut s'incliner devant elle. Elle tenta de s'appuyer au mur, laissa une trace rose sur les carreaux nacrés ; se releva lentement et resta parfaitement immobile, la tête dans les mains. Quand elle ne bougeait pas, le sang coulait moins fort... Elle avait envie de s'allonger ; se souvenait que Mr Imrie lui avait conseillé de garder le lit. Mais elle ne voulait pas se lever, par crainte de souiller complètement le tapis blanc cassé. Elle ferma les yeux, se mit à compter à voix basse. *Un, deux, trois, quatre.* Elle répétait ces chiffres encore et encore. *Un, deux, trois, quatre...*

Je vais mourir, se dit-elle. Tout d'un coup, elle avait envie d'avoir son père près d'elle. Si seulement son père était là ! En même temps, elle l'imaginait entrant, et voyant tout ce sang... Elle se remit à pleurer. Se redressa, la tête appuyée au mur ; elle pleurait toujours, mais si doucement que ses sanglots ressemblaient à d'imperceptibles halètements de douleur.

Elle était toujours ainsi quand Reggie réapparut. La vieille dame l'accompagnait. Elle était vêtue d'une chemise de nuit et d'une robe de chambre, sur lesquels elle avait jeté un pardessus, et avait mis un chapeau et des chaussons de caoutchouc. Sans doute la tenue qu'elle gardait à portée de main, en cas d'alerte. Elle respirait lourdement d'avoir monté tous ces étages, et n'avait pas de dents. Elle tenait un mouchoir à la main, pour s'essuyer le visage. En voyant l'état de Viv, elle le lâcha, et il tomba au sol. Elle vint droit vers elle, posa la main sur son front, puis écarta ses cuisses pour regarder ce qui se passait.

Puis elle se tourna vers Reggie. « Dieu du ciel, mon garçon ! fit-elle d'une voix pâteuse, à cause de l'absence de

480

dentier, et vous vouliez appeler un docteur ? Mais nom d'un chien, mais c'est une ambulance qu'il lui faut !

— Une ambulance, répéta Reggie, horrifié. Vous êtes sûre ? » Il se tenait légèrement en retrait, à présent qu'elle était là.

« Mais bien sûr ! Regardez, elle est toute blanche ! Elle a perdu la moitié de son sang. Ce n'est pas un médecin qui va le lui remettre dans le corps, hein ? » Elle tâta de nouveau le front de Viv. « Juste ciel... Mais allez-y ! Qu'est-ce que vous attendez ? Vous pouvez en avoir une maintenant, si vous n'attendez pas qu'une alerte se déclenche. Dites-leur de faire vite. Dites-leur que c'est une question de vie ou de mort ! »

Reggie partit en courant.

« Bon, fit la femme, se débarrassant de son manteau d'un mouvement d'épaules. Vous pensez que c'est bien de rester assise comme ça, mon petit, à laisser tout ça couler tant que ça peut ? » Elle posa une main sur l'épaule de Viv, une main un peu tremblante. « Vous ne feriez pas mieux de vous allonger ? »

Viv secoua la tête. « Je veux rester comme ça.

— Bon, d'accord. Mais soulevez-vous un peu, et... Voilà, c'est cela. »

Il y avait une seule serviette de toilette dans la salle de bains — blanc cassé, comme le tapis. Viv n'avait pas voulu l'utiliser. Mais la femme l'avait déjà prise sur le porte-serviettes et pliée en deux ; elle aida Viv à se lever un peu, abaissa le couvercle des toilettes et y posa la serviette. « Asseyez-vous là-dessus, mon petit, dit-elle en aidant Viv à se rasseoir. Voilà. Et puis on va vous enlever cette culotte, hein ? » Elle se pencha et ôta maladroitement la culotte de Viv, en lui faisant lever les pieds, l'un après l'autre... « C'est mieux comme ça. Parce que ce n'est pas la peine que votre

481

bonhomme vous voie avec la culotte aux chevilles, n'est-ce pas ? Non, sûrement pas. Voilà. Quand j'avais votre âge, on ne s'embarrassait pas avec des culottes. On avait nos jupes pour nous cacher, bien assez longues. Mais alors longues et larges, si vous saviez... Voilà. Ne vous inquiétez pas. Ça va aller, bientôt vous serez tirée d'affaire, et à nouveau belle comme une princesse. Vous avez des cheveux magnifiques, n'est-ce pas... ? »

Elle continua à bavarder, disant un peu n'importe quoi, Viv appuyée contre elle, lui caressant et tapotant la tête de ses doigts durs aux ongles ras. Mais Viv sentait bien qu'elle aussi avait peur.

« Ça saigne toujours, hein ? demandait-elle de temps en temps, jetant un coup d'œil sur la serviette entre les cuisses de Viv. Enfin, à votre âge, vous en avez à revendre. C'est toujours ce qu'on dit, n'est-ce pas ? »

Viv avait fermé les yeux. Elle entendait vaguement le bourdonnement de la voix de la vieille femme, mais avait commencé de se raidir, de se concentrer sur le sang qui s'échappait d'elle — essayant, mentalement, de le ralentir, de le garder, de le faire rentrer dans son corps. La peur montait et descendait en elle comme d'immenses vagues obscures. Pendant quelques minutes d'affilée, lui semblait-il, le flot semblait se calmer, et elle se sentait presque sereine ; puis soudain, il jaillissait de nouveau entre ses cuisses, et la panique la submergeait — décuplée par les cognements frénétiques de son propre cœur, car elle savait qu'ils précipitaient d'autant la course du sang...

Puis elle entendit Reggie revenir.

« Vous les avez appelés ? fit la vieille dame.

— Oui, dit Reggie, le souffle court, ils arrivent. »

Il restait sur le seuil de la salle de bains, le teint gris, se rongeant les ongles, trop intimidé par la vieille femme pour entrer. *Si seulement il venait me prendre la main*, pensa Viv. *Si au moins il venait me prendre dans ses bras...* Mais, croisant son regard, il se contenta d'esquisser un vague geste d'impuissance, en secouant la tête. « Je suis désolé, articula-t-il. Je suis désolé. » Il s'éloigna. Elle l'entendit allumer une cigarette. Puis elle perçut le cliquètement des anneaux de rideau, et elle comprit qu'il devait être à la fenêtre de la chambre, pour surveiller la rue.

Le sang se remit à couler, la douleur de lui prendre le ventre dans un étau, comme un poing serré autour d'une lame ; elle ferma les yeux, se laissa de nouveau emporter par la panique. Douleur et angoisse étaient d'un noir absolu, sans début ni fin : c'était comme de respirer encore le gaz chez Mr Imrie, de glisser hors du temps, de la réalité qui s'enfuyaient loin, devant... Elle sentait les mains dures de la vieille dame sur ses épaules, entre ses omoplates, qui la caressaient et la frottaient, décrivant de petits cercles. Elle entendit Reggie s'écrier : « Les voilà ! », mais sans comprendre, sur l'instant, de quoi il parlait. Pensant que cela avait un rapport avec le fait d'avoir ouvert les rideaux... Quand au bout d'une minute ou deux, elle ouvrit les yeux et vit les ambulanciers, avec leur uniforme et leur casque, elle crut qu'il s'agissait d'un îlotier et d'un aide, montés pour faire respecter le black-out.

Mais le plus jeune riait, d'un rire de gorge, mais léger, presque un rire de fille. « J'adore la peau de tigre, dit-il. Mais ça ne vous fait jamais peur, au beau milieu de la nuit ? Moi, j'aurais peur qu'il ne me morde les chevilles au passage... » Il examina la serviette sur laquelle Viv était assise, et le rire mourut sur ses lèvres, mais son visage restait très doux. La serviette était écarlate, complètement imbibée. Il posa une main sur le front de Viv. « Elle est toute froide, dit-il à l'autre homme.

— Je n'ai pas réussi à arrêter le sang », murmura Viv.

L'homme s'était accroupi devant elle. Il lui avait dénudé un bras et s'employait à lui poser un garrot ; puis il pompa sur une poire de caoutchouc, baissa les yeux sur un cadran rond et fronça les sourcils. Il posa une main sur sa cuisse et regarda la serviette, comme l'avait fait le plus jeune. Elle était au-delà de la gêne. « Depuis combien de temps cela coule-t-il comme ça ? demanda l'homme.

— Je ne sais pas », répondit-elle d'une voix faible. *Où est Reggie ?* Reggie saurait, lui. « Peut-être une heure. »

L'homme hocha la tête. « Vous avez perdu énormément de sang, apparemment. Nous allons devoir vous transporter à l'hôpital de toute urgence. D'accord ? » Il parlait calmement, sa voix était rassurante. Elle avait envie de s'abandonner à lui, qu'il l'emporte dans ses bras. Il était toujours accroupi devant elle, rangeait le garrot et la poire de caoutchouc dans un sac, avec des gestes rapides. Mais avant de se redresser, il la regarda dans les yeux. « Comment vous appelez-vous ? » demanda-t-il doucement.

« Pearce, répondit-elle sans réfléchir. Vivien Pearce.

— Et à quel stade de votre grossesse en étiez-vous, Mrs Pearce ? »

Soudain, elle se rendit compte de ce qu'elle venait de faire. Elle avait dit Vivien Pearce, au lieu de Margaret Harrison... De nouveau, elle chercha Reggie du regard. L'homme posa une main sur son genou.

« Je suis désolé, disait-il. C'est vraiment moche. Mais là, il faut qu'on s'occupe de vous. Mon amie miss Carmichael et moi allons vous porter jusqu'en bas. »

Elle cherchait toujours Reggie, et n'arrivait pas à se concentrer sur ce qu'il lui disait. Elle crut que « miss Carmichael » était la vieille dame. Puis il échangea quelques mots avec l'autre garçon — s'appelant l'un l'autre

« Kay » et « Mickey » — et elle comprit, consternée, que ce n'étaient absolument pas des hommes, mais des femmes aux cheveux courts... Toute sa confiance en eux, ce réconfort, ce sentiment d'être enfin en sécurité disparurent d'un seul coup. Elle se mit à trembler. Les deux femmes, semblant croire qu'elle avait froid, l'entourèrent d'une couverture. Elles avaient monté une chaise de toile pliante, sur laquelle elles l'installèrent, l'attachant avec des sangles ; puis elles s'employèrent à la sortir de la salle de bains, avec précaution, et l'emportèrent, foulant la peau de tigre, vers le salon, passant devant le bar et les photos de Paris, puis dans l'escalier non éclairé. À chaque tournant, elle croyait tomber. « Je suis désolée, répétait-elle d'une petite voix, je suis désolée. »

Elles la grondèrent gentiment de s'inquiéter ainsi.

« Si vous voyiez les types énormes qu'on est obligées de transbahuter, quelquefois ! » dit en riant la plus jeune des deux, Mickey. « Après la guerre, on pourra se reconvertir dans le déménagement des pianos. »

La vieille dame les précédait, pour leur indiquer les marches difficiles à négocier. Elle leur tint la porte grande ouverte, puis trottina jusqu'au portillon pour faire de même. L'ambulance était garée juste devant ; les touches de blanc dans la peinture gris terne de la carrosserie donnaient l'impression qu'elle flottait sur l'encre noire de la chaussée. Kay et Mickey déposèrent Viv, ouvrirent les portières.

« Nous allons vous allonger, dit Mickey. Je crois que c'est préférable, pour le saignement. Hop, on y va. »

Elles la hissèrent à l'intérieur, la sortirent de la chaise de toile et l'allongèrent sur la couchette. Elle tremblait toujours, comme glacée, le sang suintait toujours au travers de la serviette ; en outre, elle commençait d'avoir le souffle court — comme si elle venait de courir un cent mètres. Elle

485

entendit Kay demander à Mickey de prendre le volant, pour pouvoir rester derrière avec elle ; la banquette fléchit légèrement comme Kay montait à son tour. Viv leva les yeux, cherchant Reggie, espérant que Kay le laisserait s'asseoir à côté d'elle, lui tenir la main... Une des portières était déjà fermée, et la silhouette de la vieille dame s'encadrait dans l'autre : elle disait à Viv, de sa voix pâteuse, de ne pas avoir peur, que les médecins allaient la remettre sur pied en un rien de temps... Elle recula. Mickey avait saisi la poignée et s'apprêtait à refermer la portière.

Viv se secoua, se mit sur son séant. « Attendez, fit-elle. Où est Reggie ?

— Reggie ? répéta Kay.

— Son époux ! dit la vieille dame. Dieu du ciel, je l'avais complètement oublié. Je l'ai vu filer, et du coup...

— Reggie ! » s'écria Viv, éperdue. Une sangle la maintenait au niveau des hanches. Elle se mit à tirer dessus, saisie de panique. « *Reggie !* »

« Il est là ? demanda Kay.

— Je ne crois pas, non, répondit Mickey. Tu veux que j'aille voir ? »

Viv se débattait toujours avec la sangle.

« Oui, vas-y, dit Kay. Mais fais vite ! »

Mickey courut vers la maison. Réapparut une ou deux minutes plus tard, haletante. Elle releva son casque, passa la tête à l'arrière de l'ambulance.

« Il n'y a personne, dit-elle. J'ai regardé partout. »

Kay hocha la tête. « Bon, on y va. Il la rejoindra à l'hôpital.

— Mais il était là, dit Viv, à bout de souffle. Vous avez dû le manquer — dans le noir...

— Je suis désolée. Il n'y a personne, répéta Mickey.

486

— Oh, quelle misère de voir ça, franchement », fit la vieille dame, bouleversée.

Viv se laissa retomber sur la banquette, plus faible que jamais, incapable de protester plus longtemps. Elle repensait à Reggie, au bord des larmes. « *Un médecin comprendra ce qui se passe, non ? Il nous demandera nos noms. Il voudra tout savoir sur nous.* » Elle le revoyait sur le seuil de la salle de bains, secouant la tête. « *Je suis désolé...* »

Elle ferma les yeux. La portière claqua et l'ambulance se mit enfin en route. Le moteur faisait tant de bruit qu'elle avait l'impression d'avoir la tête appuyée au capot. Se sentait comme prisonnière dans la cale d'un navire. Elle perçut la voix de Kay, tout près de son visage. « Ça va aller, Mrs Pearce. » Elle faisait quelque chose, écrivait sur une étiquette qu'elle attachait au col de Viv. « Soyez courageuse, Mrs Pearce...

— Ne m'appelez pas Mrs Pearce, fit soudain Viv d'une voix pitoyable. Ne m'appelez pas *Mrs*. Ce n'est pas mon mari. On a été obligés de faire semblant, pour Mr Imrie...

— Ce n'est pas grave, dit Kay.

— On a dit Harrison, c'est le nom de la mère de Reggie. À l'hôpital, il faudra dire Harrison. Vous voulez bien ? Il faut leur dire que je suis Mrs Harrison. Parce que même s'ils s'en aperçoivent, ce n'est pas si grave quand c'est une femme mariée, n'est-ce pas ?

— Ne vous inquiétez pas. » Kay lui tenait le poignet, prenant son pouls.

« Ils n'appellent pas la police quand c'est une femme mariée, n'est-ce pas ?

— Vous mélangez tout, là. La police ? Mais pourquoi appelleraient-ils la police ?

— C'est un délit, c'est illégal, non ? » dit Viv.

Elle vit Kay sourire. « D'être malade ? Ah non, pas encore.

— Non, de se débarrasser d'un bébé, je veux dire. »

La camionnette se mit à cahoter sur la chaussée défoncée à cet endroit. « Quoi ? » fit Kay.

Viv ne répondait pas. À chaque secousse, elle sentait le sang s'échapper davantage. De nouveau, elle ferma les yeux.

« Vivien, dit Kay, qu'avez-vous fait ?

— On est allés voir quelqu'un », dit enfin Viv. Elle retint son souffle. « Un dentiste.

— Qu'est-ce qu'il vous a fait ?

— Il m'a endormie. Au début, ça allait. Mais il m'a mis une compresse à l'intérieur, et la compresse est partie, et ça s'est mis à saigner ; mais avant, ça allait bien. »

Kay se releva brusquement, donna un coup de poing contre la paroi de la cabine. « Mickey ! » L'ambulance ralentit, s'arrêta ; il y eut le cliquètement métallique du frein à main. Le visage de Mickey s'encadra dans la glace coulissante, au-dessus de la tête de Viv.

« Un problème ?

— Ce n'est pas ce qu'on croyait, dit Kay. Elle a été voir un avorteur — un dentiste, tu imagines — qui a dû la massacrer.

— Oh, non...

— Et elle saigne sans arrêt. Il a peut-être — je ne sais pas. Il a pu lui faire une perforation.

— Bon. » Mickey se pencha vers le volant. « On y va aussi vite que possible.

— Attends, attends ! » Mickey se retourna. « Elle a peur de la police. »

Viv observait leurs visages. Elle s'était de nouveau dressée. « Pas la police ! s'écria-t-elle. Pas la police. Il ne faut pas que mon père sache !

— Votre père ne dira rien, quand il saura à quel point vous êtes mal, dit Mickey.

— Elle n'est pas mariée », dit Kay.

Viv se remit à pleurer. « Ne leur dites pas, sanglotait-elle. Oh, je vous en prie, ne leur dites pas ! »

Elle les vit échanger un regard. « S'il y a eu perforation, elle risque de... mon Dieu ! Elle risque un empoisonnement du sang, n'est-ce pas ?

— Je ne sais pas. Probablement.

— Je vous en prie, répétait Viv, dites-leur simplement que j'ai perdu le bébé. »

Mickey secoua la tête. « C'est trop dangereux.

— S'il vous plaît. Ne leur dites rien. Dites que vous m'avez ramassée dans la rue.

— De toute façon, ils le verront bien », dit Mickey.

Mais Viv sentait que Kay, elle, pensait : *Pas forcément.*

« Non, conclut Mickey. On ne peut pas prendre ce risque. Non, Kay, franchement ! Elle peut... » Elle baissa les yeux vers Viv. « Vous pouvez *mourir*, dit-elle.

— Je m'en fiche !

— Kay », dit Mickey ; et comme Kay ne répondait pas, elle se détourna, se remit au volant. L'ambulance fit un petit bond en avant et repartit, plus vite à présent.

Viv se laissa retomber. Elle ne sentait plus les secousses aussi fort, maintenant. Elle avait l'impression d'être suspendue au-dessus de la couchette. Se disait qu'à force d'avoir perdu du sang, elle devait commencer à flotter. Elle eut vaguement conscience que Kay ajoutait quelque chose à l'étiquette accrochée à son col, puis fouillait dans la poche de son manteau ; puis elle sentit qu'on lui serrait les doigts. Kay lui avait pris la main. Ses doigts étaient collants ; Viv serra plus fort à son tour, pour ne pas dériver. Elle ouvrit les yeux, contempla le visage de Kay. Intensément, comme jamais elle n'avait regardé un visage ; comme si le fait de la regarder pouvait, aussi, l'empêcher de complètement partir, de dériver au loin.

« On y est presque, Vivien, répétait Kay, sans cesse. Courage. Ça va aller. On est presque arrivées. »

Quelques instants plus tard, la camionnette tournait et s'arrêtait. Les portières s'ouvrirent brusquement. Mickey entra, suivie par une autre silhouette : celle d'une infirmière, avec une coiffure blanche, bizarre sous le clair de lune.

« Encore vous, Langrish ! fit l'infirmière. Bon, qu'est-ce que vous nous apportez, ce soir ? »

Kay regarda Mickey, mais garda la main de Viv bien serrée dans la sienne. Et comme Mickey ouvrait la bouche pour répondre, elle la coupa :

« Fausse couche, dit-elle d'une voix ferme. Fausse couche avec complications. Apparemment, cette dame, Mrs Harrison, a fait une mauvaise chute. Elle a perdu énormément de sang, et elle est très choquée. »

L'infirmière fit un signe de tête. « Très bien », dit-elle. Elle s'éloigna, héla un brancardier. « Vous, là ! Oui, vous ! Allez me chercher un brancard, et en vitesse ! »

Mickey baissa la tête sans mot dire. Elle commença, le visage sombre, à dégrafer la sangle qui maintenait Viv sur la couchette. « Venez, Vivien, dit Kay quand elle en eut terminé. C'est bon. »

Viv s'agrippait toujours à sa main. « Ça va aller ? Vous en êtes sûre ? »

— Oui, dit Kay. On va vous emmener. Mais écoutez-moi, une seconde. » Elle chuchotait à présent, d'une voix précipitée. Jeta un coup d'œil par-dessus son épaule, toucha le visage de Viv. « Vous m'écoutez ? Regardez-moi... Votre carte de rationnement et vos tickets, Vivien. J'ai fait une ouverture dans la doublure de votre manteau. Vous direz que vous les avez perdus en tombant. D'accord ? Vous comprenez ce que je dis, Vivien ? »

Viv comprenait ; mais son esprit était ailleurs, concentré sur autre chose, une chose qui lui paraissait plus importante. Ses doigts s'étaient détachés de ceux de Kay, et elle les sentait parcourus de fourmillements. Ils étaient collants, mais froids, et nus...

« L'alliance », dit-elle. Les fourmillements avaient atteint ses lèvres à présent. « J'ai perdu l'alliance. J'ai perdu... » Puis elle se souvint qu'elle ne l'avait pas perdue : elle l'avait enlevée pour se laver les mains, laver le sang sous la bague ; et elle l'avait laissée dans la salle de bains de théâtre, sur le lavabo, posée à côté du robinet.

Elle regarda Kay, éperdue. « Aucune importance, Vivien, dit Kay. Ça compte beaucoup moins que le reste.

— Voilà le brancard », dit Mickey d'une voix dure.

Viv tenta de se redresser. « L'alliance, répéta-t-elle, de nouveau haletante. Reggie m'a donné une alliance. Je l'avais mise pour que Mr Imrie croie que...

— Cccchhhhut, Vivien ! coupa Kay. Taisez-vous ! Ça n'a aucune importance.

— Il faut que j'y retourne.

— Ce n'est pas possible, dit Mickey. Franchement, Kay !

— Qu'est-ce qui se passe ? s'enquit l'infirmière.

— Il faut que j'y retourne ! dit Viv, commençant de se débattre. Laissez-moi retourner chercher mon alliance ! Sinon, ça ne va pas...

— Elle est là ! fit soudain Kay. La voilà, votre alliance, regardez. »

Elle s'était écartée de Viv ; joignant les mains, elle parut se tordre les doigts, une seconde, puis brandit un petit anneau d'or, tout cela avec une rapidité, une dextérité de magicien.

« Vous l'aviez prise ? » demanda Viv, stupéfaite, submergée par le soulagement ; et Kay hocha la tête en réponse. « Oui. » Elle souleva la main de Viv, glissa l'anneau à son doigt.

« Je la sens différente.

— C'est parce que vous êtes affaiblie.

— Vraiment ?

— Bien sûr. Bon, n'oubliez pas le reste, d'accord ? Passez le bras autour de mes épaules. Accrochez-vous bien. Voilà, c'est ça, bravo. »

Viv se sentit soulevée de la couchette. Sentit qu'on la déplaçait, dans l'air frais du dehors... Comme Kay lui prenait la main, une dernière fois, elle s'aperçut qu'elle avait peine à serrer ses doigts. Elle ne pouvait plus parler, même pour dire merci, pour dire au revoir. Elle ferma les yeux. À l'instant où le brancard pénétrait dans le hall des urgences, l'alerte se déclencha.

Helen se trouvait dans l'appartement de Julia, à Mecklenburgh Square, quand elle entendit les sirènes. Presque immédiatement, il y eut des crépitations et des détonations sourdes. Elle pensa à Kay, redressa la tête.

« C'est où, d'après toi ? »

Julia haussa les épaules. Elle s'était levée pour prendre une cigarette et fouillait de deux doigts dans le paquet. « Killburn ? suggéra-t-elle. Impossible à dire. La semaine dernière j'en ai entendu tomber une énorme, et j'aurais juré que c'était sur Euston Road. Eh bien en fait, c'était Kentish Town. » Elle se dirigea vers la fenêtre, écarta le rideau, colla un œil à l'un des petits trous du mica. « Tu devrais venir

492

voir la lune, dit-elle. C'est quelque chose d'extraordinaire, ce soir. »

Mais Helen tendait toujours l'oreille, attentive aux bombes. « En voilà une autre, dit-elle, se crispant. Ne reste pas à la fenêtre, tu veux bien ?

— Il n'y a plus de vitre.

— Je sais, mais... » Elle tendit le bras. « Reviens quand même. » Julia laissa retomber le rideau. « Une seconde. » Elle alla jusqu'à la cheminée et se pencha, tint un morceau de papier contre les charbons brasillants pour allumer sa cigarette. Puis elle se redressa, et aspira, la tête rejetée en arrière, savourant la première bouffée de tabac. Elle était entièrement nue, et se tenait négligemment appuyée sur une jambe, tout à fait à l'aise dans la lueur du feu, comme au bord d'une mare, sur quelque toile victorienne inspirée de la Grèce antique.

Helen ne bougeait pas, l'observait sans bouger. « Tu incarnes ton nom, dit-elle doucement.

— Mon nom ?

— Julia, Standing[1]. J'ai toujours envie de mettre une virgule entre les deux. Personne ne t'a jamais dit cela ? Tu ressembles à ton propre portrait... Viens. Tu vas prendre froid. »

La chambre était trop bien calfeutrée, il n'y faisait pas frais. Julia porta la main à son front pour en écarter ses cheveux emmêlés, puis revint lentement vers le divan déplié et se glissa sous les couvertures. Elle s'allongea, les mains sous la nuque, découverte jusqu'à la taille, et partagea la cigarette avec Helen qui la lui tenait entre les lèvres et l'ôtait après qu'elle en avait pris une bouffée. La cigarette terminée, elle ferma les yeux. Helen contemplait sa poitrine et

---

1. Standing = Debout (*N.d.T.*).

493

son estomac qui se soulevaient à chaque respiration ; le battement d'une petite veine à la base de son cou.

Il y eut une nouvelle explosion, un tonnerre caverneux au loin, le martèlement d'une rafale de DCA, peut-être un vrombissement d'avions, aussi. Dans l'appartement au-dessus, le Polonais faisait les cent pas : Helen pouvait suivre ses allées et venues aux craquements du parquet. Dans la pièce au-dessous, une radio marchait ; elle perçut le bruit du charbon que l'on remuait dans la cheminée, l'écho métallique du tisonnier. Tous ces sons lui étaient familiers, à présent, comme le contact des draps de Julia sur sa peau, de ses oreillers sous sa tête, le mobilier hétéroclite autour d'elle. En trois semaines, cela faisait peut-être six ou sept fois qu'elle se trouvait là ainsi. Et une fois de plus, elle se disait : *Tous ces gens ne savent pas que Julia et moi sommes là, ensemble, nues dans les bras l'une de l'autre...* Cela lui semblait incroyable. Elle se sentait vulnérable, exposée délicieusement, comme si sa peau avait mué, s'était délicatement retournée pour dévoiler des nerfs jusqu'alors assoupis.

Plus jamais, se disait-elle, elle ne pourrait traverser une pièce, ou allumer la TSF, ou tisonner un feu — plus jamais faire quoi que ce soit — sans penser aux corps qui, peut-être, s'enlaçaient dans une pièce voisine.

Elle tendit la main vers la clavicule de Julia — sans la toucher réellement, suspendant son geste à un centimètre de sa peau.

« Qu'est-ce que tu fais ? demanda Julia sans ouvrir les yeux.

— Je te devine, je te sens. Je sens monter ta chaleur. Je sens la vie qui émane de toi. Je sais où ta peau est très blanche, où elle est plus sombre. Je sais là où elle est immaculée, et là où elle est parsemée de taches de rousseur. »

Julia lui saisit les doigts. « Tu es complètement dérangée, dit-elle.

— Dérangée, d'amour, oui.

— On dirait un titre de roman. Un roman de Elinor Glyn, ou de Ethel M. Dell.

— Tu n'as pas l'impression d'être un peu folle, toi, Julia ? »

Julia réfléchit. « Je me sens comme touchée par une flèche, dit-elle enfin.

— Par une flèche, seulement ? Moi je me sens transpercée par un harpon. Ou plutôt non, un harpon, c'est trop violent. J'ai l'impression qu'on m'a planté un petit crochet dans le cœur.

— Un petit crochet ?

— Oui, comme ceux que l'on utilise pour faire du macramé, tu vois, ou encore plus fin.

— Un tire-bouton ?

— Voilà, un tire-bouton, c'est exactement ça. » Helen se mit à rire, car la suggestion de Julia venait de faire naître une image très nette dans son esprit — venue de son enfance probablement —, celle d'un tire-bouton d'argent terni, avec un manche de nacre légèrement ébréché. Elle posa la main là où elle pensait être la place de son cœur. « J'ai l'impression d'avoir un tire-bouton planté dans la poitrine, et que l'on m'arrache le cœur, lentement, fibre après fibre.

— Quelle horreur, fit Julia. Tu es complètement morbide. » Elle prit les doigts d'Helen, les porta à ses lèvres et les embrassa, puis les tint devant elle et les observa attentivement. « En plus, tu as de tout petits ongles, dit-elle d'un ton vague. De petits ongles, de petites dents. »

Helen se sentit soudain gênée, malgré la pénombre qui

495

régnait dans la pièce. « Ne m'examine pas comme ça, dit-elle, retirant sa main.

— Pourquoi ?

— Parce que je... je n'en vaux pas la peine. »

Julia eut un petit rire. « Idiote », dit-elle.

Après quoi, elles fermèrent les yeux ; et Helen dut finir par dériver dans un sommeil léger. Elle eut vaguement conscience que Julia se levait, passait une robe de chambre et descendait aux toilettes ; mais elle était engluée dans quelque rêve absurde, et ne se réveilla vraiment qu'au claquement de la porte, quand Julia réapparut.

« Quelle heure est-il ? » demanda-t-elle. Elle tendit le bras vers le réveil de Julia. « Juste ciel, une heure moins le quart ! Il faut que j'y aille. » Elle se frotta le visage, puis se laissa retomber sur l'oreiller.

« Reste jusqu'à une heure, dit Julia.

— Un quart d'heure de plus. Tu parles...

— Alors laisse-moi t'accompagner. Je te ramène à la maison. »

Helen secoua la tête.

« Si, laisse-moi venir, insista Julia. Je préfère marcher un peu que de me retrouver toute seule ici, tu le sais bien. »

Elle commença de s'habiller. Ses vêtements traînaient en tas sur le sol : elle se pencha pour en extirper un soutien-gorge et une culotte, enfila un pantalon et un chemisier, le boutonna en rentrant le menton, sourcils froncés. Elle alla au miroir, se passa la main sur le visage.

Helen l'observait, immobile, comme précédemment. Il lui semblait extravagant d'avoir ce droit — que Julia puisse ainsi s'offrir à son regard, dans toute sa beauté. Il lui semblait incroyable, presque effrayant de songer qu'une heure auparavant, Julia était dans ses bras, qu'elle avait ouvert sa bouche, ouvert ses jambes aux lèvres, à la langue, aux doigts d'Helen. Il lui semblait inimaginable qu'elle puisse accepter, si Helen se levait, là, maintenant, de se laisser embrasser...

Julia surprit son regard, et eut un sourire de feinte exaspération.

« Tu n'es jamais fatiguée de me fixer comme ça ? »

Helen baissa les yeux. « Je ne te regardais pas, tu sais.

— Si tu étais un homme, je te dirais de quitter la pièce pendant que je m'habille. Je voudrais rester un mystère pour toi.

— Je ne veux pas que tu sois un mystère. Je veux tout savoir de toi, jusque dans le moindre recoin. » Un léger malaise la gagna soudain. « Pourquoi dis-tu cela, Julia ? Tu ne préférerais pas un homme, quand même ? »

Julia secoua la tête. Elle s'approchait du miroir, tendant les lèvres pour se mettre du rouge. « Les hommes, ce n'est pas pour moi », dit-elle d'une voix absente. Elle serra les lèvres pour unifier le rouge. « Ça ne marche pas, avec les hommes.

— Seulement avec les femmes ? » demanda Helen.

Seulement avec toi, voilà ce qu'elle aurait voulu entendre. Mais Julia ne répondit pas ; elle passait le peigne dans ses cheveux, observant son propre visage d'un œil critique... Helen se détourna. *Mais qu'est-ce que j'ai, qu'est-ce que j'ai ?* se demandait-elle. Car elle s'apercevait qu'elle était jalouse du reflet de Julia. Jalouse des vêtements de Julia. Jalouse de la poudre sur son visage !

Puis sa pensée obliqua : *Est-ce que Kay ressent la même chose envers moi ?*

Son expression dut la trahir. Se retournant, elle vit que Julia à son tour l'observait, dans le miroir. Elle avait cessé de se peigner, avait suspendu son geste, les bras toujours levés. « Ça va ? »

497

Helen hocha la tête, puis la secoua. Julia abaissa son peigne, vint vers elle et passa un bras autour de ses épaules.

« C'est très mal, c'est affreux ce qu'on fait, n'est-ce pas ? dit Helen.

— Tout est très mal, tout est affreux, ces temps-ci, répondit Julia après un temps.

— Mais là, c'est pire, parce qu'on pourrait réparer.

— Crois-tu ?

— On pourrait... arrêter. Revenir en arrière.

— Tu pourrais arrêter, toi ?

— Peut-être, dit Helen, à contrecœur. Pour Kay, oui.

— Mais le mal serait quand même fait, dit Julia. Il l'a déjà été. Il l'était même, presque, avant que nous ne le fassions. Il était... Quand a-t-il commencé ? »

Helen leva les yeux. « Le jour où tu m'as emmenée dans cette maison de Bryanston Square, dit-elle. Ou même la foi d'avant, quand tu m'as offert un thé, dans la rue. On était là, au soleil, et tu as fermé les yeux, et j'ai regardé ton visage... Je crois que tout a commencé à cet instant, Julia. »

Elles se fixèrent un moment, sans rien dire, puis s'approchèrent doucement l'une de l'autre et s'embrassèrent. Helen n'était toujours pas habituée à la différence entre les baisers de Julia et ceux de Kay, à la sensation encore étrange de la bouche de Julia, sa douceur, la sécheresse du rouge à lèvres, les mouvements vifs, insistants, de sa langue. Mais cette étrangeté était excitante. Le baiser, maladroit, devint vite humide. Elles se rapprochèrent encore. Julia toucha le sein nu d'Helen, à peine, puis retira ses doigts ; la toucha de nouveau, s'écarta encore et encore, jusqu'à ce qu'Helen sente sa chair s'émouvoir, comme soulevée, tendue vers la main de Julia.

Elles se laissèrent tomber en arrière, basculant sur les draps emmêlés. Julia glissa la main entre les jambes d'Helen. « Mon Dieu, fit-elle, doucement. Tu es tellement mouillée que je ne... je ne te sens pas.

— Entre en moi ! chuchota Helen. Tes doigts, mets tes doigts en moi, Julia ! »

Julia la pénétra de ses doigts. Helen souleva les hanches pour accueillir le mouvement, l'accompagner. Sa respiration était devenue saccadée. « Tu me sens, maintenant ?

— Oui, je te sens. Je te sens me serrer, te refermer sur moi. C'est incroyable... »

Elle avait quatre doigts enfoncés jusqu'aux phalanges ; son pouce, à l'extérieur, frottait la chair gonflée. Helen faisait aller et venir ses hanches, se cambrait contre sa main. Les draps étaient rêches contre son dos, et en même temps que la poussée de la main de Julia, elle sentait sa cuisse, aussi, le contact sec du tissu du pantalon, pesant de plus en plus fort sur sa cuisse nue et humide ; elle ressentait plusieurs inconforts simultanés : le frottement de la boucle de ceinture de Julia, des boutons de son corsage, du bracelet de sa montre... Elle leva les bras, les dressa derrière sa tête, souhaitant confusément être attachée, sanglée : elle voulait se soumettre à Julia, aurait voulu qu'elle la couvre de marques et d'ecchymoses. Celle-ci commençait à avoir du mal à entrer plus loin en elle, et elle aimait cela. Elle se sentait se raidir, comme écartelée par des cordes de plus en plus tendues.

Elle souleva la tête, posa de nouveau ses lèvres contre celles de Julia et se mit à crier, crier dans la bouche de Julia, contre ses lèvres, contre sa joue.

« Cccchhht ! » fit Julia, sans cesser de la pénétrer, presque sauvagement. Elle pensait aux gens dans les appartements voisins. « Ccchhhht, Helen, ccchhht !

— Désolée », dit Helen, le souffle court ; elle se remit à crier.

Ce n'étaient plus là les ébats tendres, caressants, qui avaient été les leurs. Ensuite, Helen demeura secouée, épuisée, comme après une dispute. En se levant, elle s'aperçut qu'elle tremblait. Elle alla au miroir : elle était tout barbouillée de rouge, ses lèvres gonflées comme si elle avait pris un coup. Puis, approchant de la lueur du feu, elle vit que ses cuisses, ses seins étaient marqués, comme couverts d'une éruption, à cause du frottement des vêtements de Julia. C'était ce qu'elle avait souhaité, pendant qu'elle entrait en elle ; à présent, ces marques l'offusquaient, de manière absurde. Elle allait et venait dans la pièce, en aveugle, prenant un objet, le reposant, sentant peu à peu monter en elle une sorte d'hystérie.

Julia était passée dans la cuisine pour se rincer les mains et la bouche. Quand elle réapparut, Helen vint se planter devant elle. « Regarde dans quel état je suis, Julia ! fit-elle d'une voix saccadée. Comment vais-je faire pour cacher ça à Kay ? »

Julia fronça les sourcils. « Mais qu'est-ce qui te prend ? Tu es obligée de crier comme ça ? »

Les mots la frappèrent comme une gifle. Elle s'assit, la tête dans les mains.

« Que m'as-tu fait, Julia ? fit-elle enfin, tremblante. Qu'est-ce que tu as fait ? Je ne me reconnais plus. Je méprisais les gens qui faisaient ce que nous faisons maintenant. Je me disais qu'ils étaient cruels, irresponsables, ou lâches. Je ne veux pas être cruelle, Julia. J'ai l'impression que je fais cela parce que je suis trop attachée ! Trop attachée à elle, et trop attachée à toi ! Est-ce que ça te semble possible, Julia ? »

La jeune femme ne répondit rien. Helen leva les yeux, une fois, puis baissa de nouveau le regard. Pressa ses mains contre ses paupières — sachant qu'elle ne devait pas pleu-

rer, car pleurer ne ferait que laisser de nouvelles marques...
« Et le pire..., continuait-elle. Sais-tu ce qui est le pire ?
C'est que quand je suis avec Kay, je suis malheureuse
comme les pierres parce que ce n'est pas toi ; et elle voit
que ça ne va pas, et elle me console ! Elle me réconforte, et
je me laisse faire ! Je la laisse me consoler de ton absence ! »
Elle eut un rire, horrible. Elle laissa retomber ses mains.
« Je ne peux pas continuer comme ça, dit-elle, se reprenant
quelque peu. Il faut que je lui dise tout, Julia. Mais j'ai
peur. J'ai peur de sa réaction. Parce que c'est toi, Julia !
Toi ! Toi qu'elle a aimée, et maintenant... » Elle secoua la
tête, incapable d'achever.

Elle prit un mouchoir dans la poche de sa jupe, se moucha. Elle était à bout de forces — molle comme une poupée
de chiffon. Julia avait traversé la pièce pour recouvrir le
charbon de cendres ; elle ne se retournait pas, immobile,
debout devant la cheminée. Elle ne venait pas vers Helen,
cette fois. Elle semblait regarder le feu, contempler d'un
regard pensif le feu presque éteint. Et quand elle parla de
nouveau, sa voix paraissait lointaine.

« Ça n'a pas été ce que tu crois. »

Helen se mouchait de nouveau, et l'entendit à peine.
« Quoi ? demanda-t-elle, sans comprendre.

— Entre Kay et moi, dit Julia, toujours sans se retourner. Ça ne s'est pas passé comme tu le penses. Kay t'a laissée imaginer des choses, probablement. Ça lui ressemble
trop bien.

— Que veux-tu dire ? »

Julia hésita. « Elle ne m'a jamais aimée », dit-elle enfin,
d'une voix presque indifférente, balayant un fragment de
cendre de son pantalon, d'une pichenette. « C'est moi. C'est
moi qui aimais Kay. Je l'ai aimée pendant des années. Elle a
essayé de me rendre mon amour, mais ça n'a jamais marché.

Je ne suis pas son genre, je suppose. Nous sommes trop semblables, toutes les deux, voilà tout... » Elle se redressa, se mit à ôter des petites écailles de peinture sur la cheminée. « Kay veut une épouse, tu sais. Je te l'ai déjà dit, non ? Une épouse, une femme — une femme bien, gentille, aimante. Une femme qui s'occupe de la maison, du quotidien... Je n'aurais jamais pu. Je lui ai toujours dit qu'elle ne serait heureuse que quand elle aurait trouvé une gentille fille aux yeux bleus — une fille qui aurait besoin qu'on s'occupe d'elle, qu'on la dorlote, quelque chose comme ça. » Elle se tourna, croisa enfin le regard d'Helen. « Quelle ironie, n'est-ce pas ? », conclut-elle, avec une infinie tristesse dans la voix.

Helen la fixa du regard jusqu'à ce qu'elle cligne des paupières et se détourne. Elle se remit à gratter la peinture de la cheminée. « De toute façon, est-ce que cela compte ? » fit-elle de cette même voix basse, indifférente.

Cela comptait terriblement, Helen le savait. En entendant Julia, elle avait senti quelque chose s'effondrer, ou se rétracter brusquement en elle. Elle avait l'impression que l'on s'était joué d'elle, d'avoir été utilisée, ridiculisée.

C'était idiot, car Julia ne s'était pas moquée d'elle. Elle ne lui avait jamais menti, rien de ce genre. Mais néanmoins, Helen se sentait trahie. Elle eut soudain conscience de sa nudité. Elle ne voulait plus se trouver nue devant Julia ! Elle passa rapidement sa jupe et son corsage. « Pourquoi ne m'as-tu rien dit ? demanda-t-elle en s'habillant.

— Je ne sais pas.

— Tu savais ce que je croyais.

— Oui.

— Il y a trois semaines, tu le savais déjà !

— J'ai été très surprise de t'entendre ; je pensais à Kay

— tu sais comment elle est, tellement délicate avec les femmes, plus galante qu'aucun homme que j'ai pu connaître... Tu vois, je lui ai demandé de ne rien dire. Je n'aurais jamais imaginé que... » Elle se frotta les yeux. « Et puis j'avais ma fierté, continua-t-elle d'une voix lasse. C'est tout. J'étais orgueilleuse ; et seule. J'étais seule à en crever, pour ne rien te cacher. »

Elle poussa une sorte de soupir brusque ; tourna la tête de nouveau, regarda Helen par-dessus son épaule. « Quelle différence cela fait-il, que je te l'aie dit ? Pour moi, aucune. Mais si tu veux, tu peux baisser le rideau, tu sais...

— Non », dit Helen. Elle ne voulait pas en finir. Elle était effrayée que Julia ait pu, si naturellement, évoquer une séparation possible. L'espace d'une minute, une minute horrible, elle se vit absolument seule — rejetée par Julia, et rejetée par Kay.

Elle finit de s'habiller sans un mot. Julia demeurait immobile devant la cheminée. Lorsque enfin Helen vint vers elle et l'enlaça, elle se laissa aller dans ses bras avec une sorte de soulagement. Mais leur étreinte demeurait maladroite, comme contrainte. « Qu'est-ce que cela change, après tout ? demanda Julia. Rien. Cela ne change rien, n'est-ce pas ? » Helen secoua la tête. « Non, cela ne change rien... Je t'aime, Julia. »

Mais demeurait toujours en elle cette sensation de chute, ou de rétraction — comme si son cœur, après avoir paru se dilater, se gonfler, se tendre vers Julia, se resserrait soudain, se crispait, obturait ses valves.

Elle finit de s'habiller. Julia allait et venait dans la pièce, rangeait ceci et cela. De temps à autre, leurs regards se croisaient, et elles se souriaient ; passant l'une près de l'autre, elles tendaient une main et s'effleuraient, presque malgré elles, ou échangeaient un rapide baiser.

503

Au-dehors, les bombes pleuvaient sur Londres. Helen n'y pensait plus du tout. Mais comme Julia repassait dans la cuisine, derrière le rideau, la laissant seule une seconde, elle se dirigea vers la fenêtre et colla son œil à un des éclats dans le mica. Elle vit les maisons qui entouraient le square, toujours argentées dans le clair de lune ; le ciel soudain tout illuminé par une série d'éclairs et de brefs flamboiements. La déflagration des explosions suivit, une seconde après : elle sentit vibrer le panneau contre son front.

À chacune, elle se crispait. Toute assurance semblait l'avoir quittée. Elle se mit à trembler — comme si elle avait perdu l'habitude, la connaissance de ce qu'était l'état de guerre ; comme si soudain, tout n'était plus devant elle que menace, évidence du danger, promesse de douleur.

« Nom d'un chien ! fit Fraser. Ça n'est pas tombé loin, hein ? »

Les bombes et la DCA les avaient tous éveillés. Quelques hommes se tenaient à la fenêtre, lançant des encouragements aux pilotes britanniques et aux batteries antiaériennes ; Giggs, comme toujours, gueulait sur les Allemands. « Par ici, l'ami Fritz ! » C'était la confusion totale. Pendant un quart d'heure, Fraser était resté immobile, raidi sur sa couchette, pestant contre le vacarme ; finalement, incapable d'en supporter davantage, il s'était levé. Il avait traîné la table au travers de la cellule et, debout sur le plateau, en chaussettes, essayait de voir quelque chose au-dehors. À chaque nouvel éclair, il s'écartait brusquement de la vitre, allait parfois jusqu'à baisser la tête ; mais il y revenait toujours. C'était encore mieux que de rester là à ne rien faire, disait-il.

Duncan, lui, était demeuré sur sa couchette. Il était allongé sur le dos, dans une position relativement confortable, les mains croisées sous la nuque. « Au bruit, elles semblent plus proches qu'elles ne le sont, déclara-t-il.

— Ça ne te fait rien, à toi ? demanda Fraser, incrédule.

— On s'habitue.

— Tu n'es pas inquiet qu'une énorme bombe puisse nous tomber droit dessus, sans qu'on puisse rien faire que courber la tête ? »

Le clair de lune baignait la cellule, étrangement lumineux. Le visage de Fraser apparaissait très nettement, mais le bleu de ses yeux de jeune garçon, le blond de ses cheveux, le brun de la couverture drapée sur ses épaules avaient disparu, remplacés par autant de nuances d'un gris argenté, comme sur une photo.

« Il paraît que si ton nom est inscrit dessus, elle t'atteindra où que tu sois. »

Fraser émit un hennissement de mépris. « C'est le genre de truc auquel je m'attendrais de la part d'un type comme Giggs. Si ce n'est que quand il dit ça, lui, je suis sûr qu'il imagine sérieusement qu'il y a une usine, quelque part dans la banlieue de Berlin, où l'on inscrit *Giggs, R, Wormwood Scrubs, Angleterre*, sur la bombe.

— Ce que je veux dire, c'est que si on doit s'en prendre une, ici ou ailleurs, ça ne changera rien. »

Fraser se tourna de nouveau vers la fenêtre. « J'aimerais bien qu'on me laisse un petit peu plus de chances de survie, c'est tout. Oh, la vache ! » Il tressaillit comme une nouvelle explosion secouait le bâtiment, faisant vibrer les vitres et délogeant quelques pierres dans la conduite de chauffage, derrière la grille au bas du mur. Des cris s'élevèrent — des hourras, des bravos — d'autres cellules ; puis une autre voix se fit entendre, aiguë, cassée : « Bouclez-la, bande de cons ! » Sur quoi le silence se fit, pendant un court moment.

505

Puis les tirs de DCA retentirent de nouveau, tandis que d'autres bombes dégringolaient.

Duncan leva les yeux. « Tu vas te faire arracher la tête, dit-il. Est-ce que tu arrives à voir quelque chose, au moins ?

— Je vois les projecteurs, dit Fraser. Ils brouillent tout, comme d'habitude. Je vois la lueur des incendies, mais Dieu sait où ça brûle. Pour autant qu'on le sache, toute la ville pourrait flamber comme une boîte d'allumettes. » Il se mordilla un ongle. « Mon frère aîné est îlotier, dit-il. À Islington.

— Retourne au lit, dit Duncan au bout d'un moment. Tu ne peux rien y faire.

— C'est bien ce qui me tue. Ça, et de penser à ces salopards de matons, en bas, dans leur abri. Qu'est-ce qu'ils fabriquent, d'après toi, en ce moment ? Je parie qu'ils jouent aux cartes en buvant du whisky ; et qu'ils se frottent les mains de nous savoir là.

— Pas Mr Mundy, en tout cas », dit Duncan.

Fraser se mit à rire. « Tu as raison. Il doit être assis dans un coin avec une brochure de la Christian Science, à chasser les bombes par le pouvoir de la Foi. Je devrais peut-être me rancarder auprès de lui. Qu'est-ce que tu en penses ? Il t'a eu, avec toutes ces imbécillités, hein ? C'est pour ça que tu es si serein ? » Il inspira profondément, ferma les yeux. Quand il parla de nouveau, sa voix était changée, d'un calme étrange, artificiel. « *Il n'y a pas de bombe. Les bombes n'existent pas. Il n'y a pas de guerre. Les bombardements de Portsmouth, de Pise, de Cologne — tout cela n'était qu'une hallucination collective. Tous ces gens ne sont pas morts, ils ont juste fait cette erreur de croire qu'ils l'étaient, méprise qu'il peut arriver à tout le monde de commettre. La guerre n'existe pas... »*

Il ouvrit les yeux. La nuit était redevenue soudain silencieuse. « On dirait que ça a marché ? » chuchota-t-il. Puis

506

il fit un bond de trois mètres comme une nouvelle explosion ébranlait tout. « Mes pieds, oui ! Allez, essaie encore, Fraser. Tu n'y mets pas assez de conviction, mon pauvre ami ! » Il serra ses tempes entre ses mains et recommença de psalmodier, plus bas. « *Il n'y a pas de bombe. Il n'y a pas d'incendie. Les bombes n'existent pas. Les incendies n'existent pas...* »

Il finit par resserrer la couverture autour de ses épaules et sauter de la table puis, marmonnant toujours, se mit à arpenter la cellule, sans cesse. À chaque nouvelle explosion, il jurait et accélérait le pas. Finalement, Duncan souleva la tête de son oreiller. « Bon, tu ne vas pas arrêter d'aller et venir comme ça ?

— Je suis vraiment navré, répondit Fraser avec une politesse exagérée, je ne voudrais pas vous empêcher de dormir. » Il remonta sur la table. « C'est cette saloperie de lune qui les attire, dit-il, comme se parlant à lui-même. On ne pourrait pas avoir des nuages ? » Il essuya le verre embué par son haleine. Resta une minute sans rien dire. Puis recommença. « *Il n'y a pas de bombe. Il n'y a pas d'incendie. Il n'y a pas de pauvreté ni d'injustice. Il n'y a pas de pot de chambre dans ma cellule...*

— Tais-toi, dit Duncan. Tu ne devrais pas rire de ça. C'est... enfin, ce n'est pas correct envers Mr Mundy. »

Fraser éclata de rire. « Mr Mundy, répéta-t-il. Pas correct envers Mr Mundy. Qu'est-ce que ça peut bien te faire, si je me moque du vieux Mundy ? » Il avait dit cela comme pour lui-même, mais sembla soudain s'arrêter sur l'idée et se tourna vers Duncan. « Au fait, quel genre de trafic fais-tu avec Mr Mundy, toi ? »

Duncan ne répondit pas. Fraser attendit, puis reprit. « Tu sais très bien ce que je veux dire. Tu croyais que je n'avais rien remarqué ? Il te file des cigarettes, non ? Il t'apporte du sucre pour ton cacao, des trucs comme ça.

— Mr Mundy est gentil, dit Duncan. C'est le seul gardien qui soit gentil, ici, tu peux poser la question à n'importe qui.

— Mais c'est à toi que je la pose, insista Fraser. Parce qu'à *moi*, il ne me donne pas de cigarettes ni de sucre, finalement.

— Il ne doit pas avoir de pitié pour toi.

— Parce qu'il te prend en pitié ? C'est ça ? »

Duncan souleva la tête. Il s'était mis à triturer un brin de laine qui dépassait du bord de sa couverture. « Probablement, dit-il. Les gens ont pitié de moi, c'est comme ça. J'inspire la pitié. Ça a toujours été le cas, même avant. Avant d'être ici, je veux dire.

— C'est ta tête qui veut ça.

— Sans doute.

— Tes longs cils de petit faon, un truc de ce genre. »

Duncan lâcha la couverture. « J'ai les cils que j'ai, je n'y peux rien ! » fit-il, sottement.

Fraser se mit à rire, et changea de ton, une fois de plus : « Non, tu n'y peux rien, Pearce. » Il descendit de la table et alla s'asseoir sur la chaise, la déplaçant jusqu'au mur, et étendant ses jambes, la tête rejetée en arrière. « Autrefois, j'ai connu une fille, dit-il, avec des cils comme les tiens.

— Tu en as connu, des filles, pas vrai ?

— Oh, je n'aime pas trop me vanter.

— Alors ne le fais pas.

— Hé, mais c'est toi qui en parles ! Moi, je te parlais de Mr Mundy... Je me demandais si c'était uniquement pour la beauté de tes longs cils qu'il te gâte autant. »

Duncan se redressa. Il se souvenait de la main de

508

Mr Mundy posée sur son genou et se mit à rougir. « Je ne lui donne rien en contrepartie, si c'est ce que tu veux dire !

— Mon Dieu, c'est sans doute ce que je veux dire, oui.

— Parce que c'est comme ça que ça marche, avec toutes tes filles ?

— Ouille. Touché. Non, je me demandais...

— Tu te demandais quoi ? »

Fraser hésita de nouveau. « Rien, dit-il. Je suis toujours un peu curieux de savoir comment se passent ces choses-là, c'est tout.

— Comment se passent quelles choses ?

— Avec les gars comme toi.

— Comme moi ? répéta Duncan. Qu'est-ce que tu veux dire ? »

Fraser se détourna, agacé, ou simplement embarrassé. « Tu sais très bien ce que je veux dire.

— Non.

— Enfin, tu dois bien savoir ce que l'on dit de toi, ici. »

Duncan se sentit rougir plus fort. « Ici, on dit ça de tout le monde. De n'importe qui, dès qu'il est un peu... un peu cultivé ; dès qu'il s'intéresse aux livres, à la musique. Dès que ce n'est pas une brute épaisse, autrement dit. Mais en fait, ce sont les brutes les pires, par rapport à ça...

— Je sais, dit Fraser, calmement. Mais il n'y a pas que ça.

— Quoi, alors ?

— Rien. Un truc que j'ai entendu. Sur la raison pour laquelle tu es ici.

— Et tu as entendu quoi ?

— Que c'était à cause d'un... Écoute, laisse tomber, ça ne me regarde pas.

— Non, dit Duncan. Dis-moi. »

Fraser passa la main dans ses cheveux. « Que tu étais là,

lâcha-t-il enfin d'une voix dure, parce que ton petit ami était mort, et que tu avais essayé de te suicider. »

Duncan demeura absolument immobile et silencieux, incapable de répondre.

« Je suis désolé, reprit Fraser. Comme je te l'ai dit, ça n'est pas mes oignons. Moi, je m'en fiche de savoir pourquoi tu es ici, et avec qui tu sortais. Je trouve qu'en matière de suicide, la loi est inepte, si tu veux tout savoir...

— Qui t'a dit ça ? demanda Duncan d'une voix sourde.

— Peu importe. Laisse tomber.

— Wainwright ? Binns ?

— Non.

— Qui, alors ? »

Fraser détourna les yeux. « Cette petite pédale de Stella, évidemment.

— *Elle !* s'exclama Duncan. Elle me dégoûte. Ils me dégoûtent tous, toute cette bande. Ils n'ont pas envie de coucher avec des filles, mais ils se déguisent en filles. Pire que des filles ! C'est des toubibs qu'il leur faut ! Je les déteste.

— C'est bon, moi aussi, fit Fraser d'un ton apaisant.

— Et tu crois que je suis comme eux !

— Ce n'est pas ce que j'ai dit.

— Alors tu crois que j'étais comme eux ; qu'Alec était... »

Il s'interrompit. Jamais jusqu'ici il n'avait prononcé le nom d'Alec à voix haute, sinon en parlant à Mr Mundy ; et là, il venait de le cracher, comme une injure.

Fraser l'observait dans la pénombre. « Alec, répéta-t-il, doucement. C'était... c'était ton petit ami ?

— Ce n'était pas mon petit ami ! Pourquoi tout le monde veut-il croire ça, à tout prix ? C'était un ami, mon ami, c'est tout. Tu n'as pas d'amis, toi ? Est-ce que tout le monde n'a pas des amis ?

— Si, bien sûr. Je suis désolé.

— C'était mon ami, rien de plus. Et si tu avais grandi là où j'ai grandi, en étant ce que je suis, tu comprendrais ce que cela signifie.

— Oui, oui, sûrement... »

Le pire du bombardement semblait être derrière eux. Fraser souffla dans ses mains et fit remuer ses doigts pour tenter de les réchauffer. Puis il se leva, tendit le bras et tira des cigarettes de sous son oreiller. Il en offrit une à Duncan, presque timidement. Duncan secoua la tête.

Mais Fraser continuait de lui présenter le paquet. « Cela me ferait plaisir, dit-il. Vas-y, s'il te plaît.

— Ça en fera une de moins pour toi.

— Je m'en fiche... Mieux vaut que je l'allume moi-même, cela dit. »

Il porta deux cigarettes à ses lèvres, puis prit le petit pot de sel qu'ils gardaient là pour le repas et une aiguille. On pouvait faire du feu en frottant le métal contre la pierre : il lui fallut quelques instants, mais finalement le papier commença de se consumer, le tabac de brasiller. La cigarette qu'il tendit à Duncan était tout humide de sa propre salive, recourbée et un peu molle, comme une paille utilisée. Quelques brins de tabac collèrent à la langue de Duncan.

Ils fumèrent en silence. Les cigarettes leur firent à peine une minute. Et quand il eut terminé la sienne, Fraser ouvrit le mégot et récupéra ce qu'il en restait pour une prochaine...

« J'envie cette amitié, Pearce, dit-il, concentré sur la cigarette. Vraiment. Je pense ne jamais avoir eu autant d'affection pour quiconque — homme ou femme, d'ailleurs — que tu en avais pour lui... Oui, je t'envie.

— Alors, tu es bien le seul, dit Duncan d'une voix maussade. Mon propre père a honte de moi.

— Oui, le mien aussi, si tu veux aller par là. Il pense que les types comme moi devraient être livrés aux Allemands, puisque nous sommes tellement désireux d'aider les nazis. Un homme doit toujours être source de gêne pour son père, tu ne crois pas ? Si un jour j'ai un fils, j'espère bien qu'il me fera mourir de honte. Sinon, comment le monde avancerait-il ? »

Mais Duncan ne souriait pas. « Tu tournes tout en dérision, dit-il. C'est différent pour les gens comme toi, pour les gens de ton milieu.

— Ç'a vraiment été dur à ce point, pour toi ?

— Oh, ils n'ont pas l'air si terrible, vus de l'extérieur. Mon père ne m'a jamais... jamais frappé, ni rien de ce genre. Simplement... » Il cherchait, peinant à trouver les mots pour exprimer sa pensée. « Je ne sais pas. J'aimais des choses que l'on n'avait pas à aimer ; je ressentais des choses que l'on n'avait pas à ressentir. Je ne savais jamais dire ce qu'il fallait, ce que les gens attendaient. Et Alec était comme moi. Il haïssait la guerre. Son frère était mort tout au début, et son père le tannait pour qu'il aille se battre à son tour... Et puis c'était le Blitz. C'était presque la fin du Blitz, mais on n'en savait rien. On aurait cru... on aurait cru la fin du monde, carrément ! Le pire moment, pour tout le monde. Alec et moi avons toujours refusé de nous engager. Il était différent, il voulait vivre autrement. Au lieu de ça — eh bien...

— Pauvre gars, dit Fraser avec une réelle compassion, comme Duncan s'interrompait. Il a l'air d'un type bien. J'aurais aimé le connaître.

— *C'était* un type bien. Et intelligent. Pas comme moi. Les gens m'ont toujours trouvé intelligent, mais c'est à cause de ma manière de parler. Lui, il était drôle. Toujours en mouvement. Il avait toujours quelque chose de nouveau en tête. Un peu comme toi, j'imagine ; ou plutôt, tu es ce qu'il aurait été, s'il avait pu aller dans une bonne école, avoir un peu d'argent... Il faisait de la vie une chose passionnante. Il rendait toutes les choses — je ne sais pas comment dire — plus belles qu'elles ne l'étaient en réalité. Même si, après coup, en y repensant, on se rendait compte qu'il disait aussi des trucs absurdes, sur le moment, avec lui, on avait envie d'y croire. Il vous... il vous emportait, comme une vague.

— Je suis navré, murmura Fraser. Je comprends pourquoi tu... enfin, pourquoi tu l'aimais tant. Quel âge avait-il ?

— Dix-neuf ans à peine, répondit Duncan d'une voix sereine. Il était plus âgé que moi. C'est pour ça qu'il a été appelé le premier.

— À peine dix-neuf ans. C'est infect, Pearce ! D'abord son frère, et ensuite lui... » Il hésita, baissa d'un ton. « Et... ?

— Et quoi... ? fit Duncan.

— Après sa mort ? Tu as... ? »

Duncan eut soudain une nouvelle, brusque, violente vision de la cuisine d'un rouge écarlate, chez son père. Il regarda le visage de Fraser dans le clair de lune, et son cœur se mit à battre la chamade ; il aurait voulu pouvoir lui raconter ce qui s'était passé ; il mourait d'envie de le lui dire ! Mais il n'y arrivait pas, les mots ne sortaient pas. Il baissa les yeux. « Il est mort. Moi pas. J'ai voulu mourir, je ne suis pas mort. Voilà tout. Ça te suffit ? »

Fraser n'avait pas dû noter le changement de ton. Il poursuivit : « Et donc on t'a collé là ! Elle est belle, la jus-

513

tice britannique, hein ? Deux vies foutues au lieu d'une. Alors que tu ne devais avoir besoin que d'une chose, c'est...

— Ne parlons pas de ça, coupa Duncan.

— Non, si tu ne veux pas. Bien sûr que non... Mais ça me rend malade, c'est tout. Si seulement quelqu'un, ton père, je ne sais pas... Merde ! » Il bondit de sa chaise. « C'était quoi, ce truc ? »

Une bombe venait d'exploser, plus proche que jamais ; mais la déflagration était si forte, avait aspiré ou soufflé si violemment les vitres de la fenêtre que l'une d'elles s'était fendue dans un claquement sec, comme un coup de pistolet. Duncan leva les yeux. Fraser avait reculé jusqu'à la porte et avait tenté de l'ouvrir, appuyé contre elle. La couverture était tombée de ses épaules. « Merde ! Merde ! répétait-il. C'était une bombe incendiaire, hein ? Elles font bien cette espèce de gémissement, comme ça ?

— Je n'en sais rien », dit Duncan.

Fraser hocha la tête. « Si, j'en ai déjà entendu tomber. C'était une bombe incendiaire, aucun doute. Oh, non ! » Une nouvelle déflagration venait de se produire. Il essaya de nouveau d'ouvrir la porte, puis regarda autour de lui, sa voix montant dans l'aigu. « Imagine que l'une d'elles tombe sur ce bâtiment : qu'est-ce qu'on devient, nous ? On rôtit sur nos couchettes, voilà ! Est-ce qu'il y a des guetteurs de feu, sur le toit, d'ailleurs ? Jamais entendu parler de guetteurs de feu, ici. Et toi ? Imagine qu'un chapelet de bombes nous tombe dessus ? À ton avis, il faudrait combien de temps à un maton pour faire toutes les coursives, ouvrir toutes les portes ? Et est-ce qu'ils se donneraient même la peine de sortir de leur abri ? Bon Dieu, mais ils pourraient au moins nous transférer au bâtiment un, en cas d'alerte. Ils pourraient nous laisser dormir sur nos matelas, au réfectoire ! »

514

Sa voix était haute, stridente et cassée comme celle d'un jeune garçon ; et Duncan comprit soudain dans quel état de panique il se trouvait, à quel point il avait jusqu'alors tenté de minimiser la terreur qu'il ressentait. Son visage blême était couvert de sueur, ses traits tirés par l'angoisse, ses cheveux courts tout dressés sur sa tête : il tenta de les lisser, à deux mains, encore et encore.

Puis il croisa le regard de Duncan, et comme celui-ci détournait les yeux, gêné, il parut se calmer. « Tu penses que je chie dans mon froc, hein ? dit-il.

— Non, dit Duncan. Ce n'est pas ce que je pensais.

— Oui, eh bien pourtant, c'est peut-être le cas. » Il leva les paumes. Ses mains tremblaient. « Regarde, regarde-moi.

— Quelle importance ?

— Quelle importance ? Bon Dieu, mais si tu savais ! Je... eh merde ! »

Les hommes commençaient de crier. Les voix trahissaient la peur, comme celle de Fraser. L'un d'eux appelait Mr Garnish. Un autre cognait avec quelque chose contre la porte de sa cellule. Une fois encore, les vitres vibrèrent dans leur encadrement, comme une nouvelle déflagration se produisait, encore plus proche... Puis les bombes se mirent à tomber en pluie continue. On avait l'impression d'être prisonnier d'une poubelle de fer que quelqu'un martèlerait avec un bâton.

« Giggs, espèce de connard ! fit une voix. C'est ta faute, bordel ! Je vais te faire la peau, Giggs ! Je vais te massacrer, espèce de merdeux ! »

Mais Giggs s'était tu ; et au bout d'un moment, la voix se tut aussi. Appeler au milieu des explosions était horrible. Duncan avait maintenant l'impression que tous les hommes étaient allongés, raidis sur leur couchette, silencieux, comptant les secondes, attendant les explosions.

Fraser, lui, était toujours debout, crispé, à la porte. « Retourne te coucher jusqu'à ce que ça cesse, lui dit Duncan.

— Et si ça n'arrête pas ? Ou si ça s'arrête, parce que tout s'arrête pour nous ?

— C'est encore à des kilomètres d'ici. Ce sont les cours — il inventait cela à l'instant —, ce sont les cours qui résonnent, qui répercutent les déflagrations.

— Tu crois ?

— Oui. Tu n'as jamais remarqué, quand un gars crie par la fenêtre, comme sa voix est amplifiée, déformée ? »

Fraser hocha la tête, s'accrochant à cette idée. « C'est vrai, dit-il. J'ai déjà remarqué. C'est vrai, tu as raison. » Mais il tremblait toujours ; il se frictionna les bras. Il n'était vêtu que de son pyjama, et la cellule était glacée.

« Retourne te coucher », répéta Duncan. Puis, comme Fraser ne bougeait pas, il se leva, monta sur la chaise et tira le rideau. Jetant un regard par la fenêtre, il vit la cour et l'autre bâtiment en face, éclairé par la lune. Un projecteur balayait le ciel, comme incontrôlable, comme fou, et quelque part vers l'est — à Maida Vale, peut-être, ou peut-être même aussi loin que Euston — on distinguait la lueur mouvante, irrégulière, d'un incendie qui prenait... Il approcha ses yeux de la fêlure dans la vitre. Elle était propre et nette, et formait un arc parfait n'évoquant aucunement le résultat d'une contrainte, d'une violence. Mais en y posant le bout de ses doigts, il sentit le verre ployer, et comprit qu'à la moindre pression, il éclaterait.

Il saisit le rideau noir, le tira complètement et l'attacha à l'encadrement ; derrière le rideau, il pouvait y avoir n'importe quoi à présent, et la cellule — plongée dans une obs-

516

curité presque totale — aurait pu aussi être une autre pièce, n'importe laquelle, ailleurs, ou nulle part. Le clair de lune était occulté, absorbé par le tissu noir, mais filtrait encore, ici et là, par un relâchement dans la texture du rideau, faisant de minuscules étoiles et croissants brillants — comme les paillettes sur la cape d'un magicien.

Il retourna à sa couchette. Il entendit Fraser faire un pas ou deux et se pencher pour ramasser sa couverture. Puis s'immobiliser, se figer, comme hésitant, toujours effrayé... Puis il parla.

« Tu veux bien que je vienne avec toi, Pearce ? fit-il soudain, très bas, très vite. Sur ta couchette ? » Duncan ne répondit pas. « C'est cette putain de guerre. Je ne peux pas supporter de rester allongé seul. »

Duncan repoussa les couvertures et se rapprocha du mur, et Fraser s'allongea à ses côtés, immobile. Ils ne parlaient pas. Mais à chaque nouvelle bombe qui explosait, à chaque nouvelle rafale de la DCA, Fraser tressaillait, se crispait — comme en proie à une douleur, comme un homme battu, malmené. Bientôt, Duncan se surprit à réagir de même, non par peur, mais par contagion.

Fraser eut un rire. « Oh ! la la ! » fit-il. Ses dents s'entrechoquaient. « Je suis désolé, Pearce.

— Il n'y a pas de quoi être désolé, dit Duncan.

— Je ne peux pas m'arrêter de trembler, maintenant que c'est parti.

— C'est toujours comme ça.

— Et du coup, je te fais trembler, toi aussi.

— Ce n'est pas grave. Tu vas te réchauffer, ça va aller mieux. »

Fraser secoua la tête. « Ce n'est pas seulement le froid, Pearce.

— Ce n'est pas grave.

517

— Tu n'arrêtes pas de répéter ça. Mais si, c'est grave. Tu ne comprends pas ?

— Comprendre quoi ? demanda Duncan.

— Crois-tu que je ne me pose jamais de question, à propos de... de la peur ? C'est ça le pire, le pire de tout, et de loin. Je pourrais supporter de passer cent fois en jugement. Je pourrais supporter que les femmes dans la rue me traitent de trouillard ! Mais se dire à soi-même, en secret, que peut-être les tribunaux et les femmes dans la rue ont raison ; avoir ce doute en soi, qui te ronge et te ronge : est-ce que je défends mes convictions, ou est-ce que je suis simplement un... un lâche de première ? » Il s'essuya de nouveau le visage, et Duncan se rendit compte que des larmes se mêlaient à la sueur sur ses joues. « Jamais un type comme moi ne l'avouera, reprit-il, d'une voix moins tendue, mais c'est ce qu'on ressent tous, Pearce, je le sais... Et pendant ce temps-là, tu vois des gars ordinaires, sans histoire — des types comme Grayson, comme Wright, partir se battre la fleur au fusil. Est-ce que le fait d'être stupide les rend moins courageux ? Ne crois-tu pas que je me demande comment je me sentirai, quand la guerre sera terminée, en sachant que si je suis encore en vie, c'est sans doute grâce à eux ? Et en attendant, je suis là, comme Watling, Willis, Spinks, tous les objecteurs qui croupissent dans les geôles d'Angleterre. Et si... » Un avion passa en vrombissant sourdement. Il se raidit de nouveau, jusqu'à ce qu'il se soit éloigné. « Et si on cramait tous à cause d'une bombe incendiaire, est-ce que ça ferait de nous des types courageux ?

— Je trouve que c'est courageux de faire ce que tu as fait, dit Duncan. N'importe qui le penserait. »

Fraser s'essuya le nez. « Facile, comme courage, hein, de ne rien faire du tout ! Tu es plus brave que moi, Pearce.

— Moi !

« — Tu as fait quelque chose, non ?

— Que veux-tu dire ?

— Eh bien, tu as fait... ce dont tu m'as parlé, ce qui t'a amené ici. »

Duncan frissonna, se détourna.

« Il t'a fallu du courage pour ça, non ? insistait Fraser. Dieu sait qu'il t'a fallu plus de courage que je n'en ai. »

Duncan bougea de nouveau. Il leva une main, comme pour, même dans l'obscurité, masquer le regard de Fraser. « Tu ne sais rien de tout ça, dit-il d'une voix dure. Tu crois que... Oh... » Il était dégoûté de lui-même. Même là, avec Fraser tremblant à ses côtés, il ne parvenait pas à lui dire la vérité, la simple vérité. « Ne me parle pas de ça, dit-il. Tais-toi.

— D'accord. Je suis désolé. »

Ils demeurèrent silencieux. Les avions vrombissaient toujours au-dessus de leur tête, les rafales de la DCA éclataient toujours, terribles. Mais la déflagration suivante sembla plus lointaine, et la suivante plus lointaine encore, au fur et à mesure que les bombardiers avançaient sur la ville...

Fraser se calmait peu à peu. Quelques minutes plus tard, la fin d'alerte résonna, et il eut un dernier frisson, s'essuya le visage de sa manche, puis resta parfaitement immobile. La prison était silencieuse. Personne n'était à la fenêtre, pour siffler ou acclamer. Les hommes qui étaient restés allongés, tendus, comme eux, ou bien recroquevillés sur eux-mêmes, relevaient la tête, étendaient leurs membres pour tester le calme revenu, puis retombaient, épuisés.

Seuls les gardiens s'agitaient : ils sortirent de leur abri, comme des insectes de sous une pierre. Duncan entendit leurs pas sur la cendrée de la cour de promenade — lents, hésitants, comme s'ils étaient effarés, en émergeant, de retrouver la prison intacte.

Il devina quel bruit allait suivre : la vibration métallique de la coursive, quand Mr Mundy ferait sa ronde... Il la perçut bientôt, et souleva la tête, tendant l'oreille. Le rai de lumière sous la porte était extrêmement clair, tant il faisait sombre dans la cellule. Il vit glisser l'opercule du judas. Fraser aussi le voyait, il le savait. Mais comme celui-ci ouvrait la bouche, Duncan posa la main sur ses lèvres, pour l'empêcher de parler ; et lorsque Mr Mundy chuchota « Ça va ? », comme il le faisait chaque nuit, Duncan ne répondit pas. Mr Mundy appela une deuxième fois, puis une troisième, puis il renonça, à contrecœur, et s'éloigna.

Duncan avait gardé la paume sur les lèvres de Fraser et sentait son haleine chaude entre ses doigts ; il retira doucement sa main. Ils ne disaient rien. Mais Duncan avait à présent conscience du corps de Fraser tout proche : de sa chaleur, des parties de leurs corps qui se touchaient — les pieds, les cuisses, le bras, l'épaule. La couchette était étroite. Cela faisait presque trois ans que Duncan s'y allongeait seul. Il avait connu différentes cellules dans la prison, comme tous les détenus, avait été quelque fois brutalisé, frappé ; il avait touché les doigts de Viv au parloir, par-dessus la table ; avait échangé, une fois, une poignée de main avec l'aumônier... Ç'aurait dû être étrange d'être soudain serré contre quelqu'un, si proche d'un corps ; mais ça ne l'était pas. Il tourna la tête. « Ça va ? » demanda-t-il, et Fraser répondit : « Oui. » « Tu ne veux pas remonter là-haut ? » Fraser secoua la tête. « Pas tout de suite... » Ce n'était pas étrange du tout. Ils bougèrent, mais pour se rapprocher encore, pas pour s'éloigner. Duncan leva un bras, et Fraser se souleva pour le laisser l'étendre sous sa tête. Ils s'étreignirent en un mouvement aisé, évident ; comme s'ils n'étaient pas deux jeunes hommes, dans une prison, dans

520

une ville criblée de bombes et réduite en cendres ; comme si c'était là la chose la plus naturelle du monde.

« Pourquoi as-tu donné ta bague à cette fille ? » demanda Mickey.

Kay passa une vitesse, en douceur. « Je ne sais pas, dit-elle. Elle me faisait pitié. Ce n'est qu'une bague, après tout. Et qu'est-ce qu'un bijou, par les temps qui courent ? »

Elle tentait de prendre un ton léger, mais en fait, elle regrettait déjà un peu d'avoir sacrifié son anneau. Sa main accrochée au volant lui semblait nue, étrangère, veuve.

« Je retournerai peut-être à l'hôpital demain, pour voir comment elle s'en tire, dit-elle.

— Mon Dieu, espérons qu'elle y sera encore », fit Mickey d'un ton lourd de sens.

Kay ne la regarda pas. « Elle voulait tenter le coup. C'était son choix, pas le nôtre.

— Elle ne savait pas ce qu'elle disait.

— Elle le savait très bien... C'est le salopard qui l'a arrangée comme ça que j'aimerais tenir entre mes mains. Lui, et le type. » Elle arriva à un croisement. « On va par où ?

— Pas par là, dit Mickey, plissant les paupières. Je crois que celle-ci est barrée. Prends la suivante. »

C'était leur nuit la plus pénible depuis des semaines, à cause de la pleine lune. Après avoir déposé Viv à l'hôpital, elles étaient rentrées à Dolphin Square, pour repartir aussitôt. Une portion de voie de chemin de fer avait été touchée dans leur district ; trois cheminots occupés à la réparer, après le dernier bombardement, avaient été tués, et six autres blessés. Elles en avaient emporté quatre en une tournée, puis avaient dû se rendre dans une maison dont la façade soufflée avait enseveli toute une famille. Deux

femmes et une enfant avaient pu en être extraites vivantes ;
une petite fille et un garçon étaient morts sous les
décombres. Kay et Mickey avaient emporté les corps.

On venait de les envoyer ailleurs : elles se dirigeaient
maintenant vers une rue à l'est de Sloane Square. Kay
tourna à un coin de rue, et sentit la chaussée crisser sous les
pneus. La rue était jonchée de terre, de gravats et de verre
brisé. Elle s'arrêta sur son erre et baissa sa vitre en voyant
un îlotier se diriger vers elles.

Il ne se pressait pas. « Trop tard ? » s'enquit-elle.

L'homme hocha la tête. Il les emmena voir les corps.

« Juste ciel ! » lâcha Mickey.

Il y en avait deux : un homme et une femme, tués en
rentrant d'une soirée. Ils n'étaient plus qu'à cinquante
mètres de leur maison, leur dit l'homme. La rue décrivait
une courbe, brisée par un étroit jardin, et c'était celui-ci
qui avait subi les pires dégâts. Un platane de presque dix
mètres avait littéralement éclaté, était réduit en échardes ;
les maisons n'avaient plus de fenêtres ni de porte ni d'ardoises, mais demeuraient debout. L'homme et la femme,
eux, avaient été projetés en l'air. Lui était retombé sur les
dalles d'un jardinet, devant une fenêtre en demi-sous-sol.
Elle sur la grille de cette même maison — la poitrine transpercée par les pointes métalliques. Elle était toujours accrochée là, comme un sac. L'îlotier n'avait trouvé qu'un bout
de rideau pour la recouvrir. Il le souleva, pour que Kay et
Mickey puissent mieux voir le corps. Kay jeta à peine un
coup d'œil avant de se détourner.

La femme avait perdu son manteau et son chapeau, et ses
cheveux retombaient, défaits, devant son visage ; les gants
du soir étaient lisses et soyeux, intacts sur ses bras pen-
dants. Sa longue robe de soie, argentée sous la lune, s'étendait autour d'elle sur le trottoir comme si elle esquissait

522

une révérence ; mais la chair nue de son dos faisait une bosse bizarre là où la barre métallique perçait son corps, au-dessous.

« Et dire que c'est la dernière grille qui reste dans cette rue, commenta l'îlotier, précédant Kay et Mickey sur les marches du sous-sol. Pas de chance, hein ? Ils ont dû la laisser là parce qu'elle était rouillée... Pour être honnête, je n'ai pas voulu essayer de la bouger. Mais j'ai bien vu qu'elle était morte. Sur le coup, j'espère. Quant à son époux, croyez-le ou pas, on discutait tous les deux il y a encore vingt minutes de cela. C'est pour ça que j'ai appelé une ambulance. Regardez dans quel état il est. »

Il écarta un débris non identifiable, et elles découvrirent l'homme : il était assis, les jambes repliées, la tête appuyée au mur de la courette. Comme la femme, il était en tenue de soirée : nœud papillon impeccable autour de son faux col, mais le col lui-même et presque tout le devant de sa chemise étaient d'un rouge effroyable. La poussière s'était déposée, collant comme un bonnet sur la brillantine de ses cheveux, mais comme le rayon de la torche se déplaçait sur le côté de sa tête, Kay vit le cuir chevelu arraché, et du sang là aussi, luisant, épais comme une confiture.

« Ce serait agréable pour les habitants, hein, de tomber sur ça en mettant le nez dehors ? » Il observa Kay et Mickey. « Ce n'est pas trop un boulot pour des femmes. Vous avez quelque chose pour les envelopper ?

— Des couvertures.

— Elles vont être dans un bel état, vos couvertures », marmonna-t-il, tandis qu'ils remontaient les quelques marches. Dégageant du pied divers détritus en marchant, il finit par trouver quelque chose. « Tenez, regardez, c'est quoi, ça ? La cape de la dame, on dirait. On peut peut-être... Oh, la vache ! »

Kay et lui rentrèrent la tête dans les épaules, d'instinct. Mais la déflagration s'était produite à deux ou trois kilomètres, vers le nord : moins une explosion qu'une sorte de grondement étouffé, prolongé. S'ensuivit toute une série de bruits d'effondrements, plus proches : poutres, ardoises, le tintement presque musical du verre fracassé. Deux ou trois chiens se mirent à aboyer.

« Qu'est-ce que c'était ? » lança Mickey. Elle était allée chercher les brancards dans l'ambulance. « Quelque chose a sauté ?

— On dirait bien, dit Kay.

— Une conduite de gaz ?

— Moi, je dirais une usine », dit l'îlotier, se frottant le menton.

Ils levèrent les yeux vers le ciel. Les faisceaux des projecteurs allaient et venaient, un peu atténués par le clair de lune, mais empêchant de voir quoi que ce fût ; mais comme les rayons s'abaissaient une seconde, l'îlotier désigna quelque chose : « Regardez. » Sous la couche des nuages, venait d'apparaître la première lueur d'un gros incendie. La fumée qui montait en tourbillons mêlés était tout éclairée par en dessous d'un éclat rose sombre, malsain.

« En plus, ça va drôlement bien les guider, les Fritz, dit l'îlotier.

— C'est où, d'après vous ? lui demanda Mickey. Vers King's Cross ?

— Possible, répondit-il, perplexe. Peut-être plus au sud, quand même. Moi, je dirais plutôt Bloomsbury.

— Bloomsbury ? fit Kay.

— Vous connaissez le coin ?

— Oui. » Elle plissa les paupières, scrutant l'horizon, soudain effrayée. Elle cherchait des points de repère : clocher, cheminées, quelque chose qu'elle pût identifier. Mais ne voyait rien — et de toute façon, ne savait plus, là, si elle regardait vers le nord-est ou le nord-ouest, car la courbe de la rue la désorientait... Puis les projecteurs s'élevèrent de nouveau, et le ciel ne fut plus qu'un chaos d'ombres et de couleurs. Elle se détourna, revint sur le corps de la femme. « Allez, on y va », dit-elle à Mickey.

Sa voix avait dû sembler bizarre. Mickey la regarda. « Qu'est-ce qui se passe ?

— Je ne sais pas. J'ai la trouille, c'est tout. C'est affreux ! Aide-moi, tu veux bien ? On ne va pas pouvoir simplement la soulever, elle doit être accrochée sur les flèches de la grille. »

Elles réussirent à libérer la femme en effectuant un mouvement de va-et-vient ; mais le frottement des flèches contre ses côtes, le déplacement de la pointe, visible sous la peau de son dos, étaient atroces à voir et à entendre. Elle finit par s'arracher dans un bruit mouillé. Elles ne la retournèrent pas, n'essayèrent pas de lui fermer les yeux, mais se hâtèrent de la déposer sur une civière et de l'envelopper avec le morceau de rideau déchiré qui la couvrait jusqu'alors. Ses cheveux étaient blonds, comme emmêlés dans le sommeil — comme ceux d'Helen au réveil, se dit Kay, ou quand elle quittait le lit après avoir fait l'amour.

« C'est affreux ! » fit-elle de nouveau, s'essuyant la bouche d'un revers du poignet. « C'est immonde ! » Elle s'éloigna de quelques pas et alluma une cigarette.

Mais tandis qu'elle fumait, l'angoisse montait en elle. Elle leva les yeux vers le ciel. C'était toujours le même déchaînement de couleurs, la lueur de l'incendie parfois plus forte, parfois affaiblie, comme les flammes bondissaient et se cabraient selon le sens du vent. Elle eut peur de nouveau, sans vraiment savoir pourquoi. Elle jeta sa cigarette après deux ou trois bouffées ; l'îlotier la vit. « Hé ! »

fit-il. Il récupéra le mégot et continua de le fumer lui-même.

Kay ramassa la deuxième civière posée à côté du corps de la femme et descendit les marches devant la façade. Elle avait pris un rouleau de bandage qu'elle utilisa pour entourer la tête de l'homme mort. Mickey vint l'aider, maintenant la tête d'une main hésitante, tandis que Kay déroulait la bande. Puis elles déposèrent la civière sur le sol et tentèrent d'y allonger le corps. L'espace était étroit, le sol couvert de mottes de terre projetées depuis le jardin, de branches, d'ardoises brisées. Elles le déblayèrent à coups de pied, en marmonnant, soufflant et jurant. Malgré tout, lorsque son nom fut prononcé dans la rue, au-dessus — d'une voix précipitée, mais qui ne criait pas, n'appelait pas —, elle l'entendit. Elle l'entendit et sut, tout de suite. Elle se redressa, se figea une seconde puis enjamba le corps de l'homme et remonta les marches en hâte.

Quelqu'un parlait avec l'îlotier. Dans la pénombre, elle reconnut le visage mince, les lunettes. C'était Hughes, de la station des ambulances. Il avait couru ; il avait ôté son casque et se tenait les flancs, essoufflé. « Kay... », fit-il en la voyant. Il ne l'avait jamais appelée ainsi, généralement il l'appelait Langrish. « Kay...

— Qu'est-ce qu'il y a ? Dites-moi ! »

Il souffla. « J'étais avec Cole et O'Neil, à trois rues d'ici. L'îlotier a reçu un appel de la station 58... Je suis désolé, Kay. Selon eux, il y en avait trois, qui visaient Broadcasting House, mais elles sont tombées plus à l'est. Ils ont pu en neutraliser une avant qu'elle ne fasse trop de dégâts, mais les deux autres ont causé des incendies...

— Helen », dit-elle.

Il lui prit le bras. « Je voulais vous prévenir. Mais ils ne

savent pas où exactement. Écoutez, Kay, ce n'est pas forcément...

— *Helen* », fit-elle encore.

Voilà ce qu'elle avait redouté plus que tout, chaque jour,
depuis le début de la guerre ; et elle s'était toujours dit qu'à
force de tant le redouter, elle saurait garder son calme
quand cela arriverait. Elle comprenait à présent que cette
angoisse avait été pour elle une sorte de pacte avec le sort :
elle s'était imaginé que cette peur toujours intacte, toujours
affûtée, garantirait la sécurité d'Helen. C'était absurde. Elle
n'avait cessé d'avoir peur — et cette chose terrible était
arrivée quand même. Comment garder son calme ? Elle
retira son bras de l'étreinte de Hughes et se couvrit le
visage de ses mains. Elle se mit à trembler de la tête aux
pieds. Elle avait envie de se laisser tomber à genoux, de
hurler. La violence de sa faiblesse la terrifiait... Puis elle se
dit soudain : *En quoi cela aiderait-il Helen ?* Baissant les
mains, elle vit que Mickey était arrivée et tendait les bras
vers elle, comme Hughes l'avait fait. Kay se dégagea, commença de s'éloigner.

« Il faut que j'aille là-bas, dit-elle.

— Non, Kay, dit Hughes. Je suis venu parce que je ne
voulais pas que vous l'appreniez par quelqu'un d'autre.
Mais vous ne pouvez rien faire là-bas. C'est le district 58.
Laissez-les s'en occuper.

— Ils vont faire n'importe quoi, ils vont faire des conne-
ries ! Il faut que j'y aille.

— C'est trop loin ! Vous ne pourrez rien faire.

— Mais *Helen* est là-bas ! Vous ne comprenez donc pas ?

— Bien sûr que si, je comprends. C'est pour ça que je
suis venu. Mais...

— Kay, intervint Mickey, lui prenant le bras. Hughes a
raison, c'est trop loin.

527

— Je m'en fous ! fit Kay, éperdue. Je courrai. Je... » Son regard tomba sur l'ambulance. « Je prends la voiture, dit-elle d'une voix ferme.

— Kay, non !

— Kay...

— Hé, fit l'îlotier qui avait assisté à la scène. Et ces deux-là, alors ?

— Qu'ils aillent au diable ! » dit Kay.

Déjà elle s'élançait vers l'ambulance. Mickey et Hughes la suivirent, essayant de l'arrêter.

« Langrish ! fit Hughes, la colère commençant de monter. Ne faites pas l'idiote.

— Écartez-vous de mon chemin. »

Elle fit le tour de l'ambulance pour fermer les portières. Puis grimpa dans la cabine, s'installa au volant. Hugues, accroché au montant, tentait de la convaincre. « Langrish, pour l'amour de Dieu ! Rendez-vous compte de ce que vous faites ! »

Elle tendit la main vers le contact, ne trouva pas la clef sous ses doigts. Croisa le regard de Mickey, par-dessus l'épaule de Hughes.

« Mickey, dit-elle, calmement. Donne-moi la clef. »

Hughes se retourna. « Ne faites pas ça, Carmichael.

— Donne-moi la clef, Mickey.

— Carmichael... »

Mickey hésitait, son regard allant de Kay à Hughes, sans cesse. Finalement, elle prit la clef dans sa poche, hésita encore une seconde et la lança, d'un geste aussi sûr, aussi précis que celui d'un garçon. Hughes tenta de la saisir au vol, mais c'est Kay qui l'attrapa. Elle l'enfonça dans la serrure du contact, tourna, lança le moteur.

« Vous êtes dingues ! cria Hughes, frappant l'encadrement de la portière. Vous êtes dingues, toutes les deux ! Vous allez vous faire virer à cause de ça ! Vous allez... »

Kay lui lança son poing en pleine figure, à l'aveuglette, et l'atteignit à la pommette, fracassant ses lunettes ; à peine était-il à terre qu'elle avait déjà relâché le frein à main et démarrait. Elle saisit la poignée intérieure de la portière battante et la ferma. Son casque avait basculé sur son front ; elle tira sur la sangle pour l'ôter, et se sentit aussitôt mieux. Jeta un coup d'œil dans le rétroviseur — et vit Hughes assis au milieu de la rue, le visage dans les mains, et Mickey plantée là, immobile, regardant l'ambulance s'éloigner... Elle se força à conduire lentement avec précaution, folle de frustration, sur la chaussée jonchée d'éclats de verre ; puis en atteignant une voie plus dégagée, elle écrasa l'accélérateur.

Tout en roulant, elle imaginait Helen ; la voyait telle qu'elle l'avait vue la dernière fois, quelques heures auparavant : intacte, immaculée. Elle la visualisait si clairement qu'elle se dit qu'elle ne pouvait pas être morte, ni même blessée. *Ils n'ont pas touché Rathbone Place, ce n'est pas vrai. Ce doit être une autre rue. Ce n'est pas possible ! Ou bien Helen sera descendue à l'abri. Elle sera descendue à l'abri, cette fois, pour moi...*

Elle était arrivée à Buckingham Palace Road, passait en trombe devant Victoria Station. Elle obliqua pour pénétrer dans le parc, ralentissant à peine, de sorte que les pneus crissèrent sur l'asphalte, et que quelque chose bascula à l'arrière de l'ambulance, roulant et s'écrasant sur le plancher. Mais devant elle, il y avait cette lueur qui vacillait comme un pouls irrégulier, comme une vie qui s'en va — l'horreur, l'horreur. Elle passa la vitesse supérieure, accéléra encore. Le bombardement continuait, le Mall était bien sûr désert ; ce n'est qu'en arrivant à Charing Cross qu'elle rencontra quelques signes de vie : un îlotier et un policier en train de s'occuper d'un autre dommage. En l'entendant arriver, ils lui firent signe, pensant qu'elle avait été appelée à sa station. « Plus loin, par là », lancèrent-ils, désignant le Strand, vers l'est. Elle hocha la tête mais ne songea pas, pas une seconde, à s'arrêter, à apporter son aide... Quand un autre homme, un peu plus tard, voyant le panneau d'ambulance à l'avant de la camionnette, descendit du trottoir, titubant dans sa direction, les mains posées sur la tête, le visage noir de sang, elle fit une embardée pour l'éviter et continua.

Charing Cross Road était barrée, car une conduite d'eau avait été touchée trois jours auparavant. Elle prit par Haymarket, remonta jusqu'à Shaftesbury Avenue, déboucha sur Wardour Street, décidant de rejoindre ainsi Rathbone Place. L'entrée d'Oxford Street était barrée par des tréteaux et des cordes tendues et surveillée par des policiers. Elle écrasa le frein, commença de manœuvrer. Un policier arriva en courant à sa fenêtre.

« Où essayez-vous d'aller, là ? » demanda-t-il. Elle donna le nom de son impasse. « Je croyais que vous étiez déjà tous là-bas, répondit-il aussitôt. On ne peut pas passer par là.

— Beaucoup de dégâts ? »

Il cligna des paupières, sentant quelque chose dans le ton de sa voix. « Deux entrepôts touchés, d'après ce que je sais. On ne vous a pas renseigné, au Central ?

— L'entrepôt de meubles ? fit-elle, ignorant sa question. Celui de Palmer ?

— Je n'en sais rien.

— Mon Dieu ! Sûrement, oui ! Mon Dieu ! »

Elle avait baissé la vitre pour lui parler ; soudain l'odeur de la fumée lui parvenait. Elle passa en prise, et le policier fit un bond en arrière. Le bloc-moteur vibra quand elle passa la marche arrière. Elle changea de nouveau de vitesse, double-débrayant comme toujours, mais trop vite, dans sa hâte, et faisant craquer la boîte de vitesses, bloquant les pignons : elle jura, folle de rage contre cette mécanique rudimentaire, faillit fondre en larmes. *Ne va pas te mettre à pleurer, pauvre idiote !* se morigéna-t-elle. Elle se frappa la cuisse du poing, durement. La camionnette fit une embardée. *Ne pleure pas, ne pleure pas...*

Elle filait vers le sud à présent, mais aperçut une rue non barrée sur sa gauche, et braqua brutalement. Un peu plus loin, elle put à nouveau prendre à gauche, dans Dean Street. Là, elle vit pour la première fois le sommet des flammes bondissant vers le ciel. D'impalpables fragments de cendre commençaient de parsemer le parc-brise. Elle écrasa l'accélérateur ; cent mètres plus loin, toutefois, la rue était barrée, là aussi. Elle passa la tête par la vitre. « Laissez-moi passer ! » lança-t-elle aux policiers. Ils lui répondirent par de grands signes : « Impossible. Faites demi-tour. » Elle repartit et, ne sachant plus que faire, roula vers l'est, jusqu'à Soho Square. Nouvelle rue barrée, mais moins bien gardée. Elle arrêta l'ambulance, serra le frein à main, puis descendit, se mit à courir et sauta par-dessus les barrières.

« Hé ! fit une voix derrière elle. Hé, vous, là ! Vous êtes dingue, ou quoi ? »

Elle tapota les écussons sur ses épaules. « Ambulance ! cria-t-elle, haletante, Ambulance !

— Hé, revenez ! »

Mais bientôt les voix s'effacèrent. Le vent avait tourné, et elle se trouva soudain environnée de fumée. Elle tira son mouchoir et le pressa contre son nez et sa bouche, sans cesser de courir ; la fumée arrivait par bouffées, de sorte que pendant trois cents mètres ou plus, elle dut traverser, aveuglée à chaque fois, des alternances d'obscurité et de clarté éblouissante. Une brusque pluie d'étincelles lui cribla les cheveux, le visage, comme autant d'épingles brûlantes. Elle tomba, perdit un instant le sens de l'orientation, se releva, courut, se heurta à un mur, obliqua, continua et se cogna à un autre, quelques mètres plus loin... Quelque chose se précipita vers elle — un morceau de papier enflammé, lui sembla-t-il, comme elle se baissait pour l'éviter de justesse. Puis elle vit que c'était un pigeon, les ailes en feu. Elle tendit les mains et s'écarta, titubant d'horreur, laissant tomber son mouchoir et reprenant sa respiration au moment même où une nouvelle vague de fumée venait la frapper au visage. Elle se mit à suffoquer, fit quelques pas en chancelant et se retrouva soudain dans un espace dégagé, incandescent, chaotique. Elle appuya ses bras sur ses cuisses et toussa, cracha. Puis leva les yeux.

Elle était arrivée presque au cœur du brasier ; elle ne reconnaissait rien. Les maisons autour d'elle, pourtant familières, les pompiers qui couraient, les flaques d'eau sur le sol, les tuyaux qui serpentaient : tout était baigné d'un éclat insoutenable, d'une intensité surnaturelle, ou bien masqué par des ombres noires, bondissantes. Elle tenta d'appeler un homme, mais il ne l'entendit pas dans le rugissement des flammes, le grondement des pompes. Elle alla trouver quelqu'un d'autre, le saisit aux épaules, lui cria en plein visage : « Je suis où ? On est où, ici ? Où est Pym's Yard ?

— Pym's Yard ? répondit-il, se dégageant et s'éloignant déjà. Mais tu y es, mon pote ! »

Elle baissa les yeux, vit des pavés sous ses bottes ; laissant son regard errer autour d'elle, elle commença de reconnaître quelques détails familiers. Comprit enfin que l'entrepôt de Palmer était là, juste devant elle, presque au centre du brasier ; que si elle n'arrivait pas à repérer sa propre maison, c'était qu'un des murs et une partie du toit de l'entrepôt s'étaient effondrés sur elle, et l'avaient détruite.

Toute force l'abandonna soudain. Elle restait là, figée, incapable de réagir, le regard fixé sur les flammes. Un pompier l'attrapa par le bras au passage, la repoussa. « Ne restez pas là, d'accord ? » Il lui fit faire trois, quatre pas puis, comme il la lâchait, elle s'immobilisa de nouveau, inerte. Soudain, elle entendit son nom. Quelqu'un l'appelait. C'était Henry Varney, l'îlotier de Goodge Street. Il avait le visage et les mains noirs de fumée, les orbites blanches, de s'être frotté les yeux. Il ressemblait à Al Jolson.

Il la secouait par les épaules. « Miss Langrish ! criait-il, effaré. Qu'est-ce que vous faites là ? Depuis combien de temps ? »

Elle ne parvenait pas à répondre. Il commença de l'écarter du brasier. Ôta son propre casque et tenta de le lui poser sur la tête. Le métal était brûlant... « Éloignez-vous des flammes, dit-il. Vous êtes brûlée, vous êtes... Venez, éloignez-vous des flammes, miss Langrish !

— Je suis venue chercher Helen, dit-elle enfin.

— Venez, éloignez-vous ! » Puis il croisa son regard, détourna les yeux. « Je suis navré, dit-il. L'entrepôt... Ça s'est enflammé comme de l'amadou. Et l'abri a flambé, aussi.

— L'abri aussi ? »

Il hocha la tête. « Avec Dieu seul sait combien de personnes à l'intérieur. »

Il l'avait guidée jusqu'au rebord d'une fenêtre détruite ; la fit s'asseoir là et s'accroupit à ses côtés, lui tenant la main. « On est sûr, pour l'abri, Henry ? demanda-t-elle.

— Tout à fait. Je suis vraiment désolé.

— Et ils n'ont pu sauver personne ?

— Personne. »

Un pompier arriva. « Hé, vous l'ambulancier, dit-il à Kay, rudement, vous devriez être parti depuis trois quarts d'heure ! Vous n'avez rien à faire ici, vous n'avez pas compris ? »

Henry se redressa et lui dit quelque chose ; l'homme baissa la tête et s'éloigna. « Merde alors... », Kay l'entendit-elle dire, pour lui-même.

Henry lui reprit la main. « Il faut que je vous laisse, miss Langrish. Ça me fait mal, mais... Vous ne voulez pas aller au poste de premiers secours ? Ou bien voulez-vous que je fasse appeler quelqu'un — une amie, je ne sais pas ? »

Elle désigna le feu, d'un signe de tête. « Mon amie était là, Henry. »

Il serra sa main, fort, et s'éloigna ; déjà il courait, appelait... L'incendie, toutefois, avait atteint son point maximum avant l'arrivée de Kay. Les flammes ne bondissaient plus jusqu'au ciel. Le rugissement du brasier était moins intense ; la chaleur, elle, était plus insupportable que jamais, mais les murs de l'entrepôt flambaient, comme recroquevillés sous les flammes, puis vacillèrent une seconde et s'effondrèrent bientôt complètement, dans un dernier feu d'artifice d'étincelles. Les pompiers couraient d'un point à un autre. L'eau s'écoulait en ruisseaux crasseux sur les pavés, ou jaillissait en gerbes de vapeur épaisse, acide. Le sol fut soudain parcouru d'un grondement et de coups sourds, provenant sans doute d'autres bombes tombées non loin. La déflagration fit l'effet d'un immense tisonnier remuant une flambée dans une cheminée géante : les flammes jaillirent, hautes et claires pendant dix ou quinze minutes, puis s'atténuèrent de nouveau. On coupa une des pompes, et le tuyau serpenta sur le sol, s'enroulant peu à peu. Les éclats de lumière se faisaient moins vifs, les rugissements des générateurs moins assourdissants. La lune s'était couchée, ou bien cachée derrière les nuages. Les choses perdaient peu à peu leur aspect trop net, leur violente irréalité ; les détails retombaient dans l'ombre, comme autant de phalènes repliant leurs ailes.

Durant tout ce temps, Kay demeura seule, personne ne vint la trouver. Elle-même semblait doucement se fondre dans l'obscurité retombant peu à peu. Elle restait assise, les mains posées sur les cuisses, le regard fixé sur le brasier, le cœur encore brûlant de ce qui avait été des bâtiments ; regardait le feu passer d'un blanc aveuglant au jaune, à l'orange, au rouge. La deuxième pompe fut coupée et emportée. Quelqu'un cria à quelqu'un d'autre que la fin de l'alerte sonnait, que les rues étaient rouvertes, qu'on pouvait y aller.

Elle pensa rues, elle pensa ouvertes, elle pensa aller, et rien de cela n'avait de sens. Elle leva les mains, les porta à sa tête. Ses cheveux étaient bizarres sous ses doigts — rêches, cornés, roussis par les étincelles. Elle posa la main sur son visage, et sa joue lui sembla toute molle. Elle se souvint vaguement qu'une voix lui avait dit qu'elle était brûlée.

Puis Henry Varney réapparut, lui posa la main sur l'épaule. Elle tenta de le regarder, essaya de cligner des paupières, y parvint à peine, car ses yeux étaient desséchés, presque littéralement cuits par la chaleur de l'incendie.

« Miss Langrish », dit-il, comme tout à l'heure, mais cette fois, sa voix était douce, étrange, comme étranglée. Elle leva les yeux vers lui, vit des larmes rouler sur ses joues, créant des ruisselets irréguliers dans la suie. « Vous me voyez ? demanda-t-il. Vous arrivez à voir ? » Il avait levé une main. Elle comprit enfin qu'il lui désignait quelque chose.

Elle tourna la tête, vit deux silhouettes. Elles se tenaient un peu à l'écart, parfaitement immobiles, silencieuses, comme elle-même. Le brasier mourant les éclairait, les cueillait dans sa lueur au milieu de l'obscurité ; la première chose qui la frappa fut la pâleur étrange, dans toute cette crasse, tout ce noir, de leurs visages et de leurs mains. Puis une des silhouettes fit un pas. C'était Helen.

Kay se couvrit les yeux. Ne se leva pas. Helen était déjà là, l'aidait à se redresser. Mais elle ne pouvait ôter la main de ses yeux ; elle laissa Helen l'enlacer, maladroitement, posa son front sur son épaule, et se mit à pleurer comme une enfant, dans ses cheveux. Elle ne ressentait ni joie ni soulagement. Juste un mélange, encore, de douleur et de terreur, si violent, si aigu qu'elle croyait en mourir. Elle tremblait, tremblait de tous ses membres entre les bras d'Helen ; releva enfin la tête.

Et au travers du film brûlant des larmes, elle reconnut Julia. Julia se tenait un peu à l'écart, comme craignant de s'approcher ; ou bien comme si elle attendait. Kay croisa son regard, secoua la tête, se remit à pleurer. « Julia, fit-elle, stupéfaite, ne comprenant rien en cet instant, sinon qu'Helen lui avait été enlevée, et rendue. Julia. Oh, Julia ! Merci mon Dieu ! Merci, j'ai cru que je l'avais perdue ! »

1941

Viv était dans le train, quelque part entre Swindon et Londres — impossible de dire où exactement, car il s'arrêtait constamment, sans que l'on puisse savoir si c'était à une gare ou pas ; et inutile d'essayer de regarder par les fenêtres, car les rideaux étaient baissés et, de toute façon, les plaques indiquant le nom des gares étaient soit passées au noir, soit ôtées. Cela faisait quatre heures qu'elle était là, avec sept autres personnes, dans un compartiment de deuxième classe prévu pour six. Il régnait une ambiance épouvantable. Deux soldats n'arrêtaient pas de se jeter des allumettes enflammées, faisant mine de se brûler les cheveux ; une WAAF au visage sinistre leur disait d'arrêter, en vain. Une autre femme tricotait, les extrémités de ses aiguilles venant sans cesse heurter les cuisses de ses voisins. L'un d'eux — une fille en pantalon — finit par râler : « Ça va, je ne vous dérange pas trop ? Je tiens à ce pantalon. Vous allez me faire un accroc, avec vos aiguilles, là. »

La tricoteuse prit l'air pincé.

« Un accroc ? Vous ne pensez pas qu'il y a des choses un peu plus graves que ça, pour l'instant ?

— Eh bien non, voyez-vous.

— Eh bien moi, je me demande comment vous ferez

pour vous acheter un pantalon, si les nazis nous envahissent.

— Si les nazis nous envahissent, je m'en moquerai, mais en attendant...

— Les nazis auraient vite fait de vous embarquer, oui. Ça vous amuserait, d'avoir un SS pour époux ? »

La dispute continua ainsi. Viv détourna la tête. À sa gauche était assise une fille plus jeune, visiblement riche, une adolescente de treize ans peut-être, toute dégingandée, l'air concentré. Elle tenait sur ses genoux un album rempli de photos de chevaux, qu'elle ne cessait de montrer à son père, un officier de marine à la manche galonnée. « Regarde, papa, disait-elle, celui-là, il est exactement comme celui de Cynthia. Et là, on dirait celui de Mabel, il est joli, n'est-ce pas ? Et celui-là a exactement la tête de White Boy, mais White Boy est un tout petit peu plus rond de corps... »

Son père jetait un coup d'œil à la photo et répondait d'un vague grognement. Il s'employait à remplir une grille de mots-croisés, tapotant son crayon contre la page du journal. Mais cela faisait deux heures qu'il tentait aussi de capter l'attention de Viv. À chaque fois qu'elle regardait dans sa direction, il clignait des yeux. Si elle croisait les jambes, il laissait son regard errer sur ses mollets. Une fois, il avait tiré un porte-cigarettes et s'était penché pour lui en proposer une, mais la WAAF maussade était intervenue : « Excusez-moi, mais je fais de l'asthme. Si vous voulez fumer, soyez assez aimable d'aller dans le couloir. » Sur quoi il s'était rassis et avait adressé à Viv un sourire crapuleux, comme si la bonne femme les avait rendus complices.

« Regarde ce colosse, papa. On dirait celui qu'on a vu chez le colonel Webster, l'autre fois... Papa ! Tu ne regardes pas ! »

540

— Pour l'amour de Dieu, Amanda, fit-il avec irritation, tu ne peux pas demander à ton père de passer sa vie à admirer des poneys !

— Je me demande ce que je peux demander à mon père, alors. Et de toute façon, ce ne sont pas des poneys, ce sont des chevaux.

— Eh bien, chevaux ou poneys, j'en ai jusque-là de les voir. Et regarde, maintenant... » Viv s'était levée pour aller aux toilettes. « Cette jeune dame aussi en a par-dessus la tête de les voir. Je suis sûr qu'elle en a tellement assez qu'elle va chercher une fenêtre ouverte pour sauter en marche. D'ailleurs, je la rejoindrais volontiers. » Il leva les yeux vers Viv, posa la main sur son bras. « Puis-je faire quelque chose pour vous ?

— Rien, merci, dit-elle, se débarrassant de sa main d'un geste brusque.

— Oh, papa ! fit la gamine. Tu exagères !

— Parce que ce serait *Kinde* et *Kirche*, continuait la femme au tricot, s'adressant toujours à sa voisine. Plus question de se balader en pantalon, ça je peux vous le dire... »

Viv se fraya un passage jusqu'à la porte du compartiment, la fit coulisser. Elle jeta un regard à droite et à gauche, hésitant, car le couloir était bondé. Un groupe d'aviateurs canadiens étaient montés à Swindon : ils jouaient aux cartes et fumaient, adossés aux fenêtres ou assis par terre. Leur uniforme était d'un bleu intense dans la lumière bleutée du wagon, et la fumée des cigarettes les enveloppait dans des suaires de soie impalpable ; en cet instant, ils apparaissaient presque surnaturels, et fort beaux.

Mais en voyant Viv avancer dans le couloir étroit, ils reprirent soudain vie — s'écartant ostensiblement pour la laisser passer, se relevant en toute hâte. Les voiles de soie semblèrent se gonfler, se déchirer, se dissoudre sous leurs gestes vifs. Des cris et des sifflets s'élevèrent : « Wouah ! » « Chaud devant ! » « Faites de la place à la dame, les gars ! »

« Ils sont chargés ? » demanda l'un d'eux, désignant d'un mouvement du menton la poitrine de Viv. Un autre tendit le bras pour la retenir, comme elle vacillait aux oscillations du train. « M'accordez-vous cette danse ?

— Vous allez vous poudrer le nez ? demanda un jeune homme comme elle atteignait l'extrémité du wagon, et regardait autour d'elle. Il y a un endroit pour ça, juste là. Mon pote vous l'a gardé au chaud. »

Elle secoua la tête et passa. Elle préférait ne pas aller aux toilettes ici, avec tous ces hommes derrière la porte. Mais ils l'attrapèrent par la main, essayant de la retenir. « Ne nous abandonne pas, Susie ! » « Tu vas nous briser le cœur ! » Ils lui proposaient de la bière ou une gorgée de whisky. De nouveau, elle secoua la tête en souriant. Ils lui offrirent du chocolat.

« Non, je surveille ma ligne », dit-elle, se dégageant enfin. Ils continuaient à l'interpeller : « Nous aussi on la surveille ! Et elle est superbe ! »

Le couloir suivant était plus tranquille, et le suivant plus encore : certaines ampoules avaient claqué, et elle traversa le wagon dans le noir presque total. Il y avait là d'autres soldats, mais sans doute voyageaient-ils depuis plus longtemps : ils n'avaient pas envie de plaisanter, demeuraient assis, les jambes repliées, le pardessus ceinturé, tête basse, essayant de dormir. Viv dut les contourner — posant un pied hésitant, maladroit, cherchant des prises aux parois tandis que le train tanguait et vibrait.

À l'extrémité de ce couloir, se trouvaient deux autres lavabos ; elle constata avec soulagement que l'un des verrous indiquait « Libre ». Mais comme elle la poussait, la porte s'ouvrit un peu avant d'être violemment repoussée. Quelqu'un occupait la cabine : un soldat, en uniforme kaki ; elle l'avait aperçu une seconde dans le miroir, au-dessus du lavabo, qui se retournait. Avait surpris l'expression d'angoisse sur son visage, comme la porte s'ouvrait ; elle se sentit gênée, pensant l'avoir dérangé pendant qu'il urinait. Elle recula jusqu'au soufflet entre les wagons, attendit.

La porte des toilettes resta fermée pendant encore presque une minute. Puis elle vit le bouton tourner, et la porte s'ouvrir lentement, comme avec précaution. Le soldat passa la tête au-dehors, tout doucement, comme s'il craignait des coups de feu... Croisant son regard, il se redressa et sortit enfin.

« Désolé, dit-il.

— Il n'y a pas de mal, dit Viv, encore un peu embarrassée. Le verrou n'est pas cassé, si ?

— Le verrou ? » Il semblait un peu perdu. Jetait des regards à droite et à gauche, en se rongeant les ongles. Elle vit qu'il avait des poils durs, courts sur les doigts, noirs, un peu comme un singe. Ses joues étaient bleutées : un bon rasage s'imposait. Ses yeux étaient rougis aux coins, et ses paupières aussi. En passant devant elle, il se pencha. « Vous n'avez pas vu le contrôleur, n'est-ce pas ? » demanda-t-il, presque en chuchotant.

Elle secoua la tête.

« Ce sont de vrais requins. »

Tout en parlant, il fit de la main un geste imitant le poisson, le pouce levé pour figurer un aileron. Puis il écarta les doigts et les referma, comme des lames de ciseaux : *Clac !* Mais cela ne semblait pas l'amuser pour autant ; il regardait toujours autour de lui. Il se remit à se ronger les ongles, fronça les sourcils et s'éloigna. Elle entra dans la cabine, ferma la porte derrière elle et mit le verrou, ne pensant déjà plus guère à lui.

Elle utilisa les toilettes sans vraiment s'asseoir, accroupie au-dessus du siège de bois taché, vacillant à chaque mouvement du train et sentant se raidir les muscles de ses mollets et de ses cuisses. Puis elle se lava les mains et se regarda dans le miroir douteux, observant son visage — et trouvant, comme toujours, son nez trop pincé, ses lèvres trop minces ; se disant qu'à vingt ans elle commençait déjà de vieillir, d'avoir l'air usé... Elle retoucha son maquillage, se recoiffa. Ôta les quelques cheveux et peluches de tissu pris dans les dents du peigne ; en fit une boulette qu'elle jeta, soigneusement, dans la petite poubelle sous le lavabo.

Elle rangeait le peigne dans son sac quand on frappa à la porte. Elle jeta un dernier coup d'œil au miroir. « Voilà ! »

On frappa de nouveau, plus fort.

« Oui, voilà ! Une seconde ! »

Puis la poignée tourna. Elle entendit une voix, une voix d'homme, qui se forçait visiblement à chuchoter. « Miss ! Ouvrez, ouvrez, s'il vous plaît ! »

Quelle plaie, se dit-elle. Encore les Canadiens qui faisaient l'andouille. Ou peut-être même le père de la gamine mordue de chevaux... Mais comme elle ôtait le verrou et ouvrait la porte, une main se glissa pour l'empêcher de la refermer ; elle reconnut les poils noirs sur les doigts de l'homme. Puis la manche kaki, l'épaule, le menton mal rasé, l'œil injecté de sang.

« Miss », fit-il de nouveau. Il avait ôté son calot. « Vous voulez bien me rendre un service ? Le contrôleur vient par ici. J'ai perdu mon billet, et ça va être terrible...

— Écoutez, je veux bien sortir, mais alors laissez-moi passer. »

Il secoua la tête. À présent, il l'empêchait d'ouvrir la

544

porte autant que de la fermer. « J'ai déjà croisé ce type, et je vous jure que c'est un ogre. Tout à l'heure je l'ai entendu enguirlander un pauvre gars qui n'avait pas de permission en règle. S'il entend ma voix, il insistera pour voir mon billet.

— Mais que voulez-vous que j'y fasse ?

— Pouvez-vous me laisser entrer jusqu'à ce qu'il soit passé ? »

Elle le regarda, effarée. « Là-dedans, avec moi ?

— Jusqu'à ce qu'il soit passé. Et quand il frappera, vous pourrez glisser votre billet sous la porte... Je vous en prie, miss. Les jeunes filles font ce genre de chose, pour les soldats.

— Oh, je n'en doute pas. Mais pas moi, voyez-vous.

— Je vous en prie. Je suis complètement coincé. J'ai une permission exceptionnelle de quarante-huit heures. Je viens déjà d'en passer vingt-quatre à me les... à mourir de froid à la gare de Swindon. S'il me vire du train, c'est fichu. Soyez chic. Ce n'est pas ma faute. J'avais le billet en main, et je l'ai posé une seconde. Et je suppose qu'un des gars de la marine m'a vu faire...

— Vous venez de me dire que vous l'aviez perdu. »

Il porta la main à ses cheveux, un geste machinal. « Je l'ai perdu, on me l'a piqué, quelle différence cela fait-il ? Je n'arrête pas de courir d'un bout à l'autre de ce train pour l'éviter, en passant d'un lavabo à l'autre, comme un dingue. Je vous demande juste d'avoir un peu de cœur, de me donner ma chance. Ça ne vous coûte pas grand-chose. Vous pouvez me faire confiance, je le jure devant Dieu. Je ne suis pas... » Il s'interrompit, recula ; puis son visage réapparut. « Le voilà ! » chuchota-t-il, d'une voix précipitée — et avant qu'elle ait pu faire un geste, il s'engouffra dans la cabine, la repoussant au fond, avec lui. Il ferma le verrou et resta immobile, l'oreille collée au chambranle, se mordant la lèvre.

« Si vous croyez... ! » commença Viv.

Il posa un doigt sur ses lèvres. « Chhhht. » Il gardait l'oreille collée au chambranle et se mit à baisser et relever lentement la tête, comme un médecin cherchant désespérément à entendre les battements cardiaques d'un mourant.

Soudain, un *toc-toc-toc* comminatoire résonna contre le panneau, et il tressaillit comme s'il avait reçu une balle.

« *Billet, s'il vous plaît !* »

Le soldat regarda Viv avec une affreuse grimace d'angoisse. Esquissa une sorte de pantomime absurde, faisant mine de prendre un billet dans sa poche et de le glisser sous la porte.

« Billet ! » fit de nouveau le chef de train.

« C'est occupé ! » lança enfin Viv, d'une voix ridiculement aiguë, artificielle.

« Je sais bien que c'est occupé, fit la voix dans le couloir. Mais il faut que je voie votre billet, miss.

— Vous ne pouvez pas attendre ?

— Il faut que je le voie tout de suite, désolé.

— Attendez... attendez une seconde. »

Que faire ? Elle ne pouvait pas ouvrir : le contrôleur, en la trouvant là avec un soldat, imaginerait tout de suite le pire... Elle prit son billet dans son sac. « Bougez de là », fit-elle entre ses dents, furieuse, agitant la main pour faire signe au soldat de s'écarter. Il recula d'un pas pour qu'elle puisse se pencher et glisser le billet sous la porte. Elle plia les genoux, mal à l'aise d'être ainsi confinée avec lui dans un espace aussi exigu ; de le rendre encore plus étroit en s'accroupissant ; de sentir sa cuisse frôler le genou de l'homme, la laine de sa jupe s'accrocher au pantalon kaki.

Son billet demeura un instant posé dans l'ombre, sous la

porte, puis disparut soudain, comme animé d'une volonté propre. Pendant une seconde, tout demeura suspendu. Elle restait accroupie, en position instable, sans lever les yeux. « C'est parfait, mademoiselle ! » entendit-elle enfin. Le billet réapparut, percé d'un petit trou bien net ; le contrôleur s'éloigna.

Elle se redressa, recula d'un pas, rangea le billet dans son sac qu'elle referma d'un coup sec.

« Vous êtes content ? »

Le soldat essuyait la sueur sur son front, d'un revers de manche. « Vous êtes un ange, dit-il enfin. Rencontrer quelqu'un comme vous, franchement, ça redonne confiance en la vie. C'est pour des filles comme vous qu'on écrit des chansons.

— Oui, alors allez-y, écrivez, fit-elle, posant déjà la main sur la poignée, et vous vous la chanterez tout seul, d'accord ?

— Comment ? » Il tendit le bras, barrant la porte. « Vous n'allez pas sortir tout de suite. Imaginez qu'il revienne ? Attendez encore une minute, au moins. Écoutez... » Il plongea la main dans sa poche de veste, en tira un paquet de Woodbine tout écrasé. « Restez avec moi le temps d'une cigarette, c'est tout ce que je vous demande. Le temps qu'il arrive aux premières classes. Je vous jure, si vous saviez le voyage que j'ai fait, ce que j'ai été obligé d'endurer...

— C'est votre affaire. »

Il commençait de sourire. « Vous contribuerez à l'effort de guerre. Il faut voir les choses comme ça.

— Avec combien de filles avez-vous utilisé cette formule magique ?

— Vous êtes la première. Je vous le jure !

— La première aujourd'hui. »

547

Mais son sourire allait s'élargissant. Ses lèvres s'écartaient, découvrant ses dents. Très troublantes, ces dents : parfaitement régulières et blanches, plus blanches encore à côté des picots noirs de sa barbe. Elles éclairaient tout son visage, le faisaient paraître séduisant, soudain. Elle s'arrêta sur ses yeux noisette, sur ses cils noirs, épais. Ses cheveux aussi étaient sombres, encore plus sombres que les siens ; il avait tenté de les discipliner avec du Brylcreem, mais ici et là, une boucle rebelle s'échappait du fixatif.

Son uniforme, en revanche, avait mauvaise allure. La veste était toute tachée, et tombait mal. Les jambes du pantalon présentaient des plis horizontaux évoquant un soufflet de bandonéon déplié. Mais il lui tendait le paquet de Woodbine, d'un air implorant ; elle revit sa place étroite, vacante dans le compartiment bondé : l'officier de marine et ses lourdes galanteries, la WAAF asthmatique, la gamine avec ses chevaux.

« D'accord, dit-elle enfin. Je prends une cigarette. Juste une minute. Mais je dois avoir besoin d'un psychiatre, moi ! »

Son sourire s'élargit encore. Ses dents étaient plus fascinantes que jamais, se dit-elle, ainsi découvertes... Il craqua une allumette à une pochette, et elle se pencha vers la flamme, puis recula de nouveau et se tint bien à l'écart, un bras coincé devant elle et soutenant son coude de l'autre qui, replié, tenait la cigarette, les talons collés à la paroi de la cabine pour se stabiliser contre les vacillements du train. Il était difficile d'ignorer la présence de la cuvette de faïence — au-dessus de laquelle, après tout, elle venait de se pencher, le derrière à l'air. Mais comme tout le monde, elle avait appris depuis quelque temps à se retrouver avec des inconnus dans des lieux et des situations étranges. Au cours d'un autre trajet en train, deux mois auparavant, un bombardement avait eu lieu, et tout le monde avait dû s'allonger sur le sol. Elle était restée ainsi presque trois quarts d'heure vautrée, la tête quasiment dans le giron d'un homme ; celui-ci était extrêmement embarrassé...

Celui-là, en revanche, paraissait très à son aise. Appuyé au lavabo, il se mit à bâiller. Le bâillement se transforma en une sorte de long gémissement bas, modulé. Cela fait, il coinça sa cigarette entre ses lèvres et se frotta vigoureusement le visage — avec cette négligence presque brutale dont les hommes font preuve envers leur visage, tout au contraire des filles.

Puis le train commença de ralentir. Viv tourna un regard anxieux vers la fenêtre. « Ce n'est pas déjà Paddington, quand même ?

— Paddington ! répéta-t-il. Oh, j'aimerais bien ! » Il se pencha vers le rideau et l'écarta légèrement pour jeter un coup d'œil au-dehors, mais en vain. « Dieu seul sait où on est, dit-il. Moi, je dirais un peu après Didcot. Et hop, c'est reparti. » Il chancela. « Ils nous offrent des tours de manège gratuits. »

Le train avait roulé un bon moment à pleine vitesse, puis avait brusquement ralenti ; à présent, il avançait par à-coups. Viv et lui étaient secoués, sautaient dans la cabine comme des haricots du Mexique. Viv tendit les bras, à la recherche d'une prise. Il était impossible de ne pas en sourire. Le soldat secoua la tête, incrédule. « Ça a été comme ça pendant tout le voyage ? Où êtes-vous montée ? »

Elle hésita un instant, puis le lui dit : à Taunton. Elle était allée voir sa sœur et son bébé ; ils s'étaient installés là pour s'éloigner des bombardements... Il écoutait, hochant la tête.

« Taunton, dit-il. J'y suis allé, une fois. Deux ou trois pubs agréables, si je me souviens bien. Il y en a un appelé le

Ring — vous y êtes déjà allée ? Le patron est un ancien boxeur. » Il leva ses poings serrés. « Pas bien grand, mais avec un nez écrasé comme on n'en fait plus. Il expose une paire de gants de boxe sous verre, sur le comptoir... Ah ! » Il soupira et croisa les bras, comme le train reprenait une allure régulière. « Qu'est-ce que je ne donnerais pas pour y être, là, tout de suite ! Devant un verre de Black and White, avec un bon feu qui ronronne dans la cheminée... Vous n'auriez pas du whisky sur vous, par hasard ?

— Du whisky ! Non, je n'en ai pas, désolée.

— Très bien, très bien, ne le prenez pas comme ça ! Vous seriez surprise de savoir la quantité d'alcool qui circule dans les sacs à main. Enfin, d'après mon expérience. Je suppose que les filles ont besoin de boire un coup de temps en temps, à cause des bombardements... Pas vous, naturellement. Pas avec votre sang-froid.

— Mon sang-froid ?

— J'ai vu votre main quand vous avez glissé le billet sous la porte. Pas un tremblement, pas ça. Vous feriez une excellente espionne. » Il plissa les paupières, la fixa. « D'ailleurs, vous êtes peut-être une espionne. Une sorte de Mata Hari.

— Vous avez intérêt à faire drôlement attention, alors, dit-elle.

— Mais moi aussi, je suis peut-être un espion. Ou alors le type que les espions recherchent. Vous voyez, le coup classique : le pauvre bonhomme qui transporte un message secret sans le savoir, parce qu'il a par erreur enfilé les chaussures d'un autre, ou s'est trompé de parapluie. Et lui et la fille finissent attachés à une chaise par des cordes, avec dans le dos un nœud de scout raté. »

Il rit tout seul, content de son idée — content du *son de sa propre voix*, se dit-elle, banalement ; et de fait, il avait une belle voix, elle aussi avait plaisir à l'entendre... « Cela vous dirait, continua-t-il, d'être attachée à une chaise avec moi ? Je demande ça par pure curiosité, cela dit. Je ne cherche pas à vous baratiner, ni rien.

— Non ?

— Oh, non. Je tiens toujours à bien connaître une jeune fille, avant de commencer à la baratiner. »

Elle tira sur sa cigarette. « Et si elle ne veut pas qu'on la connaisse ?

— Oh, on peut savoir des milliers de petites choses sur une fille, rien qu'en la regardant... Tenez, vous, par exemple. » Il désigna sa main d'un signe de tête. « Vous n'êtes pas mariée. Ce qui veut dire que vous êtes futée. Et j'aime les femmes futées... Des ongles assez longs, ce qui veut dire que vous ne travaillez pas dans les champs, ni en usine. » Il baissa les yeux, laissa son regard remonter lentement. « Des jambes trop jolies pour être cachées sous un pantalon. Une silhouette trop agréable pour rester toute la journée dans une arrière-boutique... Je dirais secrétaire de direction chez un gros bonnet — un amiral, dans la Marine nationale, quelque chose comme ça. Je brûle ? »

Elle secoua la tête. « Absolument pas. Je suis une dactylo de base, rien de plus.

— Ah, dactylo... Ouais, ça va aussi. Et où cela ? Dans une administration qui n'administre rien, ou ailleurs ?

— Ailleurs, quelque part à Londres.

— Quelque part à Londres, je vois... Et comment vous appelez-vous ? Ou bien est-ce top-secret, ça aussi ? »

Elle hésita, une seconde à peine, puis pensa : *Où est le mal ?* et le lui dit. Il prit l'air pensif, la fixa. « Vivien, répéta-t-il enfin. Oui, ça vous va bien.

— Vraiment ?

— C'est un nom de femme séduisante, non ? N'y a-t-il

pas existé une lady Vivien, ou quelque chose comme ça ? Du temps du roi Arthur ? Je connaissais tout ça par cœur quand j'étais gamin ; à présent, j'ai oublié... Enfin bref. » Il se pencha légèrement, ils échangèrent une poignée de main. « Je m'appelle Reggie. Reggie Nigri. Oui, je sais, je sais, c'est minable, comme nom. Et j'ai dû me le coltiner depuis toujours. Les copains d'école m'appelaient toujours "négro", évidemment ; et maintenant, les collègues de cantonnement m'appellent "Musso". Malin, n'est-ce pas... Mon arrière-grand-père était originaire de Naples. Vous devriez voir les photos ! Une moustache comme ça, un gilet, un foulard noué autour du cou ; il ne lui manque plus que l'âne. Il vendait des bonbons à trois sous dans la rue, avec une carriole. Maintenant, j'ai des cousins au deuxième degré — quelque chose comme ça — qui se battent contre nous, en Italie. Cette saloperie de guerre doit sûrement les passionner autant que moi... Avez-vous des frères, Vivien ? Cela ne vous ennuie pas, si je vous appelle Vivien ? Je pourrais vous appeler miss Pearce, mais vu les circonstances, ça aurait un côté un peu cérémonieux. Donc, vous avez des frères ? »

Viv hocha la tête. « Un frère.

— Plus âgé, plus jeune ?

— Plus jeune, dit-elle. Il a dix-sept ans.

— Dix-sept ans ! Il doit adorer tout ça, n'est-ce pas ? Il doit être impatient de pouvoir s'engager. »

Elle pensa à Duncan. « Ma foi...

— Moi aussi, je serais pareil, à son âge. Mais voilà, j'ai presque trente ans, et regardez le travail. Il y a deux ans, je vendais des autos à Maida Vale, et ça marchait plus que pas mal. Et puis la guerre éclate, et paf, terminé. J'ai travaillé un peu avec un pote, dans le commerce de bijoux fantaisie ; ça roulait. Et maintenant, je me retrouve coincé dans un camp d'entraînement au fin fond du pays de Galles, à apprendre par quel bout du canon la balle est censée sortir, si tout se passe bien. Cela fait quatre mois que j'y suis, et je peux vous jurer sur ce que j'ai de plus cher qu'il a plu absolument tous les jours. Notre commandant, lui, se la coule douce à l'hôtel. Moi, je suis dans un baraquement avec un toit en zinc... »

Il continua ainsi, lui parlant des corvées, des bidasses absolument irrécupérables avec lesquels il était cantonné, des pubs et des bars d'hôtel non moins déprimants, de cette pluie encore plus déprimante... Il la fit rire. Les jeunes hommes qu'elle rencontrait, à son âge, n'avaient généralement que la guerre à la bouche : ils se passionnaient pour tel ou tel type d'avion, de navire ; pour les stratégies terrestres et les batailles navales. Lui était au-delà de tout ça. Au-delà de toute forfanterie. Il bâilla soudain, se frotta encore les yeux, et cette fatigue même lui apparut attirante. Elle aimait bien la manière spontanée, naturelle, dont il avait dit : « Quand j'étais gamin. » Elle aimait bien la manière dont il avait prononcé son nom ; après y avoir réfléchi, en disant qu'il lui allait bien. Elle aimait bien qu'il cite le roi Arthur. Elle aimait bien, finalement, la manière dont son uniforme tombait mal. Elle l'imagina en veste civile, avec une chemise et une cravate, un gilet. Elle baissa de nouveau les yeux sur ses mains un peu simiesques, et imagina son corps : solide, hâlé, avec des poils noirs et bouclés sur la poitrine, les épaules, les fesses, les jambes...

Soudain, la poignée de la porte tourna, et il se tut brusquement. On frappa, une fois. Puis une voix cria : « Hé ! mais qu'est-ce que vous foutez, là-dedans ? »

C'était un des Canadiens. Reggie resta une seconde silencieux. On cogna de nouveau sur le panneau. « C'est occupé, mon vieux ! Trouves-en un autre ! cria-t-il.

553

— Mais ça fait une demi-heure que c'est occupé !

— On peut prendre son temps, non ? »

Le pilote donna un coup de pied dans la porte et s'éloigna. « Va te faire foutre ! »

Reggie s'empourpra. « Et toi va te faire mettre ! »

Il paraissait plus embarrassé qu'en colère. Il croisa le regard de Vivien et détourna les yeux. « Sympathique, ce garçon », marmonna-t-il.

Elle haussa les épaules. « Ne vous inquiétez pas. J'en entends de plus rudes avec les filles, au travail... »

Elle avait fini sa cigarette et laissa tomber le mégot, l'écrasa du bout de sa chaussure. Relevant les yeux, elle s'aperçut qu'il la regardait fixement. Il ne rougissait plus, et son expression avait imperceptiblement changé. Il souriait à présent, mais les sourcils légèrement froncés, comme si quelque chose l'intriguait.

« Vous savez, dit-il enfin, vous êtes très, très séduisante... C'est bien ma chance, vraiment, de me retrouver comme ça coincé avec une si jolie fille, dans le seul endroit de toute la ville où je ne peux même pas lui proposer de s'asseoir pour bavarder. »

Elle rit de nouveau. Il rit aussi, sans la quitter des yeux. « Hé, ce n'était pas si mal trouvé, hein, pour un pauvre gars à moitié mort d'épuisement ? Vous devriez me connaître quand j'ai mon compte de sommeil. Je peux vous dire que je suis à mourir de rire... » Il se mordit la lèvre, et une expression de vague perplexité passa une fois encore sur son visage. « Vous ne seriez tout de même pas une sorte d'hallucination ? »

Elle secoua la tête. « Pas que je sache.

— Oui, eh bien, c'est vous qui le dites. Parce que c'est malin, les hallucinations. Si ça se trouve, je suis toujours allongé sur mon banc à la gare de Swindon, dormant à poings fermés. Il me faut un choc pour me réveiller. Qu'on me laisse tomber un trousseau de clefs dans la nuque, ou... voilà. » Il se détourna, écrasa sa cigarette dans le lavabo, puis releva sa manche et tendit le bras. « Pincez-moi, vous voulez bien ?

— Vous pincer ?

— Pour me prouver que je ne rêve pas. »

Elle baissa les yeux sur son poignet dénudé. À la base de son pouce, la chair tendre, claire, laissait place aux poils de l'avant-bras ; de nouveau, elle imagina, involontairement mais non sans plaisir, ses bras et ses jambes sombres, velus... Elle porta la main à cet endroit, le pinça. Ses ongles s'enfoncèrent dans la peau, et il ôta vivement son bras.

« Aïe ! Vous êtes une professionnelle, hein ! Je vous dis que vous êtes une espionne ! » Il frotta son poignet, puis souffla dessus. « Regardez ça », fit-il, lui montrant la marque. « En arrivant à la maison, tout le monde va croire que je me suis battu. Et je vais être obligé de dire : "Non, ce n'est pas un soldat, c'est une fille avec qui j'ai bavardé dans les toilettes du train..." Ça risque de mal passer, vu qui j'aurai en face de moi.

— Qui ? » demanda-t-elle en riant.

Il soufflait toujours sur son poignet. « Je vous ai dit que j'étais en permission exceptionnelle, n'est-ce pas ? » Il porta son poignet à ses lèvres, le suçota. « Ma femme vient d'avoir un bébé », dit-il, derrière sa main.

Elle pensa qu'il plaisantait, et continua de sourire. Mais en voyant qu'il était sérieux, elle sentit son sourire se figer, se sentit rougir jusqu'à la racine des cheveux.

« Oh », fit-elle, croisant les bras. Elle aurait pu deviner, à son âge, à ses manières, que c'était un homme marié ; mais elle n'y avait même pas songé. « Oh, très bien. Un garçon, une fille ? »

Il abaissa la main. « Une fille. On a déjà le garçon, donc comme ça, on peut dire qu'on a la paire complète.

— Vous devez être ravi, alors », dit-elle poliment.

Il esquissa un haussement d'épaules. « Ça fait plaisir à ma femme. Ça la rend heureuse. Ça ne nous rend pas plus riches, c'est sûr... attendez. Tenez, regardez ça. C'est le premier. »

Il glissa la main dans sa poche, en sortit un portefeuille ; fouilla dans les divers papiers qu'il contenait, en tira finalement une photo qu'il lui tendit. Une photo légèrement défraîchie, écornée ; on y voyait une femme et un petit garçon, assis dans ce qui pouvait être un jardin. Par une belle journée d'été. Sur une couverture écossaise étalée sur un gazon fraîchement tondu. La femme se protégeait les yeux de la main, le visage à demi dissimulé, ses cheveux blonds dénoués, flottant ; le petit garçon penchait la tête et grimaçait dans le soleil. Il tenait à la main une sorte de jouet fait à la maison, et un autre, auto ou locomotive miniature, traînait à ses pieds. En bas à droite du cliché, on apercevait l'ombre découpée du photographe — Reggie lui-même, probablement.

Viv la lui rendit. « Il est très mignon. Très brun, comme vous.

— C'est un bon petit. Ma fille est plus blonde, paraît-il... »

Il contempla un instant la photo, puis la rangea. « Mais quelle idée d'avoir des bébés dans un monde pareil, hein ? J'aurais préféré que ma femme fasse comme votre sœur, et file loin de Londres. Je n'arrête pas de penser à ces pauvres mômes qui grandissent en s'endormant tous les soirs sous la table de la cuisine, et s'imaginent que c'est normal, que c'est comme ça qu'on vit... »

Il reboutonna sa poche, et ils demeurèrent un moment

sans rien dire — pensant à Londres, à la guerre, à tout ça. Viv avait de nouveau conscience d'être là, dans les toilettes ; c'était tellement plus étrange de se trouver ainsi à côté de la cuvette, dans le silence, que quand Reggie bavardait et râlait et la faisait rire... Mais il s'était remis à mordiller la peau autour de son ongle ; puis il croisa les bras et garda les yeux baissés sur le sol, l'air maussade. Comme une lampe qui s'éteindrait progressivement, se dit-elle. Il lui semblait ressentir pour la première fois les mouvements et le grondement du train, et la douleur dans ses jambes, à la plante de ses pieds, à force d'être restée immobile, raidie.

Elle changea de position, et il leva les yeux.

« Vous ne partez pas ?

— Il va bien falloir. Sinon, quelqu'un va encore vouloir entrer... Vous craignez toujours le contrôleur ? Avez-vous réellement perdu votre billet ? »

Il détourna les yeux. « Je ne vais pas vous mentir. J'en avais bien un, mais je l'ai perdu aux cartes... Mais non, le contrôleur peut bien aller se faire voir. En fait, je ne... » Il parut de nouveau embarrassé. « Bon, en fait, je n'ai aucune envie de me retrouver devant tous ces aviateurs. Ils me regardent comme si j'étais un vieillard. Et je suis un vieillard, comparé à ces gars-là ! »

Il croisa ses yeux, souffla dans ses joues. « J'en ai assez d'être un vieillard, Viv, reprit-il d'une voix neutre, lasse. J'en ai assez de cette guerre. Je suis parti depuis mercredi matin ; je vais arriver à la maison, voir ma femme, et on aura juste le temps de se disputer avant que je ne doive repartir. Sa sœur va être là ; elle me déteste cordialement. Sa mère ne m'apprécie pas trop non plus. Mon petit garçon m'appelle "Tonton" ; il connaît mieux l'îlotier du quartier que son propre père, il le voit plus souvent. Et sa mère aussi, ça ne me surprendrait pas... Enfin, le chien, au moins, sera content de me voir — s'il est encore là. Aux dernières nouvelles, ils songeaient à le descendre. Parce que faire la queue à la boucherie était trop déprimant... »

Il frotta ses paupières rougies, passa la main sur son menton. « J'ai besoin de prendre un bain, dit-il. J'ai besoin de me raser. Je ressemble à Charlot, à côté de ces costauds, là. Mais quand même... » Il hésita, puis se mit à sourire. « Quand même, j'ai réussi à me faire enfermer avec la plus jolie fille du train ; et la plus jolie fille que j'aie jamais vue de ma vie, me semble-t-il. Alors laissez-moi savourer ce plaisir quelques minutes encore. Ne me demandez pas d'ouvrir tout de suite. Je vous en prie. Regardez... »

Il avait retrouvé le sourire. Il se pencha, prit doucement la main de Viv, la porta à ses lèvres, doigts repliés. Le geste était parodique, mais avait quelque chose de sérieux, de grave aussi ; et lorsqu'elle rit, ce fut d'un rire embarrassé, car elle avait une conscience aiguë, extrême de sa main autour de la sienne : la virilité de cette main, sa douceur, la solidité de la paume, le duvet sur les doigts, les ongles courts et durs. Son menton était aussi râpeux que du papier de verre contre ses phalanges, mais ses lèvres étaient douces et lisses.

Il la regarda rire, une fois encore ; il sourit de plaisir. De nouveau, elle aperçut ses dents blanches, régulières. *Un coup de foudre comme un coup de dents*, se dirait-elle plus tard.

Elle tenta de se forcer à penser à sa femme, à son bébé, à ce foyer vers lequel le train l'emmenait à toute allure. En vain. C'étaient autant de chimères, de fantômes pour elle ; elle était trop jeune.

Toc-toc-toc. On donnait de petits coups sur la fenêtre de la chambre de Duncan. *Toc-toc-toc*. Et le plus étrange était que, bien qu'il soit habitué aux sirènes, aux tirs des batteries antiaériennes, aux bombardements, ce petit bruit, presque imperceptible, comme les petits coups de bec d'un oiseau, le fit se réveiller en sursaut, mort de peur. *Toc-toc-toc...* Il tendit la main vers sa table de chevet, alluma sa torche ; sa main tremblait, et quand il dirigea le faisceau de lumière vers la fenêtre, les plis ombreux du rideau parurent bouger, comme si quelqu'un était caché derrière. *Toc-toc-toc...* À présent, cela évoquait moins les coups de bec d'un moineau qu'un martèlement d'ongle, de serre. *Toc-toc-toc...* Une seconde, il songea à courir jusqu'à la chambre de son père.

Puis lui parvint son nom, prononcé d'une voix rauque : « Duncan ! Duncan ! Réveille-toi ! »

Il connaissait cette voix, et cela changeait tout. Il rejeta ses couvertures, crapahuta hors du lit et alla tirer le rideau. Alec était là, à l'autre fenêtre — celle du salon, où Duncan dormait le week-end. Il tapait toujours à la vitre, enjoignait à ce dernier de se réveiller. Soudain, il aperçut le rayon de la torche. Il se détourna, et le faisceau le frappa en plein visage, le faisant se recroqueviller et grimacer derrière sa main levée. Son visage était jaunâtre, dans cette lumière. Ses cheveux étaient lissés en arrière, plaqués sur le crâne, et la ligne nette, aiguë, de son front et de ses pommettes créait des creux d'ombre donnant à son visage délicat un aspect sinistre, macabre. Il attendit que Duncan baisse le rayon de sa lampe, puis vint jusqu'à la fenêtre, avec des gestes précipités en direction du loquet. « Allez, ouvre ! »

Duncan leva le châssis. Ses mains tremblaient toujours, et le panneau se coinçait dans l'encadrement, faisant trembler la vitre. Il le soulevait lentement, craignant de faire du bruit.

« Qu'est-ce qui se passe ? » chuchota-t-il une fois la fenêtre ouverte.

Alec tenta de regarder derrière lui. « Qu'est-ce que tu fais là ? J'ai frappé à l'autre fenêtre.

— Viv n'est pas rentrée. Je dors ici. Ça fait longtemps que tu es là ? Tu m'as réveillé. Tu m'as fait une peur bleue ! Mais qu'est-ce qui se passe ?

— Il se passe que je suis foutu, Duncan, fit Alec, sa voix s'élevant dans l'aigu. Je suis foutu, tu entends, foutu ! »

Le ciel s'illumina soudain derrière lui, tandis que des crépitements déchiraient la nuit. Duncan leva les yeux, effrayé. Il pensa aussitôt que quelque chose d'affreux était arrivé chez Alec, à sa famille, à sa maison. « Mais pourquoi ? Qu'est-ce qu'il y a ?

— Je suis foutu, foutu ! répéta Alec.

— Arrête de dire ça ! De quoi parles-tu ? Mais qu'est-ce que tu as ? »

Alec se crispa brusquement, se raidit, comme pour s'efforcer au calme. « J'ai reçu ma feuille », dit-il enfin.

Duncan sentit soudain une autre peur l'envahir, différente. « Mais ils ne peuvent pas !

— Oui, eh bien, ça ne les a pas empêchés ! Je n'y vais pas, Duncan. Ils ne me forceront pas. Je suis sérieux. Je suis sérieux, et personne ne veut me croire... »

Sa bouche se tordait. Une nouvelle bombe embrasa la nuit, des explosions suivirent. Une fois de plus, Duncan leva les yeux vers le ciel. « Cela dure depuis combien de temps ? » demanda-t-il. Il avait dû ne pas entendre l'alerte dans son sommeil. « Tu es venu en plein bombardement ?

— Je n'en ai rien à faire, du bombardement ! J'étais ravi quand ça a commencé. J'espérais en prendre une ! J'ai descendu tout Mitchall Lane, en marchant au milieu de la rue. » Il se pencha sur le rebord de fenêtre, saisit Duncan par le bras. Sa main était glacée. « Viens, sors avec moi.

— Ne sois pas idiot », dit Duncan, se dégageant. Il jeta

un coup d'œil vers la porte de la chambre. Il était censé réveiller son père en cas d'alerte. Ils devaient aller se réfugier tous les deux dans l'abri public. « Il faut que je prévienne mon père. »

Alec le tiraillait par la manche. « Plus tard. Viens avec moi, d'abord. J'ai quelque chose à te dire.

— Quoi ? Dis-le-moi maintenant.

— Viens, sors.

— Il est trop tard. Il fait trop froid. »

Alec ôta sa main, la porta à sa bouche, commença de se ronger les ongles. « Fais-moi entrer, alors, dit-il après une seconde. Laisse-moi entrer avec toi. »

Duncan recula, et Alec se hissa, passant les jambes par-dessus le rebord pour sauter dans la pièce. Un geste maladroit, comme chez lui tous les gestes de ce genre. Il atterrit lourdement sur le plancher, et les lattes résonnèrent, les flacons posés sur la coiffeuse de Viv se heurtèrent en tintant.

Duncan abaissa le châssis et tira le rideau. Puis il alluma, et tous deux clignèrent des yeux, éblouis. La lumière rendait tout plus étrange. Donnait le sentiment qu'il était très tard. Comme si quelqu'un était malade dans la maison... Duncan se rappela soudain sa mère, lorsqu'elle avait une crise, revit très nettement son père appeler sa tante, puis un médecin — ces gens qui entraient et sortaient en murmurant, au beau milieu de la nuit ; la vague excitation de tout cela, comme un prélude au malheur...

Il se mit à grelotter de froid. Il enfila ses chaussons, sa robe de chambre. Tout en serrant le cordon, il leva les yeux pour voir comment Alec était vêtu : un blouson à fermeture Éclair, un pantalon de flanelle sombre et des chaussures de toile, sales. Il aperçut sa cheville blanche, maigre. « Tu n'as pas mis de chaussettes ! »

Alec grimaçait toujours dans la lumière. « Je me suis habillé à toute vitesse, dit-il en s'asseyant sur le bord du lit. Il fallait que je te le dise ! Je suis passé chez Franklin, cet après-midi, je te cherchais. Où étais-tu ?

— Chez Franklin ? » Duncan fronça les sourcils. « À quelle heure ?

— Je ne sais pas. Vers les quatre heures.

— Je portais des colis pour Mr Manning. Personne ne m'a dit que tu étais venu.

— Je n'ai parlé à personne, j'ai juste regardé si tu étais là. Je suis entré et je t'ai cherché des yeux. Personne ne m'a rien dit.

— Pourquoi n'es-tu pas venu ici après dîner ? »

Alec prit l'air buté. « Pourquoi ? À ton avis ? Je me suis engueulé avec mon père. J'ai... » Sa voix remontait dans les aigus. « Il m'a frappé, Duncan, carrément ! Regarde ! Tu vois ? » Il détourna la tête pour montrer sa joue à Duncan. Il avait une légère marque rouge en haut de la pommette. Mais Duncan vit surtout ses yeux, plus rouges encore. Il avait pleuré... Alec devina le regard de Duncan, se détourna. « C'est une vraie brute », dit-il doucement, comme s'il avait honte.

« Qu'est-ce que tu as fait ?

— Je leur ai dit que je n'y allais pas, qu'on ne pouvait pas me forcer. J'aurais bien évité de leur en parler, mais c'est le facteur qui a fait toute une histoire en apportant le courrier. Ma mère a pris la lettre avant moi. J'ai dit qu'elle m'était adressée, à mon nom, et que j'avais le droit d'en faire ce que je voulais...

— Ça ressemble à quoi ? Qu'est-ce que ça dit ?

— Je l'ai là, tiens, regarde. »

Il fit glisser la fermeture Éclair de sa veste et en tira une enveloppe brune. Duncan s'assit à ses côtés pour mieux voir. Les papiers étaient adressés à *A.J.C. Planer* ; ils disaient que, selon la loi sur le Service national, il était appelé à intégrer l'armée territoriale, et devait se présenter dans deux semaines au centre d'entraînement de l'artillerie royale de Shoeburyness. On lui indiquait comment s'y rendre, et quoi emporter avec lui ; était joint un mandat postal de quatre shillings, une avance sur sa paie de soldat... Les feuillets étaient tout couverts de tampons, dates, numéros, mais terriblement froissés, comme si Alec les avait roulés en boule, puis aplatis et lissés tant bien que mal.

Duncan ouvrit de grands yeux, consterné. « Mais tu as vu dans quel état tu les as mis ?

— Peu importe.

— Je ne sais pas. Ils peuvent peut-être... utiliser ça contre toi.

— Contre moi ? On croirait entendre ma mère ! Tu n'imagines pas que je vais y aller, quand même ? Je viens de te dire que... » Alec reprit les papiers et, dans un geste de dégoût, les froissa de nouveau et les jeta au sol ; puis, comme un ressort qui se détend, il les ramassa prestement, les défroissa et les déchira carrément — même le mandat. « Voilà ! » fit-il. Il était tout rouge, ses mains tremblaient.

« Mince alors, fit Duncan, passant de l'effarement à l'admiration. Carrément !

— Je te l'avais dit, non ?

— Mais tu es complètement dingue !

— Je préfère être dingue que de faire ce qu'ils veulent. Ce sont eux, les dingues. Ce sont eux qui rendent tout le monde dingue, et personne ne les en empêche, tout le monde fait comme si c'était normal. Comme si c'était normal de se retrouver soldat, avec un fusil entre les mains. » Il se leva, lissa brusquement en arrière ses cheveux déjà plaqués. « Je ne peux plus supporter ça. J'arrête tout, je me tire, Duncan. »

Ce dernier le regarda fixement. « Tu ne vas pas te faire inscrire comme objecteur ? »

Alec eut un reniflement méprisant. « Je ne parle pas de *ça*. Devoir me tenir debout au milieu d'une pièce, à faire mon petit discours devant des inconnus ? Ça ressemble à quoi ? Ça concerne qui, si je refuse de me battre ? Et de toute façon, conclut-il, mon père me tuerait.

— Qu'est-ce que tu veux dire, alors ? »

Alec porta la main à sa bouche, recommença de se ronger les ongles ; il soutint le regard de Duncan. « Tu ne vois pas ? »

Sa voix vibrait d'une sorte d'excitation contenue — comme s'il avait envie de rire, en dépit de tout. Duncan sentit son cœur se recroqueviller dans sa poitrine. « Tu ne vas pas... t'enfuir ? »

Alec ne répondait pas.

« Tu ne peux pas t'enfuir ! Ce n'est pas juste, ça ne va pas, ça ! Tu ne peux pas. Tu n'as rien sur toi. Il te faudra de l'argent, des tickets, il faudra bien que tu achètes à manger. Et où irais-tu ? Tu ne vas... tu ne vas pas aller en Irlande, quand même ? » Ils en avaient déjà parlé. Mais il avait été question d'y aller ensemble, tous les deux. « Ils te trouveront même là-bas, ils en ont les moyens.

— Je m'en fiche ! fit Alec furieux tout à coup. Je m'en fiche, de l'Irlande ! Et je m'en fiche, de ce qui peut m'arriver. Je n'irai pas, c'est tout. Tu sais ce qu'ils te font ? » Les commissures de ses lèvres s'abaissèrent. « Ils te font des trucs infects ! Ils te palpent et t'examinent dans tous les sens. Ils te regardent dans le cul, entre les jambes. Il y en a toute une rangée, c'est ce que Michael Warren a dit : toute une rangée de vieux en train de te tripoter les uns après les autres. Les vieux ! Ils s'en foutent, eux. C'est comme mon père, comme le tien. Ils ont leur vie derrière eux : maintenant, ils veulent nous prendre la nôtre. Ils ont eu une guerre, et maintenant ils en veulent une autre. Ils s'en fichent, de notre jeunesse. Ils veulent qu'on soit vieux, comme eux. Et tant pis si ça n'est pas nos histoires... »

Son ton montait. « Arrête de crier ! fit Duncan.

— Ils veulent notre mort !

— Mais tais-toi, arrête ! »

Duncan pensait aux voisins du dessus, et à son père. Son père, certes, était sourd comme un pot ; mais il avait une sorte de radar intérieur, dès qu'il s'agissait d'Alec... Celui-ci se tut enfin. Il se rongeait toujours les ongles, et se mit à faire les cent pas dans la chambre. Le vacarme du bombardement empirait au dehors, tous les sons amalgamés en une sorte de grondement bas, continu. Les vitres commencèrent de vibrer imperceptiblement.

« Je me tire de là, répéta Alec, sans cesser d'aller et venir. Je me tire de là, je ne plaisante pas.

— Tu ne vas pas t'enfuir, dit Duncan, d'une voix ferme. Ce n'est pas juste !

— Rien n'est juste.

— Tu ne peux pas. Tu ne peux pas me laisser là à Streatham, avec Eddie Parry, et Rodney Mills, et tous ces salopards...

— Je dégage. Je n'en peux plus.

— Tu pourrais... Alec ! fit soudain Duncan, dans un élan. Tu peux rester ici ! Je peux te cacher ici ! Je t'apporterai à manger et à boire.

— Ici ? » Alec regarda autour de lui, fronçant les sourcils. « Me cacher où ?

— Dans un placard, un truc comme ça, je ne sais pas. Tu y resterais quand mon père est à la maison. Et puis, les soirs où Viv n'est pas là, tu pourrais en sortir. Tu dormirais avec moi. Même quand Viv est ici. Elle ne dirait rien. Elle nous aiderait. Tu serais comme... comme le comte de Monte-Cristo, tiens ! » Duncan l'imaginait déjà. Il se voyait préparer des repas en douce — en économisant sur sa propre ration de viande, de thé, de sucre. Se voyait partager chaque nuit son lit avec Alec, en secret...

Mais celui-ci semblait perplexe. « Je ne sais pas. Parce que ce serait pour des mois, n'est-ce pas ? Ça devrait durer comme ça jusqu'à la fin de la guerre. Et toi aussi, tu vas recevoir ton ordre de mobilisation, l'année prochaine. Et même avant, s'ils abaissent l'âge. Si ça se trouve, tu vas le recevoir au mois de juin ! Tu ferais quoi, alors ?

— Le mois de juin, c'est loin ! répondit Duncan. Il peut arriver n'importe quoi, d'ici à juin. On sera sans doute tous pulvérisés, d'ici le mois de juin ! »

Alec secoua la tête. « Non, dit-il d'une voix dure. Non, je sais que non. J'aimerais bien ! Mais non, ce sont les mômes, les vieilles dames, les bébés, les idiots qui meurent — tous ceux qui s'en fichent, de la guerre. Des imbéciles que ça ne dérange pas de devenir soldats, trop stupides pour voir que cette guerre n'est pas la leur, mais celle des gouvernements, des dirigeants, des politiques... Et ce n'est pas la nôtre non plus ; mais on est obligés de subir. On est obligés de faire ce qu'ils nous disent. Et ils ne nous disent même pas la vérité ! Ils ne nous ont pas parlé de Birmingham. Tout le monde sait que Birmingham est réduite en cendres, quasiment rasée. Et combien d'autres villes, comme ça ? Ils ne nous disent rien sur les armes de Hitler, les fusées, les gaz. Des gaz atroces, qui ne te tuent pas, mais font tomber ta peau en lambeaux ; des gaz qui attaquent ton cerveau, font de toi un zombie, un robot que Hitler pourra utiliser comme esclave... Il va tous nous

566

mettre dans des camps, tu sais cela ? Il va nous forcer à travailler dans des mines, dans des usines, les hommes à creuser et à faire tourner les machines, les femmes à faire des enfants ; il nous forcera à coucher avec les femmes, les unes après les autres, uniquement pour qu'elles soient enceintes. Les vieux, les vieilles, il les tuera. C'est ce qu'il a fait en Pologne. Et sans doute en Hollande et en Belgique, aussi. Ils ne nous disent pas tout cela. Ce n'est pas juste ! On n'a jamais voulu faire la guerre. Il devrait exister un endroit pour les gens comme nous. Ils devraient envoyer les imbéciles se battre, et tous les autres — tous les gens qui ne s'intéressent qu'aux choses essentielles, à l'Art, des trucs comme ça —, tous les autres devraient avoir le droit d'aller vivre ailleurs, seuls, en paix, et de se foutre de Hitler comme de... »

Il donna un coup de pied dans une chaussure de Duncan ; puis se remit à faire les cent pas, en se rongeant les ongles, sauvagement, changeant de doigt quand il ne restait plus d'ongle, plus de peau à arracher. Son regard était devenu fixe, mais il ne voyait rien. Il avait blêmi de nouveau, et entre ses paupières rougies, ses yeux brûlaient comme ceux d'un dément.

Duncan repensa à son père. Imagina ce qu'il penserait, s'il voyait Alec dans cet état. *Ce garçon a perdu la boule,* avait-il plus d'une fois déclaré. *Il a besoin d'un peu de plomb dans la cervelle. Tu perds ton temps avec lui. Il finira par te mettre des idées biscornues dans la tête, c'est sûr...*

« Arrête de te bouffer les ongles comme ça, d'accord ? fit-il, mal à l'aise. On dirait un cinglé.

— Un cinglé ? fit Alec d'une voix sifflante. Oui, eh bien j'ai l'impression que je vais le devenir, cinglé ! J'étais dans un tel état, ce soir, que j'ai failli vomir. J'ai attendu que tout le monde aille se coucher. Ensuite, j'ai cru qu'il y avait

567

des gens dans la maison. J'entendais des pas, des chuchotements. J'ai cru que mon père avait appelé la police. »

Duncan se sentit glacé. « Il ne ferait pas ça, quand même ?

— Il en est capable, tellement il me hait.

— En pleine nuit ?

— Évidemment ! C'est au milieu de la nuit qu'ils débarquent ! Tu n'étais pas au courant ? C'est toujours quand tu t'y attends le moins qu'ils... »

Il s'interrompit brusquement. Duncan jeta un regard vers la porte, revivant une fois de plus ces moments où sa mère était malade, cette étrangeté de l'instant ; il s'attendait presque à percevoir des bruits, des allées et venues dans le couloir... Mais non, il n'entendait que le grondement permanent des avions, le *broum-broum* régulier des bombes qui tombaient, suivi du glissement de la suie dans le conduit de cheminée.

Il leva les yeux vers Alec ; se sentit plus déstabilisé, plus troublé que jamais. Le jeune homme avait enfin cessé de se ronger les ongles, ses bras pendaient, inertes, et son regard était d'un calme étrange. Il croisa celui de Duncan, et esquissa un geste un peu théâtral. Il haussa ses épaules étroites et détourna la tête, comme pour mettre en valeur son beau profil délicat.

« C'est du temps perdu, laissa-t-il tomber, comme absent.

— Quoi ? demanda Duncan. De quoi parles-tu ?

— Je te l'ai dit, non ? Je préfère mourir que faire ce qu'ils veulent de moi. Je préfère mourir que me retrouver avec un fusil dans les mains, à descendre un jeune Allemand qui ressent la même chose que moi. Je sors du jeu. Je vais le faire moi-même, je vais les prendre de court.

— Mais faire quoi ? » demanda Duncan, sottement.

Alec répéta ce même geste théâtral, artificiel — comme si tout cela n'avait plus aucune importance à ses yeux. « Je vais me tuer », dit-il.

Duncan se figea. « Mais tu ne peux pas faire ça !

— Pourquoi pas ?

— Tu ne peux pas, c'est tout. Ce n'est pas juste. Que va... Pense à ta mère ! »

Alec rougit. « Pas de chance, hein ? Elle n'aurait jamais dû épouser mon crétin de père. Lui, en tout cas, sera ravi. Il voudrait me voir mort. »

Duncan n'écoutait pas. Il pensait à tout cela, il sentait les larmes monter. « Mais, et moi ? dit-il enfin, d'une voix étranglée. Ce sera plus dur pour moi que pour n'importe qui, tu sais ! Tu es mon meilleur ami. Tu ne peux pas te tuer, comme ça, et m'abandonner.

— Alors fais comme moi », dit Alec.

Il avait parlé bas et Duncan, qui s'essuyait le nez à cet instant, n'était pas sûr d'avoir bien entendu. « Quoi ?

— Fais comme moi », répéta Alec.

Ils se regardèrent. Alec était plus empourpré que jamais ; un sourire nerveux, involontaire, proche du rictus, dévoilait ses dents irrégulières. Il s'approcha encore de Duncan, posa les mains sur ses épaules, le regarda bien en face, leurs visages tout proches, juste séparés par l'épaisseur d'un bras replié. Il le saisit fermement, le secoua. Le fixa droit dans les yeux. « Comme ça, ils comprendront ! Tu imagines ! On peut laisser un message pour expliquer pourquoi on a fait ça ! Deux jeunes gens, qui choisissent de quitter la vie ! Ce sera dans les journaux, partout ! On pourrait arrêter la guerre, carrément !

— Tu crois que ça marcherait ? » fit Duncan, emballé soudain, lui aussi, tout à la fois impressionné et flatté, désireux d'y croire, mais toujours effrayé.

« Pourquoi ça ne marcherait pas ?

— Je ne sais pas. Des jeunes gens, il en meurt sans cesse. Et ça ne change rien. Pourquoi ce serait différent, avec nous ?

— Pauvre idiot », laissa tomber Alec, avec une grimace de mépris. Il ôta ses mains et s'écarta. « Si tu ne vois pas la différence, si tu n'as pas le cran, si tu as la trouille...

— Ce n'est pas ce que j'ai dit.

— ... Je le ferai tout seul.

— Je ne te laisserai pas le faire seul ! Je t'ai dit que tu ne m'abandonnerais pas comme ça. »

Alec revint vers lui. « Alors aide-moi à écrire le message, dit-il, de nouveau tout excité. On a ce qu'il faut, tiens ! » Il se pencha pour ramasser un des feuillets à demi déchirés de son ordre de mobilisation. « On l'écrira au dos. Ce sera symbolique, en plus. Passe-moi un stylo. »

La trousse de cuir de Duncan était posée sur le sol à côté du lit. Il fit un pas vers elle, machinalement, puis se reprit. Il se dirigea d'un air naturel vers la cheminée, prit un crayon posé là et le tendit à Alec. Mais celui-ci refusa de le prendre. « Pas ça. Ils vont penser que c'est un môme qui a écrit le mot. Donne-moi ton stylo-plume. »

Duncan cligna des paupières et détourna la tête. « Je ne l'ai pas ici.

— Espèce de menteur, je sais que tu l'as.

— Simplement, dit Duncan, quand on a un bon stylo, il ne faut pas laisser les autres s'en servir.

— C'est toujours ce que tu dis ! Mais quelle importance, maintenant ?

— Je ne veux pas, c'est tout. Je ne veux pas que tu utilises mon stylo. C'est ma sœur qui me l'a offert.

— Alors, elle sera fière de toi, dit Alec. Et ils l'encadreront, ton stylo, après nous avoir trouvés ! Il faut voir les choses comme ça. Allez, Duncan. »

Duncan hésita encore un peu, puis finit par ouvrir sa trousse, à contrecœur, et en tira le stylo. Alec le tannait tout le temps pour qu'il le lui prête, et c'est avec un plaisir non dissimulé qu'il s'en saisit. Il prit son temps pour dévisser le capuchon, examina la plume, soupesa l'objet dans sa paume. Il prit la trousse, et s'assit sur le bord du lit, la posa sur ses genoux et lissa le papier, essayant de le défroisser autant que possible. Cela fait, il commença d'écrire.

« *Aux personnes concernées...* » Il leva les yeux vers Duncan. « Je mets ça ? Ou bien *À Mr Winston Churchill* ? »

Duncan réfléchit. « *Aux personnes concernées*, ça me semble mieux, dit-il enfin. Parce que comme ça, ça peut être aussi Hitler et Goering et Mussolini.

— Exact », dit Alec, appréciant la pertinence de sa suggestion. Il cogita un moment, se mordant la lèvre, tapotant le stylo contre sa bouche ; puis il se remit à écrire, d'une main preste, élégante — comme Keats, ou Mozart, se dit Duncan —, faisant décrire à la plume des petits paraphes sur le papier, s'interrompant pour se relire, sourcils froncés, puis reprenant sa rédaction d'une main rapide et précise...

Quand il en eut terminé, il tendit le message à Duncan et se mit à se ronger les phalanges tandis que celui-ci lisait à haute voix.

Aux personnes concernées. Si vous lisez ceci, cela signifie que nous, Alec J.C. Planer, et Duncan W. Pearce, de Streatham, Londres, Angleterre, avons mené à bien notre projet, et ne sommes plus de ce monde. Nous n'avons pas entrepris cette tâche à la légère. Nous savons que le pays où nous allons pénétrer est « obscur et inconnu », et que « nul voyageur n'en revient ». Mais nous le faisons au nom de la Jeunesse de l'Angleterre, et au nom de la Liberté, *de* l'Honnêteté *et de la* Vérité. *Nous préférons nous ôter la vie plutôt que de nous la voir ôtée par les* Profiteurs de la Guerre. *Nous ne demandons qu'une épitaphe, que voici : comme le grand T.E. Lawrence.* Nous avons attiré dans nos mains ces flots d'hommes, et dans le ciel tracé notre volonté en étoiles.

Duncan leva les yeux vers Alec, effaré. « C'est carrément superbe ! » fit-il.

Alec rougit. « Tu trouves, vraiment ? fit-il d'une voix timide. Tu sais, je l'avais déjà un peu écrit dans ma tête, en venant.

— Mais tu es un génie ! »

Alec se mit à rire. D'un petit rire aigu et grelottant, comme un rire de fille. « C'est pas mal, hein ? En tout cas, ça leur apprendra ! » Il tendit la main. « Rends-le-moi, que je le signe. Ensuite, tu signeras aussi. »

Ils ajoutèrent leur nom, et la date. Alec éleva le feuillet et le contempla, penchant la tête. « Cette date, dit-il, deviendra une de celles que l'on apprend à l'école. C'est drôle, quand on y pense, non ? C'est drôle de penser que dans un ⸱.ècle, on l'apprendra encore à des enfants.

— Oui... », dit Duncan d'un ton vague. Il venait de penser à autre chose, et écoutait d'une oreille. Alec lissait de nouveau la feuille. « On ne pourrait pas ajouter un mot pour nos familles ? » demanda-t-il enfin, d'une petite voix.

Alec eut un rictus. « Nos familles ! Bien sûr que non. Ne sois pas stupide.

— Je pense à Viv. Elle va drôlement accuser le coup.

— Je t'ai dit, elle sera fière de toi. Tout le monde sera fier de toi. Même mon père sera fier de moi. Il me traite de lâche et de trouillard. J'aimerais être là pour voir sa tête quand il lira les journaux ! On deviendra... des espèces de martyrs ! » Il se fit pensif. « Maintenant, il n'y a plus qu'à décider comment le faire... On pourrait peut-être ouvrir le gaz.

— Le gaz ! s'exclama Duncan, horrifié. Mais c'est très lent, non ? Ça mettra un temps fou. Et en plus, le gaz s'échappera, et on risque de tuer mon père en même temps. Bon, c'est un vieux croulant, bien sûr, mais ce ne serait pas juste.

— Non, ça, ce ne serait pas chic.

— Non, ça, ce ne serait pas chouette. »

Ils se mirent à rire. Si fort, de si bon cœur, qu'ils durent couvrir leur bouche de leur main. Alec se laissa aller en arrière et enfouit son visage dans l'oreiller de Duncan. « On peut s'empoisonner, dit-il riant toujours. À l'arsenic. Comme cette vieille tarée de Madame Bovary.

— Voilà une idée admirable, Mr Holmes, répondit Duncan d'une voix contrefaite, mais qui se heurte hélas à un écueil non négligeable. On n'a pas d'arsenic à la maison.

— Pas d'arsenic ? Et vous prétendez tenir un établissement de grande classe, offrant toutes les commodités ? De la mort-aux-rats, vous en avez ?

— Non plus. Et puis... la mort-aux-rats, ça ne fait pas mal au bide ?

— Mais de toute façon, on va dérouiller, pauvre idiot, quoi qu'on fasse. Si ça ne faisait pas mal, ce ne serait pas aussi symbolique.

— Ouais, mais quand même... »

Alec avait cessé de rire. Il resta un moment allongé, immobile, réfléchissant, puis se redressa. « Et si on se noyait ? fit-il, très sérieusement. On reverrait toute notre vie défiler devant nos yeux, en une seconde. Encore que moi, je m'en passerais bien...

— Je reverrais ma mère.

573

« — Voilà. Un homme doit revoir sa mère avant de mourir. Comme ça, tu peux lui demander pourquoi elle a épousé ton père. »

Le rire les secoua de nouveau. « Bon, mais on fait comment ? demanda enfin Duncan. Il faut qu'on trouve un canal, quelque chose.

— Pas obligé. On peut se noyer dans dix centimètres d'eau ; tout le monde sait ça, non ? C'est un fait scientifique. Vous ne gardez pas la baignoire remplie en permanence, ici, en cas d'incendie ? »

Duncan le regarda. « Nom d'un chien, tu as raison !

— On y va, D.P. ! »

Ils se mirent sur pied. « Prends le mot, dit Duncan, et une punaise. Attends ! je vais me donner un coup de peigne.

— Un coup de peigne, répéta Alec, dans un moment pareil !

— Tais-toi !

— Vas-y, Leslie Howard. »

Duncan se dirigea vers le miroir de la coiffeuse et mit un peu d'ordre à sa tenue. Puis Alec et lui sortirent de la chambre aussi silencieusement que possible, et traversèrent le salon jusqu'à la cuisine. Toutes les portes étaient ouvertes, en prévision d'éventuelles déflagrations ; Duncan les referma derrière lui, très doucement. Il entendait son père ronfler comme un sapeur. « Ton père, on dirait un Messerschmitt ! » chuchota Alec — sur quoi le fou rire les reprit.

Ils allumèrent dans la cuisine. Dans la maigre lumière de l'ampoule nue, de faible puissance, la pièce surgit en couleurs ternes, délavées : le blanc douteux de l'évier, le gris et jaune du linoléum usé, le marron des portes et fenêtres... La baignoire était installée à côté de la table, contre le mur ;

574

des années auparavant, le père de Duncan avait construit pour elle un coffrage de bois également sombre et un couvercle. Celui-ci servait d'égouttoir à vaisselle : quelques tasses et soucoupes y traînaient, et un grand seau de zinc dans lequel trempaient, dans les cristaux de soude, les sous-vêtements de Duncan et de son père. Duncan rougit et l'ôta rapidement. Alec déposa les tasses et soucoupes, une à une, sur la table.

Puis ils saisirent une extrémité du couvercle de la baignoire et le soulevèrent.

L'eau était celle d'un bain que le père de Duncan avait pris quelques jours auparavant. Trouble et pleine de petits poils rudes et bouclés, encore plus embarrassants à voir que les sous-vêtements. Duncan jeta un seul coup d'œil, et fut obligé de se détourner. Il serra les poings. Son père eût-il été devant lui en cet instant, il l'aurait frappé. « Quel porc ! fit-il.

— Il y en a assez, en tout cas, dit Alec d'une voix perplexe. Mais on fait comment ? On ne peut pas y entrer tous les deux en même temps... On pourrait peut-être se tenir mutuellement la tête sous l'eau ? »

Pour Duncan, la simple idée de tremper son visage dans ce liquide infect, qui avait baigné les pieds de son père, ses parties intimes, son derrière, était à vomir. « Ça ne me tente pas du tout, dit-il.

— Oui, moi non plus, pas trop, répondit Alec. Mais bon, on ne peut pas faire les difficiles.

— On ferait mieux d'ouvrir le gaz, finalement.

— Tu crois ?

— Oui.

— D'accord. Ou bien... ouais, ça y est ! » Alec fit claquer ses doigts ? « On va se pendre ! »

Cette suggestion était presque un soulagement. Duncan

575

était prêt à n'importe quoi, maintenant, dès l'instant où il évitait l'eau sale de son père. Ils remirent le couvercle-égouttoir en place, puis parcoururent murs et plafond du regard, à la recherche d'un crochet, de quelque chose à quoi attacher les cordes. Ils conclurent enfin que la poulie du séchoir supporterait le poids de l'un d'eux ; l'autre pouvait utiliser la patère fixée à la porte.

« Tu as des cordes ? demanda Alec.

— J'ai ça », dit Duncan dans une brusque inspiration. Il désignait la ceinture de son peignoir. Il la dénoua, la sortit des passants, en vérifia la solidité. « Je pense qu'elle suffira pour moi.

— Bon, toi, tu es paré. Mais moi ? Tu n'en as pas d'autre, je suppose ?

— J'ai plein de ceintures, de trucs comme ça. Et des cravates, aussi.

— Une cravate, ce serait pas mal.

— Tu veux que j'aille en chercher une ? Quel genre préfères-tu ? »

Alec fronça les sourcils. « Une noire conviendrait, hein... non ! Celle avec la bande bleu et or. On dirait une cravate d'université.

— Quelle importance ?

— Peut-être que les photographes viendront. Ça fera plus d'effet.

— Bon, d'accord », dit Duncan d'une voix réticente. En l'occurrence, il était attaché à cette cravate-là, un peu comme à son stylo-plume : elle était belle, et elle était à lui ; pourquoi utiliser celle-là, alors qu'une cravate ordinaire aurait fait l'affaire ? Mais ce n'était pas le moment de discuter. Il retraversa silencieusement le salon, prit le couloir jusqu'à sa chambre, sortit la cravate. Il entendait toujours les ronflements de son père, et demeura une seconde immobile, dans le noir, la cravate à la main — avec presque l'envie d'y aller, d'entrer et de cogner sur son père, de lui hurler au visage : *Vieux crétin ! Je vais me tuer ! Je vais à la cuisine et je vais me tuer, tu entends ! Mais réveille-toi !*

Son père ronflait sans désarmer. Duncan rejoignit Alec. « Mon père, c'est un véritable ouragan, maintenant ! » dit-il en refermant la porte.

Mais Alec ne répondit pas. Ayant laissé tomber la ceinture du peignoir, il se tenait debout devant l'évier, à demi détourné. Il avait pris quelque chose à côté des robinets.

« Duncan, dit-il d'une voix basse, étrange. Regarde ça. »

Il tenait entre les mains le vieux rasoir du père de Duncan. Il avait ouvert le coupe-chou et contemplait fixement la lame, comme pétrifié, et sembla devoir fournir un effort considérable pour s'y arracher, lever les yeux vers Duncan. « Je vais utiliser ça. Voilà. Tu peux te pendre si tu veux. Mais moi, je vais faire ça. C'est mieux qu'une corde. C'est plus rapide et plus propre. Je vais me trancher la gorge.

— La gorge ? » répéta Duncan. Il regardait le cou blanc et mince de Alec, les tendons, la pomme d'Adam qui semblait dure, impossible à couper...

« Il est bien aiguisé, non ? » Alec posa un doigt contre la lame, et le retira aussitôt, se mit à le sucer. « Ouille ! » Il se mit à rire. « Ça coupe comme pas possible. Ça ne fera pas mal du tout, en faisant vite.

— Tu en es sûr ?

— Évidemment que j'en suis sûr. C'est bien comme ça qu'on tue les bêtes, non ? Je commence, tout de suite. Tu passeras après moi. Ça ne t'ennuie pas ? Ça risque de ne pas être très joli à voir, je suis désolé. Le mieux pour toi, c'est de ne pas trop regarder. Si seulement on en avait deux ! On pourrait le faire en même temps... Tiens. » Du rasoir, il désigna le mot écrit sur un bout de papier. « Sois gentil, punaise le message au mur, bien en évidence. »

Duncan prit le mot et la punaise, mais sans cesser de jeter des regards angoissés sur le rasoir. « Ne le fais pas pendant que j'ai le dos tourné, hein ? » Il avait peur de le quitter des yeux... Il chercha rapidement un endroit favorable, et finit par punaiser le message sur une porte de placard. « Ça te va, ici ? »

Alec hocha la tête. « C'est parfait. »

Il commençait d'avoir le souffle court. Il tenait toujours le rasoir comme s'il l'admirait, simplement ; mais soudain, sous les yeux de Duncan, il serra davantage le manche dans ses doigts et porta la lame à sa gorge, l'appuya contre sa peau. Il l'avait posée juste sous l'angle de la mâchoire, là où battait un petit pouls.

Duncan, malgré lui, s'avança d'un pas. « Tu ne vas pas le faire tout de suite ? » demanda-t-il d'une voix saccadée.

Les paupières d'Alec battirent. « Dans une minute.

— Ça fait quoi ?

— Ça va.

— Tu as peur ?

— Un peu, dit Alec. Et toi ? Tu es blanc comme un linge ! Ne va pas t'évanouir, parce que c'est à toi, après. » Il modifia sa prise sur le manche du rasoir. Ferma les yeux, demeura parfaitement immobile... « Qu'est-ce qui te manquera le plus, Duncan ? » demanda-t-il d'une voix changée, les paupières serrées.

Duncan se mordit la lèvre. « Je ne sais pas. Rien ! Si, Viv me manquera... Et toi ?

— Les livres, répondit Alec, et la musique, et la peinture, et les beaux bâtiments », de sorte que Duncan regretta aussitôt de ne pas avoir répondu ça, au lieu de parler de sa sœur. « Mais tout cela est condamné, de toute

578

façon. D'ici un an, les gens auront déjà oublié que toutes ces choses-là existaient. »

Il ouvrit les yeux, avala sa salive, changea de nouveau sa prise. Duncan voyait la sueur luire sur ses doigts ; voyait les traces qu'ils laissaient sur le manche en écaille du rasoir. Il ne voulait pas qu'Alec le fasse, pas maintenant. Tout cela était trop rapide, tout cela était précipité. De nouveau, il souhaita presque que son père se réveille et arrive, intervienne. À quoi servait d'avoir un père, s'il vous laissait faire des choses pareilles ? « Qu'est-ce qu'on va devenir, après, selon toi ? » demanda-t-il — histoire de gagner du temps, d'obliger Alec à continuer de parler.

Alec réfléchit, la lame toujours contre la gorge. « Rien, dit-il enfin, d'une voix neutre. On s'éteindra, comme une lumière. Il ne peut rien y avoir d'autre. Il n'existe pas de Dieu, ce n'est pas possible. Sinon, il aurait arrêté la guerre ! Il n'existe pas de paradis ni d'enfer ni rien de tout ça. L'enfer, c'est *ici*, on y est... Et de toute façon, s'il y a un endroit quelque part, on s'y retrouvera, tous les deux. » Il soutenait le regard de Duncan, de ses yeux brûlants, bordés de rouge. « Ce serait le pire, n'est-ce pas ? De se retrouver tout seul là-bas ? »

Duncan hocha la tête. « Oui, dit-il. Oui, ce serait horrible. »

Alec inspira profondément, retint son souffle. La petite veine de son cou commença de battre plus vite, tressautant presque sous la lame. Puis il parla, d'une voix si tranquille, si indifférente que Duncan crut qu'il plaisantait, et faillit rire. « Bon, alors à plus tard, Duncan », dit-il. Il resserra ses doigts sur le manche du rasoir, leva les coudes comme pour lancer une batte de cricket, et coupa.

« C'est par ici », dit l'îlotier. Kay et Mickey le suivirent, foulant avec précaution les gravats.

Lesquels, très récemment encore, étaient une maison mitoyenne de trois étages, à Pimlico. Dans l'obscurité presque totale, on aurait cru que celle-ci avait été proprement saisie et ôtée d'entre ses voisines. Une femme avait été tuée sur le coup par la déflagration, son corps déjà emporté dans une autre ambulance. Mais il restait une jeune fille prise dans les décombres, la jambe coincée ; les secours songeaient à installer un treuil pour soulever les poutres qui l'immobilisaient. Mais auparavant, il fallait sortir une autre femme et un petit garçon, sans doute prisonniers au sous-sol de la maison.

« J'ai demandé des lampes, dit l'îlotier, mais là, ça fait une demi-heure que les gars creusent. L'un d'eux a trouvé le moyen de se couper vilainement.

— Il leur faudra encore combien de temps pour arriver au sous-sol ? s'enquit Kay.

— Je dirais une heure. Peut-être deux.

— Et la fille qui est coincée ?

— Oui, vous voulez bien aller jeter un coup d'œil ? Ça a l'air d'aller, mais c'est peut-être le choc, aussi, je ne sais pas. Elle est là-bas. Un des gars est resté avec elle pour la soutenir. »

Il indiqua à Kay par où passer. Elle laissa Mickey s'occuper de l'homme blessé, et commença de se diriger vers l'arrière du bâtiment effondré. Du verre se brisait sous ses pas ; une planche céda, et elle s'enfonça brusquement dans une fondrière de plâtre et de bois, presque jusqu'à la cuisse. La planche en se brisant émit un craquement sec, sonore, et elle entendit un cri de femme.

« Ça va, ce n'est rien », fit une voix, très bas. Kay leva le rayon de sa torche, et distingua la silhouette d'un homme

580

accroupi parmi les gravats, à une vingtaine de mètres devant elle. Il avait les bras posés sur les genoux, et son casque était crânement relevé en arrière ; en voyant Kay s'approcher, il leva la main. « C'est l'ambulance ? Ici. Attention au truc, là. » Il désigna quelque chose devant elle : un gros objet blanc, luisant, de forme étrange. Il fallut un moment à Kay pour se rendre compte que c'était une cuvette de toilettes. « Intact, carrément arraché, dit l'homme, se redressant. Mais il a perdu son abattant. »

Il tendit le bras pour l'aider à arriver jusqu'à lui ; en s'approchant, elle remarqua quelque chose à ses pieds. Elle crut d'abord que c'étaient des rideaux ou de la literie en vrac ; mais soudain, les rideaux parurent s'animer, se gonfler, comme soulevés par un souffle au-dessous ; un bras apparut, et un visage blême — presque aussi blanc que la cuvette des toilettes. C'était la jeune fille prisonnière des décombres. Elle était couverte de poussière de plâtre, enterrée jusqu'à la taille dans un chaos de briques et de poutres. Elle tentait de se redresser sur les avant-bras pour voir Kay. Celle-ci s'accroupit à ses côtés, comme l'avait fait l'homme.

« Eh bien, vous êtes drôlement coincée, hein ? » Elle adressa un signe de tête à l'îlotier, qui les laissa.

La jeune fille posa une main sur la cheville de Kay. « Dites-moi, s'il vous plaît », fit-elle d'une voix rauque, que la peur faisait vaciller. Elle se mit à tousser. « Ils vont venir me sortir d'ici ?

— Oui, dit Kay, dès que possible. Mais pour l'instant, il faut que je voie comment vous allez. Tenez, donnez-moi votre poignet. » Elle saisit l'avant-bras poudré de plâtre de la jeune fille. Le pouls était rapide, mais bien perceptible. « Parfait. Maintenant, je suis désolée, mais je vais devoir vous mettre la lumière dans les yeux, une petite seconde. »

Elle posa les doigts sous le menton de la jeune fille pour

stabiliser sa tête. La jeune fille cillait d'avance, d'appréhension. Ses paupières et le coin de ses yeux étaient rouges comme ceux d'un lapin sur le blanc de la poussière de plâtre. Ses pupilles se rétrécirent sous le rayon aveuglant. Elle semblait jeune, mais pas autant que Kay l'avait tout d'abord cru : vingt-quatre ou vingt-cinq ans, peut-être. Elle détourna la tête avant que la torche ne s'abaisse, et tenta de voir quelque chose parmi les décombres qui l'entouraient.

« Qu'est-ce qu'ils font, là-bas ? demanda-t-elle.

— Ils pensent qu'il y a des gens prisonniers au sous-sol, dit Kay. Une femme et un petit garçon.

— Madeleine et Tony ?

— Ils s'appellent comme ça ? Ce sont des amis à vous ?

— Madeleine est la fille de Mrs Finch.

— Mrs Finch ?

— C'est ma logeuse. Elle... »

Elle n'alla pas plus loin. Kay comprit que c'était la femme qui était morte. Elle se mit à palper les bras et les épaules de la jeune fille. « Pouvez-vous me dire, demanda-t-elle ce faisant, si vous avez l'impression d'être blessée quelque part ? »

La jeune fille avala sa salive, toussa de nouveau. « Je n'en sais rien.

— Vous pouvez remuer les jambes ?

— Il me semble que je pouvais, il y a encore une minute. Mais je n'ai pas envie d'essayer, pour déplacer quelque chose, et que tout m'écrase encore plus.

— Sentez-vous vos pieds ?

— Je ne sais pas. Je les sens froids. C'est le froid, n'est-ce pas ? C'est normal ? Ça ne veut pas dire qu'il y a autre chose ? »

Elle s'était mise à grelotter. Elle portait ce qui devait être une chemise de nuit, ou une robe de chambre, mais l'îlotier avait posé une couverture sur ses épaules pour la réchauffer un peu. Kay serra bien la couverture autour d'elle, puis laissa errer son regard, cherchant autre chose. Elle repéra ce qui pouvait être un drap de bain ; mais il était trempé, et noir de suie. Elle le rejeta, puis aperçut un coussin dont le rembourrage de crin s'échappait par une déchirure du velours. Elle le coinça contre le flanc de la jeune fille, là où il lui semblait que les arêtes des gravats devaient la comprimer et la blesser.

Cette dernière ne réagit pas. Elle regardait de nouveau autour d'elle. « Qu'est-ce qui se passe ? fit-elle soudain, d'une voix inquiète, agitée. Ils ont allumé des lampes ? Mais il ne faut pas, dites-leur ! »

Un camion était arrivé, équipé d'un unique projecteur et d'un petit générateur, que les hommes avaient installé et mis en marche. Ils tentaient de couvrir au maximum le rayon lumineux, en maintenant une bâche tendue au-dessus ; mais la lumière s'étendait sur les décombres, modifiant l'aspect des lieux, et l'impression qui s'en dégageait. Jetant un coup d'œil autour d'elle, Kay aperçut soudain, distinctement, des objets qui lui avaient échappé quelques minutes auparavant : une planche à repasser aux pattes brisées, un seau, une petite boîte décorée de coquillages... La cuvette des toilettes avait perdu son blanc de nacre et exhibait ses souillures. Les murs des maisons qui s'élevaient de part et d'autre des décombres se révélaient ne pas être des murs du tout, mais des pièces béantes, avec leurs lits, leurs tables et chaises, leurs cheminées, tout cela encore en place, intact.

« Dites-leur d'éteindre ! » fit de nouveau la jeune fille ; mais en même temps, elle regardait autour d'elle, comme Kay — comme si elle se rendait soudain compte de la nature et de l'étendue du chaos dont elle était prisonnière, y repérant même, peut-être, des fragments de ce qui avait été sa vie... « Oh ! » fit-elle soudain. Les hommes commençaient à donner des coups de pioche. À chaque cognement sourd, elle frissonnait.

« Ils doivent faire vite, dit Kay. Du gaz peut remplir le sous-sol, ou de l'eau, vous voyez.

— Du gaz ou de l'eau ? » répéta-t-elle, l'air de ne pas comprendre. Puis elle tressaillit comme un nouveau coup résonnait. Elle devait sentir la réverbération du choc dans les décombres... Elle se mit à pleurer. Se frotta le visage. La poussière de plâtre, mêlée de larmes, devint boue. Kay posa une main sur son épaule.

« Vous avez mal ? »

La jeune fille secoua la tête. « Je ne sais pas. Je ne crois pas. Mais je... j'ai tellement peur... »

Elle couvrit ses yeux de ses mains et se tut, presque immobile. Lorsqu'elle ôta ses mains et parla de nouveau, ce fut d'une voix changée, plus calme, plus adulte. « Vous devez penser que je suis une pauvre, lamentable froussarde.

— Non, pas du tout », dit Kay, doucement.

La jeune fille s'essuya le nez et le coin des yeux à la couverture. Elle fit la grimace, essayant de se débarrasser de la poussière qu'elle avait sur la langue. « Vous ne pouvez pas me donner de cigarette, je suppose, dit-elle.

— Hélas non, à cause du gaz.

— Oui, bien sûr... Oh ! » Les coups de pioche recommençaient. Elle se raidit.

Kay l'observa, se raidissant elle aussi, par mimétisme. « Vous devez avoir mal, dit-elle enfin. Un médecin va arriver. Il faut tenir le coup, encore un petit moment. »

Toutes deux tournèrent la tête. Mickey venait vers elles, les gravats craquant sous ses bottes.

« Merde alors ! » lâcha-t-elle en voyant la cuvette des

toilettes. Puis elle aperçut la forme de la jeune fille. « Oh ! la la ! Eh bien, ça ne va pas fort, on dirait !

— Vous nous pardonnerez, lui dit Kay, de ne pas nous lever pour vous accueillir ? » Elle se retourna vers la jeune fille. « Miss Iris Carmichael, collègue et néanmoins amie. Avez-vous jamais vu quelqu'un qui ressemble moins à un iris ? Si vous êtes aimable avec elle, elle vous autorisera peut-être à l'appeler Mickey. »

La jeune fille levait les yeux, battant des paupières. Mickey s'accroupit et lui serra la main. « Rien de cassé ? Bon... Comment ça va ?

— Pas sensationnel, dit Kay, comme Mickey n'obtenait pas de réponse. Mais ça va bientôt aller mieux. Oh, mais quelle hôtesse je fais... Au-dessous de tout ! » Elle se retourna vers la jeune fille. « Je ne vous ai même pas demandé votre nom.

— Giniver, dit-elle d'une voix hésitante, avalant sa salive.

— Jennifer ? »

Elle secoua la tête. « Non, Giniver. Helen Giniver.

— Helen Giniver, répéta Kay, comme pour voir comment cela sonnait. Miss ou Mrs ? »

Mickey rit. « Écoute, c'est pas le moment, fit-elle à mi-voix.

— Miss », répondit Helen, sans comprendre.

Kay lui serra la main à son tour, et se présenta. Helen la regarda bien en face, puis se tourna vers Mickey. « Je vous avais d'abord prise pour un homme, dit-elle, se mettant encore à tousser.

— Comme tout le monde, dit Mickey. J'ai l'habitude. Tenez, buvez un peu d'eau. »

Elle avait apporté une gourde. Tandis qu'Helen buvait, Kay prit une étiquette dans la poche de sa veste et y inscri-

585

vit divers renseignements ; puis elle l'épingla au col d'Helen. « Voilà. Comme un colis, prêt à être envoyé », dit-elle. Puis Mickey et elle se redressèrent et observèrent un moment les hommes qui s'activaient sur les décombres.

Ils semblaient progresser avec une lenteur exaspérante. La maison s'était effondrée de manière inhabituelle, expliqua Mickey, et la tâche était plus délicate qu'ils ne l'avaient supposé. Mais ils finirent par laisser tomber les pioches, fixèrent des cordes à un pan de mur renversé, et commencèrent de tirer. Le mur se redressa et parut tenir seul debout, de manière surnaturelle, pendant quelques secondes ; puis les cordes le renversèrent en arrière et il bascula en se brisant dans un nouveau nuage de poussière.

L'espace dégagé semblait ne montrer qu'un enchevêtrement de gravats et de tuyaux tordus, mais un homme se dirigea en hâte vers ceux-ci, ramassa un morceau de brique et donna une série de petits coups sur le plomb. Il leva une main. Un autre homme réclama le silence, d'une voix autoritaire. Le petit générateur fut coupé, et les lieux retombèrent soudain dans l'obscurité, tout bruit cessa. Il restait, bien sûr, le vrombissement des avions et le crépitement des batteries de Hyde Park et d'ailleurs ; mais ces sons semblaient omniprésents depuis six mois : Kay s'aperçut qu'on finissait par les occulter, tout comme on n'entend plus le rugissement du sang à ses oreilles.

L'homme qui tenait la brique dit quelque chose, trop bas pour qu'elle pût l'entendre. Il frappa de nouveau contre les tuyaux... Puis un cri à peine audible émana de sous les décombres, faible comme le miaulement d'un chat.

Kay avait déjà entendu des plaintes de ce genre : elles étaient, toujours, bouleversantes et angoissantes à la fois, infiniment plus que la vue de corps démembrés ou écrasés. Elles lui donnaient le frisson. Lui coupaient le souffle. Le chantier s'était réveillé soudain, le bruit avait repris, comme sous l'effet de quelque légère décharge électrique. On ralluma le générateur, et la lumière revint. Les hommes réapparurent et se remirent à travailler à une tâche plus précise.

Une voiture arrivait, cahotant sur le sol défoncé, une croix blanche luisant sur le capot. Mickey se dirigea vers elle. Kay hésita un instant, puis s'accroupit aux côtés d'Helen.

Celle-ci s'appuyait maladroitement aux gravats qui l'emprisonnaient. Elle aussi avait tendu l'oreille. « C'était Madeleine et Tony, n'est-ce pas ? dit-elle. Ils vont bien ?

— Nous l'espérons.

— Oui, ils vont s'en sortir, n'est-ce pas ? Mais comment est-ce possible ? Mrs Finch... » Elle secoua la tête. « Je les ai vus l'emporter, avant votre arrivée. On était dans la cuisine. Elle avait besoin de ses lunettes, c'est tout. J'ai dit que je montais les lui chercher. Elles étaient posées sur la table de chevet, à côté de son lit. Je les avais en main, et puis... » Elle leva la main, observa sa paume, puis regarda autour d'elle, comme effarée soudain. « Elle ne voulait pas que j'y aille, dit-elle. Elle voulait envoyer Tony, elle voulait que Tony aille les... »

Sa voix s'était mise à trembler. Elle regarda Kay, les yeux écarquillés. « Écoutez, dit-elle brusquement, écoutez, cela vous ennuie beaucoup, si je vous prends la main ?

— M'ennuyer ? » fit Kay, touchée par la simplicité de sa demande. « Grands dieux ! J'ai failli vous le proposer moi-même ; mais je ne voulais pas paraître trop familière. »

Elle prit les doigts d'Helen et commença de les frotter entre les siens puis les porta à sa bouche, et les réchauffa de son haleine, lentement, les phalanges, la paume.

Helen gardait des yeux immenses, rivés à son visage.

« Vous êtes tellement courageuse, dit-elle enfin. Vous et votre amie. Jamais je n'aurais un tel courage.

— Allons donc, fit Kay, frottant toujours sa main. Ça va mieux ? Simplement, je préfère être au milieu de la bagarre, c'est plus facile d'être là plutôt que de rester à la maison à écouter le carnage dehors. »

Les mains d'Helen étaient froides et rêches de poussière entre les siennes, mais sa paume et le bout de ses doigts devenaient doux et tendres. Kay les serra une dernière fois, plus fort, puis les laissa. « Voici le médecin, dit-elle, entendant une fois encore les planches craquer sous ses pas. Et au fait, quand je dis que c'est plus facile d'être là, c'est un secret entre vous et moi. »

Le médecin était une belle femme d'environ quarante-cinq ans, aux manières brusques, vêtue d'une combinaison et coiffée d'un turban. « Bonsoir, dit-elle en apercevant Helen. Alors, voyons ce qui se passe. »

Kay s'écarta tandis que la femme s'accroupissait à son tour. Elle l'entendait murmurer, et percevait les réponses d'Helen : « Non... Je ne sais pas... Un petit peu... Merci... »

« Impossible d'évaluer l'étendue des dégâts tant que ses jambes ne sont pas libérées, dit enfin le médecin, rejoignant Kay et essuyant la poussière sur ses mains. Je ne pense pas qu'elle ait perdu du sang, mais elle me paraît assez fiévreuse, peut-être à cause de la douleur. Je lui ai fait une piqûre de morphine, ça la soulagera, au moins mentalement. » Elle s'étira avec une grimace.

« Rude soirée ? fit Kay.

— Ouais, on peut le dire. Neuf morts dans Victoria Street, un obus. Quatre à Chelsea. Et deux ici, d'après ce que j'ai compris ? On nous a dit que la bonne femme et le môme seraient sortis quand on arriverait ; je n'ai pas le temps de traîner. Un type a eu les deux mains arrachées, à Vauxhall. »

Un homme travaillant sur les décombres vint leur dire qu'il n'y avait plus de crainte quant au gaz et, d'un geste automatique, elle tira un paquet de cigarettes de sa poche.

« Pouvez-vous m'en donner, deux ? demanda Kay.

— Vous êtes gonflée, hein. »

Kay se mit à rire. « La première est pour moi ; la deuxième est prescrite par le corps médical. » Elle alluma les deux cigarettes au briquet de la femme, puis retourna vers Helen. « Hé, dit-elle doucement, regardez ce que je vous apporte. »

Elle posa une cigarette entre les lèvres d'Helen, puis lui prit la main et la tint, simplement, comme précédemment. Les yeux d'Helen, plissés derrière la fumée, paraissaient plus sombres, et sa voix avait encore changé.

« Comme vous êtes gentille, dit-elle.

— Ce n'est rien.

— J'ai l'impression d'être saoule. Comment est-ce possible ?

— Ce doit être la morphine.

— Et le médecin, elle a été si gentille, elle aussi !

— N'est-ce pas ?

— Vous n'aimeriez pas être docteur ?

— Pas vraiment, dit Kay. Vous si ?

— Je connais un garçon qui veut être médecin.

— Ah oui ?

— Un garçon dont j'étais amoureuse.

— Ah.

— Il m'a plaquée pour une autre.

— Il est bien bête.

— Il est à l'armée, maintenant... Vous n'êtes pas amoureuse, vous, n'est-ce pas ?

589

— Non, dit Kay. Mais quelqu'un est amoureux de moi, par contre. Quelqu'un de merveilleux, d'ailleurs... Mais ça aussi, c'est un secret. Je compte sur la morphine pour que vous ne vous rappeliez pas tout ça.

— Et pourquoi est-ce un secret ?

— Parce que j'ai promis à cette personne que ça le resterait, voilà.

— Mais vous ne voulez pas l'aimer aussi ? »

Kay sourit. « Vous pensez que je devrais, n'est-ce pas ? Mais c'est drôle, on n'aime jamais qui on devrait aimer, je ne sais vraiment pas pourquoi...

— Ne me lâchez pas la main, s'il vous plaît.

— Jamais.

— Vous la tenez, là ? Je ne sens rien.

— Là, voilà ! Vous sentez quelque chose ?

— Oui, j'ai senti. Restez comme ça, vous voulez bien ? Juste comme ça. »

Elles continuèrent de fumer en silence, et Helen parut bientôt s'assoupir : la cigarette se consumait toute seule entre ses doigts, et Kay la prit doucement et la finit elle-même. Les travaux de déblaiement continuaient. De temps à autre, le vrombissement des avions et le fracas des bombes se faisaient plus forts ; des éclairs extraordinaires illuminaient le ciel de rouge, de vert, en flamboiements répétés. Mickey venait régulièrement s'asseoir un moment à côté de Kay et d'Helen en bâillant. À deux ou trois reprises, Helen s'agita en murmurant, ou en articulant très clairement : « Vous êtes là ? » « Je ne vous vois pas. Où êtes-vous ? »

« Je suis là », répondait Kay à chaque fois, serrant sa main un peu plus fort.

« Elle est à toi pour la vie », dit Mickey.

Les hommes atteignirent enfin un escalier effondré et, quand ils l'eurent hissé à l'aide d'un treuil, découvrirent au-dessous la femme et son fils, presque sans une égratignure. Le gamin sortit d'abord — tête la première, comme il avait dû sortir du ventre de sa mère, mais raidi, la peau desséchée, les cheveux blancs comme ceux d'un vieillard. Sa mère et lui demeuraient là, comme pétrifiés, en état de choc. « Où est maman ? » fit la femme. Mickey se dirigea vers eux avec des couvertures, et Kay se redressa.

La sentant bouger, Helen se réveilla, tendit le bras vers elle. « Qu'est-ce qui se passe ?

— Madeleine et Tony sont sortis.

— Ils vont bien ?

— Ça a l'air d'aller. Vous les voyez ? Maintenant, on va venir vous libérer. »

Helen secoua la tête. « Ne me laissez pas. Je vous en prie !

— Il le faut.

— Non, je vous en prie.

— Mais il faut bien que je m'écarte, pour laisser les hommes s'occuper de vous.

— J'ai peur !

— Il faut que j'emmène la femme et son fils à l'hôpital.

— Votre amie ne peut pas le faire ? »

Kay se mit à rire. « Attendez, vous voulez que je me fasse virer, ou quoi ? »

Elle posa une main sur la tête d'Helen, écarta ses cheveux poussiéreux de son front. Un geste naturel, sans conséquence ; mais le visage anxieux d'Helen — ses grands yeux assombris au-dessus des joues blanches de plâtre — la fit hésiter.

« Une seconde, dit-elle. Il faut être le plus jolie possible, pour vos sauveurs. »

Elle courut jusqu'à Mickey et revint avec la gourde d'eau. Elle y trempa son mouchoir et se mit, avec des gestes

591

très doux, à essuyer la poussière sur le visage d'Helen. En commençant par le front, pour descendre vers la bouche. « Fermez les yeux », murmura-t-elle. Elle passa le mouchoir sur ces cils, puis dans les petits creux de chaque côté de son nez, dans le sillon au-dessus de la lèvre, aux commissures, sur ses joues, son menton.

« Kay ! appela Mickey.

— J'arrive, j'arrive ! »

La poussière disparaissait, révélant la peau rose, douce, incroyablement lisse... Kay continua quelques secondes, puis prit dans sa main le visage d'Helen, la paume au coin de sa mâchoire ; elle ne voulait plus la quitter soudain, la regardait comme un trésor, une merveille. Sans parvenir à croire qu'une telle fraîcheur, une perfection aussi intacte, avait pu émerger de tout ce chaos.

REMERCIEMENTS

Merci à Lennie Goodings et son équipe chez Times Warner Books UK, à Julie Grau et son équipe chez Penguin Putnam Inc., à Judith Murray et à tous chez Greene & Heaton Ltd ; et à la si précieuse Sally O.-J.

Merci à Hirāni Himona, Sarah Plescia, Alison Oram, Liz Woodcraft, Amy Rubin, Fidelis Morgan, Robyn Vineten, Bridget Ibbs, Ron Waters, Mary Waters, Caroline Hallyday, Mary Garner, Trudie Sacker, Vicky Wharton, Jennifer Vaughan, Pamela Pearce, Roger Haworth et Lesley Hall ; à Terry Spurr, du musée des Ambulances de Londres, Christine Goode et Chani Jones chez Price's Candles Ltd ; Jan Pimblett et son équipe aux Archives métropolitaines de Londres, à l'équipe du musée impérial de la Guerre, du Centre des archives de la Cité de Westminster, du Centre des études et des archives locales de Camden ; et à tous ceux avec qui, au cours des quatre dernières années, j'ai pu parler de ces années quarante — particulièrement ceux et celles qui ont pu me conseiller et m'inspirer en matière de sous-vêtements féminins, d'équipement électrique et de pyjamas de soie.

Merci à Martina Cole pour avoir généreusement mis aux enchères la citation de son nom dans ce roman, lors d'une vente pour la Fondation médicale pour les soins aux victimes de la torture ; et pour m'avoir donné la permission de l'utiliser, sous une forme abrégée.

Photocomposition, Graphic Hainaut
Achevé d'imprimer
sur Roto-Page
par l'Imprimerie Floch
à Mayenne, en septembre 2006
Dépôt légal : septembre 2006
1ᵉʳ dépôt légal : août 2006
Numéro d'imprimeur : 66530
ISBN : 2-207-25814-9 / Imprimé en France

147764